KB195856

21세기 국제안보의 도전과 과제

국방대학교 안보문제연구소 연구총서 3
21세기 국제안보의 도전과 과제

2011년 11월 27일 초판 1쇄 찍음
2011년 11월 30일 초판 1쇄 펴냄

엮은이 국방대학교 안보문제연구소
지은이 박영준, 인남식, 고봉준, 이동선, 이병구, 기세찬, 이홍섭, 이수형
펴낸이 윤철호
펴낸곳 (주)사회평론

편집 김천희 · 김태균
마케팅 서재필 · 박현이
등록번호 10-876호(1993년 10월 6일)
전화 326-1182(영업) 326-1185(편집)
팩스 326-1626
주소 서울시 마포구 서교동 247-14
e-mail editor@sapyoung.com
http://www.sapyoung.com

21세기 국제안보의 도전과 과제

박영준, 인남식, 고봉준, 이동선, 이병구,
기세찬, 이홍섭, 이수형

발간사

21세기를 맞이한 지도 벌써 10여 년이 흘러갔다. 21세기를 맞이하기 직전 국제정치와 안전보장을 연구하는 학자들과 정책결정자들 사이에는 과연 새로운 세기에는 국제질서와 안보환경이 어떻게 전개될 것인가를 둘러싼 거대 논쟁이 전개된 바 있다. 혹자는 새로운 국제질서하에서 이념분쟁의 시대가 종식되고, 민주주의가 승리를 거두는 '역사의 종언'이 결과될 것이라고 전망하였다. 이에 반해 다른 연구자들은 이념을 대체하여 문명과 문명간의 충돌, 혹은 새롭게 부상하는 국가들, 특히 중국이 미국의 기존 패권질서에 도전하는 불안정의 시대가 전개될 것이라고 예측한 바 있다.

과연 21세기를 맞이한 지 10여 년이 경과한 지금, 국제질서와 안보환경은 어떻게 변화되고 있는 것인가? 과연 이데올로기 대립의 시대는 끝나고, 민주주의와 자본주의가 승리하는 역사가 전개되고 있는 것인가? 아니면 문명간의 충돌, 혹은 새롭게 부상하는 대국과 기존 패권국가와의 사이에 세력전이가 나타나고 있는 것인가?

이 책은 이러한 거대담론들에 나름의 해답을 제공하려는 시도는 아니다. 다만 21세기 접어들어 전개되고 있는 국제질서의 여러 현상들을 검토하면서, 국제안보의 위협요인들은 무엇이고, 주요 국가들은 이러한 위협요인들에 어떻게 대응하고 있는가를 살펴보려 한다.

본 연구는 크게 두가지 파트로 구성된다. 제1부에서는 21세기 국제질서에 새롭게 대두되는 위협요인과 쟁점들을 다루고 있다. 제1장에서는 중동지역 연구의 권위자인 인남식 교수(외교안보연구원)가 중동지역 테러리즘과 테러리스트 집단에 대한 상세한 분석을 행하고 있다. 제2장에서는 군사안보문제에 관해 정력적인 연구를 수행하고 있는 고봉준 교수(충남대학교)가 국제핵확산과 국제핵질서의 문제를 심도 있게 분석하고 있다. 제3장에서는 국제정치이론에 정통한 이동선 교수(고려대학교)가 미국에 의해 10여 년간 지속된 이라크 및 아프간 전쟁에 대한 구조적 분석을 시도하고 있다.

제2부에서는 이러한 국제안보위협요인들과 쟁점에 대해 미국, 일본, 중국, 러시아, 그리고 나토 등이 어떠한 전략 방침하에 대응하고 있는가를 고찰하였다. 제4장에서는 이병구 교수(국방대학교)가 오바마 정부에서 공표된 중요 전략문서들을 분석하면서, 미국의 21세기 안보전략을 소개하고 있다. 제5장에서는 박영준 교수(국방대학교)가 2010년 연말에 공표된 방위계획대강을 중심으로 일본 민주당 정부의 안보전략과 정책을 소개하고 있다. 제6장에서는 기세찬 교수(국방대학교)가 중국의 2010년도 국방백서 등을 중심으로 중국의 안보위협인식 및 국방전략 등을 깊이 있게 분석하였다. 제7장에서는 이홍섭 교수(국방대학교)가 2010년에 공표된 군사독트린 등을 중심으로 러시아의 위협요인 인식과 그에 대한 안보전략을 고찰하고 있다. 제8장에서는 이수형 박사(국가안보전략연구소)가 나토에서 2010년에 공표된 전략문서들을 중심으로 나토 공동의 위협요인 인식과 전략적 대응방향을 심도 있게 분석하고 있다. 마지막 제9장에서는 박영준 교수가 각국의 전략문서들을 개관한 후에 한국의 국가안보전략과 국방정책의 과제에 대해 논하고 있다.

본서의 발간은 2011년도 안보문제연구소가 추진한 안보학술연구과제 및 기초과제에 대한 연구지원에 의해 가능하였다. 안보학술과제는 교외의 연구자들을 대상으로 국가안보에 관련한 연구를 지원하는 사업이고, 기초과제는 교내의 연구자들을 대상으로 역시 국가안보에 관련한 연구를 지원하는 사업이다. 안보학술과제를 수행한 학교 외의 연구자들의 연구 성과와 기초과제를 수행한 국방대 내의 연구자들의 성과를 상호 조정하고 취합하여 본서의 발간에 이르게 된 것이다.

다만 본 연구에서 제시된 논의들은 연구자 개인의 학문적 연구에 바탕한 것이지, 국방대학교 안보문제연구소의 공식적인 견해를 반영하는 것은 아님을 밝혀둔다. 어려운 환경하에서도 본서의 취지를 이해해주시고, 출간을 기꺼이 담당해주신 사회평론사 윤철호 대표님과 편집진의 노고에 깊은 감사를 드린다. 아무쪼록 이 책자가 국제정세 및 국가안보에 관심을 갖는 독자들에게도 유용하게 읽혀지고 활용되기를 기대한다.

2011년 11월 23일

국방대학교 안보문제연구소장

김열수

| 차례 |

| 발간사 | 4

| 제1부 | 21세기 국제위협과 분쟁의 새로운 양상

1. 국제테러리즘의 확산과 국제안보의 과제 / 인남식 11
2. 국제 핵확산과 비핵화의 대응 / 고봉준 47
3. 21세기 국가간 전쟁의 새로운 양상과 국제적 대응 / 이동선 87

| 제2부 | 새로운 위협양상에 대한 각국의 안보전략적 대응

4. 21세기 새로운 위협과 미국의 전략적 대응 / 이병구 145
5. 21세기 새로운 위협과 일본의 전략적 대응 / 박영준 181
6. 21세기 새로운 위협과 중국의 전략적 대응 / 기세찬 223
7. 21세기 새로운 위협과 러시아의 전략적 대응 / 이홍섭 261
8. 21세기 새로운 위협과 나토의 전략적 대응 / 이수형 299

| 제3부 | 맺음말

9. 21세기 국제안보정세 변화와 한국 국가안보전략의 방향 / 박영준 343

| 저자약력 | 379

| 색인 | 383

제1부

21세기 국제위협과 분쟁의 새로운 양상

1 국제테러리즘의 확산과 국제안보의 과제

9·11 테러, 모스크바 테러

인남식(외교통상부 외교안보연구원)

I. 서론: 신테러리즘의 등장과 의미

21세기 초는 테러와의 전쟁으로 점철되었었다. 미증유의 9·11을 겪은 미국과 서방세계는 종교적 적대감과 광신주의에 경도된 테러리즘에 대한 공포에 사로잡혔다. 부시 행정부는 신보수주의 논리에 입각한 강력한 선제공격론에 의거, 테러와의 전쟁을 선포하고 21세기 새로운 안보전략을 구축하기 시작했다. 테러리즘은 이제 안보의 영역에서 국가의 존망과 연결시켜 사고해야 할 무거운 주제로 재정립된 것이다.

이러한 맥락에서 이전의 테러리즘이 국내 분리주의 운동이나, 국가 대 국가 차원에서의 양자적 단면을 바탕으로 하는 정치적 동기에 의해 촉발되는 경향이 강했다면, 새로운 테러리즘의 양상은 행위자의 수준이 확대됨과 동시에 신념의 수준이 정치적 동기를 넘어서는 종교적, 초월적 지평에까지 이르게 되었음을 의미한다. 9·11 이후 미국의 대테러전을 규정하는 중요한 사상적 기반이 부시독트린Bush doctrine [1]이고, 이 독트린의 인식론적 기초가 도덕적 절대주의Moral absolutism인 바, 신테러리즘의 양상은 곧바로 종교적 가치기반에 입각한 선과 악의 이분법을 바탕으로 하는 대테러전counter-terrorism으로 연결되었다.[2] 즉 종교성과 국제성을 특징으로 하는 신테러리즘은 부시독트린과 맞물리며 그 종교성과 국제성이 더 부각되는 역설로 전개되었다고 할 수 있다.[3] 이러한 신테러리즘의 특성은 교리적 신념에 입각한 테러 행태와 연결되기에, 과거의 고전적 테러리즘에 비해 훨씬 더 폭력적이고, 즉각적이며 위험한 양상을 나타낸다.[4]

종교성과 국제성에 기반한 신테러리즘의 부상과 맞물린 테러와의 전쟁은 크게 두 축으로 전개된다. 먼저 테러리즘을 배태시키고incubator, 테러리스트를 보호, 은신시키는harbor 세력은 향후 테러리즘의 직접적 위협으로 다시 등장한다는 믿음하에 이들과 관련된 것으로 상정되는 제반 국가들의 정권교체를 시도하는 전면전을 수행한다. 다른 한편으로 국제 공조 및 법률 체계 정비 등을 통해 감시 체제의 확립 등을 통한 테러 수행 능력을 강화시킨다.

그러나 10년이 지나는 동안, 아프가니스탄 전쟁의 고착화, 이라크 안

---

1) 부시독트린은 크게 4개의 축으로 구성된다고 할 수 있다. 먼저 인식론적 기반으로는 이분법적 선과악의 세계관에 근거한 도덕적 절대주의(moral absolutism), 대내외 행태와 관련된 패권적 일방주의(hegemonic unilateralism), 구체적 선제공격의 강령을 구축한 공세적 현실주의(offensive realism) 및 이슈의 변화를 의미하는 안보아젠다로서의 테러리즘을 들 수 있다. 이와 관련된 문헌으로는 Michael E. O'Hanlon, Susan E. Rice and James Steinberg, The New National Security Strategy and Preemption, Policy Brief 113, December 2002 / Edward M. Kennedy, The Bush Doctrine of Pre-emption, statement in the U.S. Senate, October 7, 2002 / G. John Ikenberry, America's Imperial Ambition, Foreign Affairs, Vol.81, No.5 (September/October 2002), pp.44-60; Joseph S. Nye Jr., The Paradox of American Power: Why the World's Only Superpower Can't Go It Alone (New York: Oxford University Press, 2003) 등 참조.

2) George W. Bush, Remarks by the President at 2002 Graduation Exercise of the United States Military Academy, West Point, New York, June 1, 2002.

3) US Department of State, Patterns of Global Terrorism 1999, April 2000, iv.

4) David Tucker, "What's New About the New Terrorism and How Dangerous Is it?," *Terrorism and Political Violence 13*(Autumn, 2010), pp. 1-14.

정화의 기복과 험로 등의 사안이 이어짐에 따라 미국이 주도하는 대테러전이 교착 국면에 접어들기도 했고, 최근 경제문제의 부각으로 인해 또 다른 난관에 봉착하기도 했다. 종교적 테러리즘이 갖는 비타협적, 배타적 성격은 상황을 자주 악화시켰다.[5] 이 과정을 거치면서 최근 국제테러리즘의 환경 변화가 감지되었다. 이는 이슬람 테러리즘의 상징이자 아이콘인 알 카에다의 특성변화와 맞물려 일어났다. 여기에 실질적 알 카에다 지도자인 오사마 빈 라덴이 사실됨에 따라 이슬람 국제테러리즘은 근본적 변화의 사조에 조우하게 되었다.

오바마 행정부는 대외정책 수단의 균형을 강조했다. 사실상 안보국방 수단을 후순위로 배치했다. 먼저 개발 전략을 앞세웠고, 이어 외교적 수단을 중간 정도의 중요도로 평가했다.[6] 이와 맞물려 오바마 대통령은 이슬람권에서의 주요 연설을 통해 과거 정부와의 차별성을 드러내고 있으며, 새로운 전략을 시도할 준비를 하는 것으로 판단된다. 대표적으로 테러리스트들을 발본색원하고 이들의 테러능력을 무장해제 시키는 것이 일반적 대테러전의 핵심이라면, 오바마 대통령은 미국에 대해 적대적인 반미 정권이 유지되고 있는 나라의 국민들에게 직접 접근, 정책을 호소하는 노선을 택한다. 동시에 국방부 주도의 대테러전 수행에서, 이제 굿 거버넌스와 새로운 평화 환경을 추동해나갈 수 있는 개발과 외교에 우선권을 주는 경향이 등장하고 있다.

본고에서는 상기 테러리즘의 변화 기조와 인과율을 살펴보고, 최근 국제테러리즘의 환경 변화 및 이슬람 테러리즘의 새로운 양상을 분석하

---

5) Fereydoun Hoveyda, *The Broken Crescent: The "Threat" of Militant Islamic Fundamentalism* (Westport, Conn.: Praeger, 1998), 41.

6) 클린턴 국무장관은 미국 대외정책의 수단을 3 D로 표현하며 Defense, Diplomacy and Development로 설명했다. 과거 미 부시 행정부의 대외정책 수단 기저가 방위력, 즉 군사력이었다면 이제 균형을 잡기 위해서 외교적 수단과 개발관련 프로젝트를 강조하겠다는 의사를 표명했다. Financial Times 2009년 1월 22일자.

고자 한다. 더불어 미국의 대테러정책 기조를 검토한 후, 최근 조우하는 테러리즘의 변화된 환경과 현실, 그리고 상황이 한반도에 어떤 의미가 있는지, 그리고 어떤 정책적 판단을 결정, 집행할 수 있는지에 관하여 짚어 보고자 한다.

II. 9·11이후 신테러리즘의 등장과 대테러전의 추이

1. 부시 독트린과 대테러전

미증유의 테러리즘을 겪고 새로운 대외정책 노선을 채택한 부시 행정부는 대테러전을 그 핵심에 둔다. 부시독트린은 크게 4가지의 축으로 구성된다 할 수 있다. 먼저 미국이 주도하는 규범에 대한 확신에 기반한 인식론상 도덕적 절대주의moral absolutism, 국제공조를 유지하되 미국이 주도하는 형국에 강조점을 둔 패권적 일방주의hegemonic unilateralism, 군사운용상에 있어서의 선제공격 가능성을 열어 둔 공세적 현실주의offensive realism 및 안보 아젠다의 변화이다. 마지막 안보 아젠다의 변화는 곧 국가 안보의 가장 중요한 위협요인으로 더 이상 특정 국가나 세력을 명시하기보다는, 보이지 않는 위협, 즉 테러리즘을 상정하고 이에 대한 거국적 대응을 규정한 것이다.[7] 그리고 테러와의 전쟁을 구체적으로 전개하기 위한 내부적 법률정비에 착수한 바, 이른바 애국법Patriot Act를 통해 법적 제도적 기반을 구축했다. 9·11을 겪은 지 한달여가 지난 2001년 10월 26일 '테러 방지를 위해 적절한 수단을 제공하여 미국을 단합시키고 강화하기 위한 법률 Uniting and Strengthening America by Providing Appropriate Tools Required to Intercept and Obstruct Terrorism Act'[8]

---

7) Lemann Nicholas, "The Next World Order: The Hawks Plan to Reshape the Globe," *The New Yorker*(2002) pp. 42-48.

8) 공식적으로는 긴 명칭을 가지고 있으나 통상 미 애국법(USA Patriot Act)로 통칭된다.

이 확정 발효되었다.

본원적인 미국의 가치에 의하면 상기 애국법 조항은 미국이 지향하는 자유주의와 개인의 권리 그리고 인권의 문제와 충돌하여 심각한 논쟁을 초래했다. 이와 관련하여 일정 기한 후 자동폐기조항sunset provision 등의 안전장치를 마련했음에도 대테러전 수행을 위한 부시 행정부의 강력한 의지에는 지속되었다. 먼저 국제적 대테러 협력 강화방안이 급속도로 마련되었고, 이에 따라 정보 및 형사사법기관의 일선업무 규범의 변화가 수반되었다. 대테러전에 동참하는 각국의 정보기관간의 네트워크 강화와 공조체제가 수립되면서, 테러리스트 세력 추적, 연계망 파악 및 시설제거의 수단이 확보되기 시작했다. 동시에 국제적인 형사사법 공조시스템 구축이 시작되기도 했다.

2. 테러거점국가와의 전면 전쟁: 아프가니스탄 및 이라크

미국이 주도하는 테러와의 전쟁은 두 개의 전장war theatre을 중심으로 이루어졌다. 2001년 9·11 발생 1달 후 즉각 개전된 아프가니스탄 전쟁은 테러의 주도세력인 알 카에다의 주요 인사, 즉 오사마 빈 라덴 및 아이만 알 자와히리Ayman al Zawahiri[9]의 신병 인도를 탈레반 측이 거절하면서 일어났다. 2003년 3월 20일 개전된 이라크 전쟁은 사담 후세인과 오사마 빈 라덴과의 연계설, 대량 파괴무기Weapon of Mass Destruction의 은닉 및 사담의 폭정을 명분으로 개전되었다.

이러한 전장 개념에서의 대테러전은 상징적 의미가 컸다. 즉 보이지 않는 전투의 현장battle fields에서의 대테러전은 매우 힘들고 어려운 교전이지만, 이를 진행해감에 있어 상징적인 전장에서 테러리즘 세력에 대한 명시

9) 오사마 빈 라덴 사망 이후 알 카에다의 지도자가 된 이집트 출신의 당시 제2인자. 조부가 이슬람권 최고의 대학인 알 아즈하르(Al Azhar)의 지도자였고, 본인 역시 카이로 대학 출신 의사였음.

적인 공격과 궤멸은 전반적인 테러전 수행의 사기와 자신감 확보에 필수적인 요소였다. 이러한 차원에서 아프간 전쟁과 이라크 전쟁에서의 승리는 대테러전 승리를 위한 필요조건이었다. 또한 대테러전의 안정적 수행은 결국 이라크와 아프간을 비롯하여 중동 전역 나아가 불안정요인을 가진 지역에서의 안정화를 추구하는 데 큰 도움이 된다는 점에서 충분조건이기도 했다.

문제는 양 지역에서의 혼돈국면이 지속되는 데 있었다. 즉 이라크의 안정화가 지지부진해지고, 아프간에서 탈레반의 발호가 점진적으로 확산됨에 따라 미국이 주도하는 대테러전의 전반적인 상황이 점차 비관적으로 변화되기 시작했다. 특히 이라크 수니파들의 저항이 가시화되고, 시아파 정부가 이끄는 이라크 연방정부가 취약성을 지속적으로 노정하게 되자, 수니파의 거점인 안바르Anbar 주를 중심으로 알 카에다 세력을 비롯한 각종 무장저항 단체들이 집결, 발호하게 됨에 따라 점차 상황이 악화되었다. 이 과정에서 마드리드 열차 테러사건과 런던 7.7 테러 등이 겹치면서 국제사회의 테러 공포는 점증하게 되었다.

가. 아프가니스탄 전쟁의 대테러전 함의

아프가니스탄의 지정학적 중요성은 부인할 수 없다. 따라서 국제사회의 이해관계가 명징하게 드러나게 되자 미국 및 유럽 그리고 인근 국가들의 아프가니스탄에 대한 관심은 급등하였다. 특히 러시아의 부상과 중앙아시아에서의 러시아의 역할 확대가 가시화되면서 이 지역에 대한 정치군사적 중요성은 더욱 강조되기 시작했다. 단순히 테러와의 전쟁 차원에서뿐 아니라, 향후 대륙세력과 해양세력간의 경쟁 구도라는 그레이트 게임 차원에서의 접근이 주목되기 시작한 지역이다. 아프가니스탄 문제는 단순히 특정 국가의 치안 재건과 경제 발전의 문제에 국한되지 않음을 의미한다. 또한 단순히 서남아시아 지역적 역학관계의 반영에만 제한되지 않고 미국과 러시아 및 유럽을 축으로 하는 강대 패권세력의 경합 또는 협력의 장theatre의 의미까지 포함한다.[10)]

초기 아프가니스탄 전쟁을 주도했던 것은 미국이었다. 미국은 '항구적 자유 작전Operation of Enduring Freedom'을 통해 아프가니스탄 탈레반 정권을 붕괴시키고 새로운 구도의 정치 체제를 수립했다. 그러나 2003년 이라크 전쟁 이후 이라크 상황이 악화되고 미국의 집중도가 떨어지게 됨에 따라 북대서양조약기구 나토의 책임으로 관할 구도를 변경했다. 이후 나토군 사령부가 아프가니스탄 평화안정 작전을 수임하게 되고 현재 국제안보지원군의 형태로 아프가니스탄에 주둔하고 있다.

ISAF는 2001년 12월 유엔 안보리 결의안 1386호에 의거하여 초기 6개월 동안 평화유지peace keeping 및 재건프로젝트를 수행하는 임무를 맡으며 태동하였고 2003년 8월 9일부로 이전 단기 미션에서 장기적 아프가니스탄 안정화 임무를 NATO 본부로부터 수임하였다. 동년 10월 유엔안보리에서 카불 외곽 및 아프간 전지역을 단계적으로 ISAF가 관할해나갈 것을 결의한다. 기존 2001년 아프간 전쟁을 주도했던 미국으로서는 이라크와 아프간 양국에 대규모 병력운용을 독자적으로 이끌어나가는 데 대한 부담을 경감하기 위한 방편으로 나토에 위임했던 것이다.

그러나 상황은 녹록치 않았다. 파병국가를 중심으로 한 국제사회의 이견과 균열이 노정되었기 때문이다. 먼저 아프간 전쟁에 대한 인식 자체가 조금씩 달랐기에 이 전쟁을 축으로 테러와의 전쟁을 이끌고자 하는 미국은 어려움을 겪었다. 아프가니스탄에 병력을 파병하고 있는 국가들은 사실상 유럽 국가들이다. 여기에 미국이 최대 군사파병 국가로 자리 잡고 있다. 그런데 문제는 파병국가들마다 조금씩 파병동기에 관한 인식의 차이가 존재한다는 점이다. 미국은 9·11 주도세력 알 카에다 궤멸 및 이와

10) Rajan Menon, "New Great Game," *Survival*, Vol.45, No.2(Summer, 2003) pp. 187-204.

관련된 일련의 대테러전 차원에 중점을 두고 있다. 따라서 미국은 탈레반 및 무장 투쟁 세력을 억제하기 위한 정보 획득이나 기타 지원 수요에 의거하여 현지 군벌들과 협력체제를 유지하고 있다. 그러나 돌이켜 보면 이는 중앙정부의 정통성과 권위를 훼손하는 것으로 파악될 수 있으며 아프가니스탄을 정상 민주국가로 건설한다는 대의에 배치되는 측면이 있다.

반면 유럽의 경우, 대테러전 성격보다는 마약 문제, 인권 문제 등과 같은 보편적 인간안보의 문제에 더 깊이 천착하는 경향이 있다. 따라서 이러한 구조적인 인간안보 문제를 해소하기 위해서는 현지 정치세력과의 적절한 타협과 대화를 통한 굿 거버넌스 전략을 통해 장기적으로 해결해야 한다는 입장을 피력하고 있다. 이러한 맥락에서 유럽 다수 파병 국가는 군사적 진공작전의 중요성보다는 국가건설의 장기 프로젝트를 중시하는 입장이며 이러한 인식차는 작전운용방법, 전투교범, 병력 배치에서의 이견 노정 등 여러 형태로 분기되어 나타나고 있다.

이러한 인식론적 차이는 병력 배치와 관련된 논란을 배태했다. 상대적으로 안전한 북부 및 서부지역에서는 병력 증파 수요가 높지 않으나, 남부 및 동부의 경우 상황이 악화되고 있어 전면적인 병력 재배치 요구는 끊임없이 증대되어 왔다. 북부지역사령부(독일 주도, 스웨덴, 헝가리, 노르웨이 등) 및 서부지역사령부(이태리 주도, 스페인, 리투아니아 등)는 과거 탈레반 축출 후 민주정부 수립 당시 주도적 역할을 했던 북부동맹의 거점으로서 위험도가 높지 않은 상황이다. 따라서 이 지역에 병력을 파병한 상기 국가들의 경우 어떠한 형태의 병력 재배치도 달갑지 않은 형편인 것이다.

반면 탈레반의 거점이자 최대 격전지역인 남부지역 사령부(네덜란드 주도, 영국, 캐나다) 및 파키스탄 인근 접경지역을 포괄하는 동부지역 사령부(미국 주도) 의 경우 실제로 병력 손실이 지속되고 있다. 특히 전투 경험이 많지 않은 캐나다의 경우 국내 여론의 반발도 심화되고 있어 북부

안전지대에서 남부지역으로 시급히 병력 투입이 이루어지지 않을 경우 철군을 고려해야 한다는 여론까지 나오고 있다. 이에 따라 미국은 NATO 국방장관 회의를 통해 회원국들의 증파를 지속적으로 요청해왔으나 증원이 이루어지지 않고 있으며 여타 대부분 유럽 국가들은 병력 재배치를 강력히 반대하고 있다. 무엇보다 전투 수칙의 경우 미국, 영국, 네덜란드, 캐나다 등을 제외한 나토회원국은 ISAF가 전투에 직접 개입하는 것을 금지하는 등 의견 충돌 수위가 높은 편이다. 이후 이태리, 독일, 프랑스, 스페인은 긴급 상황 발생시 전투에 참전할 수 있음을 명시하였으나 위수 지역을 벗어나 여타 사령부 작전 지역에서 교전에 참가하지 않음을 명확히 함으로써 남부 파병국가와의 의견 차이를 명확히 하였다.

한편 이러한 맥락에서 국제사회가 아프가니스탄 정책을 추진해나가는 전략 설정에 있어 통일된 목표를 구성하지 못하는 약점도 노정시키고 있다. 기본적으로 국제사회가 하나된 목표를 추구해야 한다는 데에는 의견을 같이 하면서도 실제로는 파병국들 사이에서 각기 다른 그림을 그리고 있는 것이다. 이에 대한 해결책을 모색한 바, 2008년 4월 부카레스트 나토 정상회의에서 아프가니스탄 파병 동맹국들의 협조체제 미비에 대한 대응책으로 '통합 접근combined approach' 구상이 발표되었다.

거버넌스, 재건, 발전 및 안보를 하나의 거대 전략 구상 속으로 편입시켜 통일성으로 바탕으로, 일관되고 조직적인 업무 추진을 시도하는 구상이었다. 그러나 자율권을 중시하는 ISAF 각 단위부대들은 나토 수뇌부의 작전 지시에 대한 일사불란한 협조체계를 갖추지 못했고 독자적인 작전 노선을 고수하고 있다. 이러한 통일된 전략 부재로 인해 보다 효율적인 아프간 재건지원작전을 운용하지 못하고 있는 상황이다.

미국의 공식적인 전투 병력 증파 요청을 수용하는 대신 주요 유럽 국가들은 지방재건팀 형식의 아프간 지원 방식을 선택하였다. PRT는 80~250명의 민간인과 군으로 이루어진 단위로서 베트남의 CORDSCivil

Operations and Rural Development Support Programme와 유사한 재건 팀이다. PRT는 군사 치안 작전이 아니라 경제적 지원과 재건을 통해 '마음을 얻는' 프로그램으로서 편제상 나토의 지휘권하에 있으나 각 단위부대 파병 국가의 입장과 전략에 의해 각기 다르게 운용중인 상황이다.[11]

PRT 프로젝트는 'ink spot strategy' 즉, 안정거점을 확보하고 거점을 중심으로 발전과 개발을 추구하며 경제재건을 확산시키는 전략으로 시작되었다. 즉 굿 거버넌스를 구축하고 장기적인 민주화와 개방경제를 확산시킨다는 유럽 본래의 의도와 매우 부합하는 활동 영역이라 할 수 있다. 반테러에 가중치를 두고 있는 미국과 영국의 경우 PRT에 대해 가장 시급하고 효과적인 프로그램으로 판단하지는 않는다.[12] 이는 굿거버넌스를 중요시하고 장기간에 걸친 안정화작전을 추구하는 유럽과는 다른 효과적이고 신속한 재건 활동을 지지하는 미국과의 인식론적 차이에서 발원한다고 볼 수 있다. 우리 역시 파르완 주 차리카르에 PRT를 설치하고 현재 운용중인 바, 광범위한 틀에서는 대테러전의 일환이지만, 상기 미국과 유럽 일부와의 첨예한 논쟁이 있는 부분이기도 하다.

나. 이라크 전쟁의 대테러전 함의

아프가니스탄 안정화를 통한 대테러전의 궁극적 승리는 여전히 요원해 보인다. 그러나 오히려 대테러전을 지속함에 있어 긍정적 징후는 이라크에서 나타났다. 물론 여전히 도전요인이 상존하고 있고, 무엇보다 미국

---

11) Richard Weitz, "CORDS and the Whole of Government Approach: Vietnam, Afghanistan and Beyond," *Small Wars Journal*, Vol.6 No.1 February 2010, p. 2-4.

12) Carlos Hernandorena, "US Provincial Reconstruction Teams in Afghanistan, 2003-2006: Obstacles to Interagency Cooperation," in Joseph R. Cerami and Jay W. Boggs(eds.), *The Interagency and Counterinsurgency Warfare: Stability, Security, Transition, and Reconstruction Roles*(Carlisle, PA: Strategic Studies Institute, 2007) pp. 138-140.

의 재정적자로 인한 국가재정 긴축기조는 국방비 삭감으로 연계되어 곧 이라크 철군이 예정된 바, 향후 다시 테러리즘의 거점으로 변화할 가능성을 배제할 수는 없다. 그럼에도 불구하고 미국이 현재까지 이라크에서 보여준 대테러전략은 나름대로 안정화에 기여한 것으로 보이고 있으며, 이를 바탕으로 국제테러리즘 그룹의 성격변화도 일어났다고 볼 수 있다.

2007년 1월 10일 발표된 부시 대통령의 신이라크 전략 "New Way Forward"는 이라크 내 치안security, 재건reconstruction 및 화해reconciliation 구축을 기치로 하는 안정화 패키지 전략이었다.[13] 이는 이라크 사태의 악화에 대한 정부의 책임을 적시하고 단계적 철군 및 이란 포용 정책, 시리아와의 타협을 제안했던 이라크 스터디 그룹[14]의 권고를 정면으로 거부하고 역으로 증파를 선언한 방안이었기에 논란이 되었었다. 부시 대통령은 5개 전투여단 17,500명의 지상군 병력을 바그다드에 추가 투입하여 무끄따다 알 사드르Muqtada al Sadr 가 이끄는 시아파 민병대를 우선 견제함으로써 내전 상태의 바그다드 안정화를 추진하였다. 그리고 4,000명의 해병대 병력을 수니파 저항거점이자 알 카에다 이라크지부의 거점이었던 안바르 주에 배치하여 이를 무력화하는 데 성공했다. 이 과정에서 이라크 보안군Iraq Security Forces, ISF이 미군의 편제 속에 병합, 배속되어 작전을 미군과 공동수행함으로써 치안유지 및 재건활동의 기법과 작전능력을 전수받을 수 있었다.

이전까지 미국은 이라크 치안 수립을 위한 핵심개념으로 알 카에다, 안사르 알 이슬람 및 바트 잔당 등 수니파 무장단체에 대한 직접적 무력

---

13) http://merln.ndu.edu/archivepdf/iraq/State/78605.pdf(검색일 2011년 6월 30일).

14) 2006년 11월 이라크 정책이 주요 쟁점이 되었던 미 의회 중간선거 결과 민주당이 상하양원을 장악하게 됨에 따라 부시 대통령은 제임스 베이커 전국무부 장관 및 리 해밀튼 의원이 이끄는 초당적인 이라크 스터디 그룹 구성을 지시, 10인 위원회가 구성되어 새로운 이라크 정책을 입안, 정부에 제안하였다. 그러나 베이커-해밀턴 보고서가 이라크에서의 철군과 이란 포용으로 귀결되자 부시 대통령은 이를 거부하고, 철군 대신 증파(surge strategy)를 채택하게 된다.

진압에 역점을 두었었다. 이 과정에서 미군은 공격 후 귀환하는hit and return 전술을 기본적으로 운용했으나,[15] 증파전략 이후 전술 교범에도 변화가 생겨, 공격 후 주둔hit and stay 전술로 전환하였다.[16] 이는 미군의 공격 이후 다시 저항단체들이 발호하는 악순환을 막는 데 일조하였다.

그러나 이라크 안정화는 병력 증파 및 군사 전술의 변화를 통해서만 이루어진 것이 아니다. 부시 대통령은 군사력 증파와 더불어 구체적인 이라크 종파간 화해전략을 수립, 추진했다. 개발development이 수반되지 않은 군사적 안정화는 오래 지속될 수 없다는 인식하에, 바그다드 재건 조정관reconstruction coordinator을 임명하여 실질적인 경제 인프라 구축 지원을 총괄하도록 하고, 각 주별로 재건팀을 두 배 이상으로 늘려 파견하였다. 이를 위해 총 10억 달러의 예산을 편성, 지원하였으며, 이를 지역별 산업 생산성 향상에 투입하는 방향으로 전개시켰다.

무엇보다 전반적인 안정화 향상을 도모하기 위해 미국이 의욕적으로 추진한 전략은 저항세력을 우군으로 포용하는 전략이었다. 가장 반발이 심한 종파는 역시 수니파로서, 과거 사담 정권 당시에 기득권을 누렸던 세력이나, 일부 티크리트 부족 출신의 핵심 사담 일당이나 바트주의자들을 제외한 일반 수니파 이라크인들은 정치적 박탈감의 차원에서 반정부 투쟁에 가담했었다. 이들을 포용하고, 연방 이라크 지지층으로 포섭하기 위해 미국과 이라크 정부는 '이라크의 아들들Sons of Iraq'라는 프로그램을 가동, 수니파의 연방정부 흡수를 시도했다. 이 과정에서 다수의 수니파 저항단체 소속원들이 연방정부에 가담하여 경찰 및 정규군으로 편입되었

---

15) 미 상원 외교위원회 청문회 기록 "Iraq Stabilization and Reconstruction: US Policy and Plans"(Committee on Foreign Relations, United States Senate) May 2003.

16) 테러리스트 밀집지역에 대한 '봉쇄-색출-진압-귀환'의 패턴에서, 바그다드 9개 지역구에 미군과 이라크 보안군을 분산 배치하여 '축호수색-색출-체포-이송 및 현지주둔'의 패턴으로 변화함에 따라 급속도로 안정화가 되었다.

고, 이후 수니파 무장단체의 저항은 확연히 약화되었다.[17)]

결론적으로 부시 대통령의 2007년 증파전략은 이라크 안정화에 기여했고, 이를 바탕으로 대테러전에서 국제 이슬람테러리즘 그룹의 약화를 달성하는 소기의 성과를 올렸다고 평가할 수 있다. 그러나 미군의 완전 철군이 완료되고, 최근 자스민 혁명의 여파가 중동 전역의 정치 불안을 야기할 가능성이 높다고 볼 때, 언제 다시 이라크 상황이 악화될지 예측하기 힘든 시점이라 할 수 있다.

III. 최근 국제테러리즘 환경의 변화

1. 알 카에다의 특성변화

가. 보통명사(普通名詞)화

역사적으로 알 카에다는 급진 이슬람 정치단체인 '무슬림 형제단Muslim Brotherhood, al Ikwhan al Muslimin'[18)]의 이념적 연원을 바탕으로 세워진 구체적 조직 명칭의 고유명사였다. 앞 장에서 설명한 대로 아프가니스탄 무자히딘 전사로 참전하고 귀환한 사우디 출신의 오사마 빈 라덴이 자신의 재원을 동원하여 구체적인 정치목적을 달성하고자 사우디아라비아를 중심으로 세운 단체였다.[19)]

---

17) Steven N. Simon, "After the Surge," CSR No.23 Council on Foreign Relations(Feb. 2003).

18) 1920년 이집트의 정치운동가인 하산 알 반나(Hassan al Bannah)에 의해 창립된 단체로 초기에는 이집트의 왕정개혁 및 영국영향력 타파에 주력했으나, 왕실이 이 운동을 강력하게 탄압하면서 이후 아랍권에서 가장 강력한 반정부 이슬람 정치집단으로 변화했다. 최근 자스민 혁명 이후 이집트 정국에서 가장 영향력 있는 정치 세력으로 변모하고 있다.

19) Dennis R. Hoover, "Law & Order, Religion & Order," *The Review of Faith & International Affairs*, Vol. 5, No. 3(2007).

그러나 이러한 구체적 이슬람 투쟁집단인 알 카에다는 9·11 이후 모든 글로벌 테러리즘의 핵심세력으로 부상했다. 반미, 반서구 투쟁을 시도하는 이슬람권의 제반 테러단체들은 알 카에다의 상징성에 의탁하기 시작했다. 지역 단위의 소규모 자생적 테러조직들 역시 자신들의 테러행위가 알 카에다라는 거대한 틀 속에서 운위되기를 희구했다. 이에 따라 중동 내외의 이슬람 테러리즘은 급격히 알 카에다로 수렴하기 시작했다. 이 과정에서 알 카에다는 최근 글로벌 지하드Jihad 이론에 입각한 이슬람 투쟁을 통칭하는 보통명사적 성격으로 전환되기 시작했다.

서방과 미국에 대한 반감을 가진 젊은이들의 자생적 테러단체들도 자신들이 알 카에다의 이념에 동조한다는 선언을 하며, 알 카에다는 일종의 이념적 상징으로 자리매김 되었다. 이 과정을 거치면서 알 카에다는 실질적인 테러집단이면서도 동시에 미국에 저항하며 이슬람의 가치를 시현하고자 하는 모든 움직임을 상징하는 하나의 보통명사로 자리 잡게 된 것이다.

나. "외로운 늑대"(lone wolf model) 의 등장과 네트워크화

오사마 빈 라덴Osama bin Laden을 중심으로 각종 테러를 자행해 온 알 카에다는 결성 초기에는 확고한 계선 조직을 바탕으로 이념 교육과 훈련을 실행하는 주체였다. 그러나 미국이 주도하는 대테러전의 본격화 이후 세력 확장에는 성공하지 못했다. 이 과정에서 알 카에다는 전술한 '보통명사적' 성격을 취해가며 점차 네트워크network적 형태의 조직으로 전환되었다. 실체로서의 위계조직의 성격보다는 방계 네트워크가 확장되어가는 차원에서 알 카에다의 성격 변화가 나타난 것이다.

사실상 파키스탄 북부 와지리스탄 지역을 중심으로 운용되던 거점에 지리적으로 제한된 상황에서, 아프가니스탄 전쟁이 지속되면서 구체적인 군사적 세력확장에 실패하게 된 알 카에다 핵심 조직은 거점의 확장이나

위계조직의 강화에 성공하지 못했다. 그러나 알 카에다의 상징성 자체는 유의미한 수준에서 지속됨에 따라 알 카에다라는 브랜드를 중심으로 테러리즘은 방계로 확산되었다. 인터넷과 미디어를 통해 이념과 기법이 전수되는 '다운로드 테러리즘downloadable terrorism' 현상을 바탕으로 글로벌 지하드 테러리즘 네트워크가 작동하기 시작한 것이다. 이를 통해 세계 각처의 자생적 테러단체들이 알 카에다의 이념하에 결집하는 현상이 발현되기 시작했다. 신기술은 테러리스트들이 효율적으로 의사소통을 하고 메시지를 널리 확산시키며, 예상을 뛰어넘는 무장 기법을 교류하는 통로가 된다. 전형적인 비대칭적 투쟁의 핵심 기제인 셈이다. 인터넷이 대표적인 통로이다. 테러리스트들의 인터넷 활용 수준은 이미 전문가 범주에 진입한 경우가 많다. 정보통신 기술의 발달로 해킹이 용이해지고, 전세계 각지와의 소통이 가능해짐에 따라 이제 물리적으로 대면하고 집합하여 준비하던 재래식 테러리즘과는 차원이 다른 행동이 가능한 시대가 되었다.

이들은 웹사이트를 자유자재로 구축하여 이슬람의 교리, 투쟁 기법, 무장의 기술, 폭발물 제조접, 선전 선동의 기법 등을 자유롭게 제공, 공유한다. 이 같은 기술은 집단과 세포조직 사이의 연결을 원활하게 할 뿐만아니라, 전혀 테러집단과 상관없는 개인이 자유롭게 접속하여 테러리즘의 선전과 선동에 포섭되는 기제로서도 활용된다. 뢰펠트는 이러한 새로운 현상을 네트워Netwar라는 개념으로 설명하며 주도자들이 중앙의 지시 없이도 나름대로 다운로드 가능한 집단 지식에 의거 테러를 감행하게 되는 현상이 나타났다고 분석한다.[20]

네트워크화의 핵심은 분절화된 개인의 연대이다. 일반적으로 테러조

---

20) David Rohfeldt, John Arquilla, and Michele Zanini, "Networks, Netwar and Information Age Terrorism," in *Countering the New Terrorism*, by Ian Lesser, Bruce Hoffman, John Aquilla, David Ronfeldt, and Michele Zanini(Santa Monica, CA: RAND, 1999) p.49.

직의 구조는 명료하고 확고한 계선 조직에 의해 구성되어 왔으나, 네트워크화가 가속화되면서 한 사람만으로 이루어진 테러현상이 발현되었고, 현재 이러한 현상이 급증하고 있다. 이러한 현상을 "외로운 늑대 모델"lone wolf model로 설명한다. 이 모델에 의하면, 최근의 테러리스트 연계망은 활동지침을 하달받는 핵심 조직에 의해 구성되는 경우보다 독자적인 테러, 자생적 테러에 기초하는 사례가 더 빈번하다.[21] 이는 한 사람에 의한 단독 테러리즘이 가능하게 되었음을 의미하여 2001년 12월 22일 리차드 레이드Richard C. Reid의 테러기도 사건[22]이 대표적인 사례라 할 수 있다.

다. 동심원(同心圓) 구조 형성

상기 성격 변화 과정에서 조직에도 변화가 생겼다. 즉'핵심세력core—지역 단위franchise—개인 단위grass-root'로 연계되는 동심원형 알 카에다 구조가 발현된 것이다. 본 구조는 명령의 하달과 실행으로 이어지는 계선적 위계 구조hierarchical structure가 아니면서도, 핵심세력은 이념적 공급원으로, 지역 단위 테러세력은 실질적 실행거점으로, 그리고 개인 단위 구조는 테러리즘의 저변으로 이해할 수 있다. 네트워크화되는 국제테러리즘이 단순히 하나의 허브가 다양한 지부를 갖는 허브-스포크 구조의 방사형으로 확장되는 구도는 아니라는 점에 주목할 수 있다.

여전히 거점으로서의 알 카에다 핵심부는 존재한다. 그러나 더 이상 과거 9·11 당시의 실행능력과 정보수집 능력을 유지하고 있지는 못한 것

21) Institute for War and Crisis Management, "Lone-Wolf Terrorism," Working paper series of 'Citizens and governance in a knowledge-based society'(Wien: 2007) pp.58-60.

22) 당시 레이드는 198명의 승객과 승무원을 태우고 파리를 출발, 마이애미로 향하던 보잉 747 여객기 폭파 테러를 기도하다 체포되었다. 그는 알 카에다 연계되어 있었고, 아프가니스탄 조직 내에서 훈련까지 받은 것으로 되어 있으나, 실질적인 본 테러기도는 인터넷 네트워크에 의해 테러 노하우를 획득하여 시도한 사례이다. 그는 보스턴 연방법원에서 유죄를 인정하고 종신형을 선고받았다.

으로 평가된다. 오사마 빈 라덴과 아이만 알 자와히리Ayman al Zawahiri를 중심으로 운영되어 왔던 알 카에다 핵심세력은 미국의 대테러전 이후 현재 약 300명 내외로 격감한 것으로 알려졌다. 거점은 아프가니스탄 남부 파슈툰Pashutun족 거주 지역과 파키스탄 북부 와지리스탄Wajiristan 지역이었으며 이는 테러리즘의 이념 공급원 역할을 해왔다.

대신 테러리즘의 아이콘 역할로 그 성격이 바뀌면서 실질적인 실행능력을 갖춘 지역 단위의 알 카에다 지부들이 생성되었다. 지역 단위의 알 카에다 조직 중 가장 대표적인 그룹들은 다음과 같다. 알 카에다 마그레브AQIM: Al Qaeda Islamic Maghrib와 알 카에다 아라비아AQAP: Al Qaeda Arabian Peninsula 및 알 카에다 이라크AQI: Al Qaeda Iraq 등이 대표적이다. 알 카에다 마그레브는 최근 리비아 사태와 관련, 알 카에다 아라비아는 최근 예멘 정정불안과 관련하여 주목받고 있다.

이들 지역 단위 알 카에다 세력들은 오사마 빈 라덴의 직접적 지도하에 설립되었다고 보기는 힘들다. 빈 라덴의 사상과 투쟁 노선에 동의하는 이들이 자신의 지역 거점을 중심으로 알 카에다 사상에 동조하여 테러집단을 구성한 후, 핵심 알 카에다와의 연대를 추구, 일정 수준 이상의 자율성을 가지고 조직을 운영하는 것으로 알려져 있다. 따라서 이름은 알 카에다를 차용하고, 하부 세력으로 편성은 되어 있으나, 테러의 기획, 시도, 선동, 구성원 충원 등의 제 과정이 상당부분 자율적으로 이루어지고 있다.

동십원의 가장 바깥, 즉 개인 단위의 이슬람 테러리즘은 반미·반기독교·반서방 감정에 경도된 이들이 자발적으로 알 카에다 이념에 스스로를 복속시키며 등장·결성하는 일종의 자생적 테러리즘의 원천이다. 앞에서 살펴본 대로 로버트 게이츠Robert Gates 전 미국 국방장관이 언급한 '외로운 늑대들lone wolves'로 통칭되는 세력들을 기반으로 한다. 이슬람 테러리즘에 가담하는 개인단위 동심원의 구성원들, 소위 외로운 늑대들은 이슬람의 위대성에 대비되는 현실의 불합리성에 대한 불만으로 테러에 투신한다.

아랍 무슬림들에게 이슬람은 자랑스러운 종교이다. 이슬람은 완전한 도덕적 체계를 가진 종교이며, 동시에 승리와 번영의 종교로 받아들여진다. 무슬림들은 도덕적 순전성을 이룩하고 보존하려 할 때, 이슬람 자체만으로도 충분하다고 믿는다. 다른 외부적인 윤리체계로부터 어떤 도움이나 지원을 받을 필요가 없는, 오직 이슬람에 의한 완전한 상태를 상정하는 것이다.

이러한 도덕적 순수성 및 역사적 자존심에 대한 이들의 자부심과는 반대로, 오늘날의 무슬림들은 도덕적 혼돈과 상처입은 자존심으로 수치스러워 하고 있다. 식민지 유산 및 강력한 근대화 노선의 영향을 받은 서구문화가 대량으로 유입되어, 정통 이슬람 가치체계는 붕괴 일보직전에 처했다고 믿는다. 대규모의 도시화는 무슬림 대중들 사이에 사회의 원자화, 고립화, 그리고 정신적 좌절을 가져왔다. 자유로운 성개방 풍조의 생활양식, 매춘의 확산, 그리고 전세계적인 매스 미디어의 확산으로 나타난 소외현상 등과 같은 "퇴폐적인" 서구 가치들이 유입되어 전통적이고 바람직한 이슬람의 가치들을 손상시켜 왔다. 가장 중요한 점은, 서구화를 거치면서 이기적으로 원자화된 개인주의, 즉 홉스가 말한 만인의 만인에 대한 투쟁의 개인주의가 이슬람 사회에 이식되었다는 점이다. 「앞에서 살펴본 아싸비야, 와따니야, 까우미야의 정체성을 송두리째 부정하며 개인화되고 고립화시키는 세태에 대한 위기감에서 기인한다.」 이는 이슬람 세계의 윤리질서 및 사회질서의 중심인 가족과 움마의 개념을 송두리째 붕괴시킬지 모르는 심각한 위협요인이 되고 있다.[23)]

---

23) 사실상 현실역사에서 이러한 추세는 명확히 나타났다. 무슬림 공동체는 일련의 패배국면에 계속해서 접하게 되었던 것이다. 먼저 무슬림 세계는 역사적으로 러시아와 서구의 세력이 중동지역에 진출함에 따라 중동지역에 대한 지배권을 상실하면서 박탈감을 느끼게 되었다. 둘째로 외부의 사상이나 법률, 생활방식들이 무슬림 공동체에 침범하여 심각한 영향을 미치게 되었고, 자국의 비무슬림 국민들에게도 참정권

2. 알 카에다 지도부의 변화와 그 임팩트: 오사마 빈 라덴 사망의 함의

2011년 5월 2일 파키스탄 북부 이슬라마바드 근교 파키스탄 육군사관학교 외곽 가옥에 은둔해 있던 오사마 빈 라덴이 사살 되었다. 이는 2001년 9월 11일 이후 미국 대테러전의 핵심 목표로 설정되었던 테러 주범의 부재를 의미한다. 단순히 9·11 테러의 주범이라는 상징성 외에도 오사마 빈 라덴의 사망은 미국의 대테러정책, 나아가 국제사회의 테러전 및 전반적인 안보 구조의 변화에도 작지 않은 영향을 미칠 것으로 판단된다. 오사마 빈 라덴의 죽음과 관련된 이슬람 테러리즘에의 함의를 살펴보면 다음과 같다.

가. 심리적 위무

사실상 반미·반서구 투쟁의 핵심적 아이콘 역할을 해왔던 오사마 빈 라덴의 부재는 이슬람 급진세력 전체에 심리적 충격을 가져다주는 상징적 효과를 기대할 수 있게 했다. 반테러전에 나섰던 서방 세계에 심리적 안정감을 제공해주는 효과는 생각 이상으로 크다. 빈 라덴의 상징성은 무자히딘 전사로서의 참전 경력뿐 아니라, 사실상 유력한 집안의 아들로서 풍요로운 생활과 장래를 보장받았음에도 불구하고 자신의 재산을 쾌척하여 이슬람 지하드에 투신했던 이력에 있다. 즉 사우디아라비아 왕실이 보여주었던 방만한 왕실 재정 운용과 사치, 왕자들의 이슬람 계율 위반 등과는 달리, 오사바 빈 라덴의 행적은, 비록 그가 테러리스트임에도 불구하고 아랍 대중들의 정서에 근접해 있었음을 알 수 있게 해준다.

여기에 9·11을 기획하고 실행한 이후 빈 라덴의 존재는 알 카에다 및

이 부여되어, 이슬람의 고유가치와 권위가 침식당하게 되었다는 박탈감이었다. 셋째로는 서구적 가치에 물들어 해방된 여성들과 반항적인 자녀들이 가정의 권위를 붕괴시키고, 전통적인 무슬림공동체의 최소단위인 가정을 허물어뜨렸다는 좌절감 등이 그것이다. Leonard Binder, "The Roots of Moslem Rage," *The Atlantic* (September 1990), pp. 273-274.

글로벌 지하드Global Jihad[24]와 동일시 되어왔다. 따라서 빈 라덴의 존재는 사실상 미국과 더불어 싸우는 십자군 시대의 살라딘의 이미지로 테러리스트들에게 각인되어 있었고, 반미 반서구 반기독교 감정을 가진 일반 아랍 대중에게도 일정부분 호소력 있는 지도자로 인식된 측면이 있었다. 따라서 그의 부재는 향후 알 카에다의 상징적 위상이 낮아질 가능성이 그만큼 커졌음을 의미한다.[25] 현재 알 카에다의 수장을 맡게 된 아이만 알 자와히리는 오사마 빈 라덴에 비해 인지도가 훨씬 떨어질 뿐 아니라, 차분하고 신중한 이미지의 오사마 빈 라덴에 비해 다혈질이고, 비논리적이라는 점으로 인해 대중적 지지도가 낮은 것으로 알려져 있다. 결국 알 카에다에 갈음하는 새로운 글로벌 지하드 세력이 새롭게 등장하여 이슬람 테러리즘을 견인할 수 있는지가 관건이라 할 수 있다.

미국의 입장에서 볼 때 테러와의 전쟁을 주도하고 지속해온 상황에서 일단 9·11의 주범을 응징했다는 심리적 승리감을 가진 바, 향후 대테러전 양상의 변화 가능성이 예상된다. 일단 오바마 대통령의 취임과 동시에 발표되었던 오사마 빈 라덴의 추적, 체포와 알 카에다 소탕의 공약이 일정 부분 달성된 것으로 판단할 수 있고, 현재 미국은 '정의가 실현되었다'는 성취감을 가지고 있다. 따라서 향후 등장할지 모를 새로운 글로벌 지하드 세력에 대한 민감성은 알 카에다 및 오사마 빈 라덴에 비해 현격히 감소할 것으로 보이며, 따라서 미국은 향후 대테러전의 인식, 목표설정, 수행전략 및 방법 등에 있어서 세부적인 변화를 추구할 수 있게 되었음을 의미한다.

---

24) 글로벌 지하드는 이슬람 극단주의 투쟁노선을 통칭하는 일반명사이나, 최근 알 카에다의 사상을 계승하는 특정 그룹들이 명칭을 차용하면서 일반명사와 고유명사로 혼재되어 사용되고 있다.

25) The International Council on Security and Development, "Afghanistan Transition: The Death of Bin Laden and Local Dynamics"(Kabul, 2011).

나. 테러리즘의 새로운 국면 예고

세계를 강타한 오사마 빈 라덴의 사살 소식이 그 충격만큼 실효적인지에 관해서는 논란의 여지가 있다. 빈 라덴의 부재가 곧 이슬람 테러리즘의 약화로 이어진다고 보기는 힘들며, 이미 알 카에다의 핵심 세력은 최근 쇠락의 기세가 역력했던 바, 오히려 금번 사건을 계기로 여타 이슬람 테러집단들이 단기적으로 구조조정과 전열 재정비에 나서면서 호흡조절을 할 가능성이 높다고 판단된다.

전술한 대로 사실상 실질적으로 알 카에다 핵심세력의 거점으로 알려진 아프간 남부 산악 지역에는 빈 라덴의 직접적 휘하에 있는 전사들이 약 300명 내외에 불과했다. 빈 라덴이 직접 이끄는 알 카에다 핵심세력은 이미 유의미한 테러리즘을 기획실행할 역량을 상실했다는 분석이 우세했다. 실질적으로 이들이 최근 직접 테러를 기획·실행한 사례는 작년 1건에 불과한 것으로 알려져 있다.

따라서 오사마 빈 라덴의 부재가 곧 이슬람 테러리즘의 약화 및 이들 세력의 붕괴로 직결된다고 보기는 힘들다는 점을 인식할 수 있다. 오히려 빈 라덴의 죽음을 애도하는 개인 단위의 저항 세력들이 테러를 시도할 가능성이 높아지고 있으며, 이를 기반으로 지역 단위 테러세력들이 보다 높은 수준에서의 보복 공격을 감행할 가능성도 배제할 수 없는 상황으로 전개되고 있다.

2010년 통계에 의하면 알 카에다 핵심세력과 상관없이 기획·실행된 지역 단위의 조직적 이슬람 테러 사례는 4건, 개인 결성단위의 이슬람 테러 사례는 14건으로 추산되며, 이는 빈 라덴의 존재와는 상관없이 이슬람 테러리즘의 추동력은 유지될 것임을 방증한다고 이해할 수 있다. 결론적으로 빈 라덴이라는 상징적 인물을 제거한 미국은 강력한 대외적 명분을 획득했고, 이를 기반으로 오바마 행정부는 새로운 대외정책의 추동력을 모색할 수 있게 되었음과 동시에 실질적으로는 테러리즘 위협에 노출되는 빈도와 강도가 오히려 점증할 가능성이 커졌다는 양면적 성격을 노정한 셈이다.

다. 리더십의 분화: 수평적 산개 가능성

2011년 6월 16일 보도에 의하면 알 카에다 핵심세력의 2인자였던 아이만 알 자와히리Ayman al-Zawahiri가 최고지도자의 위치를 승계한 것으로 발표되었다. 그러나 전술한 대로 빈 라덴에 준하는 카리스마나 영향력을 갖지 못한 것으로 알려지고 있어, 향후 알 카에다 핵심세력은 급속도로 약화 또는 붕괴될 것으로 보인다. 핵심세력 내부에서는 빈 라덴의 후임으로 알 자와히리 외에 아부 야히야 알 리비Abu Yahya Al Libi 및 안와르 알 아울라크Anwar al Awlaki 등이 후계 물망에 올랐으나 결국 자와히리에게 승계되었다.

일단 빈 라덴에 버금가는 영향력과 카리스마를 가진 알 카에다 내 주요 인사는 현재까지 없는 것으로 알려져 있다. 여기에 기존 알 카에다 핵심세력의 약화 현상은 두드러지고 있어, 과거 빈 라덴이 이끌던 알 카에다의 동심원 구도는 향후 시간을 두고 점차 변화될 것으로 예상된다.

따라서 현재까지 나타난 알 카에다의 동심원 구조는 향후 점차 새로운 형태의 거버넌스로 대치될 가능성이 커지고 있다. 다양한 지역 기반의 독립적인 단위들이 독자적으로 행동할 가능성이 높은 것으로 보이며, 이는 대테러전의 전반적인 전술 변화를 요구하는 상황과 연계된다.

상징적 존재로 자리매김 해 온 빈 라덴의 부재는 사령탑으로서의 알 카에다가 더 이상 큰 의미를 갖지 못하게 했다. 이는 알 카에다의 사상과 정신, 전술을 계승하고자 하는 다양한 테러 단체들이 수평적으로 산개하며 자신들만의 독특한 노선을 정립할 가능성이 커졌음을 의미한다.

Ⅳ. 신 이슬람 테러리즘 양상 전망

오바마 행정부의 등장과 새로운 중동정책, 자스민 혁명의 발생과 확산, 그리고 빈 라덴의 사망, 글로벌 금융위기와 주요국의 국가부도 위험 증가 등의 국제정치 제반 요인이 겹쳐지면서 국제 테러리즘 세력의 양상도 변화가 예상된다. 신테러리즘에 또 새로운 국면이 전개될 가능성이 커진 것이다. 신테러리즘의 네트워크적 성격이 이제 독립채산적인 성격으로 전환되고 있다. 위계 조직으로서의 글로벌 테러리즘의 구도에서 프랜차이즈 테러리즘으로의 전환, 자스민 혁명 이후 정권 교체 및 신 정권 수립 과정에서 이슬람 테러리즘 그룹의 제도화 가능성 증대 및 이란 이슬람 혁명의 확산 가능성 증대와 이와 맞물린 시아파 확산, 그리고 종파주의 분쟁 가능성 등을 짚어볼 수 있을 것이다.

1. '프랜차이즈' 테러리즘의 부상

프랜차이즈 테러리즘이란 더 이상 알 카에다 핵심 세력의 지휘를 받지 않음과 동시에, 어떠한 물적, 재정적, 기술적 지원 및 교류가 더 이상 존재하지 않으면서도 알 카에다의 이념과 정신을 이어받겠다는 점을 강조하는 운동을 의미한다. 알 카에다의 본원적 강령을 준수하지만, 결코 과거 빈 라덴과는 직접적 연계가 없는 지역 프랜차이즈를 의미하는 것이다.[26)]

프랜차이즈 테러리즘 중 핵심은 미디어와 인터넷, 특히 소셜 서비스 네트워크SNS: Social Network Service를 통해 개인 단위의 테러 저변을 확대하여 프랜차이즈 테러리즘과 효율적으로 연계시키는 방향을 추구하고 있는 것으로 알려져 있다. 이는 국제사회 입장에서 볼 때, 빈 라덴을 표적으로 하는

---

26) Katya Leney-Hall, "The Evolution of Franchise Terrorism: Al Qaeda," Hellenic Foundation for European and Foreign Policy Working Paper Series No. 1(2008) pp. 3-12.

대테러 작전보다 훨씬 더 어려운 대테러전이 될 것이다.

이러한 테러리즘 양상은 최근 아랍권 정치변동으로 인해 알 카에다 아라비아[AQAP] 및 알 카에다 마그레브[AQIM] 등을 강압적으로 통제했던 리비아·예멘·이집트 등의 권위주의 정권의 통제력이 약화됨에 따라 세력 확대가 확실시 되고 있다.

2. 이슬람 세력의 제도권 진입 가능성

2004년 미국의 대중동정책의 핵심적 구상이었던 '확대중동구상[Greater Middle East Initiative]'[27]을 통해 중동 민주화 프로젝트를 추진했을 때의 여파로 하마스의 집권, 이집트 무슬림 형제단의 약진, 레바논 헤즈불라의 내각 진입 등이 가시화 되었을 때, 국제사회가 경험했던 불안정성의 문제는 심각했다. 만일 최근의 자스민 혁명 이후 새롭게 등장하는 정권이 이슬람 전통주의에 입각한 정치노선을 채택, 견지한다면, 이 경우 각 이슬람 테러리즘 그룹의 제도화 및 국가 테러리즘화까지도 예견할 수 있는 상황이 발생할 수 있다.

이집트의 정치변동으로 인해 무바라크 정권이 붕괴된 이후 권력공백 상태에서 최근 급진 이슬람 단체인 무슬림 형제단의 영향력이 점차 강화되고 있다는 점에서 국제사회의 딜레마가 노정된다. 리비아의 카다피 정권 붕괴 이후 들어설 것으로 예상되는 국가과도위원회[TNC] 역시 국제사회의 고민거리이다. 현재 리비아 이슬람 투쟁 그룹[LIFG, Libyan Islamic Fighting Group]이

---

27) 2004년 6월 당시 미 국무장관인 콜린 파월(Colin Powell)은 조지아주 시아일랜드(Sea Island)에서 열린 G8 정상회담에서 중동지역의 민주화를 미국이 지원하고 이를 통해 역내 평화와 안정을 구축하겠다는 전략이 담긴 확대중동구상을 보고한다. 이 구상은 실질적으로 민주주의를 중동지역에 이식하겠다는 강력한 개입주의 정책을 표명한 것이고, 이에 따라 정권교체(regime change) 정권 변환(regime transformation) 등의 개념이 등장했다. 즉 과거의 주권 불간섭의 원칙을 배제하고, 이제 테러지원국이나 명백한 국제사회 위협국가에 대하여 국제사회가 일정부분 선제적 조치를 취애햐 함을 강조한 것이다.

다수 과도위원회에 포진해 있는 것으로 알려지고 있으며, 이들은 일종의 알 카에다 방계 조직으로 분류가 가능한 이슬람 테러그룹이다.

이와 더불어 현재 레바논 시아파 정파인 헤즈볼라Hezbollah와 팔레스타인 자치정부의 하마스Hamas 등도 제도화되어 정치권으로 진입했으며, 유사한 맥락에서 최근 정치적 혼란기의 아랍 사회에 이슬람 급진세력이 침투할 가능성도 점차 높아질 것으로 보인다. 실질적으로 이들 과격 세력이 제도권으로 진입, 안착할 경우 기존의 알 카에다와 같은 선명한 테러리즘 그룹으로부터의 위협보다 더 어려운 상황이 전개될 가능성이 있다.

V. 미국의 대테러정책 기조 변화 전망

1. 배경

미국의 대테러 정책은 2001년 9·11 사건 이후 설정된 부시독트린에 근거하여 국가 안보 차원의 아젠다로 다루어지기 시작했으다. 이는 공세적 현실주의, 패권적 일방주의 등 부시독트린Bush Doctrine의 여타 요소와 맞물려 아프간전과 이라크전 개전의 동력이 되어 왔다. 그러나 앞 장에서 살펴 본 바와 같이 아프가니스탄 전쟁이 10년을 넘어서서 현재 나토가 주관하는 국제안보지원군ISAF: International Security Assistance Forces과 미군의 독자적 군사운용 작전인 '항구적 자유작전OEF: Operation of Enduring Freedom' 등 국제사회의 개입에도 불구하고 여전히 불안정성이 지속되고 있다.

이라크에서는 2007년 부시 행정부의 증파전략이 성공을 거둔 것으로 평가된다. 그리고 전후 민주 정치화 과정도 일정 부분 궤도에 진입한 것으로 보인다. 그럼에도 불구하고 여전히 종파·종족 갈등요소가 상존하고 있으며 사드르Sadrites파 등 친(親) 이란 과격세력이 여전히 집권 시아파 내에서 일정 지분을 획득하고 있다. 이는 앞 장에서 언급한 이란의 시아파 연대의 확산과 맞물려 향후 불안정 요소로 작동할 가능성을 여전히 남겨 놓고 있는 것이다.

일련의 대테러전 수행 과정에서 미국은 중동 및 이슬람권에서 소프트 파워의 상실을 경험했다. 이라크 전에서의 일정 부분 성공과, 중동 및 이슬람권 공공외교 노력에도 불구하고 정치적 영향력은 급속도로 상실되었다. 이러한 추세가 지속됨에 따라 새로운 접근법의 필요성이 대두되었다. 2008년 오바마 행정부의 출범은 기존의 하드파워를 통한 일방주의적 부시독트린의 근본적 변화를 의미했다. 오바마 행정부는 새로운 전략 노선을 제시함으로써 소위 하드파워와 소프트파워가 결합된 '스마트 파워'화두가 제기되었다.

부시 행정부에 이어 등장한 민주당 오바마 정부는 기존의 대테러리즘 정책을 지속하면서도, 이와 더불어 새로운 접근법의 필요성을 인식한 것이다. 오사마 빈 라덴의 사살과 탈레반 지도자 물라 오마르Mullah Mohammed Omar 무력화를 계기로 기존 테러리즘 정책 기조에 일정 부분 변화를 추구하려 할 것으로 판단되는 시점이다.

2. 대테러리즘 정책기조의 변화 전망

2010 국가 안보전략 보고서National Security Strategy, 2010에 규정된 미국의 대테러 정책기조는 알 카에다, 아프간 및 파키스탄을 거점으로 하는 폭력적 극단주의 세력 저지, 해체 및 궤멸disrupt, dismantle and defeat Al Qaeda and its violent extremist affiliates in Afghanistan, Pakistan and around the world을 목표로 하고 있다. 상기 보고서에서 대테러전의 핵심 아젠다를 선정, 다음과 같이 적시하고 있다. 1) 국토 안보, 2) 대량파괴무기 추적통제, 3) 테러거점 소탕, 4) 대테러 국제협력 강화 등의 행동강령을 규정하고 있다.[28]

현 시점에서는 오사마 빈 라덴의 사살이 알 카에다 전체 조직의 즉각적 궤멸과 연결되지는 않는다. 오히려 지역 단위의 프랜차이즈 테러집단에 의한 보복 테러 가능성이 높아진 것으로 보인다. 따라서 기존의 테러 핵심 아젠다의 구도는 일정 기간 지속이 될 것으로 보인다. 그러나 전반적인 평가에 의하면 단기간 테러 가능성이 높아짐에도 불구하고, 장기적으로 보아 중동 민주화 등 구조적 변화와 맞물려 알 카에다 조직 자체의 입지는 약화될 것으로 보는 것이 중론이기에, 이에 조응하는, 즉 알 카에다의 약화를 전제로 하는 중장기적 대테러전의 개념을 설정, 추진할 것으로 예상된다.

가. 테러 동기 약화 강조: 민주화를 위한 구조적 접근

기존 부시 행정부의 대테러정책은 테러집단의 수행능력 약화에 초점을 두었다. 2003년 국제사회의 반대에도 불구하고 의지의 동맹Alliance of will을 결성하고 이라크 전 참전을 결정한 영국의 조프 훈Geoff Hoon 국방장관은 당시 "테러리즘의 늪을 말려 버리고 평화의 땅을 다지기 위해" 참전한다고 선언했다. 즉 부시 행정부 당시 대테러전의 핵심은 이라크와 아프간 전에서의 압도적 승리를 통한 테러리즘 지원 국가 정권 교체에 있었다. 동시에 테러리즘 주도 세력과 인사들에 대한 직접적 체포 및 궤멸에 집중했다.

반면 최근 오바마 행정부의 대테러정책 관심은 테러의 동기를 약화시키는 데 모아질 것으로 예측된다. 힐러리 클린턴Hilary Clinton 국무장관 부임 이후 대외정책 수단의 우선순위에 변화를 시도한 것으로 보인다. 즉 3DDefense force, Diplomacy and Development로 통칭되는 군사력, 외교력, 대외원조 등의 대외정책 수단의 우선순위가 그동안은 군사력에 집중되었으나 향후 외교와 개발을 우선으로 시행하겠다는 의도가 보이고 있다. QDDR 발간 배

---

28) US White House, National Security Strategy(May 2010) pp. 18-19; http://www.whitehouse.gov/sites/default/files/rss_viewer/national_security_strategy.pdf(검색일: 2011년 6월 30일).

포의 핵심적 목적이기도 하다.[29)]

사실상 테러리즘 발본색원을 목표로 시작된 아프간·이라크 전쟁의 실효성에 의문이 제기되고, 추적 작전을 통해 주요 테러인사들을 제거했음에도 불구하고 여전히 테러리즘의 지속되었던 이유는 구조적으로 테러리즘을 확대·재생산해내는 부분이 상존해왔음을 의미한다. 따라서 이러한 테러리즘 확대·재생산의 구조를 해체하는 것이 급선무이다. 테러리즘의 동기 자체를 무력화하는 대테러리즘 정책 시현 가능성이 높아진 것이다.

이에 대해 미국의 전향적인 입장 표명이 필요하다는 의견이 중론이었고, 오바마 행정부는 이 부분에 있어 변화를 추구했다. 이 과정에서 오바마 대통령은 취임 직후 알 아라비야[al Arabiya] 인터뷰, 카이로 대학 연설, 이란 신년 노루즈 축하 메시지 등을 통해 이슬람에 대한 친화적 접근을 시도했다.

오바마 대통령이 보여준 일련의 대 이슬람 친화 정책은 아랍 사회 및 중동 지역에 접근하는 미국의 태도에 변화가 있을 수 있음을 예견하게 한다. 이러한 맥락에서 이스라엘·팔레스타인 최종 지위 협상 기준을 1967년 이전 국경으로 설정할 것을 요구한 오바마의 지난 5월 국무부 연설은 그 일환이라 해석할 수 있다.[30)]

---

29) US Department of State, "Leading Through Civilian Power: The First Quadrennial Diplomacy and Development Review"(December 2010) Executive Summary 검색: http://www.usaid.gov/qddr/QDDRExecutiveSummary.pdf(검색일 2011년 6월 30일).

30) 오바마 대통령의 국무부 연설은 인지적 동맹관계를 형성해온 이스라엘 사회에 큰 충격을 주었다. 기존의 학계에서 제기되었던 3차 중동전쟁 이전 단계에서 협상을 시작해야 한다는 발언은 미국 고위인사로서는 처음 발언한 사례이기 때문이었다. 사실상 1967년 3차 중동전쟁 이전으로의 회귀를 암시하는 발언은 골란고원의 영유권과 난민 귀환 문제 등과 얽혀 이스라엘로서는 도저히 받아들일 수 없는 제안이었다. 이 제안은 사실상 아랍권에 대한 위무성 발언으로 해석하는 것이 타당하다. 즉 아랍사회에 편만한 반미감정의 핵심이 대이스라엘 편파정책인 바, 미국 대통령으로서는 처음으로 이에 대한 상징적 철회의사를 밝힘으로서 아랍의 반미감정을 누그러뜨리고 새로운 협력관계를 창출하려 한 것으로 해석할 수 있다.

나. 국무부의 역할 증대

대테러전에 있어 국무부의 역할이 주목받고 있다. 폭력극단주의에 대항하는 커뮤니케이션, 파트너 역량 강화, Counter-Terrorism Bureau 설치를 정책 우선순위로 배치하여 사실상 새로운 미국의 소프트파워 우선 전략을 채택한 것으로 보인다. 즉 군사작전을 통한 테러리즘 발본색원에만 매달리지 않고, 필수 불가결한 군사 조치는 유지하면서도 동시에 현지 대중들과의 소통 강화를 통해서, 폭력 극단주의가 뿌리내리지 못하도록 선제적 작업을 시도해야 한다는 입장을 지속적으로 천명하고 있다. 이는 2010년 12월 최초로 발표된 "4개년 외교·개발 검토 보고서QDDR: Quadrennial Diplomacy and Development Review"에 적시되어 있다. 본 보고서의 취지도 부합하는 전략, 즉 테러집단 자체에 대한 접근과 더불어 대민외교 강화 및 적극적 개발을 통한 테러 방지 전략을 유추할 수 있게 한다.

다. 미국 대테러전 성격 변화의 함의

사실상 오바마 독트린이라 할 수 있는 대이슬람권 친화정책은 이전 정부의 대중동정책과는 판이하다. 기본적으로 월트Stephen Walt와 미어샤이머John J. Mearsheimer가 지적한 바,[31] 미국의 대외정책실패는 대중동-이슬람권 정책의 실패에서 기인하며, 대중동-이슬람권 정책의 실패는 결국 미국의 이스라엘 편향정책에서 발원한다는 주장이 설득력있게 제시되었다.

대중동 접근법의 핵심 중 하나가 대 이슬람 테러전략이라 할 수 있다. 즉 중동발 테러리즘의 모판은 반미감정, 반서구감정이라는 현실인식이 기반이 되었다. 이러한 현실 인식하에, 현존하는 중동내 반미감정을 어떻게 약화시키고, 이를 바탕으로 새로운 미국의 입지를 구현할 수 있는가에 관한 논의가 시작되었다. 결국 오바마 행정부는 일단 이슬람권에 대한 친

31) John J. Mearsheimer and Stephen M. Walt, *The Israel Lobby and US Foreign Policy*(New York: Farrar, Straus and Giroux, 2007) 참조.

화 제스처를 보이기 시작했고, 더 이상 군사력, 국방력에 의존한 대외정책에만 전념하기보다는, 외교적 수단과 개발 프로젝트를 병행하는 형태의 대민전략이 채택되었다.

테러리즘 세력에 대한 명확한 타겟 설정과 궤멸이라는 일차적 전략에만 의존하기보다는, 이와 동시에 테러리즘이 기생하고 자랄 수 있는 온상으로서의 배경을 어떻게 변화시킬 것인가에 관한 고민이다. 이를 바탕으로 이란의 신년기념 축제를 기념하여 이란 국민에게 미국의 우호적 메시지를 던졌을 뿐 아니라, 이스라엘에 대한 지속적 압박 등을 기조로 변화된 형태의 구조적 접근을 시도한다.

사실상 네트워크화하고, 프랜차이즈화 되어가는 새로운 신테러리즘의 양상에 조응하여 이러한 오바마 행정부의 접근법은 매우 적실성이 있는 접근법이라 평할 수 있다.

VI. 결론적 성찰

근현대사를 거치면서 한국의 국가 위상이 국제사회에서 급등했다. 이제 국제사회의 일원으로서 걸맞는 대테러 시스템이 구축되어야 하는 시점이다. 특히 이슬람권의 테러동향을 면밀히 주시, 능동적으로 대처할 수 있는 제반 물적·인적 토대 마련이 시급하다. 특히 이슬람권 테러리즘 미디어와 웹사이트 등에 대한 상시적 모니터링을 강화하여 교민 안전 및 각종 영사 이슈 등에 대처하여야 한다.

최근의 신테러리즘은 불특정 다수에 대한 무차별적 공격의 형태를 띠고 있다는 점에서 명확한 표적 설정이 가능하지 않기에 상대하기 매우 어려운 존재이다. 그러므로 내부적인 대테러리즘 정보수집 능력 강화, 정보분석 능력 제고 및 위기시 즉응 시스템 및 평가체제 구축 등은 필수적 준비사항이라 할 수 있다. 무엇보다 네트워크에 의한 연대가 강화되고, 미디어와 인터넷을 통해 급속도로 테러의 기획과 목표설정, 실행이 이루어진다는 점에 비추어 볼 때, 지금까지의 국가 대테러 대비태세와는 완전히 다른 형태의 시스템 구축이 논의되어야 한다.

무엇보다 이슬람권의 현 상황과 흐름들을 일목요연하게 파악하고 분석해낼 수 있는 학문적 토양 구축은 절대적으로 시급한 과제이다. 국제사회 최고의 분쟁지역이자, 갈등의 핵이면서도 동시에 에너지 수급 및 건설 수출시장의 핵심지역인 이 지역에 우리 경제의 중요한 이익이 걸려 있다. 따라서 이 지역의 안전보장과 평화구축은 우리 국가이익과도 밀접한 관계가 있음을 파악하고, 테러리즘의 변동사항이나 흐름의 변화를 민감하게 감지할 수 있는 종합적인 분석 시스템 구축이 필수적이다.

한편 오바마 대통령은 최근 중동 정치변동과 관련하여 두 개의 '내러티브narratives'를 강조한다. 분노와 증오에 기반을 둔 테러리즘 내러티브와 호혜 협력에 기반을 둔 민주주의 내러티브가 충돌하는 상황임을 자주 언급하는 것이다. 이러한 상반된 내러티브에 관한 언급은 테러리즘의 토양을 극복하고 평화를 정착시키기 위한 근본적인 수단은 민주화와 경제발전에 있다는 점을 주지하는 것이다. 이에 따라 장기적으로 국제사회는 중동지역에 만연한 빈곤 문제와 정치적 왜곡 문제를 극복할 수 있도록 지원해야 한다는 인식론에 근거한 것이다.

이러한 측면에서 빈 라덴 사망 이후 새로운 양상을 띨 것으로 보이는 지역 단위의 다발적 테러리즘을 막아내고, 항구적인 평화구축을 성취하기 위해서는 중동의 민주화와 경제발전이 가장 중요한 요소가 된다. 개발도상국, 권위주의 국가에 있어서 양대목표란 근대화와 민주화이기에 한국의 경험과 자산을 통한 지원 방안을 구체적으로 마련할 필요가 있는 시점이다. 오바마 대통령이 다양한 사례를 통해 한국의 발전에 관한 찬사를 발언했던 바, 이는 사실상 근대화와 민주화를 한 세대에 동시에 이루어낸 국가는 한국이 유일한 사례임을 강조하는 것이라 할 수 있다. 따라서 중동 민주화 여정에서 한국은 유일한 전범(典範) 국가가 될 수 있다. 특히 최근 정치변동을 겪고 새로운 정치체제를 수립하는 이집트·튀니지 등의 국가와의 협력 사업 강화를 통해 한국의 기여 가능 사례를 발굴하고 지원 시스템을 구축하는 방안을 모색하여야 한다.

| 참고문헌 |

"Iraq Stabilization and Reconstruction: US Policy and Plans"(Committee on Foreign Relations, United States Senate) May 2003.

Ali Rahigh-Aghsan. Peter Viggo Jakobsen. "The Rise of Iran: How Durable, How Dangerous?" *The Middle East Journal* Vol. 64, No. 4(Autumn 2010).

Binder, Leonard. "The Roots of Moslem Rage," *The Atlantic*(September 1990).

Bush. George W. Remarks by the President at 2002 Graduation Exercise of the United States Military Academy, West Point, New York, June 1, 2002.

Cooley, John K. *Unholy War: Afghanistan, America and International Terrorism*(Sterling, VA: Pluto Press, 2000).

Dick, C.J. "Mujahideen Tactics in the Soviet-Afghan War," *Conflict Studies Research* 2002.

Ehteshami, Anoush, Raymond Hinnenbuch, *Syria and Iran: Middle Powers in a Penetrated Regional System*(London: Routledge, 1997).

Freedman, Lawrence, *A Choice of Enemies: America Confronts the Middle East*(London: Phonix, 2009).

Grau Lester W.(ed) "The Bear Went Over The Mountain"(National Defence University, Washington, DC, 1996).

Gus Martin, 김계동 외 역, 『테러리즘: 개념과 쟁점』, 명인문화사, 2008.

Harmon. Christopher C. Harmon, *Terrorism Today*(London: Frank Cass, 2000).

Hoffman. Bruce, *Inside Terrorism*(New York: Columbia Univ. Press, 1998).

Hoover, Dennis. "Law & Order, Religion & Order," *The Review of Faith & International Affairs*, Vol. 5. No. 3.

Hoveyda, Fereydoun. *The Broken Crescent: The "Threat" of Militant Islamic Fundamentalism*(Westport, Conn.: Praeger, 1998).

Ikenberry. G. John, "America's Imperial Ambition", *Foreign Affairs*, Vol.81, No.5(September/October 2002).

Institute for War and Crisis Management, "Lone-Wolf Terrorism," *Working paper series of 'Citizens and governance in a knowledge-based society*(Wien: 2007).

Kennedy. Edward M. *The Bush Doctrine of Pre-emption, statement in the U.S. Senate*, October 7, 2002.

Laqurer. Walter, *The New Terrorism: Fanaticism and the Arms of Mass Destruction*(Oxford: Oxford Univ. Press, 1999).

Leney-Hall, Katya. "The Evolution of Franchise Terrorism: Al Qaeda," *Hellenic Foundation for European and Foreign Policy Working Paper Series*, No. 1(2008).

Rubin, Barry. "Iran: The rise of a regional power," *The Middle East Review of International Affairs*(September 2006).

Lesser, Ian. Bruce Hoffman, John Aquilla, David Ronfeldt, and Michele Zanini *Countering the New Terrorism*(Santa Monica, CA: RAND, 1999).

Mearsheimer, John J. and Stephen M. Walt, *The Israel Lobby and US Foreign Policy*(New York: Farrar, Straus and Giroux, 2007).

Menon, Rajan., "New Great Game," *Survival*, Vol.45, No.2(Summer, 2003).

N. Simon, Steven. "After the Surge" CSR No.23 Council on Foreign Relations(Feb. 2003).

Nicholas. Lemann "The Next World Order: The Hawks Plan to Reshape the Globe," *The New Yorker*(2002).

Nye Jr. Joseph S., *The Paradox of American Power: Why the World's Only*

Superpower Can't Go It Alone(New York: Oxford University Press, 2003).

O'Hanlon. Michael, Susan E. Rice and James Steinberg, *The New National Security Strategy and Preemption*, Policy Brief 113, December 2002.

R. Cerami, Joseph and Jay W. Boggs(eds.) *The Interagency and Counterinsurgency Warfare: Stability, Security, Transition, and Reconstruction Roles*(Carlisle, PA: Strategic Studies Institute, 2007).

The International Council on Security and Development, "Afghanistan Transition: The Death of Bin Laden and Local Dynamics"(Kabul, 2011).

Tucker. David, "What's New About the New Terrorism and How Dangerous Is it?," *Terrorism and Political Violence* 13(Autumn, 20010).

Weitz, Richard, "CORDS and the Whole of Government Approach: Vietnam, Afghanistan and Beyond" *Small Wars Journal*, Vol.6 No.1 February 2010.

White. Jonathan R., *Terrorism: An Introduction*, 2d ed.(Belmont, Calif.: Wadsworth, 1998).

사뮤엘 헌팅턴, 『문명의 충돌 *The Clash of Civilizations*』, 김영사, 1997.

2 국제 핵확산과 비핵화의 대응
이란 및 북한 핵문제

고봉준(충남대학교 평화안보대학원)

I. 서론

21세기에 들어서 국제안보에서 가장 중요한 화두는 테러와의 전쟁과 비확산이라고 할 수 있다. 하지만, 오바마 행정부에 들어서서 미국의 정책에서 테러와의 전쟁이란 개념은 공식적으로 배제되었고, 이라크에서 미군 철수의 단계적 진행과 함께 아프가니스탄에서의 미군 철수가 구체화하고 있어서 테러와의 전쟁의 개념적, 실천적 중요성은 과거에 비해 많이 축소되었다고 보아야 할 것이다. 반면 “핵없는 세상”의 강조로 비확산 국제정치는 국제안보의 전면에 핵심적 이슈로 부상하였다.[1]

핵없는 세상은 국제정치에서 핵무기의 중요성을 약화시키는 국제적 공조를 통해 전체적인 안보를 증진시키자는 의욕적인 제언이다. 하지만,

1) 이는 미국이 당면한 안보위협에 대한 평가와 대응책에 대한 처방이 달라진 점에서 기인한다고 볼 수도 있다. 전임 부시 행정부에서는 미국에 대한 핵테러의 위협을 테러와의 전쟁을 통해 해결하려 노력했던 반면에, 오바마 행정부에서는 핵무기의 확산을 방지하는 데에 보다 중점을 두는 정책 노선을 취하고 있다. 이에 대해서는 신성호, 「부시와 오바마: 핵테러에 대한 두 가지 접근」, 『국가전략』, 제15권 1호(2009) 참조.

작년 4월에 개최되었던 핵안보정상회의Nuclear Security Summit의 상징성, 이어서 작년 5월에 개최되었던 2010 NPT 검토회의Review Conference의 부분적 성공에도 불구하고, 비확산 이슈와 관련되어 있는 갈등이 단시일 내에 해결될 가능성은 그리 크지 않다. 근본적으로 비확산과 핵없는 세상의 추진은 국가 간 이익의 상충이라는 엄연한 현실 국제정치의 무대에서 진행될 수밖에 없기 때문이다. 물론 세계평화와 공동 안보라는 명분을 기반으로 하고 있기 때문에 국가 간에 다양한 이해와 관계의 조정을 통해 비확산의 성과를 도출하려는 국제적 노력은 당분간 지속될 수밖에 없을 것이다.

문제는 비확산 국제정치가 주권 국가들 간의 권력 관계를 반영한다는 점에서 전통적인 국제정치의 속성을 내포하고 있지만,[2] 다른 한편으로 핵불평등과 핵주권을 둘러싼 규범의 충돌, 비확산 국제 레짐의 가능성과 한계, 핵무장과 핵억지라는 안보 이슈, 핵에너지의 자원과 환경에 대한 영향 등 전통적인 권력정치의 관점으로만은 다루기 힘든, 범위와 수준이 다른 복합적인 이슈들을 내포하고 있다는 것이다. 따라서 비확산 국제정치는 단순한 접근법으로는 그 역동성을 파악하고 효과적인 대응책을 찾기 힘든 모습으로 전개되고 있다. 비확산 국제정치에 대한 관점이 근본적으로 복합의 시각에 기반을 둘 수밖에 없는 이유가 바로 여기에 있다.

이 글은 비확산 이슈와 관련하여 기존에 분절적으로 진행된 연구들의 한계를 극복하고 보다 종합적인 관점에서 비확산 이슈에 대해 접근할 수 있는 토대를 구축하는 것을 목표로 한다. 국제질서를 주도하고 있는 미국은 자국의 입장에서 비확산을 분명하고도 구체적으로 정의하고 있다.[3]

---

2) 황지환, 「핵확산의 국제정치와 비확산체제의 위기」, 『국제관계연구』, 제13권 1호(2008).

3) 2010년에 발표된 미국의 핵태세검토보고서(NPR: Nuclear Posture Review)에서는 미국 핵정책의 최우선 순위를 핵보유국이 증가하는 것을 차단하고 테러리스트 그룹이 핵을 보유함으로써 발생할 수 있는 핵테러리즘의 위협을 막는 것임을 천명하고, 이를 구현하기 위해 미국이 핵탄두 개발이나 추가 핵실험을 하지 않고 포괄적핵실험금지조약(CTBT: Comprehensive Test Ban Treaty)을 조속히 비준할 것임을 약속하는 모

아울러 세계의 많은 국가들이 이러한 미국 주도의 비확산을 국제 규범으로 인정하고 국제적 협력에 동참하고 있다. 문제는 미국 주도의 이러한 흐름에 모든 국가들이 동조하는 것도 아니고, 미국의 행동에 이중적 잣대가 적용되고 있다는 비판도 가능하다는 것이다. 즉 비확산 국제정치의 구심력은 미국으로부터 나오고 있지만, 확산의 원심력도 현존하고 있다. 첫째, 2000년대 들어서 많은 국가들이 자원과 환경 문제를 고려하면서 원자력을 에너지 대안으로 적극적으로 고려하기 시작하였다.[4] 둘째, 북한과 이란을 비롯한 소수의 국가는 안보를 위한 효율적 도구로써 핵무기의 가치를 적극적으로 옹호하고 핵프로그램을 가동시키기 시작하였다. 두 가지 경로의 핵확산, 즉 원자력의 평화적 이용과 핵무장이라는 현상이 비핵보유국들로부터 분출되는 확산의 추동력으로 존재하고 있는 것이다.

이러한 복합성을 표출하는 비확산 국제정치를 분석하고 향후 전망을 제시하기 위해 이 글은 다음과 같이 구성된다. 2절에서는 비확산 국제정치의 쟁점과 관련된 기존의 이론적 주장을 정리하고 그 한계에 논의한다. 3절에서는 기존 이론에 대한 대안으로서 네트워크 이론의 접근법을 소개하고, 비확산 국제정치에의 적용 가능성에 대해 논의한다. 4절에서는 비확산 국제정치의 핵심 이슈와 동인을 핵군축, 확장억지, 평화적 이용을 중심으로 정리하고 북한 이란 사례의 함의를 검토한다. 마지막으로 5절에서는 복합성을 내포하고 있는 비확산 국제정치의 방향성 설정을 위해 복합비확산네트워크complex network of non-proliferation 레짐의 구축을 전망하는 것으

범을 보이고 다른 국가들도 이를 기반으로 하는 비확산의 국제협력에 적극 동참할 것을 강조하였다. 이를 위해 미국은 비확산조약을 주축으로 비확산체제의 강화, 확산위험이 없는 평화적 원자력 이용의 촉진, 핵물질 방호의 강화, 핵분열물질 생산금지조약 협상 개시 등을 추진할 것임을 공언하였다.

4) Sharon Squassoni, "Nuclear Energy Enthusiasm: The Proliferation Implications," Paper Presented at the 8th ROK-UN Joint Conference on Disarmament and Nonproliferation Issues, Jeju, ROK, November 16-18, 2009.

로 결론을 맺는다.

II. 핵무기와 비핵화: 이론적 논의

비확산 국제정치의 복합성의 한 축에는 핵개발이라는 현상이 자리하고 있는데, 이와 관련하여 특히 핵무기 개발의 동기에 대해서는 여러 해석이 제시되어 왔다. 이에 대해 세이건Sagan은 크게 세 가지로 구분한다. 안보 모델security model, 국내정치 모델domestic politics model, 규범 모델norm model 등이 핵무기 추구의 동기를 일정 정도 설명할 수 있다는 것이다.[5] 안보 모델은 국가가 외부의 안보위협에 대한 대응으로 핵무기의 개발을 추구한다는 주장이다. 반면 국내정치 모델은 국가의 핵개발 동인을 적절히 설명하기 위해서는 특정 국가 내부에 핵개발을 선호하는 조직적인 요인을 검토해야 한다고 주장한다. 예를 들면 핵과학자와 연결된 집단적인 로비나 인기영합적인 정치인에 의해서 핵개발이 추진될 수 있다는 것이다. 마지막으로 규범 모델은 핵무기가 안보위협에 대한 대응이나 정치적 이익의 증진 수단이기보다는 근대성이나 국가의 정체성 등 상징적인 이유를 충족시키기 위해 개발된다고 주장한다.

1. 안보 모델과 비확산

안보 모델의 주된 논리는 외부로부터의 재래식 위협이나 핵위협에 대항하기 위해 핵 억지력을 필요로 하는 국가들이 핵무기를 개발한다는 것이다. 이러한 논리에 따르면 소련은 미국의 2차 세계대전에서의 핵사용에 대응하기 위해 핵무기를 개발하였고, 유럽에서 소련으로부터의 안보

5) Scott Sagan, "Why Do States Build Nuclear Weapons?: Three Models in Search of A Bomb," *International Security*. Vol. 21, No. 3(1996/97).

위협을 느끼고 있었던 영국과 프랑스도 소련의 핵개발에 대응하기 위해 독자적으로 핵무기를 개발하였다고 볼 수 있는 것이다. 또한 중국의 경우에도 초기에는 미국, 나중에는 소련의 핵무기에 대응하기 위해 핵무기를 개발하였고, 인도의 경우는 중국, 파키스탄의 경우는 인도라는 핵무기 개발의 전략적 연쇄반응의 시발점을 가지고 있었던 것이다.[6)]

그렇다면 안보 모델은 핵개발이 국제 무정부 상태에서 국가의 합리적 선택이라는 현실주의적 설명에서 크게 벗어나지 않는다. 더 나아가서 안보 모델은 핵보유의 결과로 국가 간에 억지력이 존재하게 되고, 핵무기가 부여하는 책임감에 의해 전쟁 가능성 자체가 줄어들어 국제정치를 상대적으로 안정화하는 효과가 있음을 인정하기도 한다.[7)] 현재까지 핵무기를 가진 나라들 사이에서 전면전이 발발한 적이 없다는 현실은 안보 모델의 유효성을 입증해주는 증거라고 볼 수도 있다.

그런데, 이런 맥락에서는 핵개발이 전적으로 비난받아야 할 근거가 약해지는 것이다. 비록 핵무기가 세계의 다른 국가들에게는 나쁜 영향을 미칠 수 있지만, 당사국의 억지력을 괄목할 만큼 신장시킬 수 있다면 그 국가를 위해서는 좋은 존재가 될 수도 있다. 앞에서 언급한 것처럼 현재의 핵보유국들은 모두 억지력의 명분으로 핵무기를 개발하여 왔다. 따라서 국가가 안보상의 위협을 구실로 핵무기를 개발하고 세력균형을 도모한다는 논리를 전적으로 부정하기가 힘들어질 수 있다.

하지만, 냉전기에 미국과 소련 양국의 무제한적인 군비 경쟁은 결코 안정화의 지표라고 판단하기는 힘들다. 또한 중국이 핵을 이미 사용했던 미국을 상대로 한국 전쟁에 개입했던 사례나, 1960년대 말에 소련과 중국

6) 초기 중국의 핵개발 과정과 정책에 대해서는 이철기, 「중국의 군비통제 및 군축정책: 평가와 전망」, 『한국정치학회보』 28(1), 1994 및 Jianqun Teng, 「중국의 핵보유정책」, 배정호·구재회 편, 『NPT 체제와 핵안보』(통일연구원, 2010) 참조.

7) Scott Sagan and Kenneth Waltz, *The Spread of Nuclear Weapons: A Debate Renewed*(New York: W. W. Norton, 2003) 중 월츠의 논의 참조.

사이에 전투가 발생했던 경험, 그리고 1973년에 핵을 보유한 이스라엘에 대해 이집트와 시리아가 전면전을 시도했던 사례들은 안보 모델이 제시하는 합리성의 근거가 취약함을 반증해주고 있다. 아울러 핵전쟁으로의 비화를 막는 것이 지상의 과제가 된다면 핵을 보유한 국가들 사이에서도 제한전의 방식으로 재래식 전쟁이 발생할 여지는 충분히 존재하는 것이다.

따라서 핵무기가 억지력을 발휘하는 효과를 수긍한다 하더라도 안보 모델이 제시하는 안보 위협이라는 국가의 동기가 객관적으로 핵 추구와 어느 정도의 상관관계를 가지는지에 대해 여전히 논쟁의 여지가 남아 있다. 이렇듯 안보 모델은 현재 비확산 국제정치의 난맥상에 대해 적절한 설명을 하기가 힘들다. 특히 현실적으로 강대국 또는 경쟁 상대국이 남아 있는 한 국가들 사이에 안보 경쟁은 지속될 수밖에 없는 것이 현실 국제정치의 양상이라면, 안보 위협의 감소를 위해 국가가 반드시 핵무기를 추구할 것인지에 대해서는 의문이 생길 수밖에 없다. 안보 모델이 핵개발에 필수적 요인을 모두 설명할 수 있는 것은 아니라는 한계가 분명해진다.

또한 안보 모델에서는 비핵화 또는 핵자제nuclear restraint를 안보 위협의 감소를 통해 설명하고자 한다. 즉 핵개발의 자제, 또는 비핵화를 실현하기 위해서는 핵개발을 추진하는 국가의 안보 위협을 감소시켜야 한다는 주장이 되는 것이다. 다시 말해 새롭게 핵개발을 추진하던 국가들이 실질적인 안보 위협의 감소와 더불어 핵개발을 중단하거나, 핵을 폐기하기에 이르렀다는 것이다. 예를 들면 남아프리카 공화국도 소련으로부터의 위협이 사라진 1991년에 핵 프로그램을 폐기했고, 아르헨티나와 브라질도 서로의 위협이 없음을 인지한 후에 핵 프로그램을 종결시켰으며, 구소련 3국도 러시아로부터의 위협이 없음을 알고 핵미사일을 폐기하는 데에 동의했다는 것이다.[8)]

---

8) Sagan(1996/7), pp. 60-61.

안보 모델에서는 잠재적 핵개발국에 대해 동맹의 형태로 안보 확약이 제공되거나, NPT의 소극적 안전보장 조치 등과 같이 구체적으로 핵을 포기함으로써 발생될 수 있는 집단행동문제collective action problem를 극복할 수 있는 기제들이 제공되는 경우에는 핵확산의 속도가 늦춰질 수 있을 것을 예상한다.[9] 하지만, 안보 모델이 의존하고 있는 현실주의 이론의 전제는 국제 무정부 상태에서 초래되는 안보 위협인 바, 국가가 합리적인 선택을 한다면 막대한 국방비를 투자하여 다른 전력을 증강하는 것보다 상대적으로 큰 억지력을 발휘하여 안보에 도움이 되는 핵무기를 포기는 쉽지 않을 것이라고 보아야 할 것이다.[10] 왈츠Waltz의 주장처럼, 국가가 핵무기를 필요로 하는 이유 중의 대부분이 안보와 결부가 되어 있다면, 국제정치상에 근본적인 변화가 없이 안보상의 이유로 핵무기를 추구하던 국가가 자발적으로 핵을 포기할 것이라고 전망할 만한 충분한 근거가 없는 것이다.[11]

핵개발이라는 동기는 국제적 요인과 국내적 요인이 결합함으로써 추동력을 확보하게 되는 경향을 보여 왔고, 그 과정에서 개별 국가들이 확보한 핵과학 기술(지식, 시설, 평화적 이용 문제)의 수준이 매개 변수로서 중요한 영향력을 발휘함에 따라 기존의 이론적 논의로는 비확산을 위한 효과적인 처방을 내리기가 힘든 상황에 직면할 수밖에 없는 것이다.[12]

---

9) 위의 글, pp. 61-62.

10) 한인택, 「핵폐기 사례연구: 남아프리카공화국 사례의 함의와 한계」, 『한국과 국제정치』, 제27집 1호(2011), pp. 89-90.

11) Kenneth Waltz, "Peace, Stability, and Nuclear Weapons," *IGCC Policy Paper*, University of California Institute of Global Conflict and Cooperation(Aug. 1995), pp. 5-6.

12) 이러한 이론적 논의는 지금까지 국제정치학계의 주류 이론으로 활용되어 온 현실주의, 자유주의, 구성주의적 시각을 반영한 것이라고 볼 수 있다. 핵무기와 비확산의 문제는 주로 안보 영역과 관련이 되어 있고, 따라서 현실주의적 논의를 기반으로 한 분석과 처방이 정책적인 함의 측면에서 주된 관심을 받아왔다. 이에 대해 자유주의적, 구성주의적 설명은 현실주의적 설명의 (대체가 아닌) 보완이라는 측면에서 일정 부분 설득력을 가진다고 보는 것이 일반적인 경향이다. 하지만, 핵개발과 비핵화에 대한 통합적인 분석과 효율적인 처방의 제시에 있어서 기존의 이론적 입장은 지지부진

솔링건Solingen의 연구는 이러한 상황을 사례를 통해 보여주고 있다.[13] 이 연구는 안보위협이라는 변수를 통해 개별 국가의 핵정책 변화를 설명하려는 시도에 무리가 있을 수밖에 없음을 입증해주고 있다. 즉 안보위협을 경험하는 국가들이 모두 같은 방식으로 대응하지는 않는 것이다. 예를 들면, 이스라엘, 남아프리카공화국, 한국, 대만 중에서 이스라엘만 재래식 안보위협에 핵무장으로 대응하였다. 또한 핵 자제의 사례로 평가되는 아르헨티나, 브라질, 이집트, 남아프리카공화국의 경우를 보았을 때, 이들 국가에 대한 안보 공약이 핵무기 추구를 중단시키는 데에 큰 영향을 미치지 못했다고 솔링건은 평가한다. 이들 국가들의 핵정책에 차이점을 가져온 것은 국내 지배집단의 성격이었다고 간주할 근거가 있다는 것이다.

2. 국내정치 모델과 비확산

위에서 살펴본 것처럼, 안보 모델의 논리는 비결정적이어서 개별 국가에 적용하기가 용이하지 않은 난점이 존재한다. 이런 측면에서 국내정치 모델의 유용성이 대별될 수 있다. 민주주의 전통이 자리잡은 국가에서도 일반적으로 안보 정책은 다른 국내 정책과는 구별되는 기밀성과 전문성의 영역일 수밖에 없다. 따라서 핵심 정보에 접근이 가능한 정치인, 군부, 또는 핵과학자가 핵무기와 관련하여 일반 대중의 정보나 위기 인식을 배후 조종할 가능성이 존재하고 있는 것이다.

이 모델에 따르면 핵개발이나 비핵화 결정의 동기는 정책 결정에 참여하는 행위자들과 그들의 상호작용에서 찾아야 하는 것이고, 그럴 때 핵 관련 결정에 대해 보다 세밀한 설명이 가능한 것이다.[14] 이러한 중요한

한 상태이다. 따라서 새로운 이론적 관점의 도입의 필요성이 대두될 수밖에 없는 상황이다.

13) Etel Solingen, "The Political Economy of Nuclear Restraint," *International Security*. Vol. 19, No. 2(1994).

14) 한인택(2011), p. 91.

행위자는 수동적인 행위자가 아니라, 자신들에게 유리한, 즉 핵무기의 획득을 선호하는 조건을 창출해낼 수 있다는 것이다. 그러한 조건의 창출은 외부로부터의 안보 위협 인식을 극대화하거나, 국방비 증가를 로비하거나, 뜻을 공유하는 정치인을 지지함으로써 가능해진다. 결국 이 모델에 따르면 군-산-학 연대scientific-military-industrial coalition의 효과적인 형성이 핵 결정과 관련하여 가장 중요한 요인이 된다.[15)]

예를 들자면, 국내정치 모델에서 핵무기는 국제 안보 문제에 대한 명확하고도 불가피한 해결책이기보다는 핵무기의 획득을 통해 자신들의 존재를 정당화하려는 집단에 의해 문제로 대두되는 것으로 이해된다. 국제안보상의 위협이라는 것도 결국은 국내정치에서 어떻게 해석되느냐에 따라 그 영향력이 좌우될 수 있는데, 안보 위협은 지엽적인 이익의 실현을 위해 활용되는 기회의 창windows of opportunity이 될 수 있다는 것이 국내정치 모델의 해석이다.[16)] 세이건은 인도의 핵개발의 경우도 초기에는 집권 세력 내에 핵무기에 대한 전반적인 합의가 없었지만, 1970년대 초반 이후에 핵과학자들이 집권 세력을 설득하면서 1974년의 핵실험으로 진행되었다고 인정하고 있다.[17)] 북한과 이란의 경우도 결국은 핵심 강경 세력이 외부로부터의 안보 위협을 강조함으로써 핵추구를 위한 명분을 축적해오고 있다는 점에서 국내정치 모델의 논리는 일리가 있다고 평가할 수 있고, 현실적으로 우리의 관점에서 핵개발 문제를 관찰하기에 그 유용성이 안보 모델보다 더 클 수밖에 없다.

이론적으로는 국제시장경제체제와 친화적인 자유주의적liberal 지배연합ruling coalitions이 국제적 핵 규범 및 제도에 보다 순응할 가능성이 크고, 다분히 폐쇄적인inward-looking 지배연합의 경우에는 국제경제로부터 얻는 이득

15) Sagan(1996/7), p. 64.
16) 위의 글, p. 65.
17) 위의 글, pp. 65-67.

이 제한적이기 때문에 외부의 압력에 크게 반응하지 않을 가능성이 있다고 솔링건은 주장한다.[18] 사례적으로도 인도와 파키스탄의 경우에 자유주의 성향의 지배연합의 존재 유무에 따라 정책의 변화가 있음이 관찰되었고, 이집트의 경우에도 사다트 정부시절에는 NPT를 지지하면서 중동 비핵지대화를 추진했던 경험도 있다.[19]

하지만, 국내정치 모델에 의존하여 당면한 핵확산의 문제에 대한 해결책을 제시하는 것에는 한계가 있다. 우선 한 국가 내부의 집단에 대한 직접적 영향력 행사가 현실적으로 제한될 수밖에 없다는 것이 문제이다. 둘째, 간접적인 영향력 행사의 방식, 예를 들면 외교적 채널의 가동이나 경제적 수단의 활용 등도 해당 국가의 성격에 따라 그 효용성이 좌우될 수밖에 없다. 북한과 이란처럼 내부적으로 결속력이 강하고 폐쇄적인 국가의 경우에는 현실적으로 가능한 조치가 크게 눈에 띄지 않는다. 마지막으로 해당 국가 내부의 비핵화 그룹의 입지가 강화되기 위해서는 핵보유국들이 핵군축 또는 핵폐기를 향한 명확한 모범을 보여줘야 하는데, 아직까지 이런 방향의 진행을 전망하기는 무리가 따른다. 즉, 국내정치 모델의 한계는 다시 규범 모델의 논의를 통해서 정리될 필요가 있는 것이다.

3. 규범 모델과 비확산

규범 모델은 핵무기와 관련하여 국제 규범이 핵개발을 부추기거나 자제시킬 수 있다는 주장이다. 핵보유국들의 경우와 핵폐기 사례 중에서 국제 규범이 핵관련 결정에 영향을 미친 사례가 몇 가지가 있다. 시대의 변화에 따라서 핵보유가 정당한 것으로 인정될 수 있는 여지가 큰 경우가 있었고, 다른 한편 NPT 등의 규범이 정착되면서 핵보유의 부담을 증가시키는 경우가 있었던 것이다. 예를 들면 프랑스의 경우는 핵무기를 외부

18) Solingen(1994), pp. 137-142.
19) 위의 글, pp. 145-149.

안보 위협에 대한 억지력이기보다는 강대국의 표상으로서 추구했다고 볼 수 있는 여지가 크고, 우크라이나의 비핵화는 우크라이나가 국제 규범을 무시하는 문제 국가로 인식되는 것을 두려워해서 조속히 종결될 수 있었다는 분석이 가능한 것이다.[20] 이런 분석에 따르면 핵무기는 외부의 위협에 대한 대응이나 국내정치 집단의 이익에 봉사하는 것이기보다는 적절하다고 여겨지는 경우에 추구되는 것이다.[21]

그런데, 퍼먼Fuhrmann의 연구는 규범 모델의 설명에 대해 근본적인 질문을 제기한다.[22] 그는 모든 형태의 핵 관련 민간 협력이 핵확산의 위협을 증가시킨다고 주장하고 사례 연구를 통해 그의 주장을 확인한다. 퍼먼의 논리는 안보위협 또는 특정 집단의 정치적 이익 증진 때문에 핵무기를 추구한다는 일반적 견해와는 달리 기술적 능력 자체가 핵무기 추구에 결정적 영향을 미친다는 것이다.[23] 그 이유는 민간 차원의 원자력 협력 지원을 받은 국가는 추후 핵 프로그램의 준비에 드는 비용을 줄일 수 있고, 기술적으로도 확신을 가질 가능성이 높으며, 핵분열 물질을 이미 보유하고 있거나 생산할 수 있는 기반을 보유할 수 있게 되기 때문이라는 것이다. 퍼먼의 사례 연구에서 다루는 국가들, 즉 남아프리카공화국, 이스라엘, 북한, 인도,[24] 파키스탄[25] 등은 모두 핵보유국들로부터 연구용 원자로와

---

20) Sagan(1996/7), pp. 76-82.

21) 한인택(2011), pp. 91-92.

22) Matthew Fuhrmann, "Spreading Temptation: Proliferation and Peaceful Nuclear Cooperation Agreements," *International Security*, Vol. 34, No. 1(Summer 2009).

23) 위의 글, p. 8.

24) 인도의 경우에 대해서는 Sumit Ganguly, "India's Pathway to Pokhran II: The Prospects and Sources of New Delhi's Nuclear Weapons Program," *International Security*, Vol. 23, No. 4(Spring 1999) 참조. 인도는 애초에 영국의 설계로 연구용 원자로 건설을 시작했고, 미국은 중수와 핵과학자의 훈련을 제공했다. 1962년에 중국과의 국경전을 경험하면서 인도의 핵프로그램은 가속화하여 1964년에 핵무기 프로그램을 시작하였다.

25) 파키스탄의 사례는 Samina Ahmed, "Pakistan's Nuclear Weapons Program: Turning Points and Nuclear Choices," *International Security*, Vol. 23, No. 4(Spring 1999)

기술지원을 받은 국가들이었다.

북한과 이란의 경우에서도 불법적인 거래가 양 국가의 핵프로그램의 진전에 많은 도움을 준 것이 아니라 이미 진행된 민간 차원의 원자력 협력이 프로그램의 근간을 이루고 있다는 점에서 퍼먼의 주장의 함의는 재조명될 필요가 있다. 핵보유국들 또는 선진국들은 과거에 전략적 필요에 의해서 위에서 언급한 국가들에 차별적으로 원자력 협력 지원을 제공하였고, 국제정치적 상황의 변화로 이제 그 국가들이 보유하고 있는 핵프로그램에 문제를 제기하고 있는 상황인 것이다. 이런 상황은 다음과 같은 세 가지 고려할 점을 제시한다.

첫째, 비확산 국제규범의 정립과 영향력의 발휘는 예상보다 제한적일 수밖에 없다는 것이다. 과거의 사례를 검토하면 비확산에 절대적 가치를 부여하는 데에 동의하지 않는 국가들이 존재할 수밖에 없다. 둘째, 비확산의 근간인 NPT 등을 통해 평화적 핵이용 권리를 보장하는 조치들의 실효성을 재검토해야 할 필요성이 있다. 보다 근본적으로 NPT가 비확산을 위해 기능할 수 있는 것인지에 대한 검토가 필요하다. 마지막으로, 퍼먼의 다른 연구는 핵보유국들이 전략적, 경제적 이익을 실현하기 위해서 핵확산의 위협을 실제로는 무시하고 있다는 점을 보여준다.[26] 결국은 비

참조. 파키스탄의 경우, 미국과 캐나다가 1950년대부터 중수와 우라늄을 제공하였고, 1960년대 이후에는 유럽 국가들이 추가적으로 지원하기 시작하였다. 1971년 인도와의 분쟁에서 지면서 핵무기 프로그램을 시작하여 1974년에 인도가 핵무기 실험을 실시하면서 파키스탄의 핵무기 프로그램도 가속화하였다. 비록 1977년과 1979년에 미국이 파키스탄에 대해 제재를 부과하였지만, 1979년에 소련이 아프가니스탄에 침공하면서 미국으로서는 다시 파키스탄이 필요한 입장이 되어 제재를 유보하고 핵무기를 쓸 수 있는 F-16을 파키스탄에 판매하기에 이른다. 냉전이 종식된 이후에 미국의 압력이 증가하였으나, 파키스탄의 핵무기 프로그램은 중단되지 않았다. 파키스탄의 경우도 외부의 지원이 핵무기 보유에 가장 중요한 요인으로 작용하였다고 판단하는 데에 큰 무리가 없을 것이다.

26) Matthew Fuhrmann, "Taking a Walk on the Supply Side: The Determinants of Civilian Nuclear Cooperation," *Journal of Conflict Resolution*, Vol. 53, No. 2(April 2009).

확산이라는 것이 일부 불량 국가들의 존재 때문에만 문제가 되는 것이 아니라는 지적은 일리가 있는 것이다. 따라서 왜 아직도 핵보유국들이 다른 국가들에게 민간 원자력 지원을 제공하려 하는지에 대한 보다 근본적인 문제 제기가 필요하다.

현실적으로도 규범 모델은 비확산의 복합성에 대한 처방을 내리기가 힘들다. 우선, 핵무기의 추구가 국제적으로 인정되지 않는다는 규범을 정착시키기 위해서는 핵무기의 유용성 자체를 줄여야 할 필요가 있다. 그런 경우 핵보유국이 외부 안보 위협을 느끼는 동맹국을 보호하기 위해서는 안보 공약을 확실하게 할 필요가 증가될 수 있다. 예를 들면 북한의 핵무기로부터 직접적인 위협에 직면한 한국은 비핵화를 유지하기 위해 미국의 안보 공약을 재차 확인하고자 노력하고 있다. 그런데, 이렇게 동맹국을 보호하기 위해 안보 공약을 강화(억지력으로서의 핵무기의 사용을 포함하여)하는 경우에, 이는 NPT 등의 국제 규범과 충돌할 가능성이 커지게 되는 것이다. 또한 이런 경우에는 미국에 적대적인 비핵국가가 안보상의 이유로 핵무기를 추구하거나 핵폐기를 거부할 명분을 강화시키게 되는 문제가 발생한다. 즉 규범의 강화와 현실이 항상 같은 방향을 지시하지 않을 수도 있다는 것이 규범 모델이 해결해야 하는 딜레마인 것이다.

III. 네트워크 이론과 비확산 국제정치

앞에서 살펴본 것처럼 기존의 이론적 논의들은 비확산 국제정치 현상에 대한 부분적인 설명을 제공하고 있기는 하지만, 안정적이고 효율적인 비확산체제의 작동을 위한 정책적 처방은 제시하지 못하고 있다. 기본적으로 비확산체제는 핵확산의 기술적 장벽을 높이고, 핵무기를 추구하는 정치적 의지를 약화시키고, 핵군축을 포함하여 핵사용을 방지하는 것을 목표로 해야 할 것이다.[27] 이러한 복합적인 과제는 기존의 실증주의적 접근으로는 해결하기 힘든 것이 사실이다. 왜냐하면 여러 구성 요인들 간의 인과관계가 우선 분명하게 드러나지 않기 때문이다. 아울러 여전히 권력정치의 요소가 강하게 작용하고 있는 비확산 국제정치의 무대에서 당사자 간의 이해의 간극을 좁힐 수 있는 실천적 대안이 실증주의적 관점에서는 마련되기가 힘들기 때문이다.

네트워크 세계정치의 시각은 이에 대해 세 가지 장점을 지닌다. 먼저 네트워크 행위자들의 상호작용을 통해 생성되는 관계적 구도를 파악할 수 있게 해준다. 둘째, 네트워크 세계정치의 시각은 핵이라는 비확산 국제정치의 핵심적(그렇지만 기존의 논의의 중심에서는 벗어나 있는) 요소인 핵이라는 비인간 행위자의 영향력을 함께 고려할 수 있게 해준다. 마지막으로 네트워크 세계정치의 시각은 한국이 중개자로서 수행할 수 있는 역할을 적극적으로 정의할 수 있게 해줌으로써 실천적 전략으로서의 정책적 처방을 구체적으로 제시할 수 있는 기반을 제공한다. 다음에서는 네트워크 세계정치의 시각을 간략히 정리하고, 비확산 국제정치에서 가능한 중개자의 역할에 대해 논의한다.

1. 네트워크 세계정치의 시각

네트워크 세계정치의 시각은 국제정치의 주요 노드[node]인 국가가 보유하고 있는 권력에 대한 이해만으로는 우리 주변에서 일어나고 있는 현상에 대한 올바른 인식이 불가능하기 때문에 탈 노드 차원의 권력개념을 포괄적으로 제시하고 여기에서 중요한 역할을 하는 네트워크 권력에 대한 이해를 증진시킬 필요를 주장한다.[28]

---

27) 조동준, 「핵확산의 추세 vs. 비확산의 방책」, 『한국과 국제정치』 제27권 1호(2011).
28) 이러한 움직임에 대해서는 김상배, 「네트워크 권력의 세계정치: 전통적인 국제정치 권력이론을 넘어서」, 『한국정치학회보』 제42집 제4호(2008), pp. 387-408 참조.

네트워크 이론에서 네트워크란 "상호 연결되어 있는 노드들의 집합"을 의미하고,[29] 네트워크 권력이란 노드 자체의 속성이나 노드가 보유하고 있는 자원이 아니라 노드들 간의 관계인 네트워크에서 비롯되는 권력을 지칭한다. 다시 말해 네트워크 권력이란 개별 노드들의 경계 밖에 있는 외재적 요소, 노드와 노드들이 맺는 링크의 총합으로서의 네트워크에 의해서 생성되고 작동하는 권력을 개념화한 것이다. 물론 외재적 요소인 네트워크와 노드는 별개 혹은 분리되어 있는 것이 아니라, 노드 자체도 네트워크가 작동하는 데에 필수적인 구성 요소가 된다. 그렇기 때문에 "네트워크 권력은 개별 노드들의 자유로운 선택에 기원을 두지만 그 작동과 영향은 노드가 아닌 네트워크 차원에서 이뤄지는 권력"으로 파악되며, 이런 관점에서는 네트워크 권력이 "노드의 행동에서부터 비롯되었지만 역으로 노드를 제약하는 구조로 작동하는 권력, 즉 행위자와 구조의 차원에서 동시에 작동하는 권력의 이중성"을 파악하는 데에 도움이 되는 것이다. 네트워크 권력은 크게 행위자actor, 과정process, 그리고 체제system 차원에서 작동하는, 다르지만 서로 연결되는 세 가지 메커니즘으로 이해할 수 있다. 한 마디로 네트워크 권력은 네트워크를 구성한 노드늘이 발휘하는 권력, 네트워크라는 환경에서 특정 노드들이 상호작용의 과정에서 발휘하는 권력, 그리고 행위자와 노드를 제약하는 구조 모두를 포괄하는 체제 차원의 권력이라고 정의할 수 있는 것이다.[30]

네트워크 이론의 장점은 행위자들의 지속적이고 상호작용을 통해서 생성되는 '관계적 구도relational configuration'를 포착하는 데에 도움이 된다는 것이다. 다시 말해 행위자들의 상호작용 과정에서 창출되는 구도, 즉 네트

29) Manuel Castells, "Information, Networks, and the Network Society: A Theoretical Blueprint," in Castells, ed., *The Network Society: A Cross-cultural Perspective* (Cheltenham, UK: Edward Elgar, 2004), p. 3.

30) 김상배(2008), pp. 389-390.

워크 그 자체를 구조로서 볼 수 있게 하고 행위자들 간의 동태적 상호작용을 개념화할 수 있는 가능성을 열어주는 것이다.[31] 아울러 이러한 네트워크의 구조는 신현실주의에서 주로 원용하는 거시적 구조 개념에 비해서 중범위적인 구조라고 할 수 있다. 그 특징은 거시적 구조의 틀을 관찰함과 동시에 행위자의 선택과 구조의 변화를 살펴볼 수 있게 한다는 것이다.[32]

비확산 국제정치와 관련하여 네트워크적 시각이 주는 또 다른 중요한 함의는 핵이라는 비인간적non-human 요소의 중요성을 이론적으로 담아낼 수 있다는 것이다. 비확산 국제정치에서 노정되는 여러 문제들은 사실상 핵이라는 비인간적 요소를 인간 또는 국가행위자가 완전히 통제하지 못하는 것은 물론, 그러한 요소로부터 영향을 받는다는 점에서 비롯된다고 할 수 있다. 이런 측면에서 비인간 행위자를 포함하는 네트워크를 설명하는 행위자-네트워크 이론ANT: actor-network theory은 새로운 함의를 제공해준다.

한 가지 유의할 점은 ANT가 기존의 실증주의적 방법론에 입각한 분석에 주력하지 않는다는 것이다. 그보다는 네트워크가 형성되어 가는 동태적 과정에 더 주목한다. 더 나아가서, ANT는 인간 및 비인간 행위자가 어떻게 하나로 유지되면서 동시에 이종적인 네트워크로 구성되어 가는지를 관찰한다.[33] 자동차의 블랙박스처럼 평소에 주의를 기울이지 않더라도 자체의 작동원리를 가지고 움직이는 네트워크는 그 블랙박스의 문이 열릴 때 비로소 그 정체를 드러내게 된다. 하지만 평소에는 그 블랙박스는 보다 큰 자동차의 내부에 잠재해 있기 때문에 그 존재를 인식하게 힘들게 된다.[34]

---

31) Barry Wellman and S.D. Berkowitz, *Social Structures: A Network Approach*, (Cambridge: Cambridge University Press, 1988).

32) 김상배, 「네트워크 이론의 국제정치학적 원용」, 미간 원고(2011b), p. 10.

33) 위의 글, p. 17.

34) 홍성욱, 『인간·사물·동맹: 행위자네트워크 이론과 테크노사이언스』(이음, 2010), p. 24.

이러한 관점에서는 우리가 관찰하고자 하는 비확산 국제정치는 국가와 비국가 행위자, 핵물질과 핵관련 기술, 그리고 이들이 구성하는 네트워크와 그 안에서의 상호작용으로 파악할 수가 있다. 여기서 핵은 인간 행위자들이 활용하는 단순한 도구가 아니라 인간 행위자들의 상호작용에 영향을 미치고 있다는 점을 이해할 수가 있게 된다.

2. 위치권력 이론과 중개자

네트워크 세계정치의 시각에서 중요한 요소는 행위자들의 상호작용에서 형성되는 관계적 구도 속에서 그 변화를 어떻게 구체적으로 관찰할 수 있는가 하는 점이다. 이와 관련하여 주로 원용되는 개념은 위치권력과 중개자 개념이다.

위치권력 개념은 네트워크상에서 행위자가 차지하는 위치로부터 파생되는 권력을 의미하는데, 이 개념은 신현실주의나 신자유주의 이론에서 파악하는 물질적인 자원권력 개념과는 다른 속성을 지닌다. 이 개념은 네트워크상에서 구조적 공백을 전략적으로 활용할 수 있는 중개자의 역할을 정의하는 데에 도움이 된다는 차원에서 유용하다.[35] 동일한 내적 속성을 지닌 행위자들이 서로 다른 네트워크 구조 속에 위치해 있다면 상이한 역할을 부여받게 되고 이러한 점이 바로 위치권력에 있어서의 차이점을 발생시킨다. 즉 네트워크상에서 차지하는 위치에 따라 보유한 자원권력이 동일하더라도 더 많은 권력을 행사할 수 있는 행위자가 발생한다는 것이다. 그 이유는 위에서 언급한 것처럼 네트워크상에서 다른 행위자들과 보다 많은 링크를 연결하면 할수록 그러한 링크로부터 활용할 수 있는 부분이 증대되기 때문이다.[36] 아울러 그러한 자원과 정보를 필요로 하는

35) 김상배, 「네트워크로 보는 중견국 외교전략: 구조적 공백과 위치권력 이론의 원용」, 『국제정치논총』 제51집 3호(2011a), p. 62.
36) 위의 글, p. 65.

다른 행위자들로부터의 선호도가 증가되기 때문이다.

비확산과 관련해서 이러한 위치권력은 큰 시사점을 가진다. 전체적인 비확산 네트워크상에서 한국의 역할에 걸맞은 능동적인 중개자의 모습을 상정할 수 있다는 것이다. 전통적인 국제정치 이론의 시각에서는 자원권력을 상대적으로 많이 보유한 강대국들이 권력 정치를 좌우하는 것으로 파악되어왔다. 물론 연성 국력에 대한 논의도 있지만, 연성 국력 자체는 자원권력으로 구성되는 경성 국력의 뒷받침 없이는 큰 의미를 지닐 수가 없는 것이다. 하지만 네트워크 세계정치의 맥락에서는 위치에 따라 강대국이 아니어도 일련의 권력을 발휘할 틈새가 확보되게 되는 것이다.

이러한 틈새는 버트Burt가 얘기한 구조적 공백의 개념에서 보다 구체화된다.[37] 구조적 공백은 서로 직접적으로 연결되지 않는 두 행위와 가지고 있는 관계를 의미한다. 즉 네트워크에서 발견되는 일종의 균열인데, 이러한 공백에 한두 개의 링크를 추가할 수 있는 행위자, 즉 연결되지 않은 행위자들을 간단히 연결할 수 있는 행위자는 이들에 대해 전략적 이점을 가지게 된다. 이들 간에 이미 연결성이 강한 고리가 연결되어 있다면 중간의 행위자가 개입할 가능성이 거의 없으나, 상대적으로 느슨하거나 아예 형성된 연결이 없는 경우에는 그 중간에 위치한 행위자의 역할이 더욱 중요해진다는 것이 버트의 지적이다.

이러한 구조적 공백을 메움으로써 중개자는 네트워크상에서 중요도를 증진시키고 이러한 과정이 지속될수록 중심의 위치를 차지하면서 부분적으로는 허브의 역할을 수행하게 된다.[38] 중개자는 이 과정에서 중복되지 않은 다양하고 신선한 정보에 빠르고 쉽게 접근할 가능성이 커지고, 상이한 집단이 가지고 있는 다양한 자원을 활용할 가능성도 커지게

---

37) Ronald S. Burt, *Structural Holes: The Social Structure of Competition* (Cambridge: Harvard University Press, 1992).

38) 김상배(2011a), p. 20.

된다. 위에서 언급한 것처럼 네트워크의 중심에 위치할 때 보다 많은 권력을 행사할 가능성이 커지지만, 이러한 권력의 중심성은 연결 중심성의 증진을 통해서도 일정 정도 확보될 수 있는 것이다. 연결 중심성은 네트워크상에서 다른 노드들과 연결된 링크를 늘림으로써 증진될 수가 있다.

물론 위치권력의 정의상, 중개자가 획득할 수 있는 권력은 중개자가 처해 있는 네트워크의 속성, 즉 구조적 조건에 의해 크게 좌우될 수밖에 없다고 보아야 할 것이다. 따라서 속해 있는 네트워크의 성격을 정확하게 이해하는 것이 중개자가 취할 수 있는 전략의 출발점이라고 할 것이다. 간단히 살펴보자면 중개자의 역할은 단순히 흐름을 이어주는 연결자, 정보의 형식을 바꿔주는 변환자, 같은 종류의 행위자 사이에 의미의 흐름까지 중개해주는 전달자, 마지막으로 다른 종류의 행위자들 사이에서 의미의 흐름을 연결해주는 번역자[39]의 역할까지 나누어서 살펴볼 수 있다.[40] 한국의 입장에서는 구조적 공백이 일종의 기회인 셈인데, 비확산과 관련하여 한국이 번역자의 역할에 가까운 기능을 수행할 수 있다면 최대한의 권력을 획득함은 물론 답보 상태에 놓인 비확산의 경로에 새로운 동력을 제공할 수도 있을 것이다. 즉 비확산 문제를 효과적으로 정리해나가기 위해서는 기존 주요 행위자들 외에 서로 다른 종류의 정보(가치 또는 이익)의 흐름까지 연결해주는 새로운 중개자의 역할에 대한 필요성이 있는데, 이 시점에서 한국이 보다 적극적인 기능을 수행할 가능성을 찾을 수 있는 것이다.

---

39) ANT에서는 행위자들이 서로의 이해관계와 주변 환경 등을 엮어서 관계를 설정하는 과정을 번역(translation)이라고 정의한다. 서로 다른 속성을 지닌 요소들이 방치된다면 큰 의미가 없겠지만 이러한 번역의 과정을 통해 하나의 네트워크 내에서 관계가 설정된다. 이에 대해서는 Michel Callon, "Some Elements of a Sociology of Translation: Domestication of the Scallops and the Fishermen of St. Brieuc Bay," in John Law, ed. *Power, Action, and Belief: A New Sociology of Knowledge*(London: Routledge and Kegan Paul, 1986) 참조.

40) 중개자가 취할 수 있는 다양한 중개전략과 그 함의에 대해서는 김상배, 2011a, pp. 22-23의 논의를 참고할 것.

Ⅳ. 비확산 국제정치의 복합성

비확산 국제정치를 주도하고 있는 미국은 핵군축, 핵에너지의 평화적 사용 증진, 핵테러리즘의 예방을 통한 비확산을 목표로 하고 있다. 앞에서 논의한 것처럼 이러한 복합성을 지니는 비확산 문제를 단선적인 방식을 통해 해결하려는 노력은 현재까지 생산적인 결과를 도출하지 못하였다. 아래에서는 비확산 주요 이슈에 대한 검토를 통해 이슈의 복합성과 연계성을 보여주고 북한과 이란 사례의 함의에 대해 논의한다.

1. 미국 주도의 핵군축

최근까지 미국은 냉전기의 미·소 군비경쟁에서 비롯된 과도한 핵무기 보유라는 상황을 탈피하고자 노력하여 왔다. 소련이라는 경쟁자가 부재하는 상황에서 과거와 같은 양의 핵무기를 보유할 명분이 사라진 것은 물론이고, 국내적으로도 그 필요성이 의심받는 상황에 이른 것이다.

과거에 미국은 가상 적국이 미국으로부터의 보복 공격을 감내할 경우에는 결과적으로 핵전쟁을 치를 준비가 되어 있어야 하는 상황이었다. 또한 핵억지가 효과적이기 위해서도 당시 소련의 핵공격 능력을 감안한다면 1차 공격 후 충분한 잔존무기의 확보를 위해 소련의 핵능력 신장에 맞추어 미국도 끊임없이 핵무기 규모를 늘려가야 했던 것이다. 결과적으로 미국 군부는 가능한 모든 상황에서 사용할 수 있는 핵무기를 요구했고, 결국 1967년에는 총 32,000개의 핵탄두를 보유하게 되었다. 그러나 이 숫자는 이후 20여 년간 계속하여 축소되었다. 아울러 미국은 과거에는 총 1,000 회 이상의 핵무기 실험을 했으나 1992년 이후에는 더 이상 핵무기 실험을 하지 않고 있다. 그리고 새로운 탄두의 생산도 1992년 이후에는 중단되었다.[41)]

이러한 추이는 지속되어 냉전 이후에도 미국은 핵군축을 꾸준히 진전시켜왔다. 단순하게 계산하여 핵탄두 숫자만을 고려할 때 미국은 1991년 냉전 종식 이후 2009년을 기준으로 하여 전략핵탄두의 75%(9,154개에서 2,352개로)를 감축하였다. 1987년에 미국과 소련 간에 INF 협정이 체결되었고 1991년에는 START I 협정이 체결됨에 따라 핵군축을 위한 제도적 여건이 마련되었고, 미국은 러시아와 함께 이 협정에서 제시된 기준을 비교적 충실하게 이행하여 2001년에 이미 협정에서 제시한 수준으로 핵무기를 감축한 바 있다.

또한 최근 2008년 한 해 동안, 미국은 천 개 이상의 핵탄두의 배치를 해제하여 전략공격무기감축협정SORT: Strategic Offensive Reduction Treaty, 또는 Moscow Treaty에서 설정한 2,200개의 핵탄두 상한선을 3년 이상 앞당겨서 맞춘 바 있다.[42] 이 결과 2009년 1월 기준으로 미국의 총 핵탄두 보유수는 5,200여 개였고, 이 중 배치되어 있는 전략핵탄두는 2,200개, 그리고 저장되어 있는 탄두는 약 2,500개에 달했다(나머지 500개는 전술핵탄두이다).

이 외에 4,200개의 핵탄두가 해체를 기다리고 있는데, 이는 부시 행정부가 2004년에 2012년까지 미국의 핵탄두 보유량을 거의 50% 가량 줄이겠다고 선언한 것에 따르는 조치를 이행한 결과이다. 이 조치도 2007년 12월까지 마무리되어 예정보다 5년 이상 앞당겨진 것이다. 여기에 추가로 2012년까지 약 15%의 감축이 더 진행되면 미국의 핵탄두 보유량은 4,600개 수준으로 줄어들 것이다.[43] 작년에 러시아와 체결한 신전략무기

---

41) Robert S. Norris and Hans M. Kristensen, "U.S. Nuclear Warheads, 1945-2009," *The Bulletin of the Atomic Scientists*, Vol. 65, No. 4(July/August 2009), p. 73.

42) SORT는 미국의 부시대통령과 러시아의 푸틴대통령이 2002년 5월에 서명했는데, 이 조약에 따르면 양 측은 전략 핵탄두 수를 2012년까지 1,700~2,200개 수준으로 감축하기로 되어있다. SORT에서는 배치되지 않고 저장되어 있는 핵탄두의 숫자는 고려하지 않았다.

43) Robert S. Norris and Hans M. Kristensen, "Nuclear Notebook: U.S. Nuclear Forces, 2009," *The Bulletin of the Atomic Scientists*, Vol. 65, No. 2(March/April 2009), p. 60.

감축협정[New START]에 따르면 미국과 러시아는 전략 무기의 상한선을 전략 핵탄두 1,550개, 실전배치 전략적 핵무기 운반수단 700개, 실전배치 및 미배치 전략적 발사 수단 800개로 설정하는 데에 동의했다. 또한 오바마 행정부는 부시 행정부에서 추진되던 노후 핵탄두의 해체를 가속화할 것을 2010년 핵태세검토보고서에서 명문화한 바 있다.

미국이 보유한 전술핵무기의 숫자도 1990년대 이래로 급격히 줄어들었다. 미국은 냉전 종식 이후에 전술핵탄두의 95%(9,152개에서 500개로)를 감축하여, 2009년 현재 500개의 전술핵탄두를 보유하고 있다.

2. 확장억지의 신뢰성 문제

이상에서 논의한 것처럼 미국은 2009년 현재 총 9,400여개의 전략 및 전술 핵탄두를 보유하고 있다. 물론 이 중 절반 가까이는 조만간 해체될 예정이지만, 아직도 미국은 정책적으로 이 많은 숫자의 핵무기 보유를 필요로 하고 있다. 2004년에 당시 럼스펠드[Donald Rumsfeld] 미국 국방장관은 미국 합동참모회의[Joint Chiefs of Staff]에 핵무기사용정책[NUWEP: Nuclear Weapons Employment Policy]을 하달했다.[44] 이 지침은 2008년 2월 1일에 발표된 작전계획[OPLAN: Operations Plan] 8010-08 세계억지·타격[Global Deterrence and Strike]에서 구체화되었다.[45] OPLAN 8010-08은 타격 옵션으로는 핵과 재래식 무기를 모두 포함시키고, 중국과 러시아라는 전통적인 가상 적국 이외에도 다른 지역에서 대량

---

44) '핵무기사용정책'은 대통령이 결정하는 핵공격의 목표를 달성하기 위해 필요한 핵공격의 기본 전제, 공격 대안, 대상 설정 목표, 파괴 수준 등을 정해놓은 것인데, 국방장관이 합동참모회의에 하달하는 것이다. 이 NUWEP는 이후 '전력사용지침(GEF: Guidance for Employment of the Force)'으로 통합되어 2008년에 최초의 GEF 지침이 등장하였다.

45) 이 계획은 2008년 12월에 작전계획 8010-08 전략억지·세계타격(OPLAN 8010-08 Strategic Deterrence and Global Strike)로 개정되었다. *SIPRI Yearbook*(2009), p. 349.

살상무기를 보유한 국가를 공격할 수 있는 준비를 명시하였다.[46] 현재 미국의 핵무기 보유량은 이러한 공격 지침을 실행할 수 있는 수준을 유지하고 있는 것이다.

그러나 핵감축의 추세를 유지시키기 위해서 미국은 안보에 있어서 핵무기의 역할과 기능을 규정하는 위와 같은 지침들을 수정할 것을 고려해야 할지도 모른다. 그렇지 않고, 특히 오바마 행정부가 공언한 대로 핵무기의 총 숫자를 1,500개 수준으로 유지한다면 현재의 OPLAN이 규정하는 임무를 모두 수행할 수 있는지에 대한 문제 제기가 생길 수밖에 없다. 현재는 러시아, 중국 및 지역적 가상 적국 몇 나라의 지휘·통제 시설, 정치·군사 지도부, 군수산업 등 전 방위에 걸친 타격 옵션이 계획에 포함되어 있지만 1,500개의 핵무기로는 이 모든 것을 동시에 타격하기는 힘들 것이다.[47]

물론 1,500여개의 핵무기로도 미국 본토를 향한 핵공격에 대한 억지력을 발휘할 수는 있다.[48] 하지만, 문제는 국내적으로는 국방비 삭감의 압력이 가중되는 상황에서 사용이 예정되어 있지 않은 핵무기의 과도한 보유에 대한 미국 의회와 국내정치로부터의 지적이 재현될 수 있다는 것이다. 아울러 미국의 확장억지력에 대한 신뢰도의 문제도 지속적으로 제기될 수 있는 문제이다.

2010 NPR에서 명시된 함상발사순항미사일의 퇴역 조치는 이를 구체적으로 대치할 만한 내용의 제시가 없다는 점에서 미국 확장억지의 근간

---

46) *SIPRI Yearbook*(2009), p. 349.

47) 미국은 핵군축의 진전에 따라서는 1,000여개의 수준으로 핵무기를 감축할 수 있다고 얘기하는 상황이어서 조만간 핵군축과 미국의 전략타격능력의 실효성과 관련하여 논의가 재개될 것으로 예상된다.

48) Ivo Daalder and Jan Lodal, "The Logic of Zero: Toward a World Without Nuclear Weapons," *Foreign Affairs*, Vol. 87, No. 6(November/December 2008), pp. 80-95.

에 대한 한국과 일본의 의구심을 증폭시키고 있다.[49] 한국과 마찬가지로 북한의 핵무장 및 중국의 핵전력 강화 움직임에 대응해야 하는 일본으로서는 핵을 포함한 군사력의 증강에 대해 심각한 고려를 할 가능성 있다. 미국이 전력의 재조정을 통해 확보하는 전략적 유용성만큼 한국과 일본으로서는 독자적인 군사력을 보강해야 할 필요성을 가지게 된다는 점에서 미국의 국방정책 조정은 동아시아에서 미국 동맹국의 군사력 강화로 이어질 가능성이 높다고 할 수 있다. 2010년 신전략무기감축협정의 체결 전후로 한국과 일본 내에서는 미국이 그간 제공해왔던 핵 확장억지의 신뢰도에 의문을 제기하는 움직임이 관찰되었고, 향후 상황의 전개에 따라서 한국과 일본 내의 안보불안 심리가 강화된다면 북한과 중국의 핵전력에 대응해야 하는 양국에 핵무장을 포함한 적극적 정책 대안을 모색하라는 압력이 거세질 가능성도 있다고 할 수 있다.[50]

실제로 일본은 최근 공표된 2010 방위계획대강에서 아시아·태평양 지역에서 북한의 군사적 동향과 중국의 군사적 불투명성에 대해서 경계감을 강하게 표현한 바 있다. 특히 중국의 급속한 군사력 현대화, (핵무기를 포함한) 원거리 작전 및 투사능력의 강화 등에 대한 우려가 이번 방위계획대강에서 분명히 제기되었다. 물론 부분적으로는 중국과의 안보협력의 필요성도 강조되기는 하였으나, 방점은 중국의 군사력 현대화에 대한 고민에 주어졌다고 평가해야 할 것이다. 다른 한편으로 일본이 궁극적으로는 위협요인에 대처하기 위한 수단으로서 미국과의 협력 강화와 '동

---

49) 이에 대해 한국에서는 이미 자체 핵무장이나 주한 미군의 전술핵 재배치가 공개적으로 논의되고 있는 상황이다. 물론 이러한 주장은 실제로 한국이 핵무장으로 나가야 한다는 것보다는 그러한 압박을 통해 중국과 북한에 보다 분명한 의사를 전달하고자 하는 것이라고 볼 수 있다. 하지만 그러한 움직임 자체가 한국에 비생산적인 결과를 초래할 가능성도 크다. 여기에 대해서는 Ralph A. Cossa, "U.S. Weapons to South Korea," *PacNet*, No. 39(July 2011) 참조.

50) 고봉준, 「동북아 평화와 새로운 군비경쟁의 극복」, 한용섭 편, 『미중 경쟁시대의 동북아 평화론: 쟁점, 과제, 구축전략』, 아연출판부, 2010.

적 방위력'으로 군의 첨단화를 강조했다는 점에서 중국도 이런 일본의 움직임을 자국의 전략적 이해에 악영향을 주는 것으로 인식할 소지가 남아 있다.[51] 이러한 부정적인 전략적 연쇄반응은 비확산 국제정치가 단선적으로 접근할 사안이 아님을 재확인해준다.

3. 핵의 평화적 이용 권리와 비확산 체제

확장억지의 신뢰도 문제와 북한과 이란 같은 일탈적 사례 외에도 기존 비확산체제에 중요한 함의를 가지는 원심력은 비핵 국가를 중심으로 강조되고 있는 '핵의 평화적 이용'과 관련된 움직임이다. 물론 핵의 평화적 이용은 NPT의 3대 축 중의 하나이다. 하지만 핵에너지를 추구(또는 추구할 것으로 전망되는)하는 국가들이 증가하면서 핵의 평화적 이용 권리도 비확산체제의 안정성을 위협하는 요인으로 작용하고 있다.

최근에 에너지 안보와 기후변화로 인해 핵에너지에 대한 관심이 고조되는 상황에서 2005년 이후 그간 핵발전소가 없던 국가 중 27개국 이상이 핵발전소의 신규 건설을 선언하였다. 이들의 절반은 소위 개발도상국이다. 이들 국가의 계획이 예정대로 진행된다면 2030년에는 지금의 두 배 규모로 핵에너지 생산량이 증가할 것으로 전망되고 있다. 국제사회에서 확산방지에 친화적인 핵연료주기를 구축하기 위한 노력을 기울여왔지만, 아직 이를 위한 기술적·제도적 장치가 효율적으로 구축되지 않은 것이 현실이다.[52]

현재까지 논의되어온 연료임대계약, 농축 및 재처리 방지협정, 영구적 핵연료공급 방안 등에 대한 국제사회의 합의에 뚜렷한 진전이 없는 상

---

51) 박영준, 「일본 〈방위계획대강 2010〉과 한국 안보정책에의 시사점」, 『EAI논평』 16 (2010).

52) Sharon Squassoni, "Nuclear Energy Enthusiasm: The Proliferation Implications," *JPI PeaceNet*, 2010-7, Jeju Peace Institute(2010).

태에서 핵발전을 새롭게 시작하는 국가의 핵연료주기가 NPT 체제하에서 관리되지 않을 가능성이 크고, 이는 국제 비확산 노력에 새로운 도전으로 작용할 것이다. 이미 2010년 5월에 개최된 제8차 NPT 검토회의에서 비핵국가들은 농축 및 재처리 시설의 구축이 NPT에 보장된 핵에너지의 평화적 이용 권리에 해당한다는 주장을 강하게 한 바 있다.[53] 따라서 핵의 평화적 이용권리에 대한 주장을 비확산체제 내에서 보다 적극적으로 수용하지 못한다면 불안정한 상태로 지속되고 있는 NPT 중심의 비확산체제의 미래 전망은 그리 밝지 않다고 보아야 할 것이다.[54]

4. 북한과 이란 사례의 시사점

미국이 주도하고 있는 현재의 비확산 체제는 북한과 이란의 예외적인 행위로 인해 그 한계가 입증되고 있다. 북한은 1990년대와 2000년대에 두 번에 걸쳐 NPT 탈퇴를 선언하면서 국제적 우려를 야기함과 동시에 핵무기를 보유하는 상황까지 실질적으로 핵프로그램을 진행시켰다. 이란도 2000년대 초반부터 미신고 핵프로그램을 가동시켰다는 의혹을 강하게 받으면서도, IAEA의 추가의정서에 비준하지 않고 핵무기를 추구하고 있다는 국제적 우려를 증폭시키고 있다. 물론 NPT에서 인정하고 있는 핵강

---

53) 박재적, 「새로운 원전 르네상스 시대의 도래: 핵비확산 체제의 위기?」, 배정호·구재회 편, 『NPT 체제와 핵안보』(통일연구원, 2010)

54) 최근에 일본에서 후쿠시마 원전 사고를 경험하면서 핵에너지에 대한 열기가 약화될 것이라는 전망들이 나오고 있다. 실제로 새로 원전을 건설하려던 국가들이 기존 계획을 재검토하는 사례들이 보도되고 있다. 비확산과 아울러 핵안전의 중요성이 새로운 국제적 의제도 부상한다는 주장에 대해서는 함택영, 「동북아 핵의 국제정치」, 『한반도 포커스』 제13호(2011); James Goodby and Markku Heiskanen, "The Fukushima Disaster Opens New Prospects for Cooperation in Northeast Asia," *Policy Forum*, Nautilus Institute(Jun 28, 2011) 참조. 핵발전소 건설을 적극적으로 추진하던 중국 내에서도 핵안전에 대한 경각심이 새롭게 제기되고 있다는 주장도 있다. 이에 대해서는 Wen Bo, "Japan's Nuclear Crisis Sparks Concerns over Nuclear Power in China," *Special Report*, Nautilus Institute(Jun 2, 2011) 참조.

대국 외에 인도, 파키스탄, 이스라엘도 NPT 외부에서 핵을 보유하고 있다. 하지만 이들 국가와는 달리 북한은 NPT의 탈퇴라는 일종의 자충수를 두면서 NPT 체제에 근본적인 도전을 하고 있는 사례이다.[55] 또한 이란은 NPT 회원국이면서도 NPT의 안전협정을 준수하지 않고 있는 사례이다. 2003년 IAEA 이사회가 이란의 안전협정 위반을 유엔 안전보장이사회에 보고하고, 안전보장이사회가 이란에게 농축우라늄 프로그램을 포기하도록 요구했으나, 이란의 경우는 이를 거부하고 있다.

북한의 경우, 처음에 NPT를 탈퇴한 후 소위 제네바합의를 바탕으로 하여 핵프로그램을 동결하는 것에 동의하였으나, 2002년에 고농축우라늄 프로그램의 존재를 인정하게 됨으로써 다시금 국제적 우려를 증폭시키면서 결국은 2003년 초에 다시 NPT 탈퇴를 선언하였다. 이어 같은 해 2월에 5MW 원자로를 재가동시켰고, 10월에는 연료봉 8천개의 재처리를 마무리했다고 공표했다. 북한은 2005년 2월에는 외무성 성명을 통해 핵무기를 보유하고 있음을 공언하였다. 이어 2006년 7월에 북한은 장거리 미사일 발사 실험 이후, 10월에 핵실험을 실시하였다. 북한은 2007년에 북핵6자회담의 진전을 토대로 영변의 핵시설의 가동을 중단하였고, 2008년 6월에는 영변 원자로의 냉각탑을 폭파하는 등 핵프로그램의 포기를 위한 실질적인 조치를 취하는 것과 같은 자세를 보였다. 하지만, 2009년 초부터 북한의 태도가 전환되어 4월에는 영변 핵시설의 폐연료봉 재처리 작업에 착수했음을 발표한데 이어 5월에는 2차 핵실험을 감행했다. 북한은 2010년 말에 고농축우라늄 개발이 실질적으로 진전되고 있음을 여러 경로를 통해 과시한 바 있다.

이러한 사례는 크게 세 가지 점에서 문제가 된다. 우선 북한이 현재

55) 북한의 사례는 기존의 전망과는 다르게 NPT 회원국이 비확산체제의 구속과 제재로부터 자유로울 수도 있다는 점을 보여주었다고 평가할 수 있다. 즉 자체적으로 강제력이 없는 비확산체제의 허점이 북한의 사례로부터 전면에 등장한 것이다.

NPT를 탈퇴한 상태이지만, NPT 회원국으로서 최우선 과제인 핵비확산을 위반했다. 앞에서 언급한 것처럼 이에 대한 처리가 현재의 체제에서는 효율적이지 않다는 점이 문제로 남는다. 두 번째로 북한의 고농축우라늄 프로그램은 국제적 확산네트워크의 도움을 일정 부분 받은 것이고, 이를 통해 핵무기관련 기술과 물자 거래를 통해 이득을 추구하는 행위가 가능함을 보여주었는데, 이는 향후 비확산체제에 지속적인 저해 요인을 남을 가능성이 크다. 셋째, 북한의 NPT 탈퇴는 향후에 NPT 체제의 비핵국가로서 지원을 받고 탈퇴하는 경우의 재발을 방지하기 위한 대응책 마련의 필요성을 제시하고 있다.[56)]

이란은 1979년의 혁명 이전까지는 민간 원자력 프로그램을 진행시키고 있었고, 이후 이라크와의 전쟁 과정에서 해당 프로그램들이 중단되었다가 전쟁 이후에 핵 프로그램을 재개하여 1990년대 초반 이후 상당한 정도로 원자력 발전소 건설을 진척시켰으나 미국 등의 개입으로 프로그램의 정상 가동까지는 아직 이르지 못한 상태이다.[57)] 하지만, 이란 핵 문제의 핵심은 2002년에 지적된 것처럼 미신고 비밀 핵시설이 있다는 점이다. 이란은 부셰르 원전에서 사용할 저농축 우라늄 생산을 위한 농축공장과 중수 생산공장을 비밀리에 운영하고 있었는데 이를 2003년까지 IAEA에 신고하지 않은 것은 물론 이후의 사찰 과정에서도 과거 핵물질과 시설에 대해 보고를 하지 않은 것이다.[58)]

특히 2005년 대선을 통해 대서방 강경파인 아마디네자드가 대통령에 당선되면서 서방의 합의 위반을 구실로 이란은 우라늄 농축활동을 재개한다고 선언한다. 이에 미국과 IAEA를 중심으로 농축활동 중단을 요구하

---

56) 주용식, 「글로벌 거버넌스로서의 핵비확산 체제의 현황」, 배정호·구재회 편, 『NPT 체제와 핵안보』(통일연구원, 2010), pp. 68-69.

57) 최근 외신보도에 따르면 이 중에서 60MW급의 부셰르 원전은 정상 가동을 준비하고 있는 것으로 알려지고 있다.

58) 황지환(2008), p. 71.

는 유엔 안전보장이사회 의장 성명을 도출했지만, 이란은 이를 거부하고 안전보장이사회는 각종 제재를 부과하는 결의안을 채택한 바 있다. 이란은 여기에 대응해 중수로 건설계획을 발표함과 아울러 우라늄 농축활동을 지속해 핵무기를 충분히 제조할 수 있는 분량의 저농축 우라늄을 확보하기에 이른다. 부셰르 원자로는 중수로 방식으로서 사용 후 연료봉 재처리를 통해 경수로에 비해 무기급 플루토늄의 추출이 용이하다는 기술적 특징을 가지고 있다.[59)]

이란은 기본적으로 IAEA의 사찰을 수용하고 안전조치에도 서명한다는 측면에서 북한보다는 다소 협조적인 모습을 보이는 것이 사실이다. 하지만, 이란이 취하는 조치는 사후적이고 매우 소극적이라는 점에서 NPT 체제의 안정성을 마찬가지로 위협하고 있다. 우선 이란은 IAEA나 유엔 안전보장이사회를 통한 조치가 실시된 이후에 핵 활동을 부분적으로 시인하고 시간을 끄는 상황을 반복해서 연출하고 있다. 즉 회원국으로서의 의무를 성실히 수행하고 있지 않은 것이다. 아울러 국제사회에서 우려하고 있는 핵프로그램에 대해 이란은 이는 NPT 4조에 명시된 평화적 목적의 핵개발인 주권적 권리라고 주장하고 있다. 대부분의 NPT 국가들이 직접 우라늄을 농축하지 않고 IAEA의 감독 하에 공급국가로부터 우라늄을 제공받고 있는 현실에 비추어 볼 때 이란 주장의 설득력은 상당히 약화된다. 또한 이란의 비밀 핵프로그램도 국제 확산 네트워크의 도움을 받았다는 증거들이 드러나면서 북한의 사례에서와 마찬가지로 핵확산 네트워크의 활동에 대한 우려를 야기하고 있다.[60)]

북한과 이란의 경우 모두 외부의 지원을 통해 핵프로그램이 시작되었다는 공통점이 있다. 그리고 자국의 안보를 위해 핵프로그램을 추진한다

---

59) 정욱식, 「이란 핵 문제와 중동 아마겟돈」, 『글로벌 아마겟돈: 핵무기와 NPT』(책세상, 2010), pp. 261-262.
60) 황지환(2008), pp. 75-77.

고 주장하고 있다. 즉 자국 이익의 관점에서 핵프로그램을 스스로 포기할 것으로 전망하기는 힘든 상황이다. 기존 비확산체제의 강제력이 크지 않기 때문에, 이런 문제를 해결하기 위한 새로운 대안의 마련이 요구되는 상황이다.

V. 결론 및 제언

비확산 이슈와 관련하여 미국의 관심은 상대적으로 핵테러리즘의 방지 측면에 경도되어 있는 것이 사실이다. 최근 미국이 주도하는 핵안보정상회의나 NPT의 부분적 성과들도 비확산의 근본적 문제 해결보다는 보다 시급한 위협으로 인식되는 핵테러리즘의 방지에 방점이 주어지고 있는 것이다. 그런데, 번Bunn이 제시하고 있는 것처럼 핵테러리즘의 방지를 위해 미국과 핵보유국들이 추진해야 할 과제들이 산적해 있다.[61] 가장 큰 과제는 핵무기(물질)의 재고의 안전을 확보하는 동시에 감축시켜야 한다는 것이다. 진정한 문제는 이런 과제들을 추진함에 있어서 기술적, 경제적 이슈보다는 정치적, 관료적 문제의 해결이 선행되어야 한다는 점이다. 현재까지는 핵테러리즘의 심각성에 대한 전반적인 동의가 아직 구해지지 않은 상태이며, 각국의 핵프로그램 실태에 대한 전반적인 파악도 아직 이뤄지지 않은 상태이다. 또한 이와 관련해서 각국 간에 정치적인 갈등과 각국 내의 관료주의적인 저항도 예상할 수 있는 문제이다.[62]

부시 행정부 시기에는 불법 확산 네트워크illicit proliferation networks의 영향력

---

61) Matthew Bunn, "Nuclear Terrorism: A Strategy for Prevention," in *Going Nuclear: Nuclear Proliferation and International Security in the 21st Century*, eds., by Michael Brown, Owen R. Cote Jr., Sean Lynn-Jones, and Steven Miller(Cambridge: MIT Press, 2010).

62) 위의 글, pp. 349-351.

과 불량 국가의 일탈적 성격을 지나치게 강조했던 측면이 있다.[63] 일명 '확산결정론proliferation determinism'은 불법 확산 네트워크가 핵무기의 확산을 결정적으로 초래함과 동시에 불량 국가들은 어떤 경우에도 핵무기를 보유하는 것으로 정책 결정을 내린 상태라고 판단한다. 문제에 대한 인식이 이런 판단을 기반으로 하는 상태에서는 불법 확산 네트워크와 불량 국가들에 대해 정권 교체regime change를 포함하는 보다 강경한 정책적 처방을 내릴 수밖에 없다. 하지만, 불법 확산 네트워크의 존재와 영향력에 대해서는 보다 신중한 접근이 필요하다. 북한과 이란의 경우도 이러한 네트워크를 통해서 자국의 핵프로그램의 진전에 도움을 얻은 것은 사실이지만, 그 경우도 기술적인 가치를 크게 평가하기는 힘들다. 또한 불량 국가가 핵무기 확보를 지상의 가치로 한다는 주장도, 북한, 리비아, 이라크의 경우에서도 시기에 따라 핵정책에 변화가 관찰되고 이에 대한 체계적인 연구가 부족한 상태에서는 전반적으로 수용하기가 힘들다고 평가한 몽고메리Montgomery의 연구도 일정 정도 타당성이 있다.[64] 아울러 몽고메리의 주장처럼 확산 네트워크도 확산결정론자들이 주장하는 것처럼 전방위적 확산이 용이한 느슨한 형태이기 보다는 전통적인 집중방식hub-and-spokes의 형태를 갖추고 있기 때문에 핵심 행위자를 목표로 해서 유인책과 예방책을 광범위하게 결합하는 정책 대안을 수립해야 할 필요성이 있다.[65]

이 글은 비확산 국제정치의 복합성을 부각시키기 위해 선행 연구들이 제시한 이론적 논의의 한계와 기존 사례들의 함의를 함께 검토하고, 기존 논의의 한계를 종합적으로 극복하기 위한 이론적, 실천적 대안으로서 네트워크적 관점의 도입을 주장하였다. 현재 비확산 국제정치의 네트워크

63) Alexander H. Montgomery, "Ringing in Proliferation: How to Dismantle an Atomic Bomb Network," *International Security*, Vol. 30, No. 2(Fall 2005).

64) 앞의 글, pp. 164-165.

65) 위의 글, pp. 170-171.

에는 다층적 의미의 구조적 공백이 있다고 볼 수 있다. 기존의 비확산체제를 구성하는 다양한 국제적 제도들 사이에는 연계가 미약하다. 아울러 핵보유국과 비보유국, 그리고 비확산 허브와 확산 네트워크의 중심지 사이의 구조적 공백은 전통적인 국제정치 이론을 기반으로 한 처방으로는 메워지지 않고 있다. 미국은 네트워크적 관점을 도입하여 비확산을 위해 전 세계적인 파트너십을 구축하려 하나, 이는 아직까지는 넥슨Nexon이 언급한 제국적 네트워크의 모습을 크게 벗어나지 않아 복합네트워크의 구성을 전망하기는 이르다.[66]

이 시점에서 국제안보와 평화적 핵이용의 권리라는 문제를 동시에 포괄할 수 있는 복합비확산네트워크complex network of non-proliferation의 구축을 전망해볼 필요가 있다. 행위자의 복합성, 이슈의 복합성, 그리고 핵이라는 비인간 행위자의 영향 때문에 전통적인 처방의 한계는 이미 분명해진 상황이다. 동시에 미국이 구축하려고 하는 네트워크의 제국적 속성 때문에 현재 비확산 네트워크상에서 한국이 구조적 공백을 활용하여 중개자의 역할을 할 수 있는 기회의 창 또한 역설적으로 다수 열려 있다고 볼 수 있다. 특히 북한과 이란이 자국의 핵무기 프로그램을 스스로 포기할 것이라고 전망하기가 힘든 상황에서 무력으로 그 프로그램을 파괴하지 않는 이상, 북한과 이란을 어떠한 네트워크에 포섭하여 핵프로그램을 포기하도록 유도할 것인가라는 문제를 고민하는 것이 올바른 접근법일 수 있다.

주의할 점은 한국이 네트워크의 판을 짜는 설계권력을 구체적으로 보

---

66) Daniel Nexon, *The Struggle for Power in Early Modern Europe: Religious Conflict, Dynamic Empires, and International Change*(Princeton: Princeton University Press, 2009) 참조. 넥슨의 연구는 제국적 질서를 독특하게 정의한다. 제국은 허브와 바퀴살로 구성된 네트워크의 중심에 초강대국이 허브로서 존재하고, 바퀴살의 끝에 위치한 주변국들이 중간 매개자를 거쳐 허브와 연결되는 구조인데, 특이한 점은 주변국들 사이에는 링크가 없다는 것이다. 따라서 주변국들은 중간매개자나 허브를 통해서만 다른 국가들과 연결할 수 있게 된다.

유하고 있지 않은 상태에서 비확산과 원자력의 평화적 이용이라는 판을 별개로 인식하여 접근하는 방식은 바람직하지 않다는 것이다. 이미 미국이 구축하고자 했던 네트워크를 활용하여 판을 복합적으로 구상하는 것이 필요할 것이다. 즉 이 글이 주장하는 복합비확산네트워크는 일종의 네트워크 복합체라는 점에서는 최근에 논의되는 레짐복합체와 유사성이 있지만 비확산이라는 핵심 이슈의 해결을 위한 실천의 가능성을 보다 강조한다는 점에서 다소 차이가 있다고 할 수 있다.[67]

그렇다면 기존에 구성되어 있는 비확산 네트워크들과의 관계를 어떻게 설정할 것인가라는 문제가 기다린다. 이에 대해서는 잠정적이지만, 결국은 네트워크 공동체 또는 복합 네트워크의 관점에서 기존의 네트워크들과의 호환성을 확보하는 방향으로 가야할 필요가 있다고 생각된다. 기존에 동아시아에서 작동되고 있는 다양한 네트워크 상에서 한국이 동시에 위치 권력을 발휘할 수 있는 기회를 찾아나가는 것이 효과적인 방법이 될 것이다.

동시에 고려할 점은 복합 네트워크의 중심부에 어떤 국가들이 위치할 것인지, 즉 한국이 포함되는 네트워크의 구조가 어떤 것인지를 정확히 인식해야 한다는 것이다. 우선 비확산 네트워크의 중심에는 군축과 NPT체제의 강화를 통해 비확산을 주도하는 미국과 러시아가 위치하게 될 것이다. 이들과 연결되지만 또 다른 소규모의 허브로서 중국, 영국, 프랑스 등

67) 레짐복합체에 대해서는 Robert O. Keohane and David G. Victor, "The Regime Complex for Climate Change," *Perspective on Politics*, Vol. 9, No. 1(2011) 참조. 코헤인과 빅터는 레짐복합체를 "느슨하게 연계된 일련의 레짐들(loosely coupled sets of specific regimes)"로 정의하고 이를 완전통합적인 위계적 조직과 중심부가 없고 레짐 간 연계성이 희박한 파편화된 집합체의 중간 정도로 정의하고 있다. 코헤인과 빅터가 설명하는 레짐복합체는 일정 정도의 불확실성이 존재하는 가운데에서 각국의 실천과 연관이 있지만, 외부에서 형성되는 제도화의 과정이라고 본다면, 이 글에서 주장하는 복합비확산네트워크는 보다 실천적 의미가 강조되는 차이가 있다고 할 수 있다.

의 핵보유국이 위치한다. 이들과 구조적 공백을 가지고 이스라엘, 인도, 파키스탄 등의 비NPT 핵보유국이 존재한다. 아울러 북한과 이란은 마찬가지로 구조적 공백의 위치에 있지만 현실적으로는 기회의 창이기보다 전체 네트워크에 부정적 영향을 미칠 수 있는 파급력을 가지고 있다고 보아야 할 것이다. 한국은 일본 및 호주와 함께 중개자의 입장에서 비확산에 새로운 동력을 부여할 수 있을 것이다.[68]

이러한 두 가지 고려를 토대로 현재 우리가 추구할 수 있는 네트워크의 추진방향을 다음과 같이 정리할 수 있을 것이다. 우리가 추구하는 비확산 안보협력 네트워크는 개방성이 높은 수준에서 유지하면서 점차 선호적 연결의 확대 가능성을 증대시키는 방향으로 짜여야 할 것이다. 물론 이러한 네트워크의 구축 과정은 단 시일 내에 완성되거나 한 국가의 노력으로 이뤄질 성질의 것이 아니다. 한국이 주어진 개별적 네트워크에서의 위치를 정확히 파악하여 적절한 중개자의 역할을 수행함은 물론 강대국들이 부과하는 표준이 놓치고 있는 부분에 대해 보완하는 역할까지 수행할 때 네트워크상에서 한국의 위상이 높아질 수 있다. 따라서 비확산 국제정치에 대해 단선적인 접근을 불식하고 구조적 조건이 허용하는 범위 내에서 최대한 자율적이고 생산적인 논의를 주도할 준비를 해야 할 것이다.

---

68) 비확산과 관련한 각국의 입장과 역할에 대한 간단한 논의는 한용섭, 「핵무기 없는 세계: 이상과 현실」, 『국제정치논총』 제50집 2호(2010) 참조.

| 참고문헌 |

고봉준, 「동북아 평화와 새로운 군비경쟁의 극복」, 『미중 경쟁시대의 동북아 평화론: 쟁점, 과제, 구축전략』 한용섭 편, 아연출판부, 2010.

______, 「세계 금융위기 이후 동아시아 군사안보 질서 전망」, 『EAI 국가안보패널 보고서』(2011).

김상배, 「네트워크 권력의 세계정치: 전통적인 국제정치 권력이론을 넘어서」, 『한국정치학회보』 제42집 제4호(2008).

______, 「네트워크로 보는 중견국 외교전략: 구조적 공백과 위치권력 이론의 원용」, 『국제정치논총』 제51집 3호, (2011a).

______, 「네트워크 이론의 국제정치학적 원용」, 미간 원고(2011b).

박재적, 「새로운 원전 르네상스 시대의 도래: 핵비확산 체제의 위기?」, 배정호, 구재회 편, 『NPT 체제와 핵안보』 통일연구원, 2010.

박영준, 「일본 〈방위계획대강 2010〉과 한국 안보정책에의 시사점」, 『EAI논평』 16(2010).

신성호, 「부시와 오바마: 핵테러에 대한 두 가지 접근」, 『국가전략』 제15권 1호 (2009).

이철기, 「중국의 군비통제 및 군축정책: 평가와 전망」, 『한국정치학회보』 제28집 1호(1994).

장은석, 「한국의 확산방지구상(PSI) 정식참여의 의미와 협력방향」, 『국제정치논총』 제50집 1호(2010).

정욱식, 「이란 핵 문제와 중동 아마겟돈」, 『글로벌 아마겟돈: 핵무기와 NPT』 책세상, 2010.

조동준, 「핵확산의 추세 vs. 비확산의 방책」, 『한국과 국제정치』 제27권 1호 (2011).

주용식, 「글로벌 거버넌스로서의 핵비확산 체제의 현황」, 배정호, 구재희 편, 『NPT 체제와 핵안보』 통일연구원, 2010.

한용섭, 「핵무기 없는 세계: 이상과 현실」, 『국제정치논총』 제50집 2호(2010).

한인택, 「핵폐기 사례연구: 남아프리카공화국 사례의 함의와 한계」, 『한국과 국제정치』 제27집 1호(2011).

함택영, 「동북아 핵의 국제정치」, 『한반도 포커스』 제13호(2011).

함형필, 「북한의 핵전략구상과 전략적 딜레마 고찰」, 『국방정책연구』 제25집 2호(2009).

홍성욱, 『인간·사물·동맹: 행위자네트워크 이론과 테크노사이언스』, 이음, 2010.

황지환, 「핵확산의 국제정치와 비확산체제의 위기」, 『국제관계연구』 제13권 1호(2008).

Ahmed, Samina, "Pakistan's Nuclear Weapons Program: Turning Points and Nuclear Choices," *International Security*, Vol. 23, No. 4 (Spring 1999).

Brown, Michael, Owen R. Cote Jr., Sean Lynn-Jones, and Steven Miller. Eds., *Going Nuclear: Nuclear Proliferation and International Security in the 21st Century*, Cambridge: MIT Press, 2010.

Bunn, Matthew, "Nuclear Terrorism: A Strategy for Prevention," In *Going Nuclear*, 2010.

Burt, Ronald S, Structural Holes: The Social Structure of Competition, Cambridge: Harvard University Press, 1992.

Callon, Michel, "Some Elements of a Sociology of Translation: Domestication of the Scallops and the Fishermen of St. Brieuc Bay," In John Law. Ed., *Power, Action, and Belief: A New Sociology of Knowledge*, London: Routledge and Kegan Paul, 1986.

Casgtells, Manuel, "Information, Networks, and the Network Society: A Theoretical Blueprint," In Castells. Ed., *The Network Society: A Cross-*

cultural Perspective, Cheltenham, UK: Edward Elgar, 2004.

Cosa, Ralph A, "U.S. Weapons to South Korea," *PacNet*, No. 39(July 2011)

Daalder, Ivo and Jan Lodal, "The Logic of Zero: Toward a World Without Nuclear Weapons," *Foreign Affairs*, Vol. 87, No. 6(November/December 2008).

Fuhrmann, Matthew, "Taking a Walk on the Supply Side: The Determinants of Civilian Nuclear Cooperation," *Journal of Conflict Resolution* Vol. 53, No. 2 (April 2009).

_____, "Spreading Temptation: Proliferation and Peaceful Nuclear Cooperation Agreements," *International Security*, Vol. 34, No. 1(Summer 2009).

Ganguly, Sumit, "India's Pathway to Pokhran II: The Prospects and Sources of New Delhi's Nuclear Weapons Program," *International Security*, Vol. 23, No. 4(Spring 1999).

Goodby, James and Markku Heiskanen, "The Fukushima Disaster Opens New Prospects for Cooperation in Northeast Asia," *Policy Forum*, Nautilus Institute(Jun 28, 2011).

Keohane, Robert O. and David G. Victor, "The Regime Complex for Climate Change," *Perspective on Politics*, Vol. 9, No. 1(2011).

Montgomery, Alexander H, "Ringing in Proliferation: How to Dismantle an Atomic Bomb Network," *International Security*, Vol. 30, No. 2(Fall 2005).

Nexon, Daniel, *The Struggle for Power in Early Modern Europe: Religious Conflict, Dynamic Empires, and International Change*, Princeton: Princeton University Press, 2009.

Norris, Robert S. and Hans M. Kristensen, "Nuclear Notebook: U.S. Nuclear Forces, 2009," *The Bulletin of the Atomic Scientists*, Vol. 65, No. 2(March/

April 2009).

______, "U.S. Nuclear Warheads, 1945–2009," *The Bulletin of the Atomic Scientists*, Vol. 65, No. 4(July/August 2009).

Sagan, Scott and Kenneth Waltz, *The Spread of Nuclear Weapons: A Debate Renewed*, New York: W. W. Norton, 2003.

Sagan, Scott, "Why Do States Build Nuclear Weapons?: Three Models in Search of A Bomb," *International Security*, Vol. 21, No. 3(1996/97).

SIPRI Yearbook 2009.

Solingen, Etel, "The Political Economy of Nuclear Restraint," *International Security*, Vol. 19, No. 2(1994)

Squassoni, Sharon, "Nuclear Energy Enthusiasm: The Proliferation Implications," Paper Presented at the 8th ROK-UN Joint Conference on Disarmament and Nonproliferation Issues, Jeju, ROK, November 16–18, 2009.

______, "Nuclear Energy Enthusiasm: The Proliferation Implications," *JPI PeaceNet*, 2010–7, Jeju Peace Institute(2010).

Teng, Jianqun, 「중국의 핵보유정책」, 배정호·구재회 편, 『NPT 체제와 핵안보』 통일연구원, 2010.

Waltz, Kenneth, "Peace, Stability, and Nuclear Weapons," *IGCC Policy Paper*, University of California Institute of Global Conflict and Cooperation(Aug, 1995).

Wellman, Barry and S.D. Berkowitz, *Social Structures: A Network Approach*, Cambridge: Cambridge University Press, 1988.

Wen, Bo, "Japan's Nuclear Crisis Sparks Concerns over Nuclear Power in China," *Special Report*, Nautilus Institute(Jun 2, 2011).

3 21세기 국가간 전쟁의 새로운 양상과 국제적 대응
이라크, 아프간 전쟁

이동선(고려대학교)

I. 서론

본 연구의 목적은 21세기 전쟁의 새로운 양상을 파악하고 설명하는 것이다. 이를 위해 지난 십년을 통틀어 국제정치적으로 가장 중요한 전쟁이라고 할 수 있는 이라크전과 아프간 전쟁을 분석한다.

평화의 시대가 되리라는 수많은 전문가들의 예측과는 달리 21세기는 전쟁으로 시작해서 첫 십년 동안 끊임없이 전쟁을 치렀다. 알 카에다의 테러공격에 대한 대응으로 미국이 2001년에 아프가니스탄을 침공하였고, 이 전쟁이 채 마무리되지 않은 상황임에도 불구하고 2003년에는 대량살상무기개발 저지를 명분으로 이라크도 공격하였다. 이들 지역에서 탈레반과 후세인 정권을 무너뜨리는 데에는 쉽게 성공하였지만 이후 질서유지와 안정적인 신정부 구축에 어려움을 겪으며 군사적 개입을 계속하고 있다. 근래 상황이 일부 호전되고 있기는 하지만 십 년 동안 지속된 이 전쟁들은 종결의 결정적 국면에 좀처럼 접어들지 못하고 있다. 그리고 2008년에는 러시아가 그루지야에 대한 공격을 감행함으로써 전쟁이 특정 국가에만 국한된 문제가 아님을 보여주었다.

이러한 국제적 상황은 전쟁연구의 중요성을 다시금 부각시키고 있다. 큰 인명 및 재산피해를 수반하며 국제정세를 불안정하게 하는 전쟁을 방지하거나 신속히 종결하기 위해서는 이에 대한 정확한 이해가 필수적이다. 아울러 유사시 군사작전을 효과적으로 수행하여 승리하기 위해서도 전쟁에 관한 연구는 필요하다. 현재와 같이 전쟁이 빈발하는 시기에는 더욱 그러하다. 특히 불안정한 동북아시아에서 전쟁의 위험을 늘 안고 살아가는 한국인에게는 이 필요성이 더욱 절실하다.

이런 실제적 필요를 채우기 위해 전쟁을 연구할 때에는 현시대의 대표적인 전쟁을 분석하는 것이 가장 효과적인 접근법이다. 전쟁의 본질은 불변한다 해도 전쟁의 양상은 시대상황에 따라 변화하므로 먼 과거의 전쟁에 대한 연구는 상대적으로 적은 적실성을 지니기 때문이다. 또 동시대의 모든 전쟁이 동일한 중요성을 갖는 것도 아니고 모든 전쟁을 다 심층적으로 연구하기도 어렵기 때문에 시대를 대표하는 전쟁을 선별해 분석하는 것이 효과적이다. 이러한 점을 고려할 때 가장 중요한 전쟁인 이라크전과 아프간 전쟁을 분석해 현대전의 주요 양상을 파악하고 설명하려는 노력은 적절하다고 할 수 있다.

아프간전과 이라크전이 지닌 가장 두드러진 특징은 종전의 전망이 불확실한 장기전의 양상을 보인다는 점이다. 이는 지난 세기의 마지막 십 년 동안 미국이 참여한 분쟁들은 모두 속전속결되었다는 사실과 극명하게 대비된다. 이 차이는 1991년의 걸프 전쟁과 현재의 아프간 전쟁을 비교하면 분명해진다. 쿠웨이트에서 이라크군을 몰아내는 데에는 40일간의 폭격과 100시간의 지상전투만이 필요했을 뿐이다. 반면에 십 년간 계속된 아프간 전쟁은 미국역사상 가장 긴 전쟁으로 기록되고 있다. 물론 일찍이 냉전기에 베트남에서 장기전을 치른 바가 있지만 미국이 지상군 파병을 통해 적극적으로 군사개입한 시기는 5년여에 불과했다. 한국전쟁을 포함한 냉전기의 다른 전쟁들은 그보다 훨씬 신속히 종결되었다. 그렇다면 현재의 두 전쟁이 이전의 전쟁과 달리 종전의 전망이 불투명한 장기전의 양상을 띠는 이유는 무엇인가? 본 연구에서는 이 문제에 대한 해답을 제시하고자한다.

두 전쟁이 지니고 있는 속성이 다양함에도 불구하고 장기화라는 특정 측면에만 초점을 두는 타당한 이유가 있다. 아프가니스탄 또는 이라크 사례를 중심으로 금세기 분쟁의 새로운 양상에 관해 고찰한 연구는 이미 국내외에 적지 않다.[1] 전쟁의 기원과 수행에 관해 다수의 저작이 나와 있으며, 특히 전쟁수행과 관련해서는 전략, 작전술, 전술의 여러 차원에서 많은 연구가 진행되었다. 한국의 학자들은 특히 군사혁신[RMA]과 분란전[counterinsurgency]의 전개상황을 기술하고 평가함으로써 정책적 교훈을 도출하려는 목적의 연구를 활발히 수행해왔다.[2] 반면에 전쟁의 장기화 현상에 대한 연구는 문제의 중요성에도 불구하고 상대적으로 드물다. 이 문제에 주목한 연구들도 긴 전쟁기간을 이들 전쟁의 특성으로 언급할 뿐 충분한 설명을 제시하지 못했다. 두 전쟁의 다양한 측면을 전쟁기간과 함께 포괄적으로 고찰하는 것도 의미를 지니지만 여러 측면을 함께 다루는 것보다는 가장 중요한 면을 선택해서 집중하면 한층 깊이 있는 분석을 할 수 있을 것이다.

여느 복잡한 정치현상과 마찬가지로 전쟁장기화의 원인은 여러 차원에서 찾을 수 있겠지만 본 연구에서는 교전당사국이 직면한 국제정치적 상황에 주목하고자 한다. 전쟁은 정치의 연속이라는 클라우제비츠의 명

---

1) 예를 들면, 조한승, 「4세대 전쟁의 이론과 실제: 분란전(insurgency) 평가를 중심으로」, 『국제정치논총』 제50집, 제1호(2010), pp. 217-240; Thomas X. Hammes, *The Sling and the Stone: On War in the 21st Century*(St. Paul: Zenith Press, 2004).

2) 이근욱, 「미래의 전쟁과 전쟁의 미래: 이라크 전쟁에서 나타난 군사혁신의 두 가지 측면」, 『신아세아』 제17권, 제1호(2010), pp. 137-161; 조한승, 「탈냉전기 미국 군사혁신(RMA)의 문제점과 교훈」, 『평화연구』 제18권, 제1호(2010), pp. 193-232.

제를 수용하기 때문이다.[3] 다만 정치 전반보다는 국제정치, 특히 국제체제의 구조적 특성에서 해답의 실마리를 찾고자 한다. 구체적으로, 21세기에 들어 국제체제 내에 형성된 독특한 국력의 배분상태와 변화추세를 전쟁의 장기화 현상과 연관 지을 것이다. 역설적이게도 전례 없이 막강한 미국의 국력이 장기전을 초래했다는 것이 본 논문이 설정한 기본가설이며 연구의 출발점이다. 즉, 단극체제를 전쟁장기화의 주된 원인으로 지목한다.[4]

본 연구는 기존연구와 비교했을 때 두 가지의 주요한 차별성을 지닌다. 첫째, 분석적이다. 관련 기존연구의 대부분은 아프가니스탄과 이라크 전쟁의 주요 양상을 단순기술하거나 평가하는 데에 치중해왔다. 이는 이해를 위한 기초정보를 제공하고 정책적 대응을 위한 교훈을 제시한다는 점에서 가치를 지니지만, 깊이 있는 분석을 통한 사회과학적 설명을 제공하지 못한다는 결점을 지닌다. 이와 달리 본 연구는 명확한 분석적 초점을 지닌 연구를 통해 전쟁의 주요 양상에 대한 사회과학적 설명을 시도한다. 둘째, 본 논문은 이론적이다. 단지 아프가니스탄과 이라크 전쟁의 주요 단면을 사후적으로 설명하는 데 그치지 않고 국제체제의 구조가 전쟁의 장기화에 어떤 영향을 어떻게 미치는지에 관한 이론을 구축하고자 한다. 이러한 작업은 이라크전과 아프간전을 넘어 단극체제의 모든 전쟁을 이해할 수 있는 일반적 분석틀을 마련한다는 의의를 지닌다.

본 논문의 나머지 부분은 다음과 같이 구성된다. 제2절에서는 유일한 초강대국이 군림하는 단극적 국제체제가 전쟁의 장기화를 초래하는 이유를 설명하는 논리적 분석틀을 제시한다. 제3절에서는 21세기의 첫 십년

---

3) Carl von Clausewitz, *On War*, edited and translated by Michael Howard and Peter Paret(Princeton, NJ: Princeton University Press, 1976).

4) 형식적으로는 1991년 말에 소련이 붕괴하면서 단극체제가 도래했다고 볼 수 있지만, 실제로는 1990년대 중반까지는 양극체제의 그림자가 드리워져 있었다고 볼 수 있다. 단극체제의 효과가 본격적으로 나타난 것은 금세기가 시작될 무렵부터이다.

동안 국제체제가 미국중심의 단극적 구조를 지니고 있었음을 보인다. 제4절과 제5절에서는 분석틀을 적용하여 아프가니스탄과 이라크에서의 전쟁이 장기화된 원인을 각각 분석한다. 제6절에서는 대조를 목적으로 그루지야 전쟁이 장기화되지 않은 이유를 동일한 분석틀을 사용해 간단히 설명한다. 그리고 제7절에서는 국제체제의 변화추세를 바탕으로 향후 전쟁양상의 변화방향을 전망한다. 마지막으로 결론에서는 주요 연구결과를 요약정리하고 학술 및 정책 함의를 도출한다.

II. 분석틀: 단극체제와 전쟁 장기화

국제체제의 구조가 국제정치전반에 중대한 영향을 미친다는 명제가 안보연구의 출발점이 된 것은 오래된 일이다.[5] 국제체제의 속성은 전쟁기간에 영향을 주는 중요한 요인이기도 하다. 하나의 초강대국이 존재하는 단극체제에서 발생하는 전쟁은 장기화될 개연성이 크다. 미국이 세계 유일의 초강대국으로 군림하는 현 상황에서 장기전을 관찰하게 되는 것은 결코 우연이 아니다.

단극체제에서는 대개 초강대국이 주도하여 전쟁을 개시한다. 열세한 다른 국가들이 최강국에 먼저 싸움을 걸어올 가능성은 매우 적다. 국력의 모든 측면에서 현저히 우세한 최강국에게 단신으로 맞서 승리할 공산이 희박하기 때문이다.[6] 국제정치사에는 궁지에 몰린 국가들이 동맹국의 지원을 기대하며 우세한 국가에 대해 공격을 감행하는 경우가 간혹 있었지만[7]

---

5) Kenneth N. Waltz, *Theory of International Politics* (New York: McGraw-Hill, 1979).

6) William C. Wohlforth, "The Stability of a Unipolar World," *International Security*, vol. 24, no. 1(1999), pp. 5-41.

7) T. V. Paul, *Asymmetric Conflicts: War Initiation by Weaker Powers* (Cambridge: Cambridge University Press, 1994).

〈그림 1〉 인과 메카니즘

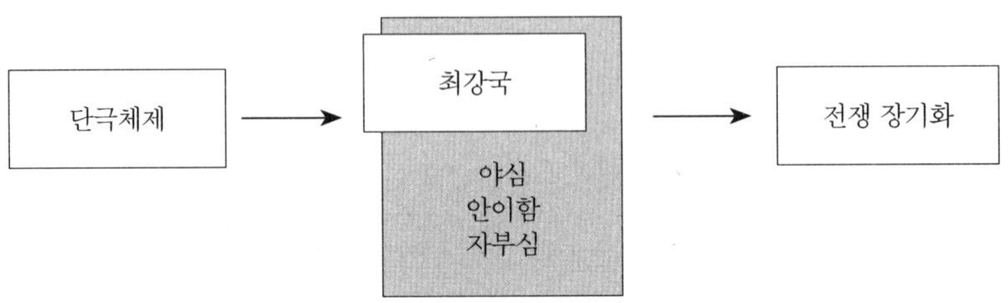

단극체제에서는 이러한 경우도 매우 드물다. 최강국에 군사적으로 맞서는 비용과 위험이 너무 큰 상황에서는 동맹국의 지원을 얻기가 어렵기 때문이다. 최강국의 간섭으로 인해, 다른 국가들 간에 전쟁이 일어날 위험성도 작다. 유일의 초강대국은 우호적인 국가들에 대한 침략을 억지할 것이다. 또 전쟁이 세력균형을 불리한 방향으로 변화시킬 수 있기 때문에 여타 국가 간의 전쟁을 방지하기 위해서도 노력할 것이다. 최강국의 압도적인 국력에 의해 뒷받침되는 이러한 전쟁방지 노력은 성공할 가능성이 크다. 이러한 이유로 단극체제에서 일어나는 전쟁은 대체로 최강국이 주도하는 분쟁일 것이다.

그런데 단극체제하에서 초강대국이 벌이는 전쟁은 세 가지 이유로 인해 장기화되는 경향을 나타낸다. 단극체제에서 최강국은 유별난 야심과 안이함 그리고 자부심을 갖게 되기 때문에 전쟁을 신속히 종결하지 못한다. 이 논리를 도식화하면 〈그림 1〉과 같다.

1. 야심

단극체제하에서 최강국은 큰 야심을 갖게 된다. 단지 사활적인 국익을 보호하려는 데에 그치지 않고 다른 상황이라면 포기했을 부차적인 이익까지 도모하고자 한다. 영토, 국민, 주권의 보전을 심각하게 위협할 수 있는 강력한 적이 존재하지 않기 때문이다. 몇몇 국가들이나 비국가행위자들로부터 위협이 있을 수 있지만 강한 군사력에 의해 뒷받침되지 않으므로 국가의 생존이 걸린 문제는 아닐 것이다. 이렇게 안보상의 필요가 사실상 충족된 상황에서 최강국은 만족하고 절제하기보다 잉여 능력을 활용해 원하는 바를 취하고자 시도할 것이다. 도덕적 가치의 확산 등이 이에 해당한다. 또 적의 위협에 대한 억지나 방어에 그치지 않고 공격을 통해 근원적으로 제거하려 하며, 국제질서를 수호하기보다 자국이 원하는 모습으로 변혁하려 할 것이다. 이러한 맥락에서 전쟁의 목표는 침략의 격퇴에 한정되지 않고 적국의 정권교체regime change 등으로 확대될 수 있다.

이렇듯 목표가 야심찰수록 전쟁은 장기화될 가능성이 커진다. 상식적으로 큰 목표의 달성은 그만큼 어렵고 많은 노력을 필요로 한다. 특히 정권교체는 정부를 무너뜨리고 새 정부를 건설하며 전쟁피해를 복구해야하는 작업이므로 성공하기가 매우 어렵다. 압도적인 국력을 지닌 최강국이 약소국을 무장해제하고 적대적인 정부를 전복하는 것은 그다지 어렵지 않을 수 있다. 하지만 이후 최소한의 공공질서를 확립하는 것은 힘든 일이다. 특히 점령군의 도움 없이도 법질서를 유지하며 민의를 대표하고 민생을 책임질 수 있는 정당하고 효과적인 정부를 세우는 것은 많은 시간과 노력을 요하는 지난한 작업이다.[8] 민족주의시대에 사람들은 대체로 외국군대를 점령군으로 부정적으로 인식하고 협조에 주저하기 때문이다.[9] 이들이 효과적 통치의 역사적 전통과 기반을 가지지 못한 경우에 문제는 더욱 심각하다. 재건작업이 난항을 겪어 부실한 거버넌스나 사실상의 무정부상태가 초래되고 내전이 일어날 소지도 크다.[10] 일단 내전이 발발하면

---

8) David M. Edelstein, *Occupational Hazards: Success and Failure in Military Occupation* (Ithaca, NY: Cornell University Press, 2008).

9) David M. Edelstein, "Occupational Hazards: Why Military Occupations Succeed or Fail?" *International Security*, vol. 29, no. 1(2004), p. 51.

10) Barry R. Posen, "The Security Dilemma and Ethnic Conflict," *Survival*, vol. 35, no. 1(1993), pp. 24-47

전쟁기간은 더욱 길어지게 된다. 내전은 국제전에 비해 수행기간이 긴 특징을 갖는다.[11] 제2차 세계대전 이후 발발한 국제전은 3개월 정도(중간값) 지속되었으나 내전의 경우 6년간 지속되었다. 내전을 협상을 통해 마무리 짓는 것은 국제전에 비해 훨씬 어렵다.[12]

2. 안이함

단극체제의 초강대국은 안이함에 빠지기 쉽다. 우월한 국력 때문에 목표를 쉽게 달성할 수 있을 것으로 기대하며 철저한 사전계획과 준비 없이 전쟁에 뛰어들 수 있다. 또 전쟁결과에 대해 낙관한 나머지 정책결정자들이 전문가들의 견해와 축적된 경험을 무시하고 검증되지 않은 이념적 비전을 실천에 옮기는 실험의 장으로 전쟁을 활용하려 한다. 단극체제의 최강국에서는 생존을 위협하는 안보문제가 없기 때문에 안보 관리능력이 부족한 인물이 최고지도자의 지위에 오를 가능성이 상대적으로 크다. 그러므로 정치지도자의 독단은 중대한 전략적 오류를 낳을 수 있다. 이와는 반대로 전문적인 식견을 결여한 정책결정자가 군 조직에게 전쟁계획수립을 전적으로 위임할 수도 있다. 이 경우 군은 조직의 이익과 핵심적 가치organizational essence에 부합하지 않는 임무를 계획하고 준비하는 데에 소홀할 수 있다.[13] 특히 군이 기피하는 안정화 및 재건작전이 충분한 관심을 받지 못할 개연성이 높다.[14] 안이함에 빠진 정부와 군은 작전수행

---

11) James D. Fearon and David D. Laitin, "Ethnicity, Insurgency, and Civil War," *American Political Science Review*, vol. 97, no. 1(2003), pp. 75-90.

12) Roy Licklider, "The Consequences of Negotiated Settlements, 1945-1993," *American Political Science Review*, vol. 89, no. 3(1995), pp. 681-690.

13) Barry R. Posen, *The Sources of Military Doctrine: France, Britain, and Germany Between the World Wars*(Ithaca, NY: Cornell University Press, 1984).

14) 여기서 안정화(stabilization)란 공공질서회복과 치안유지를 일컫는다. 영문표현으로 security와 peace-keeping 등이 포함된다. 재건(reconstruction)이란 파손된 기간시설의 복구, 기본적인 국가서비스의 제공, 그리고 대표성을 지닌 정부의 구성을 지칭한다.

중에도 신중함과 조심성 면에서 부족함을 보일 수 있다. 그 결과로 전쟁 수행 시 중대한 실수와 시행착오를 범할 위험이 크다. 또 실수의 심각성을 빨리 깨닫고 바로잡지도 못한다. 이러한 문제로 인해 전쟁 초반에 중대한 착오가 발생하여 혼돈과 내전이 초래될 수 있다. 이 경우에는 상황을 돌이키는 데에 많은 노력과 시간을 들여야만 한다.

단극체제의 최강국은 전력을 다하지 않고 제한적인 자원만을 전쟁수행에 투입하는 경향도 나타낸다. 성공가능성에 대한 낙관 때문에 지도부는 국력을 집중하지 않으며 정책적 관심을 지속적으로 기울이지 않는다. 필요한 전쟁war of necessity이 아니라 부차적 이익을 얻기 위한 선택에 의한 전쟁war of choice을 치르고 있다고 국민이 인식하기 때문에 강한 국민적 결의가 오래 유지되지도 못한다. 이렇듯 지지기반이 약하기 때문에, 전쟁계획이 순조롭게 이행되지 못하더라도 정부는 국력을 추가적으로 동원하는 데에 어려움을 겪게 되며 속전속결에 필요한 인적 및 물적 자원을 투입하지 못한다. 더구나 국제적 지원을 충분히 얻는 데에도 실패할 가능성이 크다. 부차적 국익을 추구하는 선택에 의한 전쟁은 국제정치적 정당성도 상당 부분 결여하므로 충분한 국제적 지원을 이끌어 내기 어렵다. 더욱이 안이함에 빠진 최강국은 실질적 지원을 얻기 위한 외교적 노력을 게을리 할 수도 있다. 그 결과 야심찬 전쟁목표와 제한적 수단 간에 괴리가 생겨나 작전상의 실패가 거듭되고 결국 장기전의 수렁에 빠지게 된다.

3. 자부심

유일한 초강대국은 높은 자부심을 갖기 때문에 수렁에 빠지더라도 패전의 위험을 수용하고 철군하지 못한다. 단극체제의 최강국은 생존문제를 사실상 해결한 상태이므로 자국의 국제적 리더십과 위상을 중시할 가능성이 크다. 그런데 전쟁에서 목표를 달성하는 데 실패하면 국제사회에서의 리더십과 위상이 손상될 수 있다. 막강한 국력을 보유한 최강국이 실패를 수용한다면 의지의 박약함을 적나라하게 드러내게 된다. 그러면 우방들이 최강국을 신뢰하지 못하게 되고 잠재적 적성국들은 최강국에 도전할 용기를 얻게 될 수 있다. 따라서 최강국의 영향력이 타격을 입을 수 있다. 국내정치적 문제도 실패의 겸허한 수용을 방해한다. 우월한 국력자원을 보유하고도 실패를 인정한 정치지도자들은 자부심에 상처를 입은 국민들에게 무능하고 나약한 지도자로 낙인찍힐 위험이 크다. 전쟁이 장기화될수록 이 위험은 커진다. 오랫동안의 투자금을 포기하고 실제적 손실을 감수하는 것은 전략적 합리성에도 불구하고 국민의 자부심에 상처를 입혀 정서적 반감을 살 수 있다. 그러므로 지도자들은 전쟁종결을 가급적 미루어 정치적 부담을 후대 정부에 전가하려는 강한 유혹에 빠지게 된다.

야심과 안이함 그리고 자부심은 국제정치에서 드물지 않게 관찰되지만, 이들 문제는 단극체제의 최강국에게 극대화된 모습으로 나타날 수 있다. 양극체제나 다극체제에서처럼 동급의 강대국이 존재할 때에는 생존의 위협을 느끼기 때문에 야심을 쫓을 여력을 찾기 어렵다. 또 사활적 이익이 위협받는 상황에서는 긴장을 늦출 수 없으며, 전쟁이 발발할 경우 국민적 지지를 수월하게 얻을 수 있다. 그리고 대등한 경쟁국이 있는 상황에서 국가적 자부심은 상대적으로 작아지며 자존심을 부리며 실패한 전쟁에 매달리는 것도 위험하다. 국제체제가 만들어내는 구조적 제약이 클수록 국가들은 절제하게 되며 긴 전쟁을 피할 수 있게 되는 것이다. 반대로 전쟁의 장기화현상은 하나의 강대국이 압도적인 국력을 보유해 국제적 제약을 별로 느끼지 못할 때에 나타날 가능성이 가장 크다. 다시 말하면, 속전속결에 필요한 능력을 가장 온전히 구비한 유일의 초강대국이 장기전에 휘말리게 되는 패러독스가 발생하는 것이다. (이 주장은 전쟁 개시자가 우월한 국력을 가질수록 전쟁기간이 단축된다는 통념과 국제체

제의 극성이 전쟁기간과 무관하다는 견해에 배치되는 것이다.)[15]

4. 단극체제에서의 단기전

단극체제의 유일한 초강대국도 완전한 통제력을 갖지는 못하므로 다른 국가들 간에 전쟁이 간혹 발발할 수 있다. 이 경우 단기전이 될 가능성이 매우 크다. 단극체제에서 전쟁을 치르고자하는 국가들은 안정을 희구하는 최강국의 반대에 직면할 위험을 무릅쓰게 된다. 최강국의 압도적인 국력을 감안하면 이는 엄청난 구조적 제약이 존재함을 의미한다. 이러한 상황에서 국가들이 전쟁을 통해 야심을 추구하기는 어렵다. 매우 중요한 안보이익이 걸려 있는 경우에만 전쟁을 감행할 것이며, 전쟁목표도 제한적으로 설정할 것이다. 상대국을 완전히 점령한다거나 정권교체를 시도하지는 못할 것이다. 안이한 자세로 전쟁에 임하지도 않을 것이다. 최강국이 개입하기 전에 전쟁을 성공적으로 종결지어야 하기 때문이다. 그러므로 승산이 높은 싸움만을 신중히 선별하고 최선을 다해 준비할 것이다. 마지막으로, 단극체제하에서 중소국(中小國)이 가지는 자부심은 제한될 것이다. 최강국을 대적하게 될지 모르는 상황에서 국제적 리더십과 위상에까지 신경을 쓰며 전쟁을 치를 여유는 없다. 따라서 승산이 불확실함에도 불구하고 체면 때문에 전쟁을 계속 수행하지는 않을 것이다.

III. 단극체제

아프가니스탄 침공을 결정했던 시점의 미국은 명실상부한 세계 유일

---

15) Bruce Bueno de Mesquita, "Systemic Polarization and the Occurrence and Duration of War," *Journal of Conflict Resolution*, vol. 22, no. 2(1978), pp. 241-267.

의 초강대국이었다. 미국은 여타 국가들의 총합에 버금가는 군사비를 지출하고 있었다.[16] 이렇듯 막강한 미국의 군사력을 지탱하는 것은 마찬가지로 우세한 경제력이었다. 2000년도 세계총생산(모든 국가들의 국민총생산의 총합) 중 미국의 생산량이 차지하는 비율은 31퍼센트로 2위인 일본의 15퍼센트와 3위인 독일의 6퍼센트에 비해 현저히 우월했다.[17] 잠재적 경쟁국으로 지목되었던 중국(4퍼센트)과 러시아(2퍼센트)에 견주어도 압도적인 우세를 나타냈다. 세계 7대 주요국들의 총생산에서 미국이 차지하는 비중도 마찬가지로 월등했다. 같은 해 미국은 48퍼센트를 점해, 일본(23퍼센트), 독일(9퍼센트), 영국(7퍼센트), 프랑스(6퍼센트), 중국(6퍼센트), 러시아(1퍼센트)를 크게 앞섰다. 이들 중 중국과 러시아를 제외한 모든 국가들이 미국의 동맹국이라는 사실을 고려하면 경제 분야에 있어 미국의 독보적 위치는 더욱 두드러진다.

아프가니스탄과 이라크 전쟁이 한창이던 2006년에도 미국은 여전히 압도적인 국력을 보유하고 있었다. 세계 방위비 지출총액의 46퍼센트를 차지했으며 7대 강대국 방위비 총합의 65.6퍼센트를 점했다.[18] 아울러 〈표 1〉에 나타나듯 방위연구개발비 등 여타 항목에서도 발군의 우위를 보였다. 경제력 면에서도 2000년에 비해 약화되기는 했지만 아직 독보적인 위치를 유지하고 있었다. 〈표 2〉에 드러나듯 세계총생산에서 차지하는 비중은 27.5퍼센트로 부동의 1위를 고수했다. 2위인 일본은 9.1퍼센트로 삼분의 일 수준에 그쳤으며, 잠재적 경쟁국인 중국과 러시아도 각각 5.5퍼센트

---

16) Christopher A. Preble, *The Power Problem: How American Military Dominance Makes Us Less Safe, Less Prosperous, and Less Free*(Ithaca, NY: Cornell University Press, 2009), p. 3.

17) IMF World Economic Outlook Database를 활용해 계산한 수치이다. Robert Pape, "Empire Falls," *The National Interest*, January 22, 2009에서 재인용.

18) Stephen G. Brooks and William C. Wohlforth, *World Out of Balance: International Relations and the Challenge of American Primacy*(Princeton, NJ: Princeton University Press, 2008).

〈표 1〉 강대국의 방위비지출(2006년)

	방위비 지출액 (억 달러)	강대국간 방위지출 비율(%)	세계 방위지출 비율(%)	GDP 대비 방위지출 비율(%)	방위 연구개발 지출액 (억 달러)
미국	5,286	65.6	46	4.1	755
중국	495	6.1	4	2	n.a.
일본	439	5.4	4	1	11
독일	369	4.6	3	1.4	11
러시아	347	4.3	3	4.1	n.a.
프랑스	530	6.6	5	2.5	39
영국	592	7.3	5	2.7	44

출처: Stockholm International Peace Research Institute, "The 15 Major Spending Countries in 2006," http://www.sipri.org/contents/milap/milex/mex_data_index. html; Stockholm International Peace Research Institute Military Expenditure Database, http://www.sipri.org/contents/milap/milex/mex_database1.html; Organization for Economic Co-operation and Development, OECD Main Science and Technology Indicators 2006, No. 2 (Paris: OECD, 2007); Stephen G. Brook and William C. Wohlforth, *World Out of Balance: International Relations and the Challenge of American Primacy* (Princeton: Princeton University Press, 2008), p. 29에서 재인용.

주: GDP 대비 방위지출 비율은 2005년 측정치임; 연구개발 지출액은 2004년에 해당함.

〈표 2〉 강대국의 경제지표(2006년)

	GDP (억 달러)	강대국간 GDP 비율(%)	세계 GDP 비율(%)	1인당 GDP (달러)	GDP 대비 공채 비율 (%)	노동시간 (취업자 1인당)	생산성 (노동시간당 GDP, 달러)
미국	132,450	46.1	27.5	44,190	64.7	1,804	48.3
중국	26,300	9.2	5.5	2,001	22.1	n.a.	n.a.
일본	43,670	15.2	9.1	34,188	176.2	1,784	34.4
독일	28,970	10.1	6	35,204	66.8	1,436	44
러시아	9,790	3.4	2	6,856	8	n.a.	n.a.
프랑스	22,320	7.8	4.6	35,404	64.7	1,564	49
영국	23,740	8.3	4.9	39,213	42.2	1,669	40.1

출처: International Monetary Fund, World Economic Outlook Database, April 2007, http://www.imf.org/external/pubs/ft/weo/2007/01/data/index.aspx; Central Intelligence Agency, CIA World Factbook, https://www.cia.gov/library/publicatio ns/the-world-factbook/; Organization for Economic Co-operation and Development, "OECD Employment Outlook 2007, Statistical Annex," http://www.oecd.org/dataoecd/29/27/38749309.pdf; Organization for Economic Co-operation and Development, "OECD Compendium of Productivity Indicators 2006," http://www.oecd.org/dataoecd/4/22/37574961.pdf; Stephen G. Brooks and William C. Wohlforth, *World Out of Balance*, p. 32에서 재인용.

주: 미국 공채는 2005년 자료임; 생산성 평가는 2005년 수치임.

와 2퍼센트 선에 머물렀다. 7대 강대국들의 총생산량을 고려하면, 미국의 점유율은 46.1퍼센트에 달해 2위인 일본의 15.2퍼센트를 압도했다. 중국과 러시아의 비중은 각기 9.2퍼센트와 3.4퍼센트에 그쳐 미국에 크게 못 미쳤다.

최강국이 얼마만큼의 국력을 보유해야 단극체제가 형성되는지에 대해서는 정확한 기준이 아직 마련되지 않았다. 그러나 상기한 데이터를 살펴보면 미국이 여타 강대국들과 구별되는 다른 급에 속하는 국가, 즉 초강대국이라고 말하는 데에는 별다른 이견이 없을 것이다. 그러므로 복잡한 계량화작업을 굳이 하지 않아도 지난 십년간의 국제체제를 상식선에서 단극체제로 규정할 수 있다.

이러한 단극적 국제체제에서는 제2절에서 밝힌 이유 때문에 초강대국이 주도하는 전쟁이 장기화하는 현상이 발생한다. 다음 두 절에서는 이에 해당하는 사례들로서 아프간전과 이라크 전쟁이 장기화된 원인을 설명한다.

IV. 아프가니스탄 전쟁

2001년 10월 7일에 시작된 아프간 전쟁은 십년이 지난 지금까지 계속되며 미국 역사상 최장의 전쟁으로 기록되고 있다. 인구 3천만 명이 채 되지 않는 작은 나라에서 세계유일의 초강대국이 치른 전쟁이 이처럼 장기화된 데에는 제2절에서 적시한 세 요인(야심, 안이함, 자부심)이 중요하게 작용했다. 이 요인들은 국제체제의 단극 구조에서 기인한 것이었다.

1. 야심

아프간 전쟁이 시작될 무렵 미국이 큰 국제정치적 야심을 갖고 있었다는 증거를 찾기는 어렵지 않다. 2000년 대통령 선거전 내내 클린턴Bill Clinton 행정부의 외교가 오만했다고 비판했던 조지 부시George W. Bush 대통령의 취임연설에도 야심의 흔적이 곳곳에 드러났다.[19] 자유를 비롯한 미국적 가치의 전파가 필요함을 역설하면서 이를 위해서는 미국의 선도와 세계적 개입이 불가결함을 주장하였다. 또 타국이 도전하지 못할 만큼 압도적인 군사력을 갖추겠다는 의지를 표명하였다.

이러한 국제정치적 야심은 아프가니스탄에 대한 전쟁을 계획하는 과정에서도 나타났다. 미국은 전쟁목표를 알 카에다의 궤멸에 국한하지 않고 더 나아가 탈레반정권의 전복도 추구하였다. 탈레반이 9/11 테러공격을 자행한 알 카에다에 근거지를 제공한 후원자라고는 하지만 두 세력이 단일한 조직체를 형성하고 있는 것은 아니었다. 따라서 미국이 특수부대와 공군을 활용해 알 카에다에만 선별적 타격을 가하였더라면 탈레반이 싸움에 적극적으로 개입하지 않았을 수도 있다. 초강대국인 미국과의 전면대결이 부담스러웠을 것이기 때문이다. 이에 더하여 알 카에다가 탈레반에 제공해왔던 자금을 대신 주고 정권의 생존을 보장하며 회유할 수도 있었을 것이다. 그러나 군사적 자신감에 도취한 미국은 목표를 이토록 소박하게 설정하지 않았다. 알 카에다와 탈레반을 구별하고 전자에 집중하는 전략은 전황이 악화일로를 걷고 있던 오바마Barack Obama 집권기에 들어서야 심각히 고려되기 시작했다.[20] 정권교체를 목표로 설정함에 따라 미국은 국가건설state building을 위한 어려운 책무들을 떠맡게 되었다. 또 국가건설에 차질이 빚어질 경우 내전에 휘말리게 될 위험에 노출되었다.

야심찬 목표를 설정했기 때문에 미국의 전쟁노력은 충분한 국내외적

---

19) 대통령 취임연설문, 2001년 1월 20일. http://www.cnn.com/ALLPOLITICS/inauguration/2001/transcripts/template.html.

20) Peter Baker, "How Obama Came to Plan for 'Surge' in Afghanistan," *The New York Times*, December 6, 2009.

지지를 이끌어내지 못했다. 무엇보다 강한 국민적 결의가 오래 지속되지 못했다. 2011년 5월에 실시된 여론조사에서 미국인의 58퍼센트만이 아프가니스탄에서 전쟁을 벌인 것이 잘못된 결정이 아니었다고 대답했다.[21] 이는 2001년 11월의 수치(89퍼센트)에 비하여 많이 하락한 것이며, 아프간 침공이 9/11 테러공격에 대한 보복의 성격을 띤다는 점을 감안하면 놀랍게 낮은 수준이라고 할 수 있다. 2011년 6월에 실시된 다른 여론조사에 따르면 응답자의 54퍼센트가 아프간 전쟁은 싸울 가치가 없다고 평가했다.[22] 같은 시기 아프가니스탄에서의 전쟁에 반대한다고 응답한 사람은 62퍼센트에 달했다.[23] 2001년 개전 이래 전사자가 1,600명 선으로 비교적 적은 편이라는 사실과 9/11 테러의 원흉인 알 카에다가 이 전쟁의 주적임을 고려하면 이렇듯 지지율이 낮은 것은 놀라운 일이다.[24] 이는 미국이 전쟁목표를 지나치게 야심차게 설정함으로써 다수의 미국인들이 전쟁에 사활적 국익이 걸려 있지 않다고 인식하게 된 결과라고 해석할 수 있다.

야심을 좇은 전쟁이었기 때문에 국제적 지지를 이끌어 내기도 어려웠다. 대다수 우방국의 국민들은 아프간 전쟁에 대해 부정적인 인식을 보였다. 2008년에 행해진 국제여론조사에 포함된 7개 NATO North Atlantic Treaty Organization 회원국 중 과반수의 국민이 아프가니스탄에서의 군사 활동을 지지한 국가는 없었다.[25] 전쟁지지도는 최고수준을 기록한 미국에서도 50퍼센트에 그쳤다. 미국을 제외한 6개국 중 5개국에서 과반수의 국민이 가능한 빠른 철군이 이루어지기를 원했으며, 독일과 프랑스의 경우 이러한 선호를 나타낸 비율이 54퍼센트에 이르렀다. 마찬가지로 2009년 여론

21) Gallup Poll. http:\\www.pollingreport.com/afghan.htm.

22) ABC News/Washington Post Poll. 동년 3월에는 이 수치가 64퍼센트에 달했다.

23) CNN/Opinion Research Corporation Poll.

24) 미 국방부 통계임. http:\\icasualties.org/oef/.

25) 24-Nation Pew Global Attitudes Survey, The Pew Global Attitudes Project, June 12, 2008.

조사결과에 따르면 모든 설문대상 NATO회원국에서 과반수 또는 다수의 국민이 NATO병력의 증파에 반대했다.[26] 주요국인 독일의 경우 63퍼센트, 프랑스에서는 62퍼센트, 영국에서는 51퍼센트가 각각 병력증원에 반대했다.

전쟁에 대한 여론이 이토록 부정적이었기 때문에 우방국의 지원도 부족했다. 부담을 나누고 싶어한 미국의 요청에 의해 한 국가가 특정 분야의 재건을 책임지는 주도국 전략lead nation strategy이 채택되었고, 이에 따라 독일은 경찰조직의 건설을, 영국은 마약퇴치 활동을, 이탈리아는 사법체제 구축을, 일본은 무장해제의 책무를 맡았다. 하지만 이들 국가의 노력이 기대에 미치지 못함으로써 국가재건작업은 총체적인 난관에 봉착하게 되었다. 국제사회의 군사적 지원도 마찬가지로 미약하였다. 우방인 한국도 그러했듯이 대부분의 NATO회원국은 사상자발생의 위험이 따르는 전투작전에 참여하는 데에 주저하였다.[27] 특히 반군활동이 활발한 남부와 동부지역에 대한 파병을 거부하였다. 주요 동맹국인 독일, 프랑스, 이탈리아, 스페인도 모두 미온적인 입장을 견지했다. 급기야 2006년에는 가장 믿을만한 맹방인 영국의 원정군이 무사칼라Musa Qala 지역에서 탈레반과 휴전하고 철군하는 사태까지 벌어졌다.[28] 또 독일을 비롯한 일부 동맹국들은 아프가니스탄에서 NATO의 군사적 역할을 확대하는 것에도 강력히 반대하였다. 이러한 상황은 미국의 거듭된 항의에도 불구하고 시정되지 않았다. 9/11 테러공격 직후 NATO헌장 제5조에 의거해 이를 모든 회원국들에 대한 침략행위로 규정하고 적극적 지지를 약속했었던 일을 무색하게 만드는 상황이 벌어진 것이다.

---

26) 25-Nation Pew Global Attitudes Survey, The Pew Global Attitudes Project, July 23, 2009.

27) Seth G. Jones, *In the Graveyard of Empires: America's War in Afghanistan* (New York: W. W. Norton, 2009), pp. 239-242, 249.

28) *Ibid.*, p. 220.

미국의 야심을 우려한 일부 국가들은 탈레반과 알 카에다를 지원하여 미국의 전쟁수행을 방해하려고까지 시도하였다.[29] 탈레반정권과 마찰을 경험했었으며 미국과 관계개선을 희망했었던 이란은 전쟁 초기에는 미국 및 아프가니스탄 정부에 협력하는 태도를 취했다. 그러나 점차 탈레반을 비롯한 반란세력과 파트너십을 구축하고 무기를 포함한 원조를 제공하였다. "악의 축"의 일원으로 지목하는 등 적대적인 태도를 취하는 부시 행정부가 자국에 대해 군사행동을 취하지 못하도록 아프가니스탄에 미군을 묶어두려는 심산이었다. 이란뿐 아니라, 증거가 명백하지는 않지만 중국으로부터도 탈레반에 개인화기와 탄약이 흘러들어갔다는 보고가 있다.

2. 안이함

세계유일의 초강대국인 미국은 철저한 사전계획과 준비 없이 안일한 자세로 전쟁에 뛰어들었다. Operation Enduring Freedom으로 명명된 아프가니스탄 침공 작전은 반군세력인 북부동맹군Northern Alliance을 지원하는 방식으로 이루어졌다. 미 공군이 화력지원을 해주고, 소수의 CIACentral Intelligence Agency와 특수부대 요원들이 군자금, 첩보, 조언을 제공함으로써 반군세력이 알 카에다와 탈레반 세력을 격파할 수 있도록 한 것이다(미 해병대를 필두로 한 지상군은 11월 25일에야 처음으로 아프가니스탄에 거점을 마련하였다). 이 전략은 탈레반 정부를 신속히 무너뜨리는 데에는 성공하였으나 중대한 문제점을 드러내었다. 작전능력과 신뢰도 면에서 취약한 반군이 패주하는 알 카에다와 탈레반 잔당을 섬멸하지 못했던 것이다. 특히 12월에 파키스탄 국경에 근접한 산악지역인 토라보라Tora Bora에서 오사마 빈 라덴Osama bin Laden을 포함해 도합 2천명에 달하는 적군을 궁지에 몰아넣었음에도 불구하고 살상 또는 생포하지 못한 것은 큰 전략적 실

29) *Ibid*., pp. 273-276.

패였다. 금전적 보상을 약속받고 전투에 나선 부족민병대들이 제대로 임무를 수행하지 못했기 때문에 이렇듯 중대한 실패가 발생한 것이다.[30] 민병대는 미군의 반대에도 불구하고 알 카에다와 휴전협정을 맺었고, 이 틈을 이용해 상당수의 알 카에다와 탈레반 멤버들이 파키스탄으로 피신할 수 있었다. 그리고 그 곳을 새 거점으로 삼아 조직을 재정비한 후 2003년부터 아프가니스탄에서 공격을 감행할 수 있었다.[31] 부시 행정부가 신중하였더라면 전투력과 신뢰성을 갖춘 자체 지상군을 상당수 투입할 수 있을 때까지 침공 시기를 늦추었을 것이다. 그리고 많은 사상자가 발생할 위험을 무릅쓰고라도 적과의 결전에 자국 병력을 투입했을 것이다.[32] 그렇다면 토라보라에서 알 카에다와 탈레반 잔당을 섬멸해 추후에 내전을 피할 수 있었을지 모른다.[33]

미국은 전력을 다하지 않고 제한적인 자원만을 전쟁수행에 투입하는 안일함을 보이기도 하였다.[34] 무엇보다 투입한 병력의 수가 매우 부족했다.[35] 〈그림 2〉에 나타나듯 미군을 포함한 국제안보지원군International Security Assistance Force의 병력 수는 아프가니스탄 국민 천 명당 1.6명 정도에 지나지 않았다. 역사적으로 볼 때 이 정도 수준의 병력을 투입한 안정화작전은 대개 실패하였다. 이 수치는 안정화작전이 성공적으로 수행된 역사적 사례

---

30) Stephen Lynch, "The Most Dangerous Game: What Went Wrong in the Hunt for bin Laden," *New York Post*, October 5, 2008, p. 34.

31) "Senate Report Explores 2001 Escape by bin Laden From Afghan Mountains," *The New York Times*, November 28, 2009.

32) 사상자를 최소화하고자 하는 유권자의 선호도 자국병력을 투입하지 않은 이유일 것이다. 군사전략과 관련한 유권자의 선호에 대해서는 다음의 연구를 참고하시오: Jonathan D. Caverley, "The Myth of Military Myopia: Democracy, Small Wars, and Vietnam," *International Security*, vol. 34, no. 3(Winter 2009), pp. 119-157.

33) Gary Berntsen, *Jawbreaker: The Attack on bin Laden and al-Qaeda*(New York: Crown Publishers, 2005); Peter Bergen, "The Battle for Tora Bora: How Osama bin Laden Slipped From Our Grasp," *New Republic*, December 22, 2009.

34) Seth G. Jones, *In the Graveyard of Empires*, pp. 248, 253, 300-301.

35) *Ibid.*, p. 119.

들에 비추어 볼 때 현저히 낮은 수준이다. 대표적 성공사례인 제2차 세계대전 후 독일 점령에는 주민 천 명당 89.3명이 배치되었고, 보스니아에도 천 명당 17.5명이 배치되었다. 폭력적 반정부활동이 급증하던 2007년 중반에 아프가니스탄에는 미군 지휘 하에 36,000명만이 배치되었을 뿐이고, NATO사령부 예하병력을 통틀어도 47,000명에 지나지 않았다. 미국정부가 테러와의 전쟁에서 아프간전이 차지하는 중요성을 거듭 강조했음에도 불구하고 이렇듯 적은 수의 병력만을 투입하였다는 사실은 미국이 얼마나 안일한 태도로 전쟁에 임했는가를 극명히 드러낸다. 병력뿐 아니라 재건사업에 투입된 민간인의 수도 마찬가지로 적었다.[36] 국무부와 USAID United States Agency for International Development 로부터 파견된 요원들의 수가 부족함에 따라 재건작업이 더디어졌고, 이는 민심이반으로 귀결되어 반란군진압을 더욱 어렵게 만들었다. 이러한 문제는 특히 농촌지역에서 심각하게 나타났다.[37]

〈그림 2〉 주민 일인당 최대 주둔병력

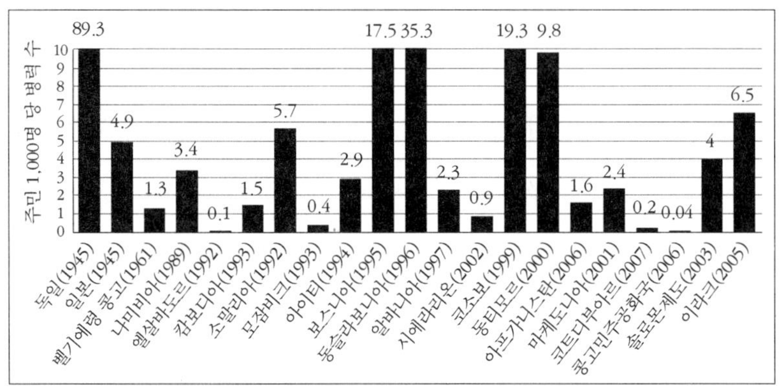

출처: Seth G. Jones, *In the Graveyard of Empires: America's War in Afghanistan* (New York: W. W. Norton, 2010), p. 119.

36) *Ibid.*, pp. 300-301.

37) Seth G. Jones, "The Rise of Afghanistan's Insurgency: State Failure and Jihad," *International Security*, vol. 32, no. 4(Spring 2008), pp. 7-40.

막강한 국력을 자랑하는 미국이 이처럼 충분한 자원을 투입하지 못했던 것은 정책적 관심을 지속적으로 기울이지 않았다는 사실과도 밀접한 관련이 있다. 분쟁이 종결되지 않은 상황에서 이라크에서 새 전쟁을 개시했다는 사실이 관심의 결핍을 극명하게 드러낸다. 미국이 아프가니스탄을 침공한 것은 2001년 10월 7일의 일이다. 그런데 부시 대통령은 개전 후 불과 6주가 지난 11월 21일에 도날드 럼스펠드Donald Rumsfeld 국방장관에게 이라크 침공계획을 준비할 것을 지시하였다.[38] 당시에는 미 지상군이 아프가니스탄 내에 거점을 마련하지도 못하였고 알 카에다와 탈레반을 소탕하지도 못한 상황이었다. 전쟁이라는 국가의 대사를 결정하는 데 있어 이토록 안일한 태도를 보였다는 사실은 압도적인 국력을 보유한 국가로서 갖게 된 자신감을 고려하지 않고는 이해할 수 없다.

3. 자부심

세계유일 초강대국의 지위를 반영하듯 미국의 국가적 자부심은 유달리 강했다. 정당을 막론하고 미국의 정치가들은 자국을 빼놓을 수 없는 국가indispensible nation로 규정하였다.[39] 테러로부터 핵확산에 이르기까지 세계의 어떤 주요문제도 미국의 개입 없이는 해결될 수 없다는 것이다. 부시와 오바마 대통령 모두 이러한 인식과 관련해서는 차이가 없었다. 미국의 막강한 국력을 인지하고 있고 정치지도자들의 레토릭에 반복적으로 노출된 국민들도 대체로 자국에 대한 큰 자부심을 공유하고 있었다.

이러한 국민적 자부심은 아프가니스탄으로부터의 철군 결정을 어렵게 만들었다. 미국의 정치지도자들은 전쟁에서 실패할 경우 세계무대에서 자국의 리더십이 손상될 것을 우려하였다. 아프가니스탄에 3만 명의 병력을 증파하겠다고 천명하는 자리에서 오바마 대통령은 전쟁의 승패에

38) Bob Woodward, *Plan of Attack*(New York: Simon & Schuster, 2004), p. 1.
39) Christopher A. Preble, *The Power Problem*, p. 5.

미국의 리더십이 걸려 있다고 주장하며 결정을 정당화하였다.[40] 미국의 패전이 의지의 박약함을 국제사회에 적나라하게 드러내지 않을까 걱정하기도 하였다. 일례로 2008년 미 공군사관학교 졸업연설에서 부시 대통령은 "미국이 테러와의 전쟁에서 지는 유일한 길은 (결의와 사기를 잃어) 스스로 무너지는 경우밖에 없다"고 경계하였다.[41] 국내정치적인 여건도 철군을 쉽게 허용하지 않았다. 밝지 않은 전황에도 불구하고 미국인의 과반수는 아프가니스탄에서 승전할 수 있다는 믿음을 가지고 있었다. 예를 들어, 2011년 6월에 실시된 여론조사에서 승전에 대한 낙관적 견해는 54퍼센트로 비관론(42퍼센트)에 비해 우세했다.[42] 오바마의 정적들은 이러한 여론을 활용하여, 이길 수 있는 전쟁을 승전으로 이끌고 국가의 명예를 지키는 것이 대통령의 책무라고 역설함으로써 철군을 결정하기 어려운 정치적 분위기를 조성하였다.[43] 이러한 상황에서 뚜렷한 성과 없이 전쟁을 끝낸다면, 미국인의 자부심에 상처를 내며 무책임하고 유약한 정치가라고 낙인찍힐 수 있었다. 따라서 조속한 철군은 큰 정치적 손실을 불러올 수 있는 위험한 결정이었다.

4. 소결

제2절에서 밝힌 바와 같이, 미국 중심의 단극적 국제체제는 미국인에게 야심과 안일함 그리고 자부심을 심어 주었다. 그리고 이러한 요인들은 다시 아프가니스탄 전쟁이 장기화되는 데에 중요한 역할을 하였다.

---

40) "Remarks by the President in Address to the Nation on the Way Forward in Afghanistan and Pakistan," United States Military Academy, December 1, 2009.

41) "President Bush Delivers Commencement Address at United States Air Force Academy." http://georgewbush-whitehouse.archives.gov/news/releases/2008/5/print/ 20080528-2.html.

42) CNN/Opinion Research Corporation Poll, June 3-7, 2011.

43) "Mr. Obama's Surge," *The Wall Street Journal*, March 28, 2009.

이러한 패턴은 2년 후에 발발한 이라크 전쟁에서도 유사한 형태로 재현되었다.

V. 이라크 전쟁

2003년 3월에 미국의 침공으로 개시된 이라크에서의 전쟁은 2011년 11월 현재 계속되고 있다. 2010년에 주요 전투부대를 철수했고 2011년 말까지 지원부대도 철군하기로 합의함으로써 종전을 향해 중대한 걸음을 내딛었지만, 언제 모든 유형의 개입을 종결할 수 있을지는 아직 미지수이다. 미국이 이렇듯 불확실성이 큰 장기전에 휘말리게 된 과정에는 아프가니스탄에서와 마찬가지로 야심과 안이함 그리고 자부심이 함께 작용했다. 그리고 이러한 문제들의 기원도 마찬가지로 단극적 국제체제에서 찾을 수 있다. 제2절에서 제시한 이론이 이 전쟁을 이해하는 데에도 적실성을 갖는 것이다.

1. 야심

2002년 9월에 발표된 National Security Strategy는 미국의 야심을 극명히 드러낸다. 이 문건에서는 정치 및 경제적 자유와 인간존엄성의 존중을 비롯한 자유주의적 가치들을 전 세계에 확산하는 일을 미국의 근원적인 국익으로 규정하였다.[44] 자유와 정의는 보편적인 정당성을 지니기 때문에 미국이 이러한 가치를 수호해야 한다는 것이다. 이는 미국이 단지 국가생존을 위해 필요한 일만을 행하는 것이 아니라 세계질서를 이상적으로 변혁하기 위해 나설 의도가 있음을 드러낸다. 안보위협을 규정함에 있어서

44) *The National Security Strategy of the United States of America* (Washington, DC: The White House, 2002), p. 3.

도 미국을 직접 공격한 알 카에다에 한정하지 않고 테러조직과 불량국가로 폭넓게 설정하였다. 또 위협에 대한 대응양식과 관련해서는 공격이 최선의 방어라는 논리를 펴며 공세적 군사활동의 역할을 강조하였다. 특히 '선제공격preemptive attack'이란 미명하에, 대량살상무기를 포함한 위협적인 전력을 개발하고 있는 국가에 대한 예방전쟁preventive war을 정책수단으로 채택하였다.[45] 명백한 위협에 대처하는 것이 아니라 위협이 형성되는 것 자체를 막겠다는 것이다. 무자비한 테러조직과 불량국가는 억지할 수 없다는 가정하에 냉전기 안보전략의 주축을 이루었던 억지력의 중요성은 평가절하 되었다.[46] 아울러 미국에 필적하는 군사력을 구축하려는 타국의 시도 자체를 저지하기 위해 압도적인 군사력을 보유하고자 하였다.[47]

이러한 야심은 이라크 전쟁의 장기화를 초래한 몇 가지 문제들을 만들어냈다. 우선 정권교체를 목표로 설정함에 따라 미국은 국가건설을 위한 어려운 책무들을 떠안을 수밖에 없었다. 부시 행정부의 일부 관리들이 국가건설 없는 정권교체를 표방하였지만 이는 애초에 현실성을 결여한 구상이었다. 적대적 정부를 무너뜨린 후에 방치할 경우 무정부상태하에서 내전과 인도적 위기가 발생하고 힘의 공백이 생겨나 해당지역을 불안정하게 만들 수 있기 때문이었다. 그리고 적대적 정권이 무너진 곳에 미국의 뜻을 거스르는 새 정부가 들어서거나 테러조직이 근거지를 마련할 수도 있었다. 이러한 이유로 정권교체는 자연스레 국가건설 작업을 수반하게 되었다. 그런데 야심으로 충만한 미국은 국가건설과정에서도 민주정부의 수립을 비롯한 이상주의적 목표를 추구하였다. 아프가니스탄에서는 안정적이고 우호적인 정부를 수립한다는 비교적 소박한 목표를 설정했었다.[48]

---

45) *Ibid.*, p. 15.

46) *Ibid.*, pp. 14-15.

47) *Ibid.*, pp. 29, 30.

48) Francis Fukuyama, ed., *Nation-Building: Beyond Afghanistan and Iraq*(Baltimore, MD: The Johns Hopkins University Press, 2006), p. 12.

하지만 이라크 침공을 감행할 무렵에는 아프가니스탄에서 거둔 초기 성공에 고무되어 민주정치제도 및 자유시장체제의 이식을 명시적 목표로 설정하였다. 이러한 제도를 수용할 사회적 기반이 마련되지 못한 상황에서 시도된 이상주의적 실험은 더 큰 실패 가능성을 안고 있었다. 따라서 이라크는 보다 높은 국가실패와 내전의 위험성에 노출되었다.

강한 국민적 결의가 오래 지속되지 못했다는 것이 미국의 야심이 빚어낸 또 다른 문제점이었다. 전쟁 직전에 시행된 여론조사에서 미국인의 58퍼센트가 이라크침공을 지지했으며 반대의견은 40퍼센트에 불과했다.[49] 부시 행정부가 국제연합의 명시적 동의를 구하지 않고 침공을 감행하는 것에 대해서도 응답자의 47퍼센트가 지지의견을 피력했다. 개전 직후 손쉬운 승리를 경험하고 있던 2003년 4월에는 이라크침공이 옳은 결정이었다는 응답이 74퍼센트에 달했다.[50] 하지만 반란이 시작되어 전황이 악화되고 있던 2007년 9월에는 동일한 응답이 41퍼센트로 떨어졌다. 침공을 잘못된 결정으로 보는 견해는 동기간 19퍼센트에서 51퍼센트로 대폭 증가하였다. 이렇듯 국민적 결의가 지속되지 못한 데에는 여러 이유가 있겠지만 사활적 국익이 걸린 전쟁이 아니라는 사실도 중요한 원인이라 할 수 있다. 이라크에서의 전쟁이 필요하지 않았다는 인식은 개전의 주된 이유였던 대량살상무기가 발견되지 않음으로써 더욱 강화되었다. 4천 4백여 명이라는 비교적 적은 수의 전사자를 기록한 전쟁에서 국민적 지지가 이와 같이 줄어들었다는 것은 전쟁의 필요성에 대한 회의가 크다는 사실을 반증한다.[51] 자유제도의 전파라는 이상적 목표만으로는 미국 국민에게 충분한 전의를 부여할 수 없었던 것이다.

---

49) Richard Benedetto, "Poll: Most Back War, but Want U.N. Support," *USA Today*, March 16, 2003.

50) http:\\www.pollingreport.com/iraq.htm.

51) 전사자통계는 다음의 웹사이트에서 입수했다. http:\\www.defense.gov/news/casualty.pdf.

생존이 아닌 야심을 위해 벌인 전쟁에서는 국제적 지원을 이끌어 내기도 어려웠다. 전쟁 초기 3년 동안 국제사회는 135억 달러를 지원하기로 약정하였으나 실제 지원액은 40억 달러에도 미치지 못했다.[52] 미국과 국제연합의 요청에도 불구하고 사우디아라비아와 쿠웨이트를 비롯한 걸프지역 국가들은 이라크의 채무를 경감하고 금융지원을 늘리는 데에 주저하였다. 이라크침공에 주도적 역할을 했던 영국만이 다방면에서 많은 지원을 제공했을 뿐이다. 국제연합, 세계은행, 유럽연합 등 국제정부기구도 제한된 역할만을 수행하였다.[53] 미약한 국제적 지원은 가용자원의 부족문제를 야기함으로써 이라크 전후재건을 위한 노력에 큰 걸림돌이 되었다. 국제지원이 부족했던 것은 전쟁에 대한 세계 각국 국민의 부정적인 여론과 관련 있다. 2007년에 22개국에서 실시된 여론조사에 따르면 3분의 2에 해당하는 시민들이 미군이 이라크를 떠나야한다고 생각했다.[54] 응답자의 23퍼센트만이 이라크 내 상황이 호전될 때까지 병력주둔을 계속해야 한다고 주장했을 뿐이다. 중동지역의 여론은 특히 부정적이었다. 이라크에서 미국이 수행하는 역할에 대해 부정적인 견해를 표명한 사람의 비율은 사우디아라비아에서 68퍼센트, 아랍에미리트에서 70퍼센트, 이집트에서 83퍼센트, 요르단에서 76퍼센트에 달했다.[55] 이라크 전쟁에 대한 세계 주요국 국민의 반응도 대체로 부정적이었다. 2006년 여론조사에서 사담 후세인이 제거되어 세계가 더 안전해졌다고 응답한 비율은 독일의 경우 28퍼센트, 프랑스 23퍼센트, 러시아 17퍼센트, 중국 8퍼센트로 매우 낮았다. 상대적으로 큰 지지도를 나타낸 영국에서도 긍정적인 응답

---

52) James A. Baker, III and Lee H. Hamilton, *The Iraq Study Group Report* (Charleston, SC: Bibliobazaar, 2006), p. 40.

53) *Ibid.*, p. 44.

54) "Most People Want Iraq Pull-Out," BBC News, September 7, 2007.

55) "Four Years Later: Arab Opinion Troubled by Consequences of Iraq War," The Arab American Institute, March 2007.

은 39퍼센트에 지나지 않아, 후세인의 제거가 세계를 보다 위험하게 만들었다는 응답(47퍼센트)보다 오히려 적었다. 이렇듯 세계여론이 부정적이었던 이유 중 중요한 하나는 이라크 전쟁이 미국의 생존을 위해 필요한 싸움이 아니라는 사실이었다. 이 때문에 국제사회는 미국의 전쟁노력을 정당한 것으로 인정하지 않았다.

2. 안이함

부시 행정부는 철저한 사전계획과 준비 없이 전쟁에 뛰어드는 안이함을 보였다. 무엇보다 이라크군을 격파한 이후에 대해 관심을 기울이지 않았으며, 그 결과 허술한 계획과 준비가 이루어졌다. 국가재건작업을 관리할 정부기구를 개전 직전인 2003년 1월에야 출범시켰고 인적 물적 자원도 충분히 지원하지 않았다. 따라서 총책임자인 제이 가너Jay Garner와 그의 스태프가 전쟁개시 후 이라크 현지로 이동하기 위해 사용할 교통수단도 사전에 확보하지 못할 정도로 준비가 부실하게 이루어졌다. 침공 작전과 관련한 책임을 맡은 미군 중부사령부는 이라크군의 격파에만 관심을 쏟았을 뿐 점령단계Phase IV에 대한 군사적 준비는 뒷전으로 미루어 놓았다. 특히 사령관 토미 프랭크스Tommy Franks는 점령 작전에 대한 무관심과 심지어 경멸까지 공공연히 드러냈다. 따라서 전투 종료 후 질서유지와 기간시설보호 등을 위해 점령군이 수행해야 할 임무를 분명히 설정하지 못했다. 이러한 문제는 지상군 사령관으로서 점령 초기 안정화작전 책임자였던 데이비드 맥키어난David McKiernan이 취한 태도에 분명히 드러난다. 새로운 정부의 수립을 위해서는 약탈을 막아야 한다는 주문에 대해 그는 "그것은 나의 책무가 아니다"라고 짜증스럽다는 투로 대답하였다.[56] 전사로서의 정체성을 가진 직업군인들이 국가재건임무를 기피한다는 것은 새로운

---

56) Bob Woodward, *State of Denial*(New York: Simon & Schuster, 2006), p. 179.

사실이 아니다. 그럼에도 불구하고 민간인 상급자들이 이와 관련된 준비를 직업군인들에게 전적으로 일임하고 감독을 소홀히 한 것은 그들의 안이함을 잘 드러낸다. 책임의 소재가 어디에 있든지 이러한 준비부족은 안정화 및 재건과정에서 큰 혼란을 낳았고, 그 결과 각종 중대 실책이 점령 초기에 연이어 발생했다.[57] 초기의 실책은 피드백 효과를 낳아 문제를 계속 악화시켰으며 상황의 역전을 어렵게 만들었다.[58]

미국의 안이함이 엿보이는 또 다른 대목은 미국이 전력을 다하지 않고 제한적인 자원만을 전쟁수행에 투입했다는 사실이다. 인류역사상 가장 부강한 국가인 미국이 스스로 중요하다고 밝힌 전쟁에 충분한 병력과 자금을 투입하지 않았다는 것은 매우 놀라운 일이다. 침공군의 주축을 이룬 미영연합군은 20만 명에 조금 못 미치는 병력을 포함하고 있었다. 이 병력규모는 후세인의 군대를 격파하는 데에 충분했지만 효과적인 점령을 위해서는 턱없이 부족한 수준이었다.[59] 점령 작전을 수행할 충분한 병력을 보유하지 못한 연합군은 유전을 제외한 핵심 국가기간시설을 상당기간 동안 방치할 수밖에 없었고, 그 결과 국가기관과 병기 창고에 대한 대대적인 약탈이 자행되었다. 이에 따라 재건작업이 더욱 어려워지고 치안부재상태가 초래되어 점령군으로부터 민심이 이반하는 결과를 낳았다. 2007년에 이루어진 병력증파[surge]의 긍정적 효과를 보면 알 수 있듯이, 만약 대규모의 병력을 개전 초부터 투입했다면 보다 쉽게 안정을 확보하고 유지할 수 있었을 것이다.[60] 병력뿐 아니라 재건자금도 불충분하고 뒤늦

---

57) Gideon Rose, *How Wars End: Why We Always Fight the Last Battle*(New York: Simon & Schuster, 2010), p. 249.

58) David M. Edelstein, "Occupational Hazards," p. 81.

59) 터키가 이라크침공에 협조하였더라면 미국은 제4기계화보병사단 소속 2만 명의 병력을 추가로 활용할 수 있었을 것이다. 그랬다면 점령초기 병력부족문제가 줄어들었을 것이다. Williamson Murray and Robert H. Scales, *The Iraq War: A Military History*(Cambridge, MA: Harvard University Press, 2003), p. 63.

60) Gideon Rose, *How Wars End*, p. 276.

게 투입되어 상황을 한층 악화시켰다. 이라크 공무원에게 임금을 제대로 지불할 수 없어 국가업무 마비상태가 장기화되었으며, 각종 재건사업의 착수와 진척도 늦어졌다. 이에 따라 초기에 이라크인들이 미국에 보였던 우호적인 태도는 점차 불만 섞인 저항으로 변모해갔다. 세계최고의 군사력과 경제력을 가진 미국이 이처럼 불충분한 자원을 투입했다는 사실은 미국의 안일함을 고려하지 않고서는 이해할 수 없다. 능력이 아니라 의지가 문제였던 것이다.

미국이 자원을 제한적으로 투입했더라도 국제사회로부터 충분한 지원을 받을 수 있었다면 전쟁수행에 큰 어려움을 겪지 않았을지도 모른다. 하지만 상기한 바와 같이 국제사회의 지원은 미약했으며, 미국의 안일함이 마찬가지로 그 주요원인 중 하나였다(다른 중요한 이유로는 앞서 밝힌 대로 필요가 아닌 야심에 의한 전쟁이기 때문에 국제여론의 지지를 이끌어내지 못했다는 사실을 들 수 있다). 전쟁에서의 성공을 낙관한 부시 행정부는 전쟁 초기에 국제연합을 비롯한 국제행위자의 지원을 이끌어내기 위해 적극적인 노력을 기울이지 않았다. 그리고 더 나아가 때때로 지원제의에 냉담한 태도까지도 보였다. 이라크를 미국의 완전한 통제하게 두고 싶었고 그럴 수 있는 능력을 갖추고 있다고 판단했기 때문일 것이다. 이러한 안이한 대응의 결과로 자원의 부족이 초래되고 야심찬 목표와 미약한 수단 간의 괴리가 생겨나게 되었다. 그리고 이로 인해 후세인 정권의 전복 후 신속히 평화를 정착시키려는 시도는 실패로 돌아갔다.

미국의 안일함은 이념의 과잉 현상으로도 표출되었다. 무엇보다 정책결정자들이 전문가들의 견해와 축적된 경험을 무시하고 검증되지 않은 이념적 비전을 실천에 옮기려했다. 럼스펠드 장관을 비롯한 국방부 민간관료들은 전투 종료 이후 안정화를 위해 수십만 명의 병력이 필요할 것이라는 에릭 신세키Eric Shinseki 육군참모총장을 비롯한 주류 전문가들의 판단을 무시했다.[61] 대신 이라크 전쟁을 군사변환transformation이라는 자신들의 실험적 비전을 현실화할 기회로 삼고자 비교적 소규모 병력을 투입하여 전쟁을 치르기를 고집하였다. 베트남전에서 얻은 값비싼 교훈을 바탕으로 미국은 압도적인 군사력 투입의 중요성을 강조하는 소위 파월독트린Powell Doctrine을 정립하고 군사 활동의 가이드라인으로 활용해왔었다. 그런데 럼스펠드를 비롯한 "아마추어"들이 이를 검증되지 않은 관념으로 대체한 것이다.[62] 이들은 이라크 및 중동지역 문제에 정통한 외교관과 전문가들의 의견도 무시했다. 이라크 전후문제를 책임지게 된 럼스펠드는 국무부가 수년간 수행해왔던 이라크관련 연구프로젝트Future of Iraq Project에서 나온 제언들을 귀담아 듣지 않았을 뿐더러 프로젝트 참가자들이 가너가 이끄는 재건담당 기구에서 일하지 못하도록 막았다. 대신 관련경험이 전무한 국방부 내 심복인 더글라스 파이스Douglas Feith에게 전후재건 계획의 수립을 맡겼다.[63] 파이스는 클린턴 행정부시기에 축적된 국가재건 노하우를 단지 이념적인 이유 때문에 거부하면서 검증되지 않은 모델소위 light footprint approach을 새 가이드라인으로 삼았다. 이 모델은 미국의 개입을 최소화하는 데에 주안점을 두는 것이었다. 이러한 이념적 실험은 결국 성공적인 점령을 위해 필요한 자원이 제대로 투입되지 못하게 만든 또 하나의 원인으로 작용했다.

이념과잉 현상은 점령현장에서도 관찰되었다. 부시 행정부는 재건준비를 담당했고 점령 초기 이라크에서 실무총책을 담당하며 현장경험을 축적했던 가너를 관련경험을 결여한 폴 브레머Paul Bremer로 교체하였다. 경험도 없고 이라크실정에 밝지 못한 브레머는 가너의 경고를 무시하고 바

61) Bob Woodward, *State of Denial*, pp. 71, 74; Gideon Rose, *How Wars End*, p. 262.

62) Robert Gilpin, "War is Too Important to Be Left to Ideological Amateurs," *International Relations*, vol. 19, no. 1(2005), pp. 5-18.

63) Francis Fukuyama, *Nation-Building*, p. 10.

트[Baath]당원을 대규모로 숙청하고, 이라크군을 해산하며, 이라크인 대표들로 구성된 통치 자문기구를 폐지하는 등 이념에 기반을 둔 급진적인 정책을 시행하였다. 후세인정권의 잔재를 일거에 청산하고 국가제도를 완전히 새로 건설하고자 했던 것이다. 그러나 이러한 급진적이며 근본주의적인 개혁은 치명적인 부작용을 낳았다. 오랜 독재통치기간 동안 이라크 정부안팎의 요직을 점해왔던 바트당원의 대대적 숙청은 국가 및 사회적 기능의 마비를 불러왔다. 또 군대의 해산은 무장 실직자를 양산하여 반군이 대규모로 조직되는 계기가 되었으며, 이라크인 대표기구의 폐지는 여러 사회세력들이 미국의 점령통치에 대해 불만을 품고 저항하도록 만들었다. 이토록 위태로운 상황이 전개되는 와중에도 브레머는 새로운 국가제도의 창조라는 지난한 임무를 전문지식과 경험이 없는 젊은 공화당원들[소위 Neocon Children's Brigade]에게 맡겼다. 이들은 이라크의 현실을 고려하지 않은 채 무리한 개혁을 시도하며 시행착오를 연발하였고, 결과적으로 이라크를 무정부상태와 내전상황으로 몰고 갔다.[64]

3. 자부심

세계최강국으로서 큰 자부심을 가진 미국은 패전으로 인해 국제적 위상이 손상될 수 있다는 위험을 의식하여 철군에 주저하였다.[65] 이라크 전쟁에 대한 초당파적 평가보고서는 미국의 노력이 실패로 돌아갔다고 인식된다면 중동지역 내에서 미국의 신뢰도와 영향력이 큰 손상을 입을 것이라는 결론을 내렸다.[66] 거기서 그치지 않고 북한과 이란을 비롯한 여타 주요문제를 다루는 데 있어 미국의 영향력과 리더십이 약화될 위험성이 있음도 경고하였다.

---

64) Bob Woodward, *State of Denial*, p. 202.
65) James A. Baker and Lee H. Hamilton, *The Iraq Study Group Report*, p. 18.
66) *Ibid.*, p. 47.

국내정치적인 부담도 철군을 어렵게 만들었다. 2007년 1월부터 2009년 2월까지 여덟 차례에 걸쳐 실시된 여론조사에서 31-45퍼센트에 해당하는 미국인들이 테러와의 전쟁에서 승리하기 위해서는 이라크에서 반드시 승전해야 한다고 응답하였다.[67] 다른 여론조사에서 미국과 동맹국들이 이라크에서 이기고 있다고 판단한 미국인은 지고 있다고 응답한 사람보다 많았으며, 과반수는 어느 편도 우세하지 않다고 판단했다.[68] 불안정성이 증가함에 따라 2만 명의 병력을 증파해야 했던 시점에도 응답자의 27퍼센트가 승전이 확실하다고 믿었으며 30퍼센트가 승전할 수 있을 것으로 판단했다.[69] 이렇듯 승리에 대한 기대가 건재한 상황에서 실패의 위험을 무릅쓰고 철군을 감행하는 것은 대통령에게는 정치적으로 매우 어려운 결정이었다. 만약 철군 후에 이라크 정부가 큰 위기에 처할 경우 무능하고 무책임한 지도자라는 비판에 직면할 수 있었으며, 집권당은 엄청난 정치적 후폭풍을 겪을 수 있었다.

4. 소결

단극적 국제체제에서 세계유일의 초강대국으로 군림해왔던 미국은 야심, 안일함, 그리고 자부심을 갖게 되었다. 그리고 이러한 요인들은 이라크전의 장기화를 초래한 각종 문제를 낳았다. 이 결론은 앞서 제시한 아프가니스탄 사례연구 결과와 함께 제2절에서 소개한 이론의 신뢰도를 높여준다. 단극체제에서 전쟁은 대체로 최강국이 주도하며 이 경우 전쟁이 장기화될 가능성이 크다는 연구의 핵심가설을 뒷받침하는 것이다. 다

---

67) 이라크에서의 승전이 반드시 필요하지는 않다고 응답한 사람의 수가 이보다는 많았다. 그러나 이들 중에도 패전을 쉽게 용납할 의향을 지닌 사람들은 작은 일부에 불과했을 것이다. ABC News/Washington Post Poll.

68) CNN/Opinion Research Corporation Poll. 2006년 4월부터 2008년 7월 사이에 여덟 차례 실시된 여론조사 결과이다.

69) CNN/Opinion Research Corporation Poll. March 14-16, 2008.

음의 장에서는 2008년에 발발한 그루지야 전쟁을 분석함으로써 간혹 최강국 외의 국가들이 단극체제에서 전쟁을 치를 때에는 반대로 단기전의 양상을 띤다는 것을 보여주고자 한다.

VI. 21세기의 단기전: 그루지야 전쟁

금세기의 전쟁이 모두 장기전이었던 것은 아니다. 2008년 여름에 그루지야와 러시아 사이에 발발한 전쟁은 단 5일 만에 종결되었다. 그루지야는 8월 7일 밤 분리주의세력의 통제하에 놓여있던 남오세티아South Ossetia의 북부지역에 대한 공격을 감행하여 남오세티아의 수도인 츠힌발리Tskhinvali시와 근교의 일부를 장악하는 데 성공하였다. 이에 대응하여 러시아는 전투병력을 신속히 파견하여 남오세티아 민병대를 도와 그루지야군의 진격을 저지하였다. 그 후 공세로 전환하여 지상군을 앞세워 그루지야군을 남오세티아에서 몰아내기 시작했다. 아울러 공군을 활용하여 그루지야의 영토 깊숙이 폭격을 감행하고 흑해함대를 동원해 그루지야에 대한 해상봉쇄를 펼쳤다. 또 그루지야 서쪽에 위치한 압하지아Abkhazia 지방에서도 지상군을 동원한 공세를 감행하여 그루지야군을 양면에서 압박하였다. 열세에 놓인 그루지야군은 패주하였고 러시아군은 추격전을 펼친 끝에 압하지아와 남오세티아에 인접한 그루지야 영토의 일부를 점령할 수 있었다. 이러한 상황에서 니콜라스 사르코지Nicolas Sarkozy 프랑스 대통령이 유럽연합을 대표하여 중재안을 제시하고 러시아와 그루지야가 이를 수용함으로써 8월 12일에 휴전이 이루어지게 되었다.[70] 이에 따라 러시아는 남오세티아와 압하지아에 대한 사실상의 통제권을 확보하고 그루지

70) Jim Nichols, "Russia-Georgia Conflict in August 2008: Context and Implications for U.S. Interests," *CRS Report for Congress* RL34618, March 3, 2009.

야 점령지역으로부터 철군하였다.[71)]

이라크 및 아프가니스탄에서의 분쟁과 달리 그루지야 전쟁이 이토록 신속히 종결된 이유는 무엇인가? 이 질문에 대한 답도 앞서 제시한 분석틀 속에서 찾을 수 있다.

러시아가 신속히 승리를 거두고 전쟁을 종결지을 수 있었던 것은 야심과 안이함에 빠지지 않았기 때문이다. 러시아는 남오세티아와 압하지아를 통제하겠다는 제한된 목표를 추구하였고 이에 따라 제한된 군사작전을 수행하였다.[72)] 만약 적대적인 사카쉬빌리Mikheil Saakashvili 정권을 타도하고 그루지야 전역을 통제하려는 야심을 품었다면 전투작전 기간을 늘려야했을 뿐더러 안정화작전까지도 수행해야 했을 것이다. 이 경우 그루지야인의 강한 저항에 부딪쳐 전쟁이 장기화될 가능성이 높아졌을 것이다. 체첸전쟁이 재연될 위험이 있었던 것이다. 또 러시아는 강한 결의를 갖고 전쟁에 임했다. 육해공 전군을 대거 투입하여 압도적인 수적 우세를 달성했고 압하지아에 제2전선을 열어 그루지야군을 당황하게 만들었다. 아울러 러시아는 준비가 잘된 상태로 전쟁에 뛰어들었다.[73)] 그루지야와 일전을 치러야할 상황이 발생할 것에 대비하여 일찍이 군사계획을 수립해놓았고 이에 맞추어 군사훈련을 정기적으로 실시했었다. 전쟁발발 직전에도 인접지역에서 대규모의 군사훈련을 시행한 바가 있었다. 이러한 사전준비의 결과로 전쟁이 시작되자 계획에 따라 신속히 병력을 투입하고 작전을 수행할 수 있었다.[74)] 만약 결의와 준비가 부족하여 초기 군사대응이

---

71) 완전한 철군이 이루어진 것은 아니었다. 러시아는 남오세티아와 압하지아에 근접한 그루지야 영토에 완충지역과 비행금지구역을 설정하고 군대를 주둔시켰다.

72) Carolina Vendil Pallin and Fredrik Westerlund, "Russia's War in Georgia: Lessons and Consequences," *Small Wars and Insurgencies*, vol. 20, no. 2(June 2009), p. 400.

73) Independent International Fact-Finding Mission on the Conflict in Georgia, *Report Volume II*, September 30, 2009, p. 217.

74) Carolina Vendil Pallin and Fredrik Westerlund, "Russia's War in Georgia," pp. 400-

미약했더라면 기습공격을 펼친 그루지야군에 전략적 요충지를 내어주고 불리한 지형에서 어렵게 싸워야했을 것이다. 그루지야군이 수적 열세에도 불구하고 장비 면에서 질적으로 우세했음을 감안하면 이 경우에는 전쟁이 길어질 수도 있었을 것이다.[75]

이러한 승리의 조건을 갖출 수 있었던 것은 러시아가 처한 국제정치적 현실 때문이었다. 미국이 유일의 초강대국으로 군림하는 단극체제 하에서 러시아는 정권교체와 같은 야심찬 목표를 추구할 수 없었다. 친 서방 성향의 그루지야 정부를 무너뜨리려고 했다가는 미국의 진노를 초래할 것이었기 때문이다. 부시 행정부는 그루지야와 경제 및 정치적 관계를 돈독히 하며 NATO 가입까지도 추진하고 있었다. 이렇듯 미국과 동맹국들이 개입할 수 있는 상황에서 그루지야 전체를 장악하는 것은 너무 위험하고 어려웠다.

러시아가 군사대비태세를 갖추고 단호한 자세로 전쟁에 임했던 것도 이러한 국제정치상황과 관련이 있다. 미국의 군사적 개입이 이루어지기 전에 속전속결하지 않고서는 러시아가 승리를 거두기 어려웠다. 신속한 승전을 위해서는 사전에 충분한 계획과 연습을 해두어야 했으며 개전 후에는 압도적인 전력을 동원해 적군을 몰아쳐야 했다. 러시아의 전의가 강했던 이유는 중요한 안보이익이 분쟁에 걸려있었기 때문이다. 남오세티아는 러시아와 접하고 있을 뿐 아니라 코카서스 지역의 전략적 요충지이다. 이 우호적인 완충지대를 잃는다면 비우호적인 접경국인 그루지야를 견제하는 데에 어려움을 겪었을 것이며 역내 영향력의 감소를 감수해야 했을 것이다. 반면에 남오세티아와 압하지아를 자국의 통제하에 두고 군

401.

75) 노후된 장비를 비롯한 러시아군의 여러 결점에 관해서는 다음의 글을 참고하시오. Roger N. McDermott, "Russia's Conventional Armed Forces and the Georgian War," *Parameters* (Spring 2009), pp. 65-80.

사기지까지도 설치할 수 있다면 군사력을 쉽게 투사할 수 있게 되어 그루지야를 포함한 코카서스 지역에서 영향력을 확대할 수 있었다. 이토록 중대한 이익이 걸려 있지 않았더라면 러시아가 미국의 보복을 무릅쓰면서 전쟁을 치르지 않았을 것이며, 만약 전쟁이 일어났더라도 강한 결의를 가지고 임하지 못했을 것이다.

상기한 분석은 단극체제에서 최강국 이외의 국가가 전쟁을 할 경우 단기전이 될 것이라는 제2절에서 제시한 가설을 뒷받침한다. 그리고 이러한 전쟁이 지난 십년 동안 단 한차례만 일어났다는 사실도 단극체제에서는 대개 초강대국이 주도적으로 전쟁을 개시한다는 가설의 타당성을 높여준다. 반면에 이 사례는 전쟁을 세대별로 구분하며 금세기를 장기적 분란전fourth-generation warfare의 시대로 규정하는 기존연구를 비판적인 관점에서 평가할 수 있는 기회를 제공한다.[76] 그루지야 전쟁은 통상전conventional war이었으며 단기간에 종결되었다.

VII. 전쟁양상의 변화 전망

향후 전쟁의 양상은 어떻게 변화할 것인가? 이 질문에 답하기 위해서는 근래의 추세를 파악하는 것과 국제체제라는 중요한 결정요인이 어떻게 변화할 것인지를 예측하는 작업이 필요하다.

1. 추세

미국은 현재 이라크와 아프가니스탄에서 종전의 수순을 밟고 있다. 이라크에서는 이미 2010년 8월에 마지막 전투여단을 철수하고 전투임무

---

76) Thomas X. Hammes, *The Sling and the Stone*.

종료를 공식선언하였다. 이라크에 남아 지원임무를 수행하고 있는 잔류 병력도 2011년 말까지 철수하기로 예정되어 있다. 아프가니스탄에서는 2011년 7월부터 연말까지에 걸쳐 일단 1만 명의 병력을 철군하고 2012년 여름까지 2만 3천 명을 추가로 철수할 예정이다.[77] 그 후에도 철군을 계속하여 2015년부터는 전투임무를 맡지 않고 아프간군을 지원하는 역할만을 수행하기로 계획을 수립했다. 만약 이 모든 계획이 차질 없이 실행되고 미군이 떠난 후에도 이라크와 아프가니스탄에 질서가 유지된다면 미국은 앞으로 수년 이내에 두 전쟁을 모두 마무리할 수 있게 된다.

근래에 미국이 이처럼 종전의 수순을 밟을 수 있었던 것은 전쟁의 장기화를 초래했던 요인들이 약화되었기 때문이다. 고위 정책결정자들의 발언이나 정부문건 그리고 외교적 행보를 살펴보면, 우선 미국의 야심이 현저히 줄어든 것을 알 수 있다. 무엇보다 국제질서를 자국이 선호하는 바대로 변혁하기 위해 군사력을 활용한 정권교체에 나서려는 경향이 눈에 띄게 줄었다. 최근 중동지역에 반독재혁명의 물결이 일었음에도 불구하고 리비아를 제외하고는 군사적으로 개입하지 않는 등 이전과 다른 자제력을 보였다. 리비아에도 지상군은 전혀 투입하고 않고 공군력만을 제한적으로 사용하였으며, 그것도 주로 영국과 프랑스 등 동맹국의 군사작전을 지원하는 정도에 그쳤다. 이 현상은 우연적인 결과가 아니라 미국 안보정책의 변화를 반영한 것이다. 2010년에 발표된 National Security Strategy에서는 군사력은 불가피한 경우에만 최대한 절제하여 사용한다는 원칙을 천명하였다.[78] 오바마 대통령도 세계의 모든 악을 제거하기 위해 나서지 않을 것임을 밝혔으며, 향후 군사개입이 필요할 경우 리비아

77) "Remarks by the President on the Way Forward in Afghanistan," The White House, June 22, 2011.

78) *The National Security Strategy of the United States of America* (Washington, DC: The White House, 2010), p. 22.

모델을 적용할 뜻을 내비쳤다.[79] 로버트 게이츠Robert Gates 국방장관도 마찬가지로 미국이 선택에 의한 전쟁을 피하고 꼭 필요한 전쟁만을 수행해야 한다는 입장을 강하게 피력했었다.[80]

야심이 감소함에 따라 미국은 철군을 용이하게 하는 조치들을 취할 수 있었다. 우선 이란 등에 대한 군사행동을 단념하고 두 전쟁을 마무리하는 데에 집중하기 시작했다. 이는 이란의 위협인식을 줄여 이라크와 아프가니스탄에서 미국의 행동을 방해하려는 노력을 줄이도록 했다. 또 미국의 의도에 대한 국제사회의 의구심을 불식시킴으로써 전쟁노력에 대한 보다 적극적 지원이 이루어질 수 있도록 했다. 미국은 아프가니스탄과 이라크에서 전쟁목표를 현실적으로 하향조정하는 조치도 취했다. 모범적인 민주제도를 정착하려 시도하기보다는 효과적이고 안정적인 정부를 수립하는 데 역점을 두었다. 또 반군세력을 모두 섬멸하려는 목표를 포기하고 온건하고 기회주의적인 세력들은 협상을 통해 회유하려는 노력을 기울이기 시작했다. 특히 아프가니스탄에서는 탈레반의 궤멸이 아닌 약화를 목표로 설정하고 선택적 압박과 회유의 양면전략을 활용해왔다.[81] 이렇듯 현실적이고 소박한 전쟁목표를 설정함에 따라 안정화와 재건사업이 보다 원활이 진행될 수 있었다.

안이함도 많이 감소한 모습을 보였다. 첫째, 이념과잉의 문제가 줄어들었다. 전문가를 전쟁관련 정책결정과정에서 배제하고 이념적으로 선명한 인사들을 등용하는 폐습이 상당부분 사라졌다. 정파적 성향보다는 전문지식과 실무능력을 위주로 인물을 등용하려는 움직임이 강화된 것이다. 오바마 정부에서 공화당 계열의 게이츠 국방장관을 유임한 것이 대

79) "Remarks by the President on the Way Forward in Afghanistan," The White House, June 22, 2011.

80) Thom Shanker and Elisabeth Bumiller, "Looking Back, Gates Says He's Grown Wary of Wars of Choice," *The New York Times*, June 18, 2011.

81) 알 카에다를 섬멸한다는 애초의 목표는 변하지 않았다.

〈그림 3〉 아프가니스탄 및 이라크 전쟁 중 월별 투입병력(2001-2010년)

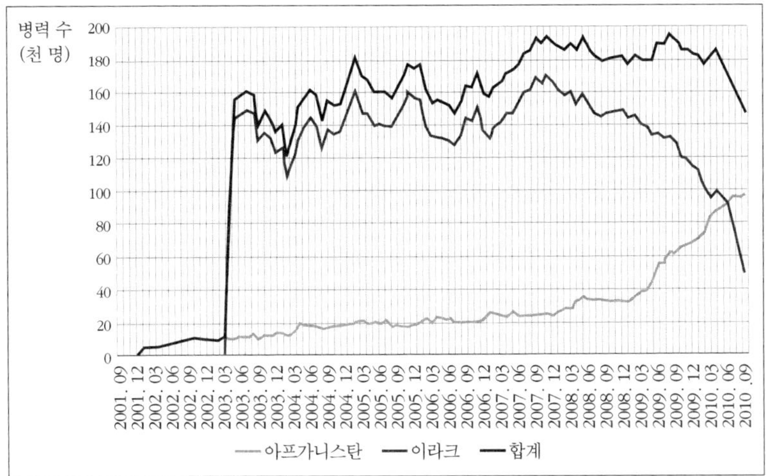

출처: Amy Belasco, "The Cost of Iran, Afghanistan, and Other Global War on Terror Operations Since 9/11," *CRS Report for Cougress* RL33110, March 29, 2011.

표적인 예이다. 전황을 파악하고 효과적인 전략을 모색하기 위해 구성한 조사위원회에 민주당과 공화당 인사들을 고루 기용한 사실도 탈 이념화 경향을 드러낸다. 둘째, 전쟁에 보다 많은 자원을 투입하였다. 전쟁 초기 수년간 미국은 전황이 좋지 않음에도 불구하고 이라크와 아프가니스탄에 비교적 적은 수의 병력만 유지하거나 때에 따라서는 오히려 병력을 감축했었다. 그러던 미국이 2007년에 이라크에서, 2009년에는 아프가니스탄에서 대규모 병력증파surge를 단행한 사실은 안이함에서 벗어나기 시작했다는 것을 나타낸다. 〈그림 3〉이 보여주듯 두 전쟁에 파견한 병력의 총합도 초기에 비해 증가하는 패턴이 나타났다. 주둔 병력의 수가 늘어남에 따라 자연스레 전비지출도 증가하게 되었다. 전쟁비용은 이라크 부분 철군에도 불구하고 2009년 회계연도 이후 증가세를 보이고 있다.[82] 오바

82) Amy Belasco, "The Cost of Iraq, Afghanistan, and Other Global War on Terror Operations Since 9/11," *CRS Report for Congress* RL33110, March 29, 2011, p. 14.

마 행정부가 아프가니스탄에서 파병과 원조의 규모를 늘렸기 때문이다. 이는 심각한 경기침체와 재정적자 문제에 직면하고 있는 상황에 비추어 볼 때 미국이 전쟁에 매우 신중하고 진지한 자세로 임하고 있음을 보여준다. 마지막으로, 국제사회로부터 지원을 얻기 위한 노력도 강화하였다.

안이함의 감소는 종전을 위한 여건을 조성하는 데 기여했다. 이념적인 아마추어들이 퇴장하고 전문가들이 전쟁수행을 주도하게 됨에 따라, 현실에 부합하는 정책과 전략이 채택될 수 있었으며 치명적인 시행착오가 감소하였다. 그리고 전쟁노력에 보다 많은 자원을 투입함으로써 효과적인 안정화와 재건이 이루어질 수 있었다. 일부 논란의 여지가 남아 있지만, 이라크와 아프가니스탄에서 행한 병력증파가 전세를 긍정적인 방향으로 돌려놓았다는 데에는 전문가들이 대체로 동의한다.[83)]

미국인의 자부심도 상당정도 줄어들었다. 2010년 2월의 여론조사에서, 금세기에 미국이 세계문제[world affair]와 관련해 수행할 역할이 지난 세기에 비해 축소될 것이라고 주장한 응답자가 46퍼센트에 달했다.[84)] (미국의 역할이 증대될 것이라고 생각하는 응답자와 변함없으리라고 생각하는 사람들의 비율은 각각 32퍼센트와 19퍼센트에 머물렀다.) 특히 세계경제에서 역할이 줄어들 것이라는 의견을 보인 사람들은 53퍼센트에 이르렀다. (역할이 확대되거나 변치 않을 것이라는 의견은 각각 18퍼센트와 26퍼센트에 그쳤다.) 21세기가 미국의 세기가 되리라고 예상하는 미국인은 세계문제에 관해서 38퍼센트, 세계경제분야와 관련해서 40퍼센트에 그쳐 근소한 차이기는 하지만 중국의 세기가 될 것으로 내다본 응답자(각각 43, 41퍼센트)보다 적었다. 이러한 자부심의 감소는 엘리트의 인식에도

83) Peter D. Feaver, "The Right to Be Right: Civil-Military Relations and the Iraq Surge Decision," *International Security*, vol. 35, no. 4 (Spring 2011), pp. 87-125.

84) Washington Post-ABC News Poll. February 4-8, 2010. http://www.washingtonpost.com/wp-srv/politics/polls/postpoll_021010.html

드러난다. 이라크와 아프가니스탄에서 고전을 거듭하고 있던 2007년 말부터 대두한 미국 쇠퇴론은 2008년 금융위기가 촉발한 극심한 경기침체 이른바 Great Recession를 계기로 외교정책관련 논쟁에서 큰 힘을 얻고 있다.[85] 국력쇠퇴의 정도와 불가피성에 관해서 이견이 있지만,[86] 2000년경의 최고 수준 또는 중국 등 잠재적 경쟁국에 견줄 때 미국이 상대적으로 약화되었다는 데에는 대개의 전문가들이 동의하고 있다. 이런 여론의 추이를 반영하듯 미국의 외교정책결정자들도 부쩍 겸손한 모습을 보이고 있다. 오바마 대통령은 타국의 의견에 귀를 기울이며 주도한다는 자세를 견지하며 미국의 단독 리더십을 과도하게 강조한 일방주의 정책기조에서 상당부분 탈피하였다.[87] 아울러 세계 주요 국가들의 영향력 증대를 받아들이며 때때로 역할의 확대를 유도하기도 한다.

이처럼 자부심이 감소함에 따라 전쟁의 종결을 가로막던 장애물들이 약화되었다. 미국의 능력에 대한 믿음이 흔들리면서 국민들은 점차 전쟁에 대한 기대치를 낮추고 실패를 용인할 수 있는 마음가짐을 갖게 되었다. 이에 따라 이라크와 아프가니스탄에서 승전을 거두지 못하더라도 철군해야 한다는 여론이 강화되었다. 이는 철군이 부정적인 결과를 초래할 경우 정책결정자들이 입게 될 정치적 손실이 줄어들었다는 것을 의미한다. 국제적 리더십에 대한 엘리트들의 집착도 상당히 감소되었다. 그들은 아직도 세계문제에 대한 적극적 개입의 필요성을 주장하는 자유주의적 국제주의liberal internationalism를 포기하지 않았고 미국 리더십의 쇄신을 부르짖고 있다.[88] 그러나 미국이 유일한 리더의 역할을 맡아야 한다는 신념은

---

85) Christopher Layne, "The Waning of U.S. Hegemony-Myth or Reality?" *International Security*, vol. 34, no. 1 (Summer 2009), pp. 147-172.

86) Fareed Zakaria, *The Post-American World* (New York: W. W. Norton, 2008).

87) "Obama's Foreign-Policy Credo: Listen and Lead," *The Christian Science Monitor*, March 31, 2009.

88) Stephen Chaudoin, Helen V. Milner, and Dustin H. Tingley, "The Center Still

많이 퇴색했다. 이에 따라 궁극적인 실패가 미국의 영향력에 미칠 부정적인 영향에 대한 우려를 덜 수 있게 되었다.

전쟁 장기화의 주범이었던 야심, 안이함, 자부심이 이처럼 약화된 것은 무슨 이유 때문일까? 가장 손쉽게 찾을 수 있는 원인은 실패의 학습효과learning effect이다. 장기전의 고통 속에서 미국인들이 문제점을 깨닫고 고쳐나가려는 노력을 기울인 것이다. 투키디데스의 표현을 빌리자면, 전쟁이란 "난폭한 스승"으로부터 올바른 교훈을 얻은 것이다.[89] 하지만 역경이 항상 학습으로 이어지는 것은 아니므로 학습효과만으로는 충분한 설명을 제시하지 못한다. 학습을 할 수밖에 없도록 압력을 가했던 환경적 요인에 주목해야 할 이유가 여기에 있다. 이런 역할을 한 환경적 요인 중에서 가장 중요한 것은 미국 국력의 쇠퇴이다. 단극체제가 아직 사라진 것은 아니지만 세계 최강국의 지위는 상대적으로 약화되었다. 잇따른 경제관리 부실의 결과로 찾아온 장기간의 경기침체와 중국과 인도를 비롯한 신흥국의 추격으로 인해 미국의 상대적 경제력은 현저히 약화되었다.[90] 그리고 장기전을 치르며 상당한 병력과 장비의 손실을 입었고 신무기 개발배치를 비롯한 전력증강 계획에도 차질을 빚음에 따라 군사적 지위도 예전만 못하게 되었다. 이렇듯 강화된 구조적 제약하에서 미국의 야심, 안이함, 자부심은 줄어들었다.

2. 전망

중장기적으로 미국 중심의 단극체제는 소멸할 가능성이 크다. 〈표 3〉은 널리 활용되는 컴퓨터모델을 사용하여 주요 국가들의 미래 국력을 추

Holds: Liberal Internationalism Survives," *International Security*, vol. 35, no. 1 (Summber 2010), pp. 75-94.

89) Thucydides, *History of the Peloponnesian War*(New York: Penguin Books, 1954).

90) Robert Pape, "Empire Falls"; Fareed Zakaria, *The Post-American World*.

〈표 3〉 종합국력 전망

	2010년	2020년	2030년	2040년	2050년
미국	21.71	19.62	17.88	17.22	15.70
중국	12.35	14.38	17.20	20.38	22.13
일본	4.248	3.85	3.177	2.515	2.158
독일	2.977	2.72	2.264	1.895	1.775
러시아	3.237	2.896	2.632	2.112	1.542
프랑스	2.611	2.228	1.902	1.593	1.492
영국	2.61	2.363	2.108	1.867	1.815
인도	7.822	9.161	10.62	11.83	13.11

출처: "Power Index." International Futures (IFs) Modeling System, version 6.32.

정한 것으로서, 국내총생산 외에 인구, 기술, 국방비를 함께 고려한 종합국력을 나타내는 지수를 담고 있다. 이에 따르면 2030년에는 중국이 미국을 거의 따라잡게 되며 2040년까지는 미국을 추월할 것으로 예상된다. 즉, 세계적 차원에서 양극체제가 도래하게 되는 것이다. 인도의 국력도 지속적인 성장세를 보여 2050년까지는 미국 및 중국과 삼극체제tripolar system를 형성할 가능성도 있다.[91] 여타 국가들의 국력은 이들에 비해 크게 뒤떨어질 것이다.

단극체제가 사라짐에 따라 국제전쟁도 장기전의 양상을 탈피할 것이다. 국력쇠퇴에 따라 강한 구조적 제약에 직면하게 될 미국은 장기전의 위험을 높이는 야심과 안이함 그리고 자만심에서 상당정도 벗어날 수 있을 것이다. 이라크와 아프가니스탄 전쟁의 기억도 한동안 이 같은 경향을 강화할 것이다.[92] 그러므로 장차 미국이 주도하는 전쟁이 장기화할 개연

91) 삼극체제에 대한 개념정립과 기초연구는 랜달 슈웰러(Randall Schweller)에 의해 이루어졌다. Randall Schweller, *Deadly Imbalances: Tripolarity and Hitler's Strategy of World Conquest*(New York: Columbia University Press, 1998).

92) 베트남 전쟁의 기억과 마찬가지로 두 전쟁의 교훈도 언젠가는 잊힐 것이다. 그러므로 이 요인은 단지 부차적인 중요성을 지닌다.

성은 상대적으로 적다. 국력의 신장을 경험할 중국과 인도가 장기전에 휘말릴 가능성은 지금보다 커질 것이다. 하지만 성장에도 불구하고 양극 또는 삼극체제 내에서 상호간 또는 미국으로부터 강한 견제를 받을 것이기 때문에 야심, 안이함, 자부심은 상당히 제한될 것이다. 따라서 이들이 장기전을 치를 위험성은 그다지 크지 않을 것으로 예상할 수 있다.

VIII. 결론

본 연구에서는 21세기 주요 전쟁들이 종전의 전망이 불투명한 장기전의 양상을 띤다는 점에 주목하여 그 원인이 무엇인지를 설명하고자 하였다. 장기전을 초래한 주된 원인이 단극적 국제체제라는 것이 본 연구의 핵심주장이다. 현존하는 단극체제는 유일한 초강대국으로서 국제적 제약을 별로 받지 않는 미국에게 과도한 야심과, 안일함, 그리고 자부심을 안겨주었다. 그리고 이 세 요인은 속전속결을 방해하는 여러 장애물들을 만들어냈다. 야심은 정권교체를 비롯한 확대된 전쟁목표를 추구하게 만들었고 국가건설 같은 지난한 책무를 떠맡게 했다. 안일함은 부실하고 비현실적인 사전계획과 준비로 이어졌고 전쟁수행과정에서 중대한 시행착오를 낳았다. 아울러 자원을 충분히 투입하지 못하는 결과도 만들어냈다. 자부심은 리더십과 위상에 대한 정치지도자들의 집착과 승전에 대한 국민들의 기대를 강화하여 불리한 전쟁으로부터 빠져나오는 것을 어렵게 했다. 이 모든 문제들이 결합하여 세계 최강국을 장기전의 수렁으로 밀어넣었다.

향후 발발하는 전쟁이 장기화할 가능성은 점차 줄어들고 있다. 미국의 국력이 쇠퇴하고 중국을 비롯한 신흥국이 부상함에 따라 단극체제가 서서히 와해되고 있기 때문이다. 이미 미국은 야심, 안이함, 자부심에서 상당부분 벗어났고 그 결과 근래에 이라크와 아프가니스탄에서 종전의 수순을 밟기 시작했다. 단극체제가 소멸하면서 마찬가지로 장기전을 초래하는 요인들도 사라져갈 것이다. 이에 따라 앞으로 미국은 불가피한 전쟁에만 참여하는 분별력과 참전 시 속전속결할 수 있는 능력을 되찾게 될 것이다. 이라크와 아프가니스탄 전쟁이 채 끝나기 전에 장기전의 시대는 이미 저물기 시작했다.

이러한 연구결과는 안보학계에 몇 가지 중요한 시사점을 제공한다. 첫째로 국제체제가 전쟁기간에 미치는 영향이 과소평가되어왔음을 일깨워준다. 신현실주의가 국제정치학 주류이론으로 자리 잡은 지 오래되었음에도 불구하고 국제체제의 구조와 전쟁기간 사이의 관계를 집중적으로 고찰한 연구는 거의 없었다.[93] 그나마 존재하는 소수의 저작도 정교한 이론과 깊이 있는 경험적 분석을 제공하지 못했으며 국제체제의 구조와 전쟁기간이 무관하다고 섣불리 판단했다.[94] 본 연구는 이러한 연구경향이 잘못된 것이었음을 드러내주었으며, 국제체제가 전쟁기간에 미치는 영향에 관한 연구의 필요성을 보여주었다. 이와 관련한 향후 과제로는 양극체제와 다극체체에서 전쟁기간이 각기 어떻게 다른지에 관한 연구를 들 수 있다. 이를 단극체제에 관한 본 연구결과와 통합해 국제체제와 전쟁기간에 관한 통합적 이론체계를 구축하는 작업이 요청된다.

둘째로 본 연구는 단극체제의 새로운 취약성을 드러내었다. 단극체제의 내구성에 관한 열띤 논쟁에서, 단극체제에서는 세력균형 메커니즘이 작동하지 않아 체제가 장기간 존속될 수 있다는 낙관론이 강하게 대두하였다.[95] 그런데 상기한 연구결과는 타국이 균형정책을 펴지 않더라도 최

93) 이동선, 「21세기 국제안보와 관련한 현실주의 패러다임의 적실성」, 『국제정치논총』, 제49권, 제5호(2009), pp. 55-80.

94) 예를 들면, Bruce Bueno de Mesquita, "Systemic Polarization and the Occurrence and Duration of War."

95) William C. Wohlforth, "The Stability of a Unipolar World"; Stephen G. Brooks

강국 스스로 자충수를 두어 단극체제의 와해를 초래할 수 있음을 증언하였다. 세력균형의 형성을 저지할 수 있을 만큼 막강한 국력이 오히려 장기전을 초래하는 역설적 경향 때문이다. 이 논리는 단극체제의 내구성에 관한 비관론의 입장을 뒷받침한다. 앞으로 단극체제가 지니는 자기 파괴적 속성에 관해 더욱 정교하고 체계적으로 연구할 가치가 있다.

마지막으로 본 연구는 전쟁의 세대^generation^를 구분하는 작업의 문제점을 드러낸다.[96] 지난 십년간 전쟁이 대체로 장기간 지속되는 분란전의 양상을 띤 것은 사실이지만 이를 하나의 세대로 구분하는 것은 위험하다. 앞서 밝힌 바와 같이 동기간에도 그루지야 전쟁과 같은 초단기 통상전이 발생했다. 이도 역시 최강국이 치른 장기전과 마찬가지로 단극체제가 만들어내는 구조적 유인에 기인한 것이기 때문에 우연의 결과로 비롯된 예외적 현상으로 간주해 무시할 수 없다. 전쟁양상을 세대별로 구분하는 접근법은 이처럼 소수이지만 중요한 전쟁사례를 간과하고 지나친 단순화를 시도하는 오류에 빠지기 쉽다. 더구나 세대론은 전쟁양상의 통시적 변화를 기술^description^하는 데에는 어느 정도 유용할지 몰라도 사회과학적 설명^explanation^을 제공하지는 못한다. 여기서 설명은 특정 전쟁양상이 나타나게 된 원리를 밝히는 것을 의미한다. 현상의 기저에서 작동하는 원리를 구명하지 못한다면 과거사실을 사후에 정리할 수 있을 뿐 현재의 추세를 가늠하거나 미래의 변화를 성공적으로 예측할 수 없다. 이것이 세대론적 접근보다는 사회과학적 이론화를 추구해야 하는 이유가 된다.

---

and William C. Wohlforth, *World Out of Balance*; T. V. Paul, James J. Wirtz, and Michel Fortmann, *Balance of Power: Theory and Practice in the 21th Century*(Stanford, CA: Stanford University Press, 2004).

96) 세대론적 접근에 관해서는 다음의 저작을 참고하시오. Thomas X. Hammes, *The Sling and the Stone*; Terry Terriff, Aaron Karp, and Regina Karp, *Global Insurgency and the Future of Armed Conflict: Debating Fourth-Generation Warfare*(London: Routledge, 2008).

본 연구의 결과에서 몇 가지 정책적 함의도 도출할 수 있다. 우선 현재 진행 중인 한미동맹의 조정과 관련한 고려사항을 생각해볼 수 있다. 단극체제의 쇠퇴와 함께 미국이 장기전을 치를 개연성을 높이는 요인들이 약해진 것은 사실이다. 그러나 단극체제는 당분간 완전히 소멸하지 않을 것이기 때문에 미국의 야심, 안이함, 그리고 자부심은 한동안 남아 있을 것이다. 이는 향후 미국이 다시 장기전에 휘말릴 위험성이 잔존함을 의미한다. 이러한 상황에서는 한미동맹의 작동범위를 전 세계로 확대하며 한국의 공약을 늘리는 데에 신중해야한다. 자칫하면 한국의 중요한 국익이 걸려 있지 않은 분쟁에 연루되어 큰 비용을 지불하거나 동맹의 약화를 무릅쓰며 개입요청을 거절해야 하는 딜레마에 처할 수 있기 때문이다. 이 경우 어떤 선택을 하더라도 한미동맹은 위기를 맞게 될 것이다. 국력의 쇠퇴를 겪고 있는 미국이 자국의 야심을 채우기 위한 부담을 동맹국에게 지우려한다면 한국은 더욱 난처한 상황에 봉착할 수 있다. 리비아에 군사개입을 하면서 영국과 프랑스에 부담을 지우는 모습을 보면 이는 근거 없는 우려가 아님을 알 수 있다. 현 정부는 김대중, 노무현 대통령 재임기간 중에 약화되었던 한미동맹을 복원 강화하기 위해 많은 노력을 기울이고 있다. 한국의 안보에 있어서 한미동맹이 가지는 유용성을 생각할 때 이러한 노력은 필요한 것이지만 이를 위해 과도한 공약을 하는 것은 장기적으로 동맹의 결속력을 해칠 수 있으므로 주의해야 한다.

본 연구의 결과는 북한의 급변사태에 대한 대비와 관련해서도 유용한 함의를 제시한다. 북한정부가 붕괴할 경우 한국군이 휴전선 이북지역에서 점령 작전을 수행하게 될 가능성이 있다. 이러한 상황에 직면했을 때 한국은 안이함에 빠지지 않도록 스스로 경계해야 한다. 그렇지 않으면 미국이 아프가니스탄과 이라크에서 겪은 것과 유사한 어려움에 봉착할 수 있다. 북한주민들이 한국군을 동포로 막연히 인식해 해방군으로 맞이할 것이라고 미루어 단정해서는 안 된다. 한국전쟁의 기억과 과거 60여 년간 계속된 세뇌의 결과로 한국군에 대한 상당한 적개심이 존재할 수 있기 때문이다. 이 때문에 대규모 저항에 대처할 수 있는 철저한 준비태세와 충분한 병력규모를 갖추어야 한다. 만약 북한주민이 점령초기에 한국군을 환영하는 태도를 보이더라도 치안과 민생을 제대로 해결하지 못하면 민심이 순식간에 돌변할 수 있다는 것을 잊지 말아야 한다. 한국이 점령을 시작하는 순간 북한이 기존에 안고 있었던 모든 문제는 한국의 문제가 되며 주민의 불만은 점령군에게 돌려질 것이다. 그러므로 안정화와 재건을 신속히 효과적으로 수행하기 위한 만반의 준비가 사전에 이루어져야 한다. 특히 재건작업의 수행을 위한 선결요건인 치안을 확립하기 위해 충분한 경찰력을 투입할 수 있는 준비가 되어있어야 한다. 급변사태에 대한 대응을 준비하는 과정에서는 독립적 전문가들의 의견이 존중되어야 한다. 북한에 직접적인 이해관계를 가지고 있거나 과도한 이념성을 지닌 인사들은 현실과 동떨어진 정책방안을 지지할 가능성이 크다. 그럴 경우 부시 행정부가 이라크에서 경험했듯이 불필요한 시행착오가 발생할 위험이 있다. 일단 착오가 발생하면 이를 바로잡는 것은 많은 노력과 시간을 요한다.

급변사태에 대응할 때에는 안일함뿐만 아니라 야심도 마찬가지로 경계해야 한다. 우선 공산당원 숙청을 점진적으로 신중히 진행해야 한다. 북한의 엘리트는 대개 공산당원이기 때문에 이들을 일거에 숙청할 경우 행정기능의 수행을 도울 인력을 충분히 확보할 수 없을 것이다. 또 북한에서는 공공부문에 종사하는 인원이 많으므로 공산당원을 대거 해고할 경우 실업문제가 더욱 커지게 된다. 그러므로 최고위층을 제외하고는 잠정적으로 공산당원을 계속 기용해야 할 필요가 있을 것이다. 북한노동당의 잔재를 청산하는 작업은 안정화와 재건작업이 궤도에 오른 후 추진하면 된다. 북한의 군대를 성급히 해산하는 것도 매우 위험하므로 피해야 한다. 이라크에서와 같이 생계수단을 잃은 군인들은 무장저항운동에 나설 수 있다. 그러므로 군 조직을 그대로 유지하고 보수를 계속 지급하면서 무장해제를 진행하는 것이 필요하다. 무장해제가 완료되고 대체 일자리가 마련됨에 따라 단계적으로 북한군 조직을 해체해나가면 될 것이다. 북한의 낙후된 정치 및 경제 제도를 일거에 한국식으로 교체하려는 시도도 지양해야한다. 제도의 교체는 일시적인 기능의 마비나 비효율을 초래할 수 있다. 또 새로운 제도의 성공적인 이식을 위해서는 그것을 지탱하는 사회적 기반을 먼저 조성해야할 필요가 있다. 그렇지 않을 경우 혼란이 초래되고 민생이 어려워져 민심이반과 저항을 불러올 수 있다. 그러므로 우선 효과적인 통치를 확립하는 데에 주력하고, 시장자본주의와 자유민주주의의 전면적 도입은 단계적으로 장기간에 걸쳐 시행하는 것이 좋다. 마찬가지로 통일을 목표로 한 작업도 북한의 민의를 먼저 파악하고 이에 맞추어 신중하게 진행해야 할 필요가 있다.

| 참고문헌 |

이근욱. 「미래의 전쟁과 전쟁의 미래: 이라크 전쟁에서 나타난 군사혁신의 두 가지 측면」, 『신아세아』, 제17권, 제1호, 2010.

이동선. 「21세기 국제안보와 관련한 현실주의 패러다임의 적실성」, 『국제정치논총』, 제49권, 제5호, 2009.

조한승. 「4세대 전쟁의 이론과 실제: 분란전(insurgency) 평가를 중심으로」, 『국제정치논총』, 제50집, 제1호, 2010.

______, 「탈냉전기 미국 군사혁신(RMA)의 문제점과 교훈」, 『평화연구』, 제18권, 제1호, 2010.

Baker, James A. and Lee H. Hamilton, *The Iraq Study Group Report*, Charleston, SC: Bibliobazaar, 2006.

Baker, Peter, "How Obama Came to Plan for 'Surge' in Afghanistan," *The New York Times*, December 6, 2009.

Belasco, Amy, "The Cost of Iraq, Afghanistan, and Other Global War on Terror Operations Since 9/11," *CRS Report for Congress* RL33110, March 29, 2011.

Benedetto, Richard, "Poll: Most Back War, but Want U.N. Support," *USA Today*, March 16, 2003.

Bergen, Peter, "The Battle for Tora Bora: How Osama bin Laden Slipped From Our Grasp," *New Republic*, December 22, 2009.

Berntsen, Gary, *Jawbreaker: The Attack on bin Laden and al-Qaeda*, New York: Crown Publishers, 2005.

Brooks, Stephen G. and William C. Wohlforth, *World Out of Balance: International Relations and the Challenge of American Primacy*, Princeton, NJ: Princeton University Press, 2008.

Bueno de Mesquita, Bruce, "Systemic Polarization and the Occurrence and Duration of War," *Journal of Conflict Resolution*, vol. 22, no. 2 (1978).

Caverley, Jonathan D., "The Myth of Military Myopia: Democracy, Small Wars, and Vietnam," *International Security*, vol. 34, no. 3(Winter 2009/10).

Chaudoin, Stephen, Helen V. Milner, and Dustin H. Tingley, "The Center Still Holds: Liberal Internationalism Survives," *International Security*, vol. 35, no. 1(Summer 2010).

Clausewitz, Carl von, *On War*, edited and translated by Michael Howard and Peter Paret, Princeton, NJ: Princeton University Press, 1976.

Edelstein, David M., "Occupational Hazards: Why Military Occupations Succeed or Fail?," *International Security*, vol. 29, no. 1(2004).

______, *Occupational Hazards: Success and Failure in Military Occupation*, Ithaca, NY: Cornell University Press, 2008.

Fearon, James D. and David D. Laitin, "Ethnicity, Insurgency, and Civil War," *American Political Science Review*, vol. 97, no. 1(2003).

Feaver, Peter D., "The Right to Be Right: Civil-Military Relations and the Iraq Surge Decision," *International Security*, vol. 35, no. 4(Spring 2011).

Fukuyama, Francis. ed., *Nation-Building: Beyond Afghanistan and Iraq*, Baltimore, MD: The Johns Hopkins University Press, 2006.

Gilpin, Robert, "War is Too Important to Be Left to Ideological Amateurs," *International Relations*, vol. 19, no. 1(2005).

Hammes, Thomas X., *The Sling and the Stone: On War in the 21st Century*, St. Paul: Zenith Press, 2004.

Independent International Fact-Finding Mission on the Conflict in Georgia, *Report Volume II*, September 30, 2009.

Jones, Seth G., *In the Graveyard of Empires: America's War in Afghanistan*,

New York: W. W. Norton, 2009.

______, "The Rise of Afghanistan's Insurgency: State Failure and Jihad," *International Security*, vol. 32, no. 4(Spring 2008).

Layne, Christopher, "The Waning of U.S. Hegemony-Myth or Reality?" *International Security*, vol. 34, no. 1(Summer 2009).

Licklider, Roy, "The Consequences of Negotiated Settlements, 1945-1993," *American Political Science Review*, vol. 89, no. 3(1995).

Lynch, Stephen, "The Most Dangerous Game: What Went Wrong in the Hunt for bin Laden," *New York Post*, October 5, 2008.

McDermott, Roger N., "Russia's Conventional Armed Forces and the Georgian War," *Parameters*(Spring 2009).

Murray, Williamson and Robert H. Scales, *The Iraq War: A Military History*, Cambridge, MA: Harvard University Press, 2003.

Nichols, Jim, "Russia-Georgia Conflict in August 2008: Context and Implications for U.S. Interests," *CRS Report for Congress* RL34618, March 3, 2009.

Pallin, Carolina Vendil and Fredrik Westerlund, "Russia's War in Georgia: Lessons and Consequences," *Small Wars and Insurgencies*, vol. 20, no. 2(June 2009).

Pape, Robert, "Empire Falls," *The National Interest*, January 22, 2009.

Paul, T. V., *Asymmetric Conflicts: War Initiation by Weaker Powers*, Cambridge: Cambridge University Press, 1994.

Paul, T. V., James J. Wirtz, and Michel Fortmann, *Balance of Power: Theory and Practice in the 21th Century*, Stanford, CA: Stanford University Press, 2004.

Posen, Barry R., "The Security Dilemma and Ethnic Conflict," *Survival*, vol.

35, no. 1(1993).

______, *The Sources of Military Doctrine: France, Britain, and Germany Between the World Wars*, Ithaca, NY: Cornell University Press, 1984.

Preble, Christopher A., *The Power Problem: How American Military Dominance Makes Us Less Safe, Less Prosperous, and Less Free*, Ithaca, NY: Cornell University Press, 2009.

Rose, Gideon, *How Wars End: Why We Always Fight the Last Battle*, New York: Simon & Schuster, 2010.

Schweller, Randall, *Deadly Imbalances: Tripolarity and Hitler's Strategy of World Conquest*, New York: Columbia University Press, 1998.

Shanker, Thom and Elisabeth Bumiller, "Looking Back, Gates Says He's Grown Wary of Wars of Choice," *The New York Times*, June 18, 2011.

Terriff, Terry, Aaron Karp, and Regina Karp, *Global Insurgency and the Future of Armed Conflict: Debating Fourth-Generation Warfare*, London: Routledge, 2008.

Thucydides, *History of the Peloponnesian War*, New York: Penguin Books, 1954.

Waltz, Kenneth N., *Theory of International Politics*, New York: McGraw-Hill, 1979.

Wohlforth, William C., "The Stability of a Unipolar World," *International Security*, vol. 24, no. 1(1999).

Woodward, Bob, *Plan of Attack*, New York: Simon & Schuster, 2004.

______, *State of Denial*, New York: Simon & Schuster, 2006.

Zakaria, Fareed, *The Post-American World*, New York: W. W. Norton, 2008.

The National Security Strategy of the United States of America, Washington, DC: The White House, 2002.

The National Security Strategy of the United States of America, Washington, DC: The White House, 2010.

"Four Years Later: Arab Opinion Troubled by Consequences of Iraq War," The Arab American Institute, March 2007.

"Most People Want Iraq Pull-Out," BBC News, September 7, 2007.

"Mr. Obama's Surge," *The Wall Street Journal*, March 28, 2009.

"Obama's Foreign-Policy Credo: Listen and Lead," *The Christian Science Monitor*, March 31, 2009.

"President Bush Delivers Commencement Address at United States Air Force Academy," http://georgewbush-whitehouse.archives.gov/news/releases/2008/5/print/20080528-2.html

"Remarks by the President in Address to the Nation on the Way Forward in Afghanistan and Pakistan," United States Military Academy, December 1, 2009.

"Remarks by the President on the Way Forward in Afghanistan," The White House, June 22, 2011.

"Senate Report Explores 2001 Escape by bin Laden From Afghan Mountains," *The New York Times*, November 28, 2009.

Pew Global Attitudes Survey, The Pew Global Attitudes Project, June 12, 2008; July 23, 2009.

ABC News/Washington Post Poll.

CNN/Opinion Research Corporation Poll.

Gallup Poll.

Washington Post-ABC News Poll. February 4-8, 2010.

http://www.cnn.com/ALLPOLITICS/inauguration/2001/transcripts/template.html.

http://www.defense.gov/news/casualty.pdf.

http://www.pollingreport.com/iraq.htm.

http://icasualties.org/oef/.

제2부

새로운 위협양상에 대한 각국의 안보전략적 대응

4 21세기 새로운 위협과 미국의 전략적 대응

최근 주요 전략문서를 중심으로

이병구(국방대학교)

I. 서론

2001년 9월 11일 알 카에다에 의해 감행된 미 본토 공격은 미국의 안보위협 인식에 중대한 변화를 야기하였다. 급진적 이슬람 세력에 의한 테러 공격은 미국의 안보에 심각한 위해를 가할 수 있는 위협의 성격이 급격하게 다변화하고 있다는 것을 절감케 하였다. 또한 북한, 이란 등 불량 국가rogue states의 대량살상무기 역량 증강은 미국과 동맹국에 심대한 위협으로 등장하였다. 대량살상무기의 확산은 그 자체로 중대한 위협이 될 뿐만 아니라, 이들 불량 국가와의 연계에 의해 급진적 테러단체가 대량살상무기를 획득하여 미국과 동맹국에 사용할 가능성을 증가시킨다는 점에서 또 다른 차원의 위협으로 간주되었다.

이와 동시에 중국과의 군사적 헤게모니 경쟁 가능성 또한 점증하고 있다. 미국이 아프가니스탄, 이라크 전쟁에 집중하고 있는 사이, 중국은 지속적인 경제 성장으로 축적한 국가 역량을 군 현대화 등 질적, 양적 군사력 증강으로 전환하고 있다. 특히 미국은 중국의 반접근 및 지역거부

전략 발전과 능력의 확충으로 인해 장래 양국간 분쟁 발생시 미국의 역내 군사력 투사가 심각하게 제한될 가능성에 대해 우려하고 있다. 미국은 이에 대한 전략적 대비가 부족할 경우 역내 정치적, 군사적 영향력이 심각하게 도전받게 될 것이라고 인식하고 있다.

미국은 새롭게 등장한 위협과 전통적 위협 등 다양한 성격의 위협이 동시에 존재하는 전략적 환경에 대응하기 위하여 국가안보전략의 근본적 전환을 검토 및 추구하고 있다. 특히 2009년 1월 등장한 오바마 행정부는 국가안보전략서 등 일련의 전략 문서를 공표함으로써 미국의 국가 이익을 저해할 수 있는 위협의 성격과 본질 그리고 이를 어떻게 극복해 나갈 것인가에 대한 미국의 접근 전략을 제시하고 있다.

본 연구의 목적은 오바마 행정부를 중심으로 미국의 위협 인식과 대응 전략의 내용을 포괄적으로 검토하고 이것이 한국의 안보에 주는 함의를 살펴보는 것이다. 구체적으로 본 연구는 최근 발간된 주요 전략 문서를 기초로 미국이 당면하고 있는 주요 위협의 성격과 추이를 살펴본다. 이후 미국이 이러한 위협에 대응하기 위해 수립 및 추진하고 있는 전략적 대응을 다양한 차원에서 분석한다. 결론 부분에서는 분석된 내용을 기초로 이것이 한국의 안보에 주는 함의가 무엇인지를 살펴본다.

미국의 안보·국방전략에 대한 이해는 한국의 안보를 위해 중요하다. 한미 동맹을 고려할 때 미국의 안보·국방전략의 변화는 한미 동맹의 내용과 성격을 변화시킨다. 또한 중국의 부상 등에 대한 미국의 인식과 대비는 향후 역내 안보의 구조를 변경시킬 수 있는 핵심적인 요소이다. 한국은 미국의 안보 및 국방 정책의 변화를 면밀히 분석하여 기회와 도전 요소를 식별, 국가 이익의 달성을 위해 활용해야 할 것이다.

II. 미국의 국가 이익

국가 이익national interests은 국가안보전략이 궁극적으로 수호하고 증진시켜야 할 대상을 말한다. 이 점에서 한 국가의 국가 이익은 국가안보전략의 방향성을 제시하는 가장 기본적 출발점이라고 할 수 있다. 국제 및 국내 환경의 변화는 국가 이익의 재정립으로 이어지며, 이에 따라 국가안보전략과 국방 및 군사전략 등 하위 전략의 변경을 요구하게 된다. 미국의 경우 냉전 종식이라는 국제 체제의 급격한 변화로 인해 탈냉전기 미국의 국가 이익과 목표가 무엇이어야 하는가 그리고 이에 대한 위협과 대전략 차원의 대응방향은 무엇인가에 대한 논의가 진행된 바 있다.[1)]

2010년 오바마 행정부가 발표한 국가안보전략은 미국의 국가이익을 크게 4가지로 정의하고 있다. 첫째, 미국과 미국 시민, 그리고 동맹 및 우방국들의 안보, 둘째, 기회와 번영을 증진시켜주는 개방적 국제경제체제 속에서 강하고 혁신적이며 성장하는 미국의 경제, 셋째, 인류 보편적 가치들에 대한 존중, 마지막으로 미국의 리더십하에 다자적 협력을 통한 평화, 번영, 그리고 기회를 증진하는 국제질서가 그것이다.[2)]

오마바 행정부의 국가이익 인식은 다음과 같은 두 가지 차원에서 이전 부시 행정부와 차이를 보인다. 첫째, 먼저 형식면에서 볼 때 부시 행정부의 국가안보전략이 미국의 이익을 명시적으로 전략서에서 언급하고 있지 않은 반면,[3)] 오바마 행정부는 이를 보다 분명하게 밝히고 있다. 둘째, 내용면에서 볼 때 오바마 행정부는 미국의 리더십하의 국제 질서 유지를

---

1) Barry R. Posen and Andrew L. Ross, "Competing Visions for U.S. Grand Strategy," *International Security*, Vol. 21, No.3(Winter 1996/97), pp. 5-53.

2) The White House, *The National Security Strategy of the United States of America*, May 2010, p. 7.

3) 부시 대통령은 2001년 1월부터 2009년 1월까지 8년간의 재임기간동안 총 2차례 (2002년 9월, 2006년 3월) 국가안보전략을 발표하였다.

국가이익의 차원에서 정의하고 있다. 오바마 행정부의 국가이익 정의는 기본적으로 클린턴 행정부가 제시한 세 가지 국가이익 즉, 미국의 안보, 경제 성장, 민주주의 증진을 기본적으로 계승한 것으로 보인다.[4] 그러나, 자카리아가 제시한 '나머지의 부상the Rise of the Rest' 등의 개념이 잘 말해주듯이,[5] 오바마 행정부는 중국과 인도 등을 포함한 타국의 국제 정치·경제적 위상 고양과 미국의 상대적 패권 약화 추세의 극복을 국가이익의 관점에서 접근하고 있다. 미국의 리더십 확립을 통한 안정적 국제 질서 유지라는 국가이익의 재정의는 오바마 행정부를 포함하여 미래 등장할 미 행정부의 국가안보전략 수립에 있어 중요한 방향성을 제시할 것으로 보인다.

III. 21세기 새로운 위협의 성격

냉전기 미국이 직면하고 있는 위협의 성격은 다분히 군사적인 성격을 가진 것이었다. 특히 구 소련으로부터의 핵공격을 포함한 전면전 위협은 냉전기 미국의 국가안보전략 및 국방·군사전략이 초점을 맞춘 가장 중요한 위협이었다. 그러나, 탈냉전기 특히 21세기 미국이 당면하고 있는 위협은 과거에 비해 더욱 포괄적이고 복잡하며 유동적인 성격을 지니고 있다. '포괄적 안보comprehensive security'나 '초국가적 안보위협transnational security threats' 그리고 '폭넓고 복잡한 일련의 위협a broad and complex array of threats'이라는 용어는 21세기 미국의 안보에 대한 주요 위협의 성격과 본질을 잘 웅변하고 있

4) 클린턴 대통령은 재임기간 8년 동안 총 3차례 국가안보전략을 발표하였다. 구체적으로 A National Security Strategy of Engagement and Enlargement(February 1995), A National Security Strategy for a New Century(October 1998), 그리고 A National Security Strategy for a Global Age(December 2000)이 그것이다.

5) Fareed Zakaria, "The Future of American Power: How American can Survive the Rise of the Rest," Foreign Affairs (May-June 2008).

다. 미국은 기존의 위협과 새롭게 등장한 위협 그리고 이들간의 결합 추이에 촉각을 곤두세우고 있다.

1. 폭력적 극단주의(violent extremism)

미 백악관은 2011년 6월 29일 새로운 대테러전 전략을 발표하여 2001년 아프가니스탄 전쟁의 개시로 시작된 대테러전의 변화를 기하고 있다. 백악관 대테러전 보좌관인 존 브레넌은 미국의 새로운 대테러전 전략을 발표하며 향후 미 정부가 범지구적 테러와의 전쟁GWOT: Global War On Terrorism이라는 용어를 사용하지 않을 것이라고 발표하였다.[6] 이는 미국의 테러 위협 인식이 변화했다는 것을 의미하는 상징적인 발언이었다. 범지구적 테러와의 전쟁이라는 용어에서 알 수 있듯이 이전 부시 행정부가 테러 위협을 광범위하게 정의한 반면, 오바마 행정부는 미국의 주요 테러 위협을 알 카에다와 지부 그리고 동조세력으로 한정하고 있다. 새로운 대테러전 전략은 "오바마 행정부는 미국이 테러리즘 전술이나 이슬람 종교와 전쟁을 하고 있지 않다는 것을 분명히 해 왔다. 미국은 알 카에다라는 특정 조직과 전쟁 중이다"라고 강조하며 미국의 새로운 대테러전 전략이 이념에 기반을 둔 것이 아닌 작전적 측면에 초점을 맞추고 있음을 분명히 하였다.[7] 이러한 위협 인식의 변화에는 오사마 빈 라덴 등 알 카에다 지도부의 체포 및 살해, 아랍의 봄 등 중동 및 북아프리카 지역에서의 정치적 변화가 배경이 되었다고 볼 수 있다.[8]

---

6) Howard LaFranchi, "US unveils new counterterrorism strategy: three key parts," *The Christian Science Monitor*, June 29, 2011. http://www.csmonitor.com/USA/Foreign-Policy/2011/0629/US-unveils-new-counterterrorism-strategy-three-key-parts (접속일: 2011. 6. 30).

7) The White House, *National Strategy For Counterterrorism*, June 2011, p. 2.

8) Ben Bodurian, "The New National Strategy for Counterterrorism," *Center for Strategic and International Studies*, June 30, 2011. http://csis.org/publication/new-national-strategy-counterterrorism (접속일: 2011. 6. 30).

2010년 8월 미 국무부의 연례보고서 '2009 국가별 테러리즘 현황보고서'는 최근의 테러리즘 추세에 대해 유용한 통계치를 제공하고 있다.[9] 이 보고서에 따르면, 2009년 범세계적으로 10,999건의 테러공격이 발생하였다. 이것은 2008년의 11,725건에 비해 약 6.6 퍼센트가 감소한 수치로, 테러 발생 횟수가 최고치에 이르렀던 2007년(14,435건) 이후 감소 추세를 보이고 있음을 알 수 있다.

일부 감소 경향을 보이는 국제 테러리즘은 여전히 미국의 국가안보에 가장 심각한 위협 중의 하나로 인식되고 있다.[10] 2001년 9/11 테러 공격 이후 10년 이상 지속되어 온 국제 테러리즘이 여전히 중대한 위협으로 남아 있는 이유에 대한 미국의 분석은 다음과 같다.

첫째, 알 카에다 등 테러 단체는 기술의 발전 활용 등 놀랄 만큼의 적응력을 보여주고 있다. 먼저, 이들은 급속한 발전을 거듭하고 있는 인터넷 등의 과학기술을 이용하여 지리적 제한을 극복, 잠재적 동조자에게 접근하여 이들을 포섭하고 있다. 테러 단체는 또한 인터넷 웹사이트를 통해 테러 방법, 무기 제조법, 교리, 훈련법 등을 전파하고 있다. 테러 단체에 의한 사이버 테러 또한 증가 추세를 보이고 있는 실정이다.[11]

둘째, 인구학적 추세 또한 국제 테러리즘 지속의 동력을 제공해주고 있다.[12] 특히 테러리즘이 이미 확산되어 있는 지역 및 국가의 인구학적 추

---

9) Office of the Coordinator for Counterterrorism (U.S. State Department), "Country Reports on Terrorism 2009," August 2009, pp. 291-297. www.state.gov/s/ct/rls/crt/ (접속일: 2011. 6. 2).

10) The White House, *National Security Strategy of the United States of America* (May 2010), p. 8.

11) Linton Wells III, "Understanding Cyber Attacks," *Global Strategic Assessment 2009: America's Security Role In a Changing World* (Washington D.C.: National Defense University Press, 2009), pp. 57-60.

12) Office of the Coordinator for Counterterrorism(U.S. State Department), "Country Reports on Terrorism 2009," p. 12.

세가 우려의 대상이 되고 있다. 우려의 핵심은 테러 단체의 구호와 이념적·종교적 선동에 비교적 쉽게 동조하는 젊은 세대의 증가이다. 테러 단체의 주 활동지역이 되고 있는 남아시아와 중동에서는 젊은 세대의 수가 빠른 속도로 증가하고 있으며 테러 단체에 동조하는 청년층 또한 증가하고 있다. 중동 지역에서는 30세 이하의 젊은 층이 65%에 달하고 있다.[13)]

셋째, 정국 불안, 내전, 경제 위기로 효율적인 국가 통치체제가 부재하거나 매우 불안정한 상태에 있는 국가failed or failing countries 또한 테러와의 전쟁의 긴 그림자를 걷지 못하게 하는 이유가 되고 있다는 것이 미국의 분석이다. 특히 아프가니스탄, 예멘, 소말리아, 북아프리아 북서부의 머그레브 지역, 사하라 사막 인근 지역 등이 미국이 기울이는 관심의 대상이 되고 있다.[14)] 이들 국가는 알 카에다와 동조 세력이 훈련하고, 조직원을 징집하는 근거지가 될 뿐만 아니라 국제 대테러리즘 노력을 피해 이들 세력이 은신하는 곳이기도 하다. 또한 효율적으로 통제되지 않는 국경선을 통해 이들 세력이 인근 지역으로 영향력을 확산시키는 통로가 되기도 한다.[15)]

2. 대량살상무기 확산

2010 미 국가안보전략서는 미국과 전 세계의 안보에 가장 심각한 도전은 대량살상무기, 특히 핵무기의 확산으로부터 오고 있다고 밝히고 있

13) Navtej Dhillon, "Middle East Youth Bulge: Challange or Opportunity?" Brookings Institute, 2008. www.bookings.edu/speeches/2008/0522_middle_east_youth_dhillon.aspx (접속일: 2011. 5. 4). 또한 다음의 논문은 젊은 세대의 증가가 가져올 것으로 예상되는 결과에 대해 보다 더 장기적 관점에서 분석하고 있다. Ragui Assaad and Farzaneh Roudi-Fahimi, "Youth in the Middle East and North Africa: Demographic Opportunity or Challenge?" Population Reference Bureau, 2007. www.prb.org/pdf07/youthinMENA.pdf (접속일: 2011. 5. 4).

14) *Ibid.*, p. 21.

15) Office of the Coordinator for Counterterrorism(U.S. State Department), "Country Reports on Terrorism 2009," p. 11.

다.[16] 이러한 위협 인식은 부시 행정부의 위협 인식과 일치하는 것이다.[17]

미국은 대량살상무기를 핵, 화학, 생물학, 그리고 방사능CBRN: chemical, biological, radiological, and nuclear으로 구분하고 있으며,[18] 다음과 같은 두 가지 차원에서 대량살상무기 확산을 우려하고 있다.

첫째, 미국은 북한과 이란의 핵개발이 '핵 도미노nuclear domino' 현상을 초래 역내 불안정을 증가시킬 수 있다고 본다. 2010 NPR이 지적하듯이, 이란과 북한의 핵 및 장거리 미사일 등 투발 수단을 확보하기 위한 시도는 인접 국가를 비롯한 역내의 불안정성을 증가시키고 있으며, 이는 핵위협으로부터 안보를 보장하기 위하여 자체 핵 억제력을 확보하기 위한 인접 국가의 시도로 이어질 가능성이 있다는 것이다.[19]

둘째, 미국은 과학기술의 발달에 힘입어 대량살상무기 혹은 위험 물질을 제조할 수 있는 능력이 보다 많은 국가 및 비국가 행위자에게 확산되는 현상으로 인해 대량살상무기의 실제 사용가능성이 증가할 것이라고 우려하고 있다.[20] 화학 및 생물학 무기의 경우 거의 모든 나라가 국제 협정에 가입하고 있으나, 제조 능력이 있다고 평가되는 일부 국가는 여전히 가입을 거부하고 있다. 앙골라, 이집트, 이라크, 레바논, 북한, 소말리아, 시리아 등이 여기에 포함된다. 화학 및 생물학 무기의 경우 민군 겸용 시설에 숨길 수 있기 때문에 탐지가 힘든 구조적 문제점이 있다. 위의 협약

16) The White House, *National Security Strategy of the United States of America*, May 2010, p. 21.

17) The Secretary of Defense, *The Quadrennial Defense Review Report*, February 2006, p. 19.

18) The Secretary of Defense, *The Quadrennial Defense Review Report*, February 2010, p. 34.

19) *Ibid.*, p. iv. Also see Johan Bergenas, "The Nuclear Domino Myth," *Foreign Affairs* website, August 31, 2010.www.foreignaffairs.com/articles/66738/johan-bergenas/the-nuclear-domino-myth?page=2(accessed on May 15, 2011).

20) The Secretary of Defense, *Nuclear Posture Review Report*, April 2010, p. 34.

에 가입했다 하더라도 생물학 및 독성 무기 협약의 경우 사찰 강제 수단을 결여하고 있고, 화학 무기 협약은 명목상 사찰을 위한 수단이 존재하나 지금까지 협약 체결국의 반대를 무릅쓰고 실시된 전례가 없다.[21]

또한 과학 기술 발전으로 인해 신기술이 화학 및 생물학 무기에 적용될 가능성 또한 배제할 수 없다. 특히 로봇공학[robotics], 마이크로 반응기[micro reactors], 바이오 테크놀로지[biotechnology], 나노 테크놀로지[nanotechnology] 등 신기술이 등장 및 발전함에 따라 보다 강력한 확산능력을 지닌 새로운 생화학 물질의 출현이 가능해지고 있다.[22] 미 국가정보국 국장인 제임스 클래퍼는 2011년 3월 10일에 있었던 상원 군사위원회 청문회에 출석하여, 지구화 현상 및 신기술의 상업화로 생화학 물질 및 기술이 범세계적으로 쉽게 이동할 수 있으며 새로운 발견이 놀랄 만한 속도로 전파되고 있다고 증언하였다. 그는 이러한 추세로 인해 현재 WMD를 보유하고 있지 않는 국가들이 머지 않은 장래에 이를 습득할 가능성이 있으며, 테러 단체 또한 단독 혹은 중간 조직을 통해 손에 넣을 가능성이 있다고 증언하였다.[23]

3. WMD 테러리즘

2010 NSS는 WMD 테러리즘, 특히 폭력적 극단주의자들이 핵무기를 획득하게 될 경우 그리고 이들이 핵무기를 미국에 대해 사용할 경우를 미국의 안보에 대한 가장 심각한 위협이라고 규정하고 있다.[24] 2010 QDR

21) *Ibid*.

22) *Ibid*., p. 165.

23) James R. Clapper, Statement for the Record on the Worldwide Threat Assessment of the U.S. Intelligence Community for the Senate Committee on Armed Services, March 10, 2011, p. 4.www.dni.gov/testimonies/20110310_testimony_clapper.pdf (접속일: 2011. 5. 4).

24) The White House, *National Security Strategy of the United States of America* (May 2010), p. 4 and 23. WMD와 테러단체의 결합에 대한 우려는 2011 NMS 에서도 찾아볼 수 있다. The Chairman of the Joint Chiefs of Staff, *The National Military Strategy*

은 WMD와 물질, 그리고 전문지식이 지하디스트들의 손에 쥐어지게 되는 상황이 가장 심각한 위기가 될 것이라고 말하고 있다.[25] 이러한 위협 인식은 9/11 테러 공격 이후 일관된 것이다. 2006년 QDR은 WMD 테러리즘 가능성을 재앙적 도전catastrophic challenges라고 규정한 바 있다.[26]

WMD 테러리즘에 대한 미국의 위협 인식은 다음과 같은 세 가지 차원에서 분석될 수 있다. 첫째, 미국은 전 세계 도처에 산재되어 있는 핵 및 방사능 분열 물질의 일부가 제대로 통제되지 않음으로 인해 알 카에다 등 비국가 행위자의 손에 넘어갈 수 있다고 본다. 알 카에다와 체첸 반군 등의 단체가 연구소, 발전소 등 핵 물질을 보관하고 있는 시설의 내부자와 연계를 통해 혹은 무력을 사용한 탈취를 통해 핵물질을 손에 넣기 위해 시도해 왔다는 사실은 널리 알려져 있다. 지금까지 20건 이상의 고농축 우라늄과 플루토늄이 분실되었다는 분석이 있기도 하다.[27] IAEA는 2009년 동안 총 215건의 방사능 물질 도난 사건이 있었다고 보고하기도 하였다.[28]

둘째, 핵무기 완성품을 비롯한 WMD를 보유한 국가와 테러 단체의 자발적 혹은 비자발적 연계성이다. 미국의 2003년 이라크 전쟁 개전 이유는 자발적 연계에 대한 우려였다. 이란, 북한 등 소위 불량 국가가 이념적, 경제적, 전략적 목적에서 테러 단체에 WMD 혹은 관련 장비와 물질을 이전할 수 있다는 예측에 대해 미국은 매우 걱정하고 있다.[29] 이와 더

---

of the United States of America: Redefining America's Military Leadership, February 8, 2011, p. 3.

25) The Secretary of Defense, *The Quadrennial Defense Review Report*, February 2010, p. 26.

26) The Secretary of Defense, *The Quadrennial Defense Review Report*, February 2006, p. 19.

27) 윤완기, 「국제 핵테러 동향과 핵안보 정상회의」, 2012년 서울 핵안보정상회의 특별세미나 발표자료, 2011. 6. 1.

28) 위의 논문.

29) The Secretary of Defense, *The Quadrennial Defense Review Report*, February 2010, p. 4.

불어 비자발적 WMD이전 또한 중요한 위협이다. 미국은 특히 핵무기 보유국의 붕괴 혹은 불안정이 가져올 영향에 대해 우려하고 있다.[30] 핵무기 완성품이 분실된 사례가 있다는 사실 또한 WMD가 보유국가의 의지와는 상관없이 테러 단체에 이전될 수 있다는 가능성을 보여준다.[31]

셋째, 핵시설에 대한 공격 가능성이다. 최근 일본 후쿠시마 원전 사태는 만약 테러 단체가 원자력 발전소 등 핵시설에 대한 공격을 감행할 경우 피해가 매우 클 수 있음을 보여준다. 핵무기 등 WMD 저장 시설에 대한 보안이 비교적 철저한 데 비해, 원자력 발전소 및 연구소 등 핵관련 시설의 보안은 취약한 편이다. 테러 단체 혹은 적대 의도를 가진 국가가 이러한 취약성을 이용할 가능성을 배제하기 어렵다는 측면에서 미국의 고민은 쉽게 해결될 성질의 것이 아님을 알 수 있다.

4. 중국의 반접근 및 지역거부 전력 증강

미국은 중국의 군 현대화 계획을 지속적으로 모니터하여 미국 및 동맹국의 이익이 침해되는 것을 방지하기 위해 노력할 것임을 밝히고 있다.[32] 2010 QDR과 2011 NMS는 중국의 전력 증강에 대한 우려를 보다 분명히 하고 있다. 특히 최근 발간된 2011 NMS는 계속된 군 현대화 노력의 결과 중국이 우주 및 사이버 공간, 황해, 동중국해, 남중국해에서 점차 더 독단적인 태도를 취하고 있다고 우려하고 있다.[33]

미국이 중국의 군사력 증강에 대해 우려하고 있는 핵심적인 이유는 미국의 역내 군사력 투사 능력이 제한될 수 있다는 가능성 때문이다. 미

---

30) *Ibid.*, p. iv.

31) 윤완기, 「국제 핵테러 동향과 핵안보 정상회의」.

32) The White House, *The National Security Strategy of the United States of America*, May 2010, p. 43.

33) The Chairman of the Joint Chiefs of Staff, *The National Military Strategy of the United States of America: Redefining America's Military Leadership*, 2011, p. 14.

국은 중국이 과거의 '인민전쟁'에서 '적극적 방어active defense' 전략으로 군사전략을 전환하였으며, 이에 따라 반접근 및 지역거부 전력 증강을 중국군 현대화의 핵심으로 삼고 있다는 판단을 하고 있다. 미국은 특히 서태평양 역내로 미군의 전력 투사를 제한할 수 있는 다음의 중국군 현대화에 대해 우려하고 있다.

첫째, 해군 전력의 증강이다. 최근 발간된 『중국의 군사 및 안보 발전 평가 연례보고서』[34]에 의하면, 중국 해군은 제1열도선 및 제2열도선을 기준으로 한 '적극적 근해방어' 전략을 추구하고 있다.[35] 중국군은 일단 제1열도선 이내로의 진입을 그리고 궁극적으로 제2열도선 이내로의 미군 진입을 제한 또는 지연시키고자 한다는 것이다.

중국의 항공모함 건조 또한 중대한 위협요소로 인식되고 있다. 중국은 1998년 우크라이나로부터 미완성 항공모함인 '바랴크Varyag'를 도입하여 개조작업을 진행하여 왔다. 6만 7천 500톤 급 '바랴크' 항모는 항공기 50여 대를 탑재할 능력이 있는 것으로 알려지고 있다. 중국은 러시아제 SU-27SK를 복제한 것으로 알려진 J-15 전투기를 개발하여 2010년 5월 시험비행에 성공하였다. J-15 함재기 탑재시 역내 특히 대만 해협 및 남아시아에서 중국의 전력투사 능력이 증가할 것은 분명하다. 미국은 중국

34) 중국의 군사전략 변화 추세 그리고 이것이 국가 안보에 미치는 영향에 대한 미국의 관심과 우려는 미 의회가 2000 회계연도 국방예산안을 통과시키면서 국방장관으로 하여금 중국의 군사력 현황에 대한 연례보고서를 제출토록 지시함으로써 보다 공식화되었다고 볼 수 있다. 미 국방부는 2000년 이후로 중국의 안보 및 군사전략과 군사과학 기술, 군 조직 발전 등에 대해 매년 의회에 보고하고 있다. 2000 회계연도 국방예산안 제 1202조는 국방장관으로 하여금 "중국의 현재와 미래의 군사 전략에 관한 보고서를 제출한다. 이 보고서는 향후 20년을 상정한 중국인민해방군의 현재와 가능성 있는 미래의 군사-기술 발전, 중국의 대전략, 안보 전략, 그리고 군사전략의 핵심 내용과 발전, 그리고 군사 조직과 작전 개념의 발전에 대해 분석"하도록 규정하고 있다. http://www.defense.gov/pubs/china.html (접속일: 2011년 5월 5일)

35) U.S. Office of the Secretary of Defense, *Annual Report to Congress: Military and Security Developments Involving the People's Republic of China*, 2010, p. 22.

이 2020년까지 수 대의 항공모함을 배치할 것으로 예측하고 있다.

둘째, 탄도 미사일과 크루즈 미사일 또한 중국의 반접근 및 지역거부 전략을 위해 핵심적인 요소이다. 중국은 일련의 재래식 탄두 장착 탄도미사일과 지상 및 공중에서 발사하는 지상 타격 크루즈 미사일을 배치함으로써 유사시 중요한 군수 시설을 타격하여 미국의 작전 지속성을 제한하고 역내 전력 투사능력을 제한할 것으로 보인다. 특히 DF-21(CSS-5)은 사거리 약 2,700km로 대함 및 지상 공격이 가능토록 개선되고 있으며 한국, 일본, 필리핀과 태국에 있는 미군 및 동맹국 기지, 항공모함 등 해군함정을 보다 원거리에서 타격할 수 있을 것으로 분석되고 있다.[36] 중국은 또한 크루즈 미사일을 지상 공격과 대함공격이 가능토록 개선하고 있다.[37]

셋째, 공군 전력의 증강 또한 주목할 만하다. 중국은 특히 최근 러시아산 4세대 전투기인 Su-30을 바탕으로 자체 개발한 차세대 스텔스 전투기 젠(殲)-20 (J-20)의 시험비행에 성공을 거두며 급격히 성장하는 중국의 항공 과학 기술을 대내외에 과시한 바 있다. 전문가들은 젠-20의 작전 반경이 1,500km에 달할 것으로 보고 있으며 완전한 스텔스 능력을 갖출 경우 대만, 동중국해, 남중국해는 물론 서태평양에서 중국이 제공권을 장악하는데 크게 기여할 것으로 평가하고 있다.[38]

넷째, 통합 방공 전력의 확충이다. 중국은 미국 항공전력의 접근을 거부하기 위해 소위 "double digit" 지대공 미사일[SAM] 시스템을 러시아로부터 수입하고 있으며 이는 미국의 제공권 유지에 심각한 위협이 되고 있다.[39] 구체적으로 중국은 32개의 S-300PMU(SA-10B), 64개의

36) Robert P. Haffa, JR., and Michael W. Isherwood, "Long-range Conventional Strike," *Joint Forces Quarterly* issue 60(1st quarter 2011), p. 103.

37) U.S. Office of the Secretary of Defense, *Annual Report to Congress: Military and Security Developments Involving the People's Republic of China*, 2010, p. 31.

38) 박민희, 「중국 '젠-20' 전투기, 서태평양도 '작전반경'」, 한겨레, 2011. 1. 18.

39) 위의 글.

S-300PMU1(SA-10C), 그리고 64개의 S-300PMU2(SA-10C)을 보유하고 있으며,[40] 이들 지대공 미사일은 미국의 차세대 주력 전투기인 F-35를 타격할 수 있는 것으로 알려지고 있다.[41] 중국은 최신형 지대공 미사일의 함정 배치를 추진하고 있어 해군 함정이 추진 배치될 경우 미 항공전력의 진입이 보다 더 원거리에서 차단될 가능성이 높다.

Ⅳ. 미국의 대응

1. 범정부적 접근전략(Whole of Government Approach)

2010 NSS의 중요한 특징 중의 하나는 범정부적 접근전략의 강조이다. 물론 이러한 접근 전략의 중요성에 대한 미국의 인식은 완전히 새로운 것은 아니다. 2006 NSS 또한 정부 기관 간 통합 운영을 통해 안보의 공백을 축소시키고, 안보 위협에 대한 보다 효율적인 대비와 대응을 추구하고 있다.[42] 2010 NSS는 기본적으로 이러한 기조를 유지하고 있으나, 통합의 범위를 훨씬 확장함으로써 범정부적 접근전략의 국가전략의 차원으로 승격시키고 있다. 특히 2010 NSS은 범정부적 접근전략을 미국의 국가안보 목표 달성을 지원하기 위해 국력의 모든 수단을 통합하는 것으로 정의하고 있다.[43]

미국은 대테러리즘과 안정화작전에 있어 부처간 협력interagency cooperation

40) IISS, *The Military Balance 2011*, p. 234.

41) David A. Fulghum and Douglas Barrie, "Russia Sells SA-20 to Iran," *Aviation Week*, May 13, 2011. http://www.aviationweek.com(접속일: 2011. 6. 13).

42) *Ibid*.

43) The White House, *The National Security Strategy of the United States of America*, May 2010, p. 14. 2010 QDR 또한 유사한 용어로 범정부적 접근방법을 정의하고 있다. The Secretary of Defense, *The Quadrennial Defense Review Report*, February 2010, p. 1.

을 강화하고 있다. 지난 10여 년간의 대테러작전과 안정화 작전이 미국에 준 가장 중요한 교훈 중 하나는 이러한 새로운 유형의 분쟁에 있어 군사력의 유용성이 제한된다는 것이다. 이는 부시 행정부의 공세적이고 일방주의적 군사력 운용에 초점을 맞춘 안보 전략이 효율적이지 못했음에 대한 반성이다.

NMS 2011은 군사력의 유용성에 대해 분명한 입장을 보이고 있다. 2011 NMS는 테러리스트 등 폭력적 극단주의자를 탐색하고, 체포하고, 분쇄하는 군사작전은 단기적으로 효과적일 수는 있으나, 극단주의에 대한 효과적인 장기 전략이 될 수 없음을 인정하고 있다. 이 문서는 반테러 노력에 있어 테러 단체에 대한 지원을 차단하고 정당성의 원천을 와해하는 것이 가장 중요하며, 이는 경제 발전, 통치 체제 안정, 법치 확립 등을 통해서만이 가능하다고 강조한다.[44]

군사력의 제한적 유용성에 대한 인식을 바탕으로, 미국은 대테러작전과 안정화작전에 있어 특히 다양한 정부부처가 관련되는 민군간 협력을 강조하고 있다.[45] 미국은 아프가니스탄과 이라크에서의 지방재건팀 경험을 통해 대테러전과 안정화작전이 지속가능한 성과를 달성하기 위해서는 다음의 두 가지가 필수적이라고 판단하고 있다.

첫째, 인도주의적 지원, 개발, 통치 체제를 담당할 민간 및 정부 전문가가 필요하다는 것이다. 이들 분야는 군의 전통적 임무 영역을 벗어난 것으로, 군이 이러한 분야를 주도할 경우 국가의 노력이 오히려 역효과를 낼 수도 있다. 그러나, 문제는 위의 영역에 전문성을 갖춘 민간 및 정부 전문가를 육성하는 데 시간과 자원이 필요하다는 것이며, 미국은 보다 장

44) The Chairman of the Joint Chiefs of Staff, *The National Military Strategy of the United States of America: Redefining America's Military Leadership*, 2011, p. 6.
45) *Ibid*.

기적 관점에서 이 문제를 해결하고자 하고 있다.[46]

둘째, 민군간 협력이 국방부가 아닌 국무부 등 타 국가기관에 의해 주도될 수 있도록 예산과 책임이 재분배되어야 한다는 것이다. 지방재건팀이 비효율적으로 운영되고 있다는 비판의 중심에는 국무부 등 민군 협력에 있어 리더십을 행사해야 할 기관에 적절한 수준의 예산이 지원되고 있지 않다는 것이다.[47] 미국은 대테러전과 안정화작전이 본질적으로 군사적이라기보다는 경제·정치적 차원에서 해결되어야 한다는 인식에서, 국가 기관 간 예산과 책임을 중앙집권적으로 통합할 방안에 대해 지속적 관심을 경주하고 있다.

2. 재래식 및 핵 억제 체제 발전

가. AirSea Battle 개념

미국은 중국의 전략 개념 확대와 군사력 증대, 특히 반접근anti-access전력의 증강으로 인해 향후 서태평양 지역에서 미국의 전략적 이익 수호가 어려워질 가능성이 있다고 인식하고 있다. 향후 이 지역에서의 전략적 이익이 저해될 수 있다는 미국의 우려는 세 가지 차원으로 분석될 수 있다.

첫째, 점차 부상하고 있는 아시아 지역의 경제적 중요성을 고려할 때 서태평양 지역의 공공 영역global commons에 대한 접근성이 제한될 경우 미국의 경제적 안정과 이익이 저해될 가능성이 있다.[48] 둘째, 중국의 반접근

46) *Ibid.*, p. 69.

47) Stephen J. Hadley and William J. Perry(eds), The QDR in Perspective: Meeting America's National Security Needs In the 21st Century: The Final Report of the Quadrennial Defense Review Independent Panel(Washington D.C.: United States Institute of Peace, 2010), pp. 38-39. Ucko는 국무부 등의 부서 내 갈등 문제로 적절한 예산이 배정되지 못했다고 지적하고 있다. David H. Ucko, *The New Counterinsurgency Era: Transforming the U.S. Military for Modern Wars*,(Washington, DC: Georgetown University Press, 2009), p. 97.

48) The Secretary of Defense, *The Quadrennial Defense Review Report*, February 2010,

전력으로 인해 범세계적 패권 유지에 있어 핵심적인 역내 전력 투사 능력이 제한된다면 미국의 동맹국 및 우방국들은 미국의 안보 공약에 대해 우려하게 될 것이며 결국 역내 미국의 영향력이 제한될 것이다.[49] 셋째, 중국의 반접근 전략 및 전력에 대한 적절한 대비가 결여될 경우, 중국의 오판에 의해 분쟁이 발발할 가능성이 있다.[50] 특히 중국이 신속한 작전을 통해 대만을 점령하고 방어태세로 전환하여 기정사실화하는 등 발생 가능한 시나리오에 대해 미국이 대응 체제를 갖추지 않는다면, 중국은 미국의 능력 및 의지에 의문을 가지게 될 것이며 결국 중국이 이러한 판단하에 실제 공세적 행동을 할 가능성이 높아질 수 있다는 것이다.[51]

이러한 배경하에서 2010 QDR은 반접근 환경하 전력 투사 및 전투 능력 유지를 위한 대책으로 '에어씨 배틀 구상AirSea Battle Concept'을 발전시킬 것을 천명하였다.[52] 이 구상은 미국의 행동의 자유 보장을 위해 모든 작전영역 즉, 공중, 해양, 육상, 우주 및 사이버 공간에서의 공군과 해군 간 긴밀한 합동 작전을 요구하고 있다. 에어씨 배틀 구상은 다음의 다섯 자기 요소를 핵심으로 하고 있다.[53]

---

pp. 64.

49) Barry Posen, "Command of the Commons: The Military Foundations of U.S. Hegemony," *International Security* Summer 2003, pp. 5-46.

50) The Secretary of Defense, *The Quadrennial Defense Review Report*, February 2010, pp. 70-71.

51) Gerson, Michael S., "Conventional Deterrence in the Second Nuclear Age," *Parameters* (Autumn 2009), pp. 32-48; James Kraska, "How the United States Lost the Naval War of 2015," *Orbis* Winter 2010, pp. 35-46.

52) The Secretary of Defense, *The Quadrennial Defense Review Report*, February 2010, p. 32.

53) 아래의 내용은 미국 워싱턴에 위치한 국방관련 연구소인 전략예산평가센터(CSBA: Center for Strategic and Budgetary Assessments)에 의해 발간된 다음 책의 내용을 요약한 것이다. 이 책은 에어씨 배틀 구상의 정립에 큰 기여를 하고 있다. Jan Van Tol et al., *AirSea Battle: A Point-of-Departure Operational Concept*, Center for Strategic and Budgetary Assessments, 2010. 5. 18.

첫째, 미국은 개전 초기 공격으로부터의 피해를 최소화하고 생존성을 향상시켜야 한다. 중국은 적대행위를 개시함과 동시에 탄도미사일 등의 수단을 이용하여 미국 및 동맹국 기지에 대한 타격을 실시할 것으로 예상된다. 이에 대비하여 미국은 스텔스 폭격기 등 고가치 자산을 강화된 대피소로 이동시키고, 공중 및 해양 기반 탄도미사일 방어 자산을 이동시키는 기지 방어 수단을 강구할 것이다.

둘째, 중국의 적대행위 시작과 동시에 미국은 신속히 Blind Campaign을 시작한다. Blind Campaign의 핵심은 중국의 효과적인 반접근 전력 운용에 있어 긴요한 원거리 탐지, 식별, 및 타겟 능력을 파괴하는 것이다. 즉, 중국군의 눈을 가리거나 장님 상태로 만드는 것이다. 특히 미국은 중국군의 정보·감시·정찰 능력, 레이더와 ISR 노드, 통신 연결점 등을 파괴하기 위해 미사일, 스텔스 항공기 등 물리적 수단과 사이버 공격 등 비물리적 수단을 통합 운용하고자 한다.

셋째, 미국의 전력 투사력 보장을 위해 중국군의 공격 미사일 진압 작전을 수행한다. 이를 위해 미국은 공군의 스텔스 전폭기 및 장거리 유도무기와 해군 잠수함 전력을 이용 중국군의 미사일과 이동식 미사일 발사대 등을 공격한다. 공격을 통해 중국군 미사일 전력을 직접 타격하거나, 발사대의 이동과 은폐를 강요하고, 협조된 일제 사격 능력을 제한하며, 미사일 무기고를 파괴하여 작전지속 능력을 제한할 수 있다.

넷째, 중국의 공격으로 인한 기습 효과를 감소시키기 위해 미국은 분쟁 발생 후 조기에 주도권을 되찾기 위한 작전을 실시한다. 중국의 기습효과 최소화하기 위해서 미국은 동맹국, 특히 일본을 중국의 미사일 공격으로부터 방어해야 할 것이다. 미사일 방어체제 확립, 제공권 확보, 중국군 함정의 동중국해, 남중국해 접근을 거부하는 대해상 공격작전 등이 중요한 요소이다.

마지막으로, 분쟁 장기화시 후속작전을 전개한다. 후속작전의 목표는 미군의 작전 지속성을 유지하고, 중국군의 작전 지속능력을 감소시키는 것이다. 이를 위해 미국은 해상 수송로 보호 및 호송 작전을 실시하고, 중국군의 후방 작전에 대한 진입을 차단한다. 이와 더불어, 중국의 해상 무역을 차단하는 원거리 봉쇄 작전과 중국의 역외 에너지 기반시설 사용을 거부하는 작전을 실시한다.

미국의 공식 전략 문서는 중국의 반접근 및 지역거부 전력 증강에 걱정스러운 태도를 보이는 한편, 에어씨 배틀 구상과 같은 미국의 대응이 중국을 자극할 가능성 또한 우려하고 있는 듯 보인다. 에어씨 배틀 구상이 중국과의 전쟁을 위한 것이라기보다는 잠재적 분쟁의 억제를 위한 것이라는 설명이 그것이다.[54] 그러나, 중국은 에어씨 배틀 구상에 대한 불편한 심기를 감추지 않고 있다.[55] 에어씨 배틀 구상이 향후 보다 구체화되고 이러한 구상을 실행하기 위한 전략과 전력이 가시화되면 중국과 미국의 외교적 혹은 군사적 마찰의 가능성이 증가할 수도 있다는 점에서 지속적인 주목이 필요하다.

나. 핵 전력 및 전략 조정

미국은 2010 NPR을 통해 오바마 대통령의 "핵무기 없는 세상" 구상을 뒷받침하는 핵 전력과 전략을 제시하고 있다. 2001년 이후 처음으로 개정된 금번 NPR에 대해 일부 연구자는 '냉전적 사고'를 탈피한 최초의 핵정책 보고서라는 평가를 내리기도 하나,[56] 다른 연구자들은 기존의 핵정책의 큰 틀을 그대로 유지하고 있다고 평하기도 한다.[57]

---

54) Jan Van Tol et al., *AirSea Battle: A Point-of-Departure Operational Concept*, p. 13.

55) 중앙일보, "中 군사전문가, 美서태평양 군사전략 비판", 2011. 4. 25.

56) 박창희·김열수, 『미 핵태세검토보고서(NPR) 분석: 한국국방에의 시사점 및 대책』국방대학교 안보문제연구소 10-5호 정책현안연구과제, 2010, p. 15.

57) David E. Hoffman, "Reviewing the Review: Obama's new nuke strategy is a good start. But the Cold War's legacy lives on," *Foreign Policy* online, April 6, 2010.;

2010 NPR은 억제 전략의 측면에서 다음과 같은 세 가지 정책을 제시하고 있다. 첫째, 미국은 소극적 안전보장negative security assurance을 재확인함으로써 핵확산의 동기를 감소시키고자 한다. 2010 NPR은 NPT의 회원국으로 의무를 성실히 준수하는 비핵국가에 대해 핵무기의 사용을 위협하거나 사용하지 않을 것이라고 밝혔다.[58] 미국은 소극적 안전보장을 통해 잠재적 적대 국가의 NPT 가입 및 준수에 대한 인센티브를 제공하여 오바마 대통령의 "핵무기 없는 세상" 구상의 실현을 촉진시키고자 한다.

둘째, 미국은 핵무기의 역할을 축소시켜 나가고 있다. 2010 NPR은 미국이 보유한 핵무기의 '근본적인 역할fundamental role'이 여전히 미국과 동맹국 그리고 우방국에 대한 핵공격 억제에 있음을 밝히고 있으나,[59] 오바마 행정부가 핵무기의 역할을 과거보다 명시적이고 제한적으로 규정하고 있다. 먼저, 2010 NPR에 의하면, 미국은 NPT의 회원국으로 의무를 성실히 준수하는 비핵국가들로부터의 생화학 공격에 대해서 핵무기로 대응하지 않을 것이다. 그러나, 2010 NPR은 생물학 공격과 관련된 기술의 진보와 피해의 규모 등을 고려하여 '소극적 안전보장'의 적절성이 검토될 수 있다는 단서조항을 남김으로써 생물학 공격에 대한 핵 대응 가능성을 열어두고 있다.[60]

2010 NPR은 또한 '소극적 안전보장'이 적용되지 않는 국가 즉, 이미 핵무기를 보유하고 있는 핵국가와 NPT를 가입 및 준수하지 않는 국가에 대해서는 이들의 핵공격뿐만 아니라 재래식 및 생화학 공격시 미국이 핵무기를 사용할 수 있다고 강조한다.[61] 미국은 자칫 '소극적 안전보장'

Sharon Squassoni, "Nuclear Posture Review," Center For Strategic & International Studies (IISS), April 7, 2010.

58) The Secretary of Defense, *Nuclear Posture Review Report*, April 2010, p. viii.

59) *Ibid.*, p. 15.

60) *bid.*, p. viii.

61) *bid.*, p. viii.

의 재천명이 핵억제에 대한 공약 약화로 인식될 것을 우려하고 있는 것이다. 그럼에도 불구하고, 2010 NPR은 미국이 극단적인 상황에서만 핵무기 사용을 고려할 것이며, 궁극적으로 미국이 보유한 핵무기가 적대세력의 핵공격에 대한 대응만으로 역할이 축소될 수 있도록 환경을 조성해나갈 것이라고 밝히고 있다.

셋째, 미국은 핵무기의 역할 축소를 위해 재래식 전력에 의한 억제 체제를 지속적으로 발전시켜 나가고자 한다. 2010 NPR은 재래식 능력의 확충을 통해 적대 세력의 재래식 및 생화학 공격 등 비핵 공격non-nuclear attacks 억제를 달성할 경우 미국의 핵무기가 오로지 미국과 동맹국 및 우방국에 대한 핵공격nuclear attacks 억제라는 축소된 역할을 갖게 될 것이라고 판단하고 있다.[62] 동시에 재래식 억제 능력의 확충은 앞서 분석한 중국 및 이란 등 국가의 반접근 및 지역거부A2/AD: anti-access and area denial 능력에 대한 미국의 억제 능력의 고양시킨다는 점에서도 중요한 과제가 되고 있다.[63] 재래식 억제 능력이 확충될 경우 미국은 동맹국 및 우방국에 대한 미국의 신뢰성 있는 안보 공약이 가능해질 것이며 이를 통해 동맹국 및 우방국이 자체적으로 핵능력을 확보하려 하는 필요성을 감소시킬 수 있을 것으로 보고 있다.[64] 미국은 재래식 억제 체제의 발전을 위해 범지구적 신속타격능력prompt global strike capabilities,[65] 반 WMDcounter-WMD 능력의 확충,[66] 미사일 방어 체

62) The Secretary of Defense, *Nuclear Posture Review Report*. April 2010, p. ix.

63) Robert P. Haffa, JR., and Michael W. Isherwood, "Long-range Conventional Strike," *Joint Forces Quarterly* issue 60(1st quarter 2011), p. 103.

64) The Secretary of Defense, *Nuclear Posture Review Report*. April 2010, p. 4.

65) M. Elaine Bumm and Vincent A. Manzo, "Conventional Prompt Global Strike: Strategic Asset or Unusable Liability?" *Strategic Forum* No. 263, National Defense University(February 2011), p. 1.

66) The Secretary of Defense, *Nuclear Posture Review Report*. April 2010, p. 15; The Secretary of Defense, *The Quadrennial Defense Review Report*. February 2010, p. 101.

제의 지속적 추진을 강조하고 있다.[67)]

다. 사이버전 수행 능력 강화

미국은 사이버 공간의 안보를 두 가지 차원에서 중요시하고 있다. 첫째, 미국은 사이버 공간을 범지구적 공역global commons과 범세계적 연결 영역globally connected commons으로 규정하면서 이들 공간에 대한 접근성이 제한되거나 단절될 경우 미국 국내의 경제 및 공공 안전에 심각한 문제가 발생할 것이라고 판단하고 있다.[68)] 둘째, 미국의 사이버 공간에 대한 군사적 의존이 증가하고 있는 상황에서 사이버 안보는 미국의 범세계적 군사력 투사와 작전을 위해 필수불가결한 요소가 되고 있다.[69)] 과학 기술의 발전은 개인, 비국가 행위자, 및 적대적 의도를 가진 국가 행위자들이 낮은 비용으로 사이버 공간에서 공세행동을 취할 수 있도록 기반을 제공하고 있다. 미국은 이에 대한 효율적 대비가 부족할 경우 미국의 군사력 투사 및 운용이 심각하게 제한될 가능성에 대해 우려하고 있다.

사이버 안보에 대한 미국의 대응은 세 가지 차원에서 추진되고 있다. 첫째, 통합된 국내 사이버 안보 체제의 확충이다. 미 오바마 대통령은 2011년 5월 16일 발표한 '사이버 공간을 위한 국제 전략International Strategy for Cyberspace'에서 국내의 국가 기관 및 민간 기업 및 조직간 긴밀한 협력이 중요한 과제임을 밝힌 바 있다.[70)] 2009년 6월 발생한 이란 핵 시설에 대한 스턱스넷 바이러스Stuxnet virus 공격 등 최근 일련의 사이버 공격은 이러

---

67) Department of Defense, *Ballistic Missile Defense Review*, February 2010, p. 4.

68) Chairman of the Joint Chiefs of Staff, *The National Military Strategy of the United States of America: Redefining America's Military Leadership*, 2011, p. 3; The White House, *The National Security Strategy of the United States of America*, May 2010, p. 27.

69) 위의 글, p. 9.

70) The White House, *International Strategy for Cyberspace*, May 16, 2011.

한 통합 움직임을 가속화 시키는 배경이 되었다.

이에 따라 미국은 2010년 5월 전략사령부Strategic Command 예하에 사이버사령부USCYBERCOM를 창설하여 일원화된 군내 통합적 다층 방어체제를 구축하고 있다.[71] 사이버사령부에는 국토안보부, FBI, 법무부 등의 타 국가기관과 정보 교류 및 사이버 역량 통합 및 전략 기획의 일원화를 추진하고 있다. 이에 병행하여 민간 산업 단체와 사이버 공격에 대한 정보를 공유함으로써 진화하고 있는 사이버 공격 양상에 대한 공동 대응 체제를 모색하고 있는 실정이다.

둘째, 사이버 안보에 대한 국제 협력 증진이다. 2011 NMS는 사이버 안보에 대한 국제 규범의 부재가 사이버 공간의 취약성 증가에 있어 핵심 요소로 보고 있다.[72] 미 오바마 대통령은 '사이버 공간을 위한 국제 전략International Strategy for Cyberspace'을 통해 미국이 국제 규범 정착을 위한 선도적 역할을 수행할 것을 분명히 하였다.[73] 특히 미국은 기존의 군사 동맹국 및 협력국과의 협력을 통해 사이버 안보를 강화하고자 한다. 미국은 특히 공유된 조기 경보 시스템, 집단적 사이버 방어 체제, 표준 운영 절차 및 체제 마련, 정보 교환 확대, 사이버 공격의 진원지 파악을 위한 디지털 과학수사digital forensics 능력 확충, 네트워크 침투 및 복원력 테스트 등에 대해 동맹국 및 협력국과 긴밀히 협력해나갈 것을 밝히고 있다.[74]

셋째, 사이버 안보를 위한 억제전략의 수정이다. 미국은 사이버 공격을 억제하기 위해 보다 공격적인 억제전략을 발전시키고 있다. 보다 구체

71) 사이버사령부는 각군 예하의 사이버사령부에 대한 지휘통제 권한을 행사하고 있다. 육군은 Army Forces Cyber Command, 해군은 Tenth Fleet, 공군은 24th Air Force, 그리고 해병대는 Marine Corps Forces Cyberspace Command를 각각 운용하고 있다.

72) Chairman of the Joint Chiefs of Staff, *The National Military Strategy of the United States of America: Redefining America's Military Leadership*, 2011, p. 4.

73) The White House, *International Strategy for Cyberspace*, May 16, 2011, p. 21.

74) The White House, *International Strategy for Cyberspace*, p. 21.

적으로 미국은 사이버 공격의 강도와 피해 규모가 점차 증가되고 있다는 판단에 따라 이에 대한 대응을 위해 재래식 군사력을 사용하는 방안을 적극적으로 검토하고 있다. 특히 리언 파네타Leon Panetta 신임 국방장관은 사이버 공격에 대한 공격적 대처를 강조하였다.[75] 파네타가 의미한 '공격적 대처'의 핵심은 타국으로부터의 사이버 공격을 전쟁 행위an act of war로 보고 이에 대해 미사일을 포함한 재래식 군사력을 사용하여 대응 및 보복하겠다는 것이다.[76] 미국은 만약 사이버 공격이 재래식 군사 공격과 같이 사상자, 피해, 붕괴를 발생시킬 경우, '상응성equivalence' 개념에 따라 군사력 사용을 통한 대응과 보복을 심각하게 고려할 것으로 보인다.[77]

3. 국제 협력

가. 미중간 협력 증진

2010 NSS과 2010 QDR은 공히 주요국들과의 관계 강화를 중요시하고 있다. 2010 NSS은 '포괄적 관여comprehensive engagement'이라는 용어를 사용하고 있으며, 관여를 "국경선 밖의 관계들에 있어 미국이 적극적으로 참여하는 것"으로 정의하고 있다.[78] 중국은 미국에게 있어 핵심적인 포괄적 관여의 대상이다. 그 이유는 다음과 같다.

첫째, 미국이 당면한 안보 위협은 미국 혼자만의 역량과 노력으로 해결될 수 없는 성격을 지니고 있다. 폭력적 극단주의와 핵확산, 기후 변

---

75) U.S. Senate Committee on Armed Services, *Hearing to Consider the Nomination of Hon. Leon E. Panetta to be Secretary of Defense*, June 9, 2011, p. 25. http://armed-services.senate.gov/Transcripts/2011/06%20June/11-47%20-%206-9-11.pdf(접속일: 2011년 6월 23일).

76) Siobhan Gorman and Julian E. Barnes, "Cyber Combat: Act of War," *The Wall Street Journal*, May 31, 2011.

77) 위의 글.

78) The White House, *The National Security Strategy of the United States of America*, May 2010, p. 11.

화, 범지구적 경제 위기 등 21세기 주요 위협들은 이러한 성격의 것들이다. 특히 중국은 북한과 이란 문제 등에 대해 중요한 영향력을 행사하고 있다. 따라서 미국에게 있어 위에서 언급한 위협에 대한 중국과의 공조가 필수적이다.

둘째, 중국의 영향력 부상이 적절히 관리되지 않을 경우 미국의 지향하는 안정적 국제질서 유지가 어려워질 가능성이 있다. 미국은 중국을 21세기 영향력의 중심들21st century centers of influence 중 하나로 인식하고 있다. 오바마 행정부는 공동이익과 상호존중을 바탕으로 중국과의 협력을 강화하여 중국이 미국 주도의 국제 질서 안에서 실질적이고 건설적인 역할을 하도록 유도하고 있다.[79]

셋째, 미국은 중국과의 군사적 협력을 통해 중국의 급격한 군 현대화가 지향하고 있는 궁극적 목적을 파악하고 부정적 영향을 최소화하고자 한다. 미국은 중국의 군 현대화에 대해 우려의 시각으로 바라보고 있다. 중국의 국가 이익 범위의 확대에 따라 중국의 군사전략 범위와 능력 또한 확대되고 있다. 미국은 중국과의 양자 및 역내 국가들과의 다자 협력을 통해 중국과의 관여를 촉진시킴으로써 중국의 군 현대화가 궁극적으로 미국의 역내 영향력 감소로 이어지지 않도록 노력하고 있다.[80]

이러한 인식하에서 미국은 정치, 경제, 군사적 차원의 다양한 대중 대화 및 협력 체제를 구축하여 상호이익을 추구하고, 신뢰를 제고하며, 이견을 논의할 수 있는 대화의 채널을 유지하고자 한다. 그 중 미-중 전략경제대화S&ED: US-China Strategic and Economic Dialogue는 최근 그 중요성이 증가하고 있다. 미중 전략경제대화는 지금까지 3회 개최되었으며 미중 양국은 이를 통해 양국 간 교류의 폭을 정치, 경제를 넘어 군사, 인권, 교육 분야까지

---

79) *Ibid*.

80) The Chairman of the Joint Chiefs of Staff, *The National Military Strategy of the United States of America: Redefining America's Military Leadership*, 2011, p. 14.

확대하고 있다.

미중 간 안보·군사적 차원의 대화와 협력 또한 부침을 거듭하며 조금씩 진전되고 있는 것으로 평가된다. 2011년 1월 러버트 게이츠 미 국방장관은 중국 방문과 중국의 천빙더(陳炳德) 인민해방군 총참모장의 방미가 대표적이다. 일련의 미중 고위급 군사회담이 양국 간의 불신과 의혹을 걷어내는 데 일조할 것이라는 낙관적인 전망이 있는 반면, 여전히 양국 간 갈등의 소지가 있으며 양국 간 군사협력은 상징적 수준에 머물게 될 것이라는 전망 또한 가능하다. 특히 대만 문제를 둘러싼 미중 간의 갈등이 여전히 봉합되지 않고 있다. 중국은 2010년 1월 미국이 64억 달러 규모의 무기를 대만에 판매키로 결정하자 미국과의 군사교류를 전면 중단하였다. 천빙더 총참모장 또한 마이클 멀린 미 합참의장과의 공동 기자회견에서 미국의 대만 관계법과 안보 지원에 대해 심각한 수준의 우려를 표현하였다.[81)]

나. 비확산 체제 강화

2010 NPR은 궁극적으로 핵 없는 세상으로 지향하면서, 이를 위해 미국이 범세계적 핵 비확산 레짐의 강화 노력을 주도할 것을 분명히 하였다.[82)] 이러한 배경에는 핵확산이 증가하고 있는 현재의 추세에 대한 고려와 비국가 행위자에 의한 핵테러의 위협이 증가하고 있다는 문제의식이 자리잡고 있다.

미국은 핵확산과 핵테러리즘을 예방하기 위해 핵비확산, 핵안보, 핵군축의 세 가지 접근전략을 추구하고 있다. 첫째, 미국은 북한과 이란의 핵야망을 저지함으로써 핵확산금지조약[NPT]을 핵심으로 한 핵 비확산

---

81) 연합뉴스, "中 천빙더, 美의 대만 무기 판매 거칠게 반대," 2011년 5월 20일자.
82) The Secretary of Defense, *Nuclear Posture Review*, April 2010, p. vi.

레짐을 강화하고자 한다.[83] 미국은 또한 핵 비확산 레짐의 강화를 위해 IAEA 안전조치와 집행능력 보강, 불법적 핵거래 차단, 핵에너지의 평화적 사용 증진 등의 방안을 강구하고 있다.

둘째, 미국은 전 세계에 산재한 취약한 핵물질을 안전하게 보호하기 위한 노력을 가속화하고 있다.[84] 이것은 오바마 대통령이 2009년 4월 체코에서 제안한 프라하 선언의 핵심 사안 중 하나이다. 특히 세계위협감소제안Global Threat Reduction Initiative과 국제 핵물질 보호 및 협력프로그램International Nuclear Material Protection and Cooperation Program을 가동하여 핵무기 및 핵물질 보관 시설에 대한 핵안전조치를 강구하는 노력 또한 병행하고 있다.

셋째, 이와 더불어 미국은 군비통제 노력을 통해 비확산 레짐 강화 조치와 핵물질 보호에 대한 국제적 지지를 획득하고자 한다.[85] 오바마 미 대통령은 핵테러 방지의 핵심요소인 '핵물질 안보' 논의를 위한 다자적 대화체를 설립하고자 하는 목적에서 2009년 7월 이탈리아 라퀼라에서 열린 G-8 정상회의를 통해 2010년 핵안보정상회의 개최를 발표하였다. 이후 오바마 대통령은 2009년 9월 유엔 안보리 결의안 1887호의 통과에 주도적 역할을 수행하여 핵테러 방지가 국제사회의 중요 안건임을 재확인시켰다. 유엔 안보리 회원국들은 이 결의안을 통해 2010년 핵안보정상회의 개최, 향후 4년 이내 핵무기로 전환 가능한 취약한 핵물질 보안 추진, 핵테러 방지를 위한 국제협력 강화 등에 합의하였다.[86] 이후 2010년 4월 12일-13일까지 제1회 핵안보정상회의가 개최되었으며, 2012년 3월 한국에서 제2회 핵안보정상회의가 개최될 예정이다.

---

83) *Ibid.*, p. vii.

84) *Ibid.*, pp. 10-12.

85) *Ibid.*, pp. 12-13.

86) 전봉근, 「핵안보정상회의 개최 배경과 핵안보 과제」, 2012년 서울 핵안보정상회의 특별세미나 발표자료(외교통상부 주관), 2011년 6월 1일.

V. 최근의 안보 환경 변화: 국방예산 감축 기조

조던, 테일러와 마자르가 제시하듯이 국방예산은 국제 정치, 군사환경의 변화 및 과학기술의 발전과 더불어 국가 안보전략 및 국방전략의 변화를 설명하는 가장 중요한 요인 중 하나이다.[87] 미국의 엄청난 규모의 국가 부채와 연방재정 적자로 인한 국방예산 감축 압력이 증가하고 있는 현실은 향후 미국의 국가안보전략 및 국방전략의 불가피한 변화를 예고하고 있다.

긴축 재정이 적어도 향후 10년간 계속될 전망이다. 미 의회는 이미 1차 연방정부 예산 감축안에 합의하였다. 이 합의에 의하면 미 국방부는 향후 10년간 약 3,500억 불의 국방비를 감축해야 한다. 이에 추가하여 현재 진행중인 2차 연방정부 예산 감축안이 추수감사절인 11월 23일까지 합의될 예정이다. 이 결과에 따라 미국의 국방비는 향후 10년간 총 4,500억에서 9,500억까지 감축될 가능성이 있다. 기존의 3,500억불 이상의 국방비 감축은 국가 안보에 심대한 악영향을 가져올 것이라고 주장한 파네타 미 국방장관의 경고에도 불구하고[88] 국방비의 추가 삭감을 불가피한 상황이다.

오바마 대통령의 아프가니스탄 전략 변화 선언 등 전략 환경의 변화 및 국방비 감축 기조를 고려한 정책의 변화가 점진적으로 추진되는 가운데, 보다 더 근본적인 국가 안보 및 국방 정책 기조의 변화가 점차 가시화

---

87) Amos A. Jordan, William J. Taylor, Jr., and Michael J. Mazarr, "The Evolution of American National Security Policy," In *American National Security*, Fifth edition(Baltimore: The Johns Hopkins University Press, 1999), pp. 64-89.

88) Jason Ukman, "Panetta warns against 'doomsday' cuts of $600 billion in defense spending," *The Washington Post*, Augst 4, 2011.

되고 있다. 신중Restraint,[89)] 책임있는 국방Responsible Defense[90)] 등의 개념들이 대변하듯이 미국은 향후 선택적 집중의 원칙하에 전략적 개입의 우선순위를 재검토해나갈 것으로 보인다.

미국의 전략적 우선순위 재검토에 있어 동아시아가 최우선적 관심 지역이 될 것으로 판단된다. 브루킹스 연구소의 마이클 오헨런Michael O'Hanlon은 국방비 삭감 기조하에서 미국은 과거의 범세계적 개입 기조에서 향후 선택적 개입 기조로 전환해야 함을 주장하면서, 동아시아 지역에 대한 미국의 지속적·적극적 개입이 최우선 과제임을 강조하고 있다.[91)] 그는 미국의 전략적 우선순위를 ① 동아시아 ② 한반도 ③ 이란 ④ 아랍 지역에 두어야 한다고 제시한 바 있다. 데이빗 바노David Barno와 동료 연구자 비슷한 견해를 제시하고 있다.[92)]

미국은 전략적 우선순위를 재검토하는 동시에 동맹국들과의 안보 비용 분담 재조정을 추진하고 있다. 로버트 게이츠 미 국방장관은 임기 말 마지막의 유럽 순방에서 나토 동맹국들이 "미 의회의 인내력이 점차 줄어들고 있는 시점에 지나치게 미국에 의존하고 있다"는 우려의 말을 전하였다.[93)] 이러한 우려는 영국, 독일 등 나토 내 주요 동맹국이 이미 국방비 추가 감축의지를 표명하였기 때문이다. 미국의 국방비 감축 기조가 본

---

89) Christopher Preble, "Linking Budget Cuts to a Strategy of Restraint," *National Review*, October 13, 2011.

90) David W. Barno, Nora Bensahel and Travis Sharp, *Hard Choices: Responsible Defense in an Age of Austerity*, Center for a New American Security, October 2011.

91) Michael O'Hanlon, "Defense in an Age of Austerity: Goals of U.S. Defense Policy," at a seminar held by Center for Strategic and International Studies(IISS), September 29, 2011.

92) David W. Barno, Nora Bensahel and Travis Sharp, *Hard Choices: Responsible Defense in an Age of Austerity*, Center for a New American Security, October 2011.

93) Mike Allen, "Gates leaves Europe with blunt talk," *POLITICO*, June 10, 2011. http://www.dyn.politico.com/printstory.cfm?uuid=5F6D5B9C-F08E-4D72-8CFE-163B19035DAD(접속일: 2011년 6월 20일).

격화될수록 미국은 유럽 내 나토국가가 유럽의 안보를 위해 보다 확대된 역할을 담당하도록 요구할 것이다. 그리고 이러한 요구는 상당기간 미국과 유럽 내 나토 동맹국 간 갈등으로 이어질 가능성이 높다. 비슷한 상황이 미국과 한국, 일본 등 동아시아 지역의 동맹국들간에 발생할 가능성을 배제하기 어렵다.

VI. 결 론

본 연구는 21세기 미국이 당면한 주요 위협을 폭력적 극단주의, 대량살상무기의 확산, WMD 테러리즘, 그리고 중국의 반접근 및 지역거부 전략과 전력 증강의 차원에서 분석하였다. 그리고 미국이 당면한 주요 위협에 대해 어떻게 대응하고 있는지를 다양한 차원에서 살펴 보았다. 위에서 분석한 주요 위협에 대한 미국의 대응 전략은 향후 적어도 수년 동안 미국의 안보 및 국방전략의 대강을 이루게 될 것이다. 그러나, 점증하고 있는 미국 국방 예산 감축 압력 등 최근 안보 환경의 변화에 따라 세부 내용이나 우선순위가 재조정될 가능성이 높다. 미국이 이러한 도전과 기회를 어떻게 극복하고 활용할 것인지 지속적인 관심이 필요한 시점이다.

그렇다면 지금까지 분석한 21세기 새로운 위협에 대한 미국의 대응이 한국의 안보에 주는 시사점은 무엇인가?

첫째, 한국은 미국의 국방 예산 감축이 한미 동맹에 미칠 영향에 대해 면밀히 분석할 필요가 있다. 앞서 본 연구는 동맹국의 안보 분담 증가를 요구하는 미국의 정책적 변화를 지적한 바 있다. 미국은 특히 주한미군 이전사업과 방위비 분담 협상에서 한국측 부담을 대폭 증가시키도록 요구할 가능성이 높다. 혹은 향후 부대 이전 계획이 지연 및 수정을 요구할 수도 있다. 또한 지역적 차원에서 미국의 기지 재편 계획이 수정될 가능성을 배제하기 어렵다. 한국은 미국 내 정치권에서 논의 중인 국방 예산 감축의 구체적 내용과 함의에 대해 면밀히 분석하고 대비해야 할 것이다.

둘째, 한국은 중국의 군사력 증강에 따른 미국의 군사전략 변화를 면밀히 분석하고 대비할 필요가 있다. 특히 미국은 중국의 반접근 및 지역거부 전력의 증가에 대비 역내 미군 및 동맹국 기지에 대한 생존성 강화 대책, 미사일 방어 체제 강화, 증원 전력 투입 계획의 변화, 해공군 등 가용전력의 통합 운용 계획 발전 등을 추구하게 될 것이며 이러한 사안에 대해 동맹국과의 협력을 증진시키고자 할 것이다. 이들 사안들은 잠재적으로 중국과의 외교적 갈등을 불러일으킬 수 있다는 점에서 한국군에게 부담이 될 수 있다. 한국은 미중 관계의 변화 가능성에 대한 다양한 시나리오를 개발 및 분석하여 한국이 취할 수 있는 전략적 옵션을 장기적 차원에서 발전시켜 나가야 할 것이다.

이와 동시에 중국의 반접근 및 지역거부 전력의 증가에 대비하여 미군이 발전시키고 있는 Air-Sea Battle 개념 구상은 합동성 향상을 핵심과제로 추진중인 한국의 국방개혁에도 중요한 시사점을 준다. Air-Sea Battle 개념 구상은 기본적으로 현재의 군사과학기술 및 무기체계 발전 추세가 지속될 경우 미래의 전장 환경이 어떻게 변화할 것인가 그리고 이에 대한 효과적인 대응책이 무엇인가에 대한 고민이라고 할 수 있다. 한국군은 Air-Sea Battle 개념 구상을 연구, 미래 전장하 발생가능한 위협의 종류와 양상에 대한 시나리오를 개발하여 해-공군 통합훈련의 기초로 삼아야 할 필요가 있다. 개발된 시나리오는 또한 한국군이 향후 발전 및 도입해야 할 무기체계, 교리에 대한 합리적 근거를 제공해 줄 것이다.

셋째, 한국은 오바마 행정부가 21세기 새로운 위협의 대응을 위해 국제 협력의 강화를 중시한다는 전략적 기조를 활용할 필요가 있다. 향후 미국은 국내 정치, 경제적 제약을 고려, 당면 안보 위협의 해결을 위해 동맹국 및 우방국과의 협력을 강화할 것이다. 그리고 이를 통해 미국의 부담을 줄여나가고자 한다. 한국은 이를 전략적으로 활용하여 미국과의 적극적 협력을 전개함으로써 안보 위협에 대응하는 역량을 강화해야 할 것이다. 특히 한국군은 사이버전, WMD 탐지, 핵안전조치 강화 등의 영역에서 미국이 가진 기술적, 제도적 역량이 한국군으로 이전될 수 있도록 외교적, 군사적 협력을 증진시킬 필요가 있다.

넷째, 한국은 지난 10여 년간 미국이 지속해 온 안정화작전에 대한 접근전략의 수정으로부터 교훈을 도출, 현재 한국 내에서 진행 중인 북한 급변사태 혹은 불안정 사태 대비 태세를 검토 및 보완할 필요가 있다. 지난 10여 년간의 대테러작전과 안정화작전이 미국에 준 가장 중요한 교훈 중 하나는 안정화작전이라는 새로운 유형의 임무에 있어 군사력의 유용성이 제한된다는 것이다. 이에 대한 해법으로 미국은 부처 간 협력의 중요성을 강조하고 있다. 한국 또한 이러한 미국의 교훈과 해법에 주목하고 한국 내에서 진행중인 북한의 급변사태 혹은 불안정사태에 대한 대비에 이를 적용해야 할 것이다. 부처 간 협력을 제도화하기 위해 관련 기구를 정비하고, 부처 간 이해를 고양하기 위하여 각 부처에서 실시하는 다양한 교육에 타 부처 인원의 참여를 독려해야 할 것이다. 또한 계획의 수립을 통합하고, 을지프리덤가디언UFG 훈련 등 민관군 통합 훈련을 통해 이를 이행 및 검증하는 체계를 마련 및 발전시켜나가는 것도 중요하다.

부처 간 협력의 기반을 공고히 함과 동시에, 군내에서도 안정화작전이 요구하는 새로운 유형의 군사적 임무에 대해 교리, 교육, 훈련 측면에서 재정립하는 노력이 필요하다. 기존 정규전 중심의 교육과 훈련 그리고 안정화작전이 요구하는 교육 간의 적절한 균형점을 찾는 것은 쉬운 과제가 아니다. 그리고 2010년에 발생한 천안함 피격사태와 연평도 포격사태로 국지도발과 같은 정규전 중심의 대응태세의 확립이 현재 강조되고 있는 것도 안정화작전 대비로의 한국군의 관심 전환을 어렵게 하고 있는 것이 현실이다. 그럼에도 불구하고 이러한 현실이 안정화작전 대비의 필요성을 상쇄시켜 줄 수 없다는 것은 분명하다. 따라서 한국군은 미래에 발생가능한 위협의 대비 차원에서 안정화작전에 대한 교육과 훈련을 점차 강화해나가야 할 것이다.

| 참고문헌 |

김영호, 『변환기 미 오바마 행정부의 외교안보전략: 미 국가안보전략서 (NSS 2010)를 중심으로』, 국방대학교 국가안전보장연구소, 2010 안보연구 시리즈 제11집 1호.

박창희, 『2010 NPR과 미국의 핵전략』, 국방대학교 국가안전보장연구소 2010 안보연구 시리즈 제11집 9호.

윤완기, 「국제 핵테러 동향과 핵안보 정상회의」, 2012년 서울 핵안보정상회의 특별세미나 발표자료, 2011. 6. 1.

이상현, 「중국의 부상과 미국의 대응: 한국에 대한 안보적 함의」, 『국가전략』, 제17권 1호 (2011).

Jan Van Tol et al., *AirSea Battle: A Point-of-Departure Operational Concept*, Center for Strategic and Budgetary Assessments, 2010. 5. 18.

Ucko, David H., *The New Counterinsurgency Era: Transforming the U.S. Military for Modern Wars*, Washington, DC: Georgetown University Press, 2009.

Clapper, James R., Statement for the Record on the Worldwide Threat Assessment of the U.S. Intelligence Community for the Senate Committee on Armed Services, March 10, 2011.

Office of the Coordinator for Counterterrorism (U.S. State Department), "Country Reports on Terrorism 2009," August 2009.

U.S. Office of the Secretary of Defense, *Annual Report to Congress: Military and Security Developments Involving the People's Republic of China*, 2010.

Bumm, M. Elaine and Vincent A. Manzo, "Conventional Prompt Global Strike: Strategic Asset or Unusable Liability?" *Strategic Forum* No. 263, National

Defense University (February 2011).

Carus, W. Seth and John P. Caves, Jr., "Problems of Proliferation," *Global Strategic Assessment 2009: America's Security Role In a Changing World*, Washington D.C.: National Defense University Press, 2009.

Gerson, Michael S., "Conventional Deterrence in the Second Nuclear Age," *Parameters* (Autumn 2009).

Hadley, Stephen J. and William J. Perry (eds)., *The QDR in Perspective: Meeting America's National Security Needs In the 21st Century: The Final Report of the Quadrennial Defense Review Independent Panell*, Washington D.C.: United States Institute of Peace, 2010.

Haffa JR., Robert P. and Michael W. Isherwood, "Long-range Conventional Strike," *Joint Forces Quarterly*, issue 60 (1st quarter 2011).

Hoffman, David E., "Reviewing the Review: Obama's new nuke strategy is a good start. But the Cold War's legacy lives on," *Foreign Policy* online, April 6, 2010.

Jordan, Amos A., William J. Taylor, Jr., and Michael J. Mazarr, "The Evolution of American National Security Policy," In *American National Security*, Fifth edition. Baltimore: The Johns Hopkins University Press, 1999.

Kraska, James, "How the United States Lost the Naval War of 2015," *Orbis*, Winter 2010.

Posen, Barry, "Command of the Commons: The Military Foundations of U.S. Hegemony," *International Security*, Summer 2003, pp. 5-46.

Posen, Barry and Andrew L. Ross, "Competing Visions for U.S. Grand Strategy," *International Security*, Vol. 21, No. 3 (Winter 1996/97).

Squassoni, Sharon, "Nuclear Posture Review," Center For Strategic & International Studies (IISS), April 7, 2010.

Zakaria, Fareed, "The Future of American Power: How American can Survive the Rise of the Rest," *Foreign Affairs*, May-June 2008.

5 21세기 새로운 위협과 일본의 전략적 대응
방위계획대강 2010을 중심으로

박영준(국방대학교 안보대학원)

I. 일본의 안보전략 관련문서

군사력을 보유하고 있는 대부분의 나라들은 대체로 해당 국가의 현재적 혹은 잠재적 위협대상이 어디이며, 평시 혹은 유사시에 어떻게 군대를 운용하여 위협요소를 배제할 것인가의 계획을 미리 입안하게 된다. 예컨대 미국의 경우에는 새로운 행정부가 들어설 때마다 대통령이 주관하여 국가안보전략서National Security Strategy를 작성하여 공표하게 되며, 이에 준해 미 국방부에서는 국방전략서National Defense Strategy를, 미 합참에서는 국가군사전략서National Military Strategy를 작성하여 미국의 안보목표를 달성하기 위한 국방성과 합참 차원의 군사전략을 명시해오고 있다.[1)]

---

* 이글은 졸고「방위계획대강 2010과 일본 민주당 정부의 안보정책 전망」,『일본공간』9호 (국민대학교 일본학연구소, 2011. 5)를 단행본 출간을 위해 축약한 글임을 밝혀둔다.

1) 오바마 행정부의 경우에도 2010년 5월에 국가안보전략서를, 2011년 2월에 국가군사전략서를 각각 공표한 바 있다. The White House, *National Security Strategy*(May 2010); Chairman of the Joint Chiefs of Staff, *The National Military Strategy of the*

일본의 경우에는 미국의 국가안보전략서와 같은 상위급의 문서가 아직은 존재하지 않는다. 다만 중요한 전환의 시기마다 방위성이 주도적으로 작성하고 내각의 결정을 거쳐 공표되는 「방위계획대강」이라는 문서가 군사전략서로서의 성격은 물론 그 상위 문서에 해당되는 국가안보전략서의 성격까지도 동시에 갖고 있다고 볼 수 있다.[2] 통상 방위계획대강(防衛計劃大綱)에서는 일본의 안보정책 방향과 육해공 자위대의 운용목표 및 전력증강방향이 대략적으로 결정되고, 이와 동시에 공표되는 중기방위력정비계획(中期防衛力整備計劃)에서는 방위계획대강에서 제시된 일본 안보정책의 목표를 구현하기 위하여 요구되는 육해공 자위대의 구체적인 부문별 전력증강 목표와 소요 예산을 대략 5개년의 범위에 걸쳐 제시하게 된다. 이러한 성격으로 인해 방위계획대강은 일본이 미일동맹하에서 미국과 협의하여 결정하는 공동작전계획이나,[3] 자위대의 상부구조를 구성하는 통합막료감부 혹은 육해공 자위대 막료부가 매년 작성하는 것으로 알려지고 있는 통합경비계획의 지침이 되는 문서로서의 역할도 담당하고 있다.[4] 요컨대 방위계획대강은 일본이 직면하고 있는 안보위협요소

United States of America(February 8, 2011)를 각각 참조.

2) 2004년 12월, 자민당 정부하에서 방위계획대강이 결정되었을 때, 아사히신문은 일본에는 방위전략이 명시되었지만, 국가전략(국가안보전략)과 외교전략이 불분명하다고 지적한 바 있다. 朝日新聞 2006년 4월 24일자 기사. 이 지적은 타당한 것이나, 그렇기 때문에 방위계획대강이 현재로서는 실질적인 국가안보전략서로서의 성격도 동시에 갖고 있다고 볼 수 있다.

3) 한국과 미국 간에 여러 유형의 유사시 사태에 대응하기 위한 연합작전계획이 존재하는 것처럼, 미국과 일본 간에도 일본의 영역과 주변 지역에서 안보상의 위협이 발생할 경우 주일미군과 일본 자위대가 어떻게 대응할 것인가에 관한 작전계획이 수립되어 있다. 예컨대 미국과 일본은 2006년 12월부터 한반도 유사시에 주일미군과 자위대가 어떻게 역할을 분담하고 대응할 것인가를 나타내는 작전계획(Operation Plan) 5055를 작성하기 시작한 것으로 알려졌다. 朝日新聞 2007년 1월 4일 및 4월 17일 기사 참조. 이외에도 미국과 일본은 작전계획 5053 및 5051을 책정해두고 있다.

4) 통합막료감부(2006년 이전에는 통합막료회의)는 통합방위경비계획을 수립하며, 각 자위대 막료감부는 각각의 방위경비계획을 수립하여 방위성 대신(2007년 이전에는 방위청장관)의 승인을 받도록 되어 있다. 예컨대 육상자위대는 구체적인 작전에 관한

가 무엇이며, 그 위협요소를 배제하기 위하여 어떠한 군사적 자산을 보유하고 앞으로 증강해갈 것인지를 국가적 합의를 통해 표명하고 있는 중요한 국가안보전략문서인 것이다.

일본 민주당 정부는 2010년 12월 17일 「2011년 이후의 방위계획대강에 관해」(이하 「방위계획대강 2010」으로 약칭)와 「중기방위력정비계획(2011-2015)」(이하 「중기방 2011-2015」로 약칭)을 안전보장회의와 각의 결정을 통해 각각 공표한 바 있다. 방위계획대강은 1976년 최초로 공표된 이래 1995년과 2004년에 각각 개정, 공표되어 왔는데, 2010년의 새로운 방위계획대강은 3번째 개정에 해당하는 셈이다. 1976년의 방위계획대강이 미소 대결의 냉전 구조하에서 일본의 국가안보전략을 표명했다고 본다면, 1995년 방위계획대강은 탈냉전기의 일본 안보전략을, 2004년 방위계획대강은 9·11 이후 21세기 초두의 일본 안보전략을 밝혔다고 볼 수 있다.

그간의 방위계획대강 문서들은 대체로 유사한 구성을 보여왔다. 전반부에서 일본을 둘러싼 안보환경을 분석하고, 이어 일본 안보 및 방위정책의 기본 골격을 제시하며, 나아가 방위력 증강의 방향과 구체적인 내용을 방위계획대강 안의 별표(別表)나 중기방위력정비계획을 통해 보다 구체적으로 제시해온 것이다. 2004년까지의 3차례 방위계획대강에서 각각 안보환경을 어떻게 인식하고, 그에 대처하기 위한 일본의 안보태세를 어떻게 강구할 것인지에 관해 방책을 표명한 것을 간략하게 도표로 제시하면 〈표 1〉과 같다.

그런데 이번에 공표된 「방위계획대강 2010」은 이전의 방위계획대강 결정 당시의 시대적 배경과 비교하여 본다면 몇 가지 특성을 가진다고 볼 수 있다. 우선 2004년 방위계획대강 결정 이후 일본을 둘러싼 지역 및 국제정세가 크게 변화하였다. 2004년 방위계획대강에서 지역정세의 불안

사태대처계획과, 전국 부대 배치 및 유사시 운용을 정한 출동정비방어소집계획을 매년 수립하는 것으로 알려지고 있다. 朝日新聞 2005년 9월26일자 기사 참조.

〈표 1〉 기존 방위계획대강 주요 논점(1976, 1995, 2004년)

	1976년 대강	1995년 대강	2004년 대강
안보환경 및 위협	미소 양국 대립, 조선반도 긴장 계속, 주변제국 군사력 증강	미소 냉전 소멸 지역분쟁, 핵과 미사일 확산	북한 핵개발 및 탄도미사일 위협인식, 중국 군사력근대화 우려
자위대 임무	적절한 방위력보유, 침략 미연방지, 한정적, 소규모 침략 독력배제	일본방위, 안보환경 구축 공헌	일본 위협 배제, 국제안보환경개선
미일동맹	국제관계 안정유지 및 일본에 대한 본격적 침략 방지에 큰 역할	일본 안전확보 불가결	일본 안전확보 불가결, 아시아태평양지역 평화와 안정 유지에 불가결
방위력 규모	적절한 방위력을 보유하여 효율적으로 운용하는 태세 구축, 핵 위협에 대해서는 미국 핵 억지력에 의존	기반적 방위력, 합리화 효율화 컴팩트화	기반적 방위력, 다기능 효율적 실효성

요인으로 처음 지적된 북한은 그 이후인 2006년과 2009년에 걸쳐 두차례의 핵실험을 감행하였다. 역시 2004년 방위계획대강에서 잠재적 위협요인으로 주목되었던 중국은 2010년의 시점에서 국가 총생산GDP의 측면에서 일본을 제치고 세계 2위의 경제대국으로 부상하였다. 무엇보다도 일본 국내적으로는 2009년 9월의 총선거를 통해 55년 체제하에서 일본을 주도해온 자민당 정권을 무너뜨리고, 민주당이 새롭게 정권을 잡게 된 것을 지적하지 않을 수 없다.

「방위계획대강 2010」은 새롭게 등장한 일본 민주당 정권이 2004년도의 시점과 비교하여 달라진 지역 내 안보정세 및 글로벌 정세 속에서 어떻게 안보상의 위협요소를 식별하고, 그에 어떻게 대처해갈 것인가 하는 안보정책의 골격을 제시하고 있는 문서로서의 성격을 갖는 것이다. 그렇다면 민주당 주도하에 책정된 「방위계획대강 2010」은 기존에 자민당이 추진해 오던 안보정책의 방향성과 비교하여 어떤 차별성을 보이고 있는 것일까.

II. 일본 안보정책의 기조

1. 자민당 안보정책의 변화과정

제2차 세계대전 패전국인 일본은 1946년 제정된 헌법 제9조 제1항에서 국가정책 수단으로서 교전권을 부인하였고, 제2항에서는 "전항의 목적을 달성하기 위하여 육해공군의 전력을 보유하지 않는다"라고 규정하여, 다시는 군국주의하에서 전쟁을 할 수 없도록 하는 법적인 장치를 만들었다. 그러나 미소 냉전 체제하에서 대소 봉쇄전략을 강화하고자 하는 미국의 정책변화에 따라 일본에 대한 재무장이 요구되었고, 1950년 발발한 한국전쟁의 여파 속에서 1954년에는 방위청과 자위대가 발족되었다.

이 시기부터 일본의 방위정책은 이미 현실적으로 존재하게 된 자위대의 군사력 및 그 운용을 헌법상의 전쟁포기 및 군사력 보유 금지 규정과 어떻게 부합시키는가 하는 쉽지 않은 과제 속에서 전개되었다. 이같은 상황 속에서 1950년대 초반 국정을 담당한 요시다 시게루(吉田茂) 수상은 경무장(輕武裝), 경제건설 우선, 미일동맹에의 안보의존을 축으로 하는, 소위 요시다 독트린의 정책노선을 추구하였다. 이같은 요시다 독트린은 이후 역대 자민당 정권이 추진하는 안보정책의 기본축으로 기능하였다. 이에 따라 역대 자민당 정권은 육해공 자위대의 군사력은 어디까지나 적국으로부터 침략이 가해졌을 경우에 한하여 일본 영역 내에서만 적용된다는 전수방위(專守防衛)의 원칙, 일본은 타국에 공격의 위협을 가할 수 있는 항공모함, 전략폭격기, 대륙간탄도탄 등을 보유하지 않겠다고 하는 공격용무기 비보유의 원칙, 핵무기를 제조, 보유, 배치하지 않겠다고 하는 비핵3원칙, 우주개발은 군사적이 아닌 평화적인 목적에 국한한다고 하는 우주개발의 평화적 이용원칙, 내각총리대신 및 각료, 심지어 방위청의 장관 및 실무 국과장급에서 현역 자위관을 임용하지 않고 민간인 출신으로만 충원하겠다는 문민통제의 원칙 등을 표명하면서 대체로 이들을

준수해왔다.[5)]

그런데 1990년대를 전후로 하여 기존의 일본 방위정책이 변화되고 있는 징후들이 감지되기 시작하였다. 1980년대 중반 이후 일본이 1000해리 범위 내에서의 해상교통로(시레인) 확보에 적극 나서야 한다는 불침항모론이 제기되었고, 이에 따라 호위함과 잠수함, 그리고 P-3C와 같은 해상초계기 등 해상자위대 전력이 증강되었다. 1998년 8월, 북한의 대포동 미사일 발사 이후에는 미국이 요청해오던 미사일방어체제[MD] 공동연구 및 개발이 개시되었고, 공중급유기의 획득과 배수량 1만 3천톤을 상회하는 헬기탑재 호위함[DDH] 건조가 시작되었다. 국제평화유지활동 등의 명목으로 자위대를 해외에 파견할 수 있게 하는 국제평화협력활동[PKO]법, 테러대책특별조치법, 이라크 특별조치법 등이 1990년대와 2000년대 초반에 걸쳐 연쇄적으로 성립되었다.

이같은 일본 안보 및 방위정책의 변화에 대해 일본 내외의 학계에서도 많은 관심이 집중되었다. 혹자는 경무장 및 경제건설 우선을 추진한 요시다 독트린은 계속 유지되고 있으며, 현재 나타나고 있는 변화들은 근본적인 일본 안보전략의 변화는 아니라고 판단한다.[6)] 반면 다른 연구자들은 전후 일본의 국가전략으로서 요시다 독트린은 변화되고 있으며, 향후 일본은 보통국가화, 혹은 재군사화[remilitarization]의 길을 가게 될 것으로 예상하고 있다.[7)] 다른 연구자들은 현재 일본이 요시다 독트린에서 벗어나, 보통국가 혹은 국제적 자유주의 국가의 갈림길에서 새로운 전략을 모색하고 있다고

5) 일본 안보정책의 개괄적인 흐름에 대해서는 田中明彦, 『安全保障: 戦後50年の模索』(読売新聞社, 1997)를 참조.

6) 이러한 시각의 대표적인 연구로는 Thomas U. Berger, "The Pragmatic Liberalism of an Adaptive State," Thomas U. Berger, Mike M. Mochizuki and Jitsuo Tsuchiyama, eds., *Japan in International Politics: The Foreign Policy of an Adaptive State*(Boulder: Lynne Rienner, 2007)를 참조.

7) Christopher W. Hughes, *Japan's Remilitarization*(London: The International Institute for Strategic Studies, 2009)를 참조.

분석하기도 하였다.[8] 이러한 논쟁의 구도 속에서 필자는 일본이 군국주의로 회귀하는 것은 아니지만, 기존의 요시다 독트린과는 다른 보통국가의 국가정체성으로 변화하고 있고, 이러한 국가정체성이 안보정책 변화에도 반영되고 있다고 주장한 바 있다.[9] 자민당 하에서의 안보 및 방위정책이 기존의 요시다 독트린으로 상징되었던 전후 일본의 안보체제와 달라지고 있는 변화를 극명하게 보여주는 다른 사례로는 2004년 작성된 방위계획대강 및 2009년의 자민당 정부가 추진하였던 그 개정작업을 들 수 있다.

2. 「방위계획대강 2004」와 「방위계획대강 2009」의 추진

〈표 1〉에서 나타나는 것처럼 「방위계획대강 2004」는 당시 고이즈미 수상 하의 자민당 정권이 9·11로 상징되는 21세기 이후의 안보정세를 어떻게 파악하고 있었고, 그러한 정세 속에서 어떠한 안보정책을 구상하고 있었는가를 보여주는 대표적인 전략문서이다. 「방위계획대강 2004」는 서두에서 9·11 테러사태 이후의 국제안보정세에서는 대량살상무기와 탄도미사일의 확산, 그리고 국제테러리즘의 확대와 같은 새로운 위협요소가 대두하고 있다고 지적하였다.[10] 또한 동아시아 지역에서는 중국과 북한을 실명으로 거론하며, 그 잠재적 위험성을 지적하였다. 북한은 대량파괴무기와 탄도미사일 개발 및 확산을 추진하며 지역 안전보장뿐만 아니라

---

8) 일본이 요시다 독트린에서 벗어나, 보통국가 혹은 국제적인 자유주의 국가의 갈림길에 서 있다는 논의에 대해서는 Richard Samuels, *Securing Japan: Tokyo's Grand Strategy and the Future of East Asia*(Ithaca, N.Y.: Cornell University Press, 2007) 참조. 케네스 파일도 유사한 견해를 보이고 있다. Kenneth B. Pyle, *Japan Rising: The Resurgence of Japanese Power and Purpose*(New York: A Century Foundation Book, 2007).

9) 졸저, 『제3의 일본: 21세기 일본 외교/방위정책에 대한 재인식』, 한울, 2008.

10) 이하 「방위계획대강 2004」의 인용은 『平成17年度以後に係る防衛計畫の大綱について』(2004. 12. 10)를 참조.(http://www.kantei.go.jp/jp/kakugi-kettei/2004/1210taikou.html)(12. 12 검색). 이에 대한 분석으로는 『제3의 일본: 21세기 일본 외교/방위정책에 대한 재인식』, 제4장을 참조.

국제적 비확산의 추세에 "심각한 과제"가 되고 있다고 지적하였다. 중국에 대해서는 핵미사일 전력이나 해공군력의 근대화 추진이 향후에도 "주목할 필요"가 있는 사항이라고 언급하였다. 1976년 이래의 방위계획대강 문서에서 북한과 중국의 실명이 거론되면서 잠재적 위협요소로 인식된 것은 2004년 방위계획대강이 처음이었다.

그렇다면 이러한 국제적, 혹은 지역적 위협요소에 대응하여 일본에 미칠 수 있는 위협요소를 배제하고, 위협이 미칠 경우 그 예상되는 피해를 최소화하기 위한 방책은 무엇인가. 「방위계획대강 2004」는 이 점에 관해 3가지 방책의 종합적 결합을 제시한다. 첫째, 일본 자신의 노력으로서는 국제사회 및 동맹국에 대한 외교적 노력과 아울러, 새로운 위협에 대응할 수 있는 방위력의 구축 필요성을 제기하였다. 특히 방위력과 관련하여 「방위계획대강 2004」는 종전에 제창되어 오던 기반적 방위력, 즉 일본 자신이 힘의 공백이 되어 오히려 주변지역을 위험에 빠뜨리게 되는 것을 방지하기 위한 필요 최소한의 방위력에 더해, 즉응성, 기동성, 유연성 및 다목적성을 구비하고, 군사기술수준의 동향에 기반한 고도의 기술력과 정보능력에 의해 지탱되는 '다기능 탄력적 방위력multi-functional and flexible defense force'을 보완할 필요가 있다고 제언하였다. 1970년대 이래 전수방위의 원칙하에서 일본이 유지해야 할 방위력의 기본수준으로 간주되어온 기반적 방위력의 개념에 더해, 새로운 방위력의 개념이 제시된 것이 「방위계획대강 2004」의 특징 가운데 하나이다.

둘째, 미일동맹하에 있어 공동의 전략인식을 도모하고, 억지력을 유지할 필요성이 확인되었다. 특히 정보교환, 주변사태 시의 협력, 탄도미사일 방어 관련 협력, 장비 및 기술교류 분야에서의 협력 강화 등을 통해 미일동맹을 일층 강화해간다는 방침이 표명되었다.

셋째, 정부개발원조ODA 활용, 중동에서 동아시아에 이르는 해역의 해상교통로 안전확보, 유엔의 개혁에 관한 적극 참가, 아시아태평양 지역의 다국간 안전보장 노력 강화 등을 통한 국제사회와의 협력이 또한 안보정책의 과제로서 제기되었다.

요컨대 자민당 주도하에 책정된 「방위계획대강 2004」는 국제질서 레벨에서의 테러리즘이나 대량파괴무기 확산에 더해 지역질서 레벨에서는 북한과 중국 동향을 잠재적 위협요인으로 인식하면서, 그에 대한 안전보장상의 방책으로서 다기능 탄력적 방위력의 강화, 미일동맹간의 협력 강화, 국제사회와의 협력 강화를 제기한 것이다.

2004년 12월, 「방위계획대강 2004」의 공표 이후 일본을 둘러싼 내외의 안보환경은 이 문서에서 예상된 잠재적 위협요인에 관한 인식을 뒷받침하는 양태로 전개되었다. 동아시아 지역질서 차원에서는 2006년과 2009년에 북한이 두 차례에 걸쳐 핵실험을 단행하는 등 북한발 위협요인이 보다 현재화되었다. 중국도 국력 상승에 따라 센가쿠(중국명 釣魚島)를 둘러싼 일본과의 영유권 분쟁을 격화시켰고, 일본의 배타적 경제수역 내외의 범위에서 해공군 활동을 증가시켰다. 이러한 양상에 대응하기라도 하듯 일본 내에서도 2006년에 통합막료감부가 출범하면서 종전의 육해공 3자위대의 병립형 지휘체제가 소위 합동형 지휘체제로 탈바꿈되었고, 다음 해에는 방위청에서 방위성으로의 승격이 이루어지면서, 방위체제의 변환도 진행되었다.[11] 또한 2007년의 해양기본법 제정, 그리고 2008년 5월의 우주기본법 성립 등을 통해 해양 및 우주에 관한 일본의 기존 정책이 급속하게 변화되었다.[12]

「방위계획대강 2004」공표 이후 일본의 안보관련 법률과 제도, 그리고

11) 방위성은 청에서 성으로의 이행, 혹은 통합막료감부로의 개편이 급변하는 안보정세에 보다 신속하게 대응하기 위한 목적을 갖고 있다고 설명하였다. 防衛省, 『防衛白書 2007: 平成19年版 日本の防衛』(防衛省, 2007), pp. 144, 187.

12) 예컨대 2008년 5월에 성립된 우주기본법은 종전에 일본이 표명해 왔던 "우주의 평화적 이용에 관한 원칙"과 달리, 안전보장상의 목적에 의해서도 우주를 개발할 수 있는 여지를 남겨놓았다.

실제 안보정책이 보다 강화되는 방향으로 변화가 진행되면서, 안보전략 문서에도 이같은 변화가 반영되어야 할 필요가 생겨났다. 이에 따라 2009년 1월 8일, 당시 자민당 정권의 아소 타로(麻生太郎) 수상은 새로운 방위계획대강을 2009년도 내에 개정하기 위한 목적으로 "안전보장과 방위력에 관한 간담회"를 조직하였다. 간담회의 멤버 가운데에는 일본 학계의 대표적인 보통국가론자인 기타오카 신이치(北岡伸一) 도쿄대학 교수, 「방위계획대강 2004」의 집필에 깊숙이 관여하면서 잠재적 위협요인으로 북한과 중국을 명시한 것으로 알려진 다나카 아키히코(田中明彦) 도쿄대학 교수, 그리고 일본의 우주정책에 관련한 제언을 활발하게 해온 아오키 세츠코(青木節子) 게이오대학 교수, 군사전략에 관한 전문가인 우에키 치카코(植木千可子) 와세다대학 교수 등이 포함되었다.[13] 이러한 멤버들의 면면을 볼 때, 자민당이 추진하던 「방위계획대강 2009」는 「방위계획대강 2004」에 이어 일본의 안보정책을 제도적으로나 능력면에서 보다 강화시키고, 적용 영역면에서도 확대시키는 방향으로 책정될 것으로 예상되었다. 사실 이 간담회에 포함된 기타오카 신이치, 다나카 아키히코, 우에키 치카코 등은 바로 직전인 2008년 10월에 동경재단 안전보장프로젝트 연구의 일환으로, 「새로운 일본의 안전보장전략: 다층협조적 안전보장전략」이라는 문서를 공동작성한 바 있었다.[14] 이 문서에서 이들은 「방위계획대강 2004」와 마찬가지로 일본이 직면하게 될 안보위협요인으로 북한의 핵무기 개발과 탄도미사일 배치, 그리고 중국의 해공군력 근대화 등

13) 이외에 좌장에 가츠마타(勝俣恒久) 동경전력회장, 가토(加藤良三) 전 주미대사, 사토(佐藤謙) 전 방위사무차관, 다케가와우치(竹河内捷次) 전 통합막료회의의장 등이 포함되었다. 朝日新聞 2009년 1월9일자 기사. Christopher W. Hughes, *Japan's Remilitarization*(London: The International Institute for Strategic Studies, 2009), p. 36도 참조.

14) 東京財團 安全保障硏究 プロジェクト, 『新しい日本の安全保障戦略: 多層協調的安全保障戦略』(東京財團政策硏究部, 2008. 10). 이 밖에 이 문서의 작성에는 神谷萬丈(방위대학교), 神保謙(게이오대학), 渡部恒雄(동경재단 연구원) 등이 참가하였다.

을 지적하면서, 이에 대처하기 위해 4중의 다층적 안보장치, 즉 다기능 탄력적 방위력 강화를 통한 일본 자신의 방위력 증강, 미일동맹 신뢰성 강화, 한미일 3국 협력체제 구축을 포함한 지역안전보장체제 강화, 그리고 ODA 등을 주요 수단으로 하는 국제평화협력 강화 등을 제창한 바 있었다. 특히 이 문서는 일본 자신의 방위력 강화와 관련하여 일본판 국가안전보장회의의 설치를 제언하였고, 나아가 상대국의 미사일 기지에 대한 공격능력 보유 필요론을 수용하여, 보다 강화된 안보태세 구축을 주장하였다. 따라서 아소 수상이 조직한 "안전보장과 방위력에 관한 간담회"가 작성할 공동문서도 대체로 이러한 내용들이 반영될 것으로 전망되었다.

한편 자민당은 간담회의 활동과 병행하여 당내에 조직된 국방부회 방위정책소위원회에서 「방위계획대강 2009」에 포함될 내용들을 검토해갔다. 이 검토 결과 방위정책검토소위원회는 2009년 6월 9일, 새로운 방위계획대강에 포함되어야 할 내용들을 제언하였다.[15] 이에 따르면 주변정세에 대한 위협인식은 「방위계획대강 2004」의 내용과 유사하게 표명되었고, 일본이 추진할 안보정책으로서는 자위대의 명확한 지위를 인정하는 헌법개정, 집단적 자위권 행사의 용인, 국가안전보장회의 사무국 신설, 육상자위대 내 육상총대(작전사령부에 상응) 신설, 정보수집 및 분석체제 강화, 적기지 공격능력 보유, 일본 내 방위산업 업체들의 국제무기거래 참가 확대를 가능케 하는 무기수출 3원칙의 수정 등이 포함되었다.

요컨대 2009년 8월의 시점까지 자민당이 추진하던 「방위계획대강 2009」는 북한 및 중국으로부터의 위협인식을 기반으로 하여, 기존 헌법의 개정까지 염두에 두면서, 일본 내 안전보장 관련 제도와 규범의 강화, 육해공 자위대의 능력 및 운용범위 확대, 미일동맹의 능력 및 적용범위

15) 원문은 自由民主黨 政務調査會 國防部會 防衛政策檢討小委員會, 「提言: 新防衛計劃の大綱について: 國家の平和·獨立と國民の安全·安心確保の更なる進展」(2009. 6. 9). 이와 관련된 언론보도는 朝日新聞 2009년 6월 10일 기사 참조.

확대 등을 폭넓게 검토하고 있었던 것이다. 이러한 시점에서 2009년 8월의 총선거가 실시되었고, 선거 결과 자민당은 민주당에 기록적인 패배를 당하면서 정권의 자리에서 물러나게 되었다. 그렇다면 새롭게 등장한 일본 민주당 정권은 과연 자민당이 추진하던 안보정책의 기조를 어떻게 평가하고, 새로운 안보정책을 추진하려 하였던 것일까.

Ⅲ. 민주당의 안보정책 기조와 「방위계획대강 2010」책정 경위

1. 민주당의 안보정책 기조

민주당은 1990년대 중반에 자민당을 이탈한 하토야마 유키오(鳩山由紀夫), 오카다 가츠야(岡田克也), 간 나오토(菅直人) 등이 중심이 되어 점진적으로 구사회당 출신 의원들을 영입하고, 2003년에는 자유당의 오자와 이치로(小澤一郎) 등과 합당하여 결성된 정당이다. 이념적으로는 중도파를 중심으로 중도 우파 및 중도 좌파가 망라되어 있다고 볼 수 있다.[16] 따라서 집권을 전후하여 민주당이 보여주고 있는 안보정책 성향은 한편으로는 자민당과 유사한 보수적 성향에서부터, 다른 한편으로는 구사회당을 방불케 하는 진보적 성향의 정책들이 혼재되어 있는 것으로 보인다.

그러나 2009년 9월, 정권을 장악한 이후 민주당 지도부는 기존에 자민당이 추진해온 안보 및 방위정책과 차별성을 보이는 몇 가지 정책 어젠다들을 국민들에게 어필하려 하였다. 우선 민주당은 중의원 총선거 공약에서 밝혔던 "대등한 미일동맹관계 구축"의 슬로건하에 이미 자민당 정부가 2006년 시점까지 미국과 합의하여 추진하려 한 오키나와 미군기지 재편

---

16) 민주당 내에 오자와와 같은 보수주의, 구사회당계열의 사민주의, 그리고 신자유주의의 사상적 경향이 혼재되어 있다는 지적에 대해서는 宇野重規, 「友愛のうるさ' 異論を接着」, 朝日新聞 2009년 11월 22일 칼럼 참조.

의 구상들을 재검토하고, 변경하려 하였다. 예컨대 2006년의 미일 간 합의에서는 미 해병대가 배치되어온 오키나와 후텐마 기지를 오키나와 동북부의 헤노코 연안 지역에 새로운 비행기지를 건설하여 이전하는 내용이 포함되어 있었다. 그러나 새롭게 정권을 잡은 민주당은 연립정권을 구성하게 된 사민당 및 오키나와 주민들의 요청을 수용하여, 후텐마 비행장의 헤노코 이전을 반대하고, 오키나와 현외(縣外) 이전을 추진하겠다고 밝혔다.[17] 이외에도 민주당은 미국과의 대등한 동맹관계 구축이라는 정책공약의 일환으로 미일 간 지위협정(SOFA)의 개정, 주일미군 주둔에 따른 일본정부의 부담금(소위 배려성 예산) 삭감 등을 추진하고자 하였다.

민주당 지도부는 자민당 정권이 추진하던 방위성 개혁의 움직임도 중단시켰다. 이전의 자민당 정부는 엄격한 문민통제의 원칙하에서 현역 자위관들이 중요 방위정책의 결정과정에 참여할 수 없었던 구조가, 현역 자위관들의 전문성을 활용하고 있지 못하다고 보고, 소위 "방위성 개혁"의 이름하에 육해공 자위대의 막료장을 포함한 현역 자위관들이 중요 방위정책 결정과정에 참가할 수 있는 정책결정 시스템을 구축하고자 하였다.[18] 그러나 민주당 지도부는 보다 철저한 문민통제 원칙이 구현되어야 한다고 인식하였으며, 이러한 관점에서 각 자위대 막료장들이 참가하는 방위성 개혁본부회의 자체를 폐지하였고, 아예 2009년 10월 13일에는 자

17) 2009년 9월 9일, 민주당이 사민당 및 국민신당과 연립정권을 구성하면서 합의한 10개항 가운데 주일미군 기지의 현상 재검토 등이 포함되었다. 朝日新聞 2009년 9월 10일 기사.

18) 예컨대 2008년 8월, 자민당 정부는 방위성 개혁을 위한 실현계획을 공표하여 민간 관료들로 구성되는 방위참사관 제도를 폐지하고, 민간인 관료 및 현역자위관이 동등하게 참가하는 정책결정기구로서 방위회의 등을 신설하려 하였다. 방위성 개혁의 동향에 대해서는讀賣新聞 2008년 5월 21일, 朝雲新聞 2009년 7월 2일 기사 등 참조. 자위관 출신으로 정치인으로 변신하고, 자민당 정권하에서 방위청 장관을 지내기도 한 나카타니 겐(中谷元)은 이러한 방향의 방위성 개혁을 옹호하였다. 中谷元, 『防衛省の真実』(幻冬舍, 2008) 참조.

민당 정부하에 추진되어 오던 방위성 개혁의 움직임들을 백지화하기로 결정하였다.[19] 요컨대 민주당 지도부는 헌법 개정 및 자위군 보유 등에 관해서는 자민당과 유사한 입장을 보인 바 있으나, 자민당 정부 하에서 적극적으로 추진되어 왔던 미일동맹 기지재편 구상 및 방위성 개혁 문제 등에 대해서는 차별성을 부각시키려 하였다.

자민당과의 정책적 차별성을 강조하려는 민주당의 입장은 이미 자민당이 추진해오던 「방위계획대강 2009」의 개정 작업에도 여파가 미쳤다. 앞서 언급한 것처럼 자민당은 2009년 1월에 안보분야에 관한 대표적인 브레인들을 인선하여 기존의 방위계획대강을 수정하기 위한 "안전보장과 방위력에 관한 간담회"를 조직하고, 새로운 방위계획대강을 책정하기 위한 검토작업을 진전시켜 왔다. 그러나 민주당은 정권이 교체된 이상, 새로운 정부의 안보정책 방향을 밝히게 될 방위계획대강은 별도의 인사들로 자문조직을 구성하여 책정되어야 한다고 인식하기에 이르렀다. 이 결과 2009년 10월 16일, 하토야마 내각은 2009년도 말로 예정된 새로운 방위계획대강의 공표 스케줄을 보류하고, 새로운 멤버들로 간담회를 조직하여 이들로 하여금 민주당의 방위계획대강을 책정하도록 결정하였다.[20] 이 결과 자민당이 조직한 "안전보장과 방위력에 관한 간담회"는 해체되고, 새로운 인사들을 선임하여 민주당의 정책성향을 반영한 새로운 방위계획대강 책정의 작업이 진행되게 되었다.

---

19) 朝日新聞 2009년 10월 14일 및 2010년 3월 18일 기사 참조. 민주당은 오히려 중요한 방위정책들이 정치인들로 임용되는 방위성 대신 및 부대신 등의 정무 3역에 의해 결정되어야 한다고 판단하였다. 2009년 10월 14일, 필자와 인터뷰를 가진 방위성 방위정책국의 한 관계자는 기타자와 방위대신이 문민통제의 원칙을 보다 중시하고 있으며, 자민당이 추진하던 현역 자위관과 민간인 관료의 공동근무 구상은 실현되지 않을 것이라고 설명한 바 있다.

20) 朝日新聞 2009년 10월 17일 기사 참조.

2. 「방위계획대강 2010」의 결정경위

민주당의 정책성향을 반영한 새로운 방위계획대강을 책정하기로 결심한 하토야마 수상은 2010년 2월 18일, 학계, 경제계, 관계 출신의 인사들을 다시 선임하여, "새로운 시대의 안전보장과 방위력에 관한 간담회"를 구성하였다. 좌장에는 쿄한(京阪)전철 최고책임자인 사토 다케오(佐藤茂雄)씨가 선임되었고, 학계 인사로는 시라이시 다카시(白石隆) 아시아경제연구소장, 소에야 요시히데(添谷芳秀) 게이오대학 교수, 나카니시 히로시(中西寬) 교토대학 교수, 히로세(廣瀨崇子) 센슈대학 교수, 마스다 야스히로(松田康博) 동경대 교수 등이 포함되었고, 전직 관료 및 자위관으로는 야마모토 마사시(山本正) 국제교류센터 이사장, 이토 야스나리(伊藤康成) 전 방위사무차관, 사이토 다카시(齊藤隆) 전 통막의장, 가토 료조(加藤良三) 전 주미대사 등이 선임되었다.[21] "새로운 시대의 안전보장과 방위력에 관한 간담회"에는 평소 한국이나 중국 등 동아시아 국가들과의 관계를 중시하던 시라이시, 소에야, 나카니시, 마스다 등의 학계인사들이 대거 발탁된 것이 특징이었다.[22] 상대적으로 2009년 1월, 자민당이 조직하였던 "안전보장과 방위력에 관한 간담회"의 주축 멤버였고, 자민당 외교안보정책의 멘토 역할을 해오던 동경대의 기타오카 신이치 교수와 다나카 아키히코 교수가 탈락되었다. 이 때문에 새로운 간담회의 인선은 민주

---

21) 朝日新聞 2010년 2월 25일.

22) 시라이시 다카시는 저명한 동남아시아 연구자이며, 동아시아 공동체론을 지론으로 갖고 있다. 소에야 요시히데는 그의 주저 미들 파워론을 통해 한국 등과의 협력을 강조해왔다. 添谷芳秀, 『日本の「ミドルパワー」外交』(ちくま新書, 2005) 혹은 添谷芳秀, 「東アジア安全保障システムのなかの日本」, 添谷芳秀·田所昌幸編, 『日本の東アジア構想』(慶應義塾大學出版會, 2004) 등을 참조. 마스다 야스히로는 중국 연구자이다. 나카니시는 국제정치 연구자로서 그의 저서에는 한국이나 중국에 대한 특별한 언급은 없다. 中西寬, 『國際政治とは何か: 地球社會における人間と秩序』(中公新書, 2003). 다만 나카니시는 소에야 교수와 더불어 2009년 조직된 한일신시대공동연구위원회 일본측 멤버로 참가하였으며, 2010년 10월 공표된 한일신시대 공동보고서의 기초에 관여하였다.

당 하토야마 수상이 내세우던 동아시아공동체론을 방위계획대강에 구현하려는 의욕을 지닌 인선이 아닌가 하는 평가를 받기도 했다.

"새로운 시대의 안전보장과 방위력에 관한 간담회"는 이후 6개월간 내부 토론을 거쳐[23] 2010년 8월, 최종 보고서인 「새로운 시대에 있어 일본의 안전보장과 방위력의 장래구상: 평화창조국가를 향하여」를 발표하였다.[24] 이 보고서는 서두에서 글로벌 질서상에는 초대국인 미국에 더해 중국, 인도, 러시아, 브라질 등 신흥국들이 대두하여 파워 밸런스의 변화가 생겨나고 있다고 분석하였다. 또한 일본의 에너지 공급망인 시레인과 관련되는 이란 핵의혹, 이라크 전후부흥, 소말리아 해역의 안전문제 등도 일본의 안보에 영향을 미치는 사안으로 인식할 필요가 있음을 지적하였다. 그리고 일본 주변지역에는 북한의 핵 및 탄도미사일 개발이 동북아시아 지역 전체의 직접적 위협이 되고 있으며, 그 외에 중국 군사력의 불투명성, 러시아의 군사활동 확대와 군사적 잠재력도 주목할 필요가 있다고 보았다.

이러한 정세 인식하에서 보고서는 일본이 국제분쟁에의 정치적 관여를 최저한 억제해온 냉전기의 수동적 자세에서 탈피하여, 국제평화협력, 비전통적 안전보장, 인간의 안전보장 등의 분야에서 적극적으로 활동하는 "능동적 평화창조국가"로 역할해야 할 것을 요청하였다. 이를 위해 일본 국내적으로는 종전의 기반적 방위력 개념을 폐기하고, 일본을 위협하는 복합적 사태가 발생할 경우에 대응할 수 있는 "동적 억지력(動的抑止

23) 2010년 7월 9일, 한국전략문제연구소 세미나에 참석한 소에야 교수는 당시 논의중이던 방위계획대강의 내용을 묻는 필자의 질문에 대해 한국의 국가이익에 유해한 내용은 하나도 없을 것이라고 답변한 바 있다.

24) 新たな時代の安全保障と防衛力に関する懇談会, 『新たな時代における日本の安全保障と防衛力の将来構想: 「平和創造国家」 を目指して』(2010年 8月). 이하 「새로운 시대의 간담회 보고서」로 약칭.

力)"의 성격을 지닌 방위능력을 구비할 필요가 있다고 지적하였다.[25] 또한 이 보고서는 내각의 안전보장기구를 강화하여 위기관리체제를 보완할 필요가 있다고도 주장하였다.

미일동맹과 관련하여 동 보고서는 2005년과 2006년에 양국 간에 합의한 공통의 전략목표와 역할 및 기능의 분담을 계속 추진해야 하며, 글로벌 컴먼, 즉 국제공공공간의 영역에서도 미국과 더불어 안전보장을 확보해갈 필요성을 제기하였다.[26] 동 보고서는 "다층적 안전보장협력"의 개념하에 한국 및 호주 등과 안보협력 파트너 관계를 강화해야 하고, 지역내 다국간 안보협력 프레임웍도 강화해야 한다고 제언하였다. 그 일환으로 종전에 무기수출 3원칙을 완화하여 타국에의 무기공여와 수출도 가능하게 해야 한다고 주장하였다.

전체적으로 보아 「새로운 시대에 있어 일본의 안전보장과 방위력의 장래구상: 평화창조국가를 향하여」 보고서는 2008년 10월, 동경재단 안전보장프로젝트팀이 작성한 「새로운 일본의 안전보장전략: 다층협조적 안전보장전략」 보고서에 비해 완화된 기조를 유지하였다. 헌법개정 가능성도 배제하였고, 적기지 공격능력 보유도 언급하지 않았다. 그리고 평화창조국가의 이념하에 국제평화협력활동이나 인간의 안전보장 분야에서의 국제적 역할 강화를 상대적으로 강조하는 특성을 보였다. 그러나 「방위계획대강 2004」와 비교하면 종전까지 일본의 방위력 증강의 원칙으로 기능해왔던 기반적 방위력 개념을 폐기하고 이를 대체한 "동적 억지력"

25) 동 보고서는 탄도미사일 및 순항미사일 공격, 특수부대 혹은 사이버 공격 등이 복합적으로 발생하는 경우, 예컨대 특수부대에 의한 일본의 중요시설 공격과 사이버 공격이 동시적으로 발생하는 경우 등을 복합사태라고 설명하고 있다. 이 보고서의 다른 부분에서는 「2004 방위계획대강」에 제시되었던 다기능 탄력적 방위력의 개념은 유효하다고도 설명하였다.

26) 글로벌 컴먼(global common)은 해양, 우주, 사이버 공간 등 국가들이 공동으로 사용하는 영역을 지칭.

개념을 제시하였고, 역시 종전의 일본 안보정책의 근간을 이루어왔던 무기수출 3원칙의 완화를 통한 무기수출 추진 등을 주창함으로써, 상당히 적극적인 양상의 방위정책 변화를 주문하는 결과를 낳았다.

그런데 "새로운 시대의 안전보장과 방위력에 관한 간담회"가 방위계획대강의 초안을 작성하는 과정과 병행하여 민주당이나 일본의 대표적인 경제단체들에서 동시에 방위계획대강에 포함되어야 할 내용을 제언하는 양상이 전개되었다. 일본의 대표적인 경제단체인 일본경제단체연합회(일본경단련으로 약칭)는 2010년 4월 12일에 「국가전략으로서의 우주개발이용의 추진을 위한 제언」을 공표한 데 이어, 7월 20일에는 「새로운 방위계획대강을 향한 제언」을 통해, 새로운 방위계획대강에 포함되어야 할 내용들을 주문하였다.[27] 이들 일련의 문서에서 일본경단련은 일본의 방위산업체들이 우주산업에 참가하는 길을 확대하기 위해 2008년 성립된 우주기본법에 따라 안전보장 목적의 우주이용, 즉 군사위성의 발사를 적극적으로 실시해줄 것과 아울러, 역시 방산업체들이 구미 국가들과 첨단무기의 공동개발을 추진할 수 있도록 종전의 엄격한 무기수출 3원칙을 완화해줄 것을 요청하였다.[28]

민주당 외교안전보장조사회는 2010년 11월 29일, 방위계획대강에 대한 당의 기본자세와 6항목의 제언 사항을 발표하여, 집권당의 입장에서 향후 방위계획대강에 대한 주문을 추가하였다.[29] 이 제언에서 민주당은 동아시아 정세와 한반도 정세의 불안정성이 일본의 안보상 매우 심각한

---

27) 日本経済団体連合会, 「国家戦略としての宇宙開発利用の推進に向けた提言」(2010. 4. 12) 및 日本経済団体連合会, 「新たな防衛計画の大綱に向けた提言」(2010. 7. 20).

28) 무기수출 3원칙의 완화에 대해서는 방위성도 같은 입장을 보여주었다. 2010년 3월, 방위성은 인명구조 등의 목적으로 사용되는 장비들을 무기수출 3원칙의 예외로 하여 개발도상국에 지원할 수 있어야 한다는 의견을 「새로운 시대의 간담회」에 전달하기도 하였다. 朝日新聞 2010년 3월14일.

29) 이 자료는 朝雲新聞 2010년 12월 2일 기사에서 참조.

위협을 주고 있다고 진단하면서, 일본은 헌법상의 평화주의와 문민통제 원칙, 그리고 전수방위 원칙의 범위하에서 미일동맹의 실효성을 높이고, 아시아 지역의 안전보장체제를 모색해야 한다고 하였다. 나아가 민주당은 일본 국내적으로는 「새로운 시대의 간담회」가 제안한 "동적 억지력"의 개념에 준해 통합막료감부 체제를 강화하고, 남서(南西)방면 도서 방위를 위한 기동적 방위력을 강화하고, 해상 및 항공자위대의 억지력과 경계감시능력을 강화해야 한다고 주장하였다. 아울러 수상 관저에 국가안전보장실을 창설하는 등 위기관리체제를 강화하고, 국제평화활동에의 협력 촉진이라는 관점에서 무기수출 3원칙도 완화할 것을 제안하였다.

결과적으로 2010년 12월 초의 시점에서 방위성은 "새로운 시대의 안전보장과 방위력에 관한 간담회"에서 제출한 보고서를 토대로, 그리고 일본경단련과 민주당 외교안전보장조사회에서 제안한 각각의 보고서를 참고로 하여 새로운 방위계획대강 2010 책정을 위한 문안작업에 착수하였다. 이후 주무부서인 방위성은 여타 정당 및 주요 방위산업체, 그리고 정부 내의 다른 부서들의 의견을 수렴하면서, 세부적으로 방위계획대강에 포함되어야 할 최종안을 조율하였다. 예컨대 기타자와 도시미(北澤俊美) 방위상은 11월 30일, 미츠비시중공업 등 방위산업체의 간부들로부터 무기수출 3원칙에 대한 의견을 청취하였으며, 12월 초에는 잠재적 연립파트너였던 사민당과도 의견을 조율하였다.[30] 또한 방위계획대강의 공표를 1주일 남긴 시점이었던 12월 12일에는 노다 재무상과 회담을 갖고, 방위계획대강 별표에 포함되어야 할 육해공 자위대의 정원에 관한 마지막 조정을 시도하였다.[31] 이러한 관련 부서 및 단체의 정책조율을 거쳐 2010

30) 朝日新聞 2010년 12월 1일 및 12월 7일(인터넷판) 기사 참조.

31) 讀賣新聞 2010년 12월 8일 및 12월 12일 인터넷판 기사 참조. 예컨대 방위성은 육상자위대의 정원에 대하여 2004년 방위계획대강 수준인 15만 5천 명 수준 유지를 주장한 데 반해, 재무성은 예산절감 및 균형재정의 관점에서 14만 8천 명 이하 수준으로의 병력축소를 주장하였다고 한다.

년 12월 17일 「방위계획대강 2010」이 공표되었다. 그런 점에서 「방위계획대강 2010」은 민주당 주도하에 대표적인 안보정책 전문가 및 정당, 경제계, 정부 부서의 총의를 수렴하여 확정한 일본의 안보 및 군사전략서로서의 성격을 띠고 있다고 볼 수 있다.

Ⅳ. 「방위계획대강 2010」의 정세인식과 안보정책 기본방향

1. 「방위계획대강 2010」의 구성과 정세인식

「방위계획대강 2010」은 제1장, "책정의 취지", 제2장, "일본 안전보장의 기본이념", 제3장, "일본을 둘러싼 안전보장환경", 제4장, "일본 안전보장의 기본방침", 제5장, "방위력의 양태", 그리고 육해공 자위대의 전력증강 목표를 보이는 별표(別表)의 순으로 구성되어있다. 전체적인 구성은 종전의 방위계획대강과 대체로 유사하다.

제2장, "일본 안전보장의 기본이념"에서는 일본이 추구해야 할 안전보장의 목표를 세 가지로 나누어 설명하고 있다.[32] 첫째, 일본에 직접 위협이 미치는 것을 방지하고, 위협이 미칠 경우에는 이를 배제하여 피해를 최소화하는 것, 둘째, 아시아 태평양 지역의 안보환경 안정화와 글로벌 안보환경의 개선을 통해 위협 발생을 예방하는 것, 셋째, 세계의 평화와 안정, 그리고 인간의 안전보장 확보에 공헌하는 것이 그것이다. 그리고 이러한 목표를 달성하기 위해 외교력과 방위력을 적극 사용해야 하나, 일본이 기존에 표명해온 전수방위의 원칙, 군사대국이 되지 않는다는 원칙, 문민통제의 원칙, 비핵3원칙 등은 여전히 준수될 것이라고 언명하

32) 종전의 방위계획대강에서 통상 제3장 부분에서 언급되던 "안전보장의 목표" 부분을, 「방위계획대강 2010」에서 앞부분으로 돌린 것은 목표 부분이 우선 제시된 연후에 구체적인 방책들이 제시되어야 한다.

였다.

이 부분도 자민당 정부하에서 작성된 「방위계획대강 2004」와 대체로 유사하다. 다만 「방위계획대강 2010」에서 안보정책의 세 번째 목표로서, 세계평화와 안정, 그리고 인간의 안전보장 확보를 추가하고 있는 점이 특징적이다. 인간안보라는 개념은 1990년대 중반부터 유엔개발계획UNDP 등을 중심으로 제기된 개념으로서, 분쟁, 재해, 기아, 인권침해, 환경 등의 다양한 분야에서 인간의 생활과 존엄을 위협하는 요인을 배제하려는 노력을 말한다. 이 개념이 그간 일본의 안전보장 연구자들에 의해 일본이 추구해야 할 안보정책의 한 영역으로서 적극 수용되어 왔고,[33] 「방위계획대강 2010」에서도 공식적으로 반영되게 된 것이다.

「방위계획대강 2010」의 제3장, "일본을 둘러싼 안전보장환경"에서는 국제정세하에서 일본의 현재적, 혹은 잠재적 위협이 될 수 있는 요인들을 분석하고 있다. 우선 글로벌 환경과 관련하여 「방위계획대강 2010」은 중국, 인도, 러시아 등의 국력이 증대하여 글로벌 밸런스에 변화가 발생하고 있으나, 미국이 계속 세계의 평화와 안정에 가장 큰 역할을 하고 있다고 평가했다. 이러한 속에서 대량파괴무기WMD와 탄도미사일 확산, 국제테러조직 및 해적행위 등이 절박한 안보상의 과제이고, 나아가 파탄국가의 존재나, 해양 우주 사이버 공간에서의 위험, 아울러 기후변동 문제도 안보에 영향을 미칠 수 있는 요인이라고 지적하였다.

---

33) 간담회 멤버의 일원인 소에야 교수가 일본의 안보정책으로서 인간안보 분야의 비전과 정책대안을 적극 제시한 바 있다. 添谷芳秀, 『日本の「ミドルパワー」外交』(ちくま新書, 2005), pp. 211-215 참조.또 다른 멤버인 나카니시 히로시도 인간안보의 개념을 소개한 바 있다. 中西寬, 『國際政治とは何か:地球社會における人間と秩序』(中公新書, 2003), p. 123 참조. 그 밖에 일본의 안보연구자들 사이에서 인간안보 개념이 소개되고 있는 다른 사례로는 神谷萬丈, 「安全保障の概念」, 防衛大學校安全保障學研究會, 『安全保障學入門』(亞紀書房, 2003)도 참조. 2010년 7월 15일, 와세다대학은 일본 외무성과 유엔의 후원으로 인간의 안전보장에 관해 학술회의를 개최한 바도 있다. 朝日新聞 2010년 7월 14일 기사 참조.

아시아태평양 지역에서는 북한의 대량파괴무기와 탄도미사일 개발, 특수부대 보유와 계속되는 군사적 도발이 일본과 아태지역 내에서의 중대한 불안정요인이라고 단언하였다. 그리고 군사력의 급속한 근대화를 추진하는 중국의 군사적 불투명성이 국제사회의 우려사항이 되고 있다고 밝혔다. 이같은 안보환경하에서 「방위계획대강 2010」은 일본에 대한 대규모 침략사태는 발생 가능성이 낮으나, 복잡하면서 중층적인 안보불안요인은 잠복해 있다고 지적하였다.

이같이 「방위계획대강 2010」에서 밝힌 글로벌 및 아시아태평양 지역의 정세인식은 대체로 「방위계획대강 2004」의 정세인식과 연속성을 보이고 있다. 「방위계획대강 2004」는 최초로 북한과 중국을 실명으로 거론하며 각각 "중대한 불안정 요인" 또는 "주목해갈 필요"가 있는 대상으로 지적한 바가 있었는데, 「방위계획대강 2010」도 그러한 인식을 이어받고 있는 것이다. 다만 글로벌 환경과 관련하여 파탄국가의 존재, 해양 우주 및 사이버 공간에서의 위험요소, 기후변화 등의 요소가 안보환경을 저해할 수 있는 요인이 될 수 있음을 지적한 것은 새롭게 추가된 사항들이다.

이같은 「방위계획대강 2010」의 안보위협인식은 미국의 영향을 적지 않게 받은 것으로 생각된다. 사실 미국의 안보연구자들은 해양과 우주 등 소위 글로벌 컴먼global common에서의 우위확보가 미국 안보정책의 중요 과제라고 지적한 바 있다.[34] 그리고 2010년 5월 공표된 미국 국가안보전략서National Security Strategy에서는 이같은 관점을 수용하여, 테러리즘, 대량파괴무기 확산, 글로벌 범죄 네트워크 등과 더불어 우주와 사이버 공간에서의 취약성, 화석연료에의 의존, 기후변화와 범세계적 질병, 실패국가들failing states의 존재 등이 미국의 안보를 위협하는 요인이라고 명시하였다.[35] 결과

34) Barry R.Posen, "Command of the Commons: The Military Foundation of U.S. Hegemony," *International Security*, Vol.8, No.1(Summer 2003) 등을 참조.

35) The White House, *National Security Strategy*(May 2010), p.8.

적으로 미국 국가안보전략서와 일본「방위계획대강 2010」에 나타난 안보 위협인식이 상당부분에서 일치하는 양상이 노정되고 있다.[36)]

2.「방위계획대강 2010」에 나타난 안보정책 방향

「방위계획대강 2010」은 일본의 안보를 위협할 수 있는 요인들에 대항하기 위해 3중의 방책, 즉 일본 자신의 노력, 동맹국과의 협력, 국제사회에 있어 다층적 안보협력의 방안들을 각각 제시하고 있다.

일본 자신의 노력과 관련하여 방위계획대강은 정부를 망라한 정보수집 및 분석체제 강화, 국가안보에 관련한 수상 관저 내의 전담부서 설치 등 제도적 보완을 강조하고 있다. 특히「방위계획대강 2010」은"새로운 시대의 안전보장과 방위력에 관한 간담회"보고서에서 제안된 "동적 억지력" 개념을 반영하여, 종전까지 방위력의 기준으로 기능해온 "기반적 방위력" 개념을 폐기하고, 각종 사태에 대한 보다 실효적인 억지와 대처를 가능하게 하기 위해, 즉응성, 기동성, 유연성, 지속성 및 다목적성을 갖추고, 고도의 기술력과 정보능력에 의해 지탱되는 "동적 방위력(動的防衛力)"을 구축할 것이라고 천명하였다.

「방위계획대강 2004」에서 일본 정부는 일본이 구축해야 할 방위력의 기준으로서 전후 일관되게 표명되어 오던 "기반적 방위력"개념에 더해 다기능 탄력적 방위력의 개념을 제시한 바 있었다. 그런데「방위계획대강 2010」에 이르러서는 최소한의 방위력을 의미하던 "기반적 방위력" 개념이 폐기되고, "동적 방위력" 개념이 이를 대체하게 된 것이다. "동적 방위력" 개념이 구체적으로 어떠한 군사력의 보유를 의미하게 될 것인가

36) 방위성 정무관으로 선임된 민주당 의원 나가시마 아키히사(長島昭久)는 미국이 QDR에서 제시한 안보위협요인을 일본이 어떻게 수용하느냐가 과제라고 토로한 바 있다. 長島昭久,「민주당의 안전보장정책: 우주, 사이버 일미협동으로」,『朝日新聞』, 2010년 5월 8일 참조.

에 대해서는 다음 절에서 상술하도록 하겠다.

「방위계획대강 2010」은 금후에도 미일동맹이 필요불가결하다고 밝히면서, 미일 양국 간에 종전부터 진행해오던 정보협력, 계획검토작업, 주변사태협력, 탄도미사일 방위협력, 장비기술협력 등을 계속 추진하면서, 확장억지의 신뢰성 향상, 지역 내 유사사태에 대비한 미일 간 협력 강화, 국제평화협력활동, 해상 우주 및 사이버 공간 등의 글로벌 컴먼 분야에서의 협력 등을 강화해갈 것이라고 밝혔다.

사실 2009년 9월, 일본 민주당 정부 출범 이후 하토야마 정부는 이미 2006년 시점까지 미일 간에 합의되었던 주일미군 기지 재편 구상을 원점부터 재검토하겠다는 정책을 추진하면서, 일시적으로 미일동맹 관계를 크게 동요시킨 바 있었다.[37] 그러나 2010년 5월말, 미일 양국의 2+2 회담에서 양국 간 기지재편에 관한 합의가 대체로 복원되고, 이어 6월 초에 하토야마 수상이 사임하고 후임에 간 나오토(菅直人) 수상이 취임하면서 미일동맹은 재차 공고화되는 양상이 노정되기 시작하였다. 이러한 시점에서 2010년 12월에 공표된 「방위계획대강 2010」은, 물론 민주당이 총선거 정책공약으로 제시하였던 사항 중 주일미군 기지의 일본 내 주둔으로 인한 지방 부담 경감과 주일미군 주둔경비 가운데 일본측 부담분의 효율화 등을 포함하긴 하였지만, 대체적으로 미일동맹 관계의 영역확대와 군사협력관계 공고화를 확인하는 방침을 표명하고 있는 것이다.

국제사회에 있어 다층적 안보협력과 관련하여 「방위계획대강 2010」은 이전의 방위계획대강들과 마찬가지로 아세안 지역포럼[ARF] 등 역내 다

---

37) 하토야마 정부의 "대등한 미일동맹" 관계 구축 시도에 대해서는 미일 양국에서 동시에 강력한 비판이 제기된 바 있다. 일본내 비판에 대해서는 도쿄대 교수인 쿠보 교수 칼럼 참조. 久保文明, 「日米 龜裂」, 讀賣新聞 2009년 12월 16일. 미국 내 비판에 대해서는 Michael Auslin, "Creaky alliance," *International Herald Tribune*(November 12, 2009); Victor D. Cha, "Is Tokyo rewriting the rules?," *International Herald Tribune*(January 8, 2010) 등을 참조.

자간 안보협력 분야에서의 역할 강화, 유엔기구 개혁 등을 계속 표명하고 있다. 그런데 동시에 새로운 방위계획대강은 기본적 가치와 안보상의 이익을 공유하는 한국 및 오스트레일리아와의 안보협력 강화 등에 더해 중국 및 러시아와의 신뢰관계 구축 등도 제기하고 있다.

사실 2004년 방위계획대강 공표 이후 일본 정부는 한국 및 오스트레일리아와의 안보협력 확대를 추진해 왔다. 오스트레일리아와는 2007년에 양국 간 안보협력 공동선언을 공표하였으며, 이후 양국간 외교 및 국방 담당 각료가 정기적으로 2+2의 형태로 전략대화를 개최해왔다.[38] 일본은 한국과도 2009년에 안보협력에 관련한 양해각서를 체결하였으며,[39] 이후에도 양국 간 군수지원협정[ACSA]이나 정보보호협정[GSOMIA] 체결에 관한 실무협의들이 추진된 바 있다. 일본의 안보연구자들은 한국 및 오스트레일리아가 캐나다 등과 더불어 일본과 기본적 가치 및 이익을 공유하고 있는 미들파워이고, 국제안보상의 측면에서도 협력할 수 있는 분야가 적지 않은 파트너로 인식해왔다.[40] 「방위계획대강 2010」은 이러한 양국 간 안보협력 추진현황 및 일본 내 식자들의 견해들을 바탕으로 아예 한국 및 오스트레일리아와의 준동맹급 안보협력관계 필요성을 명기한 것이다.

「방위계획대강 2010」은 제3장 부분에서 북한의 군사적 위협과 아울

38) 일본-오스트레일리아의 안보협력관계 진전에 관해서는 방위연구소 이시하라 유스케 연구원이 국방대학교에서 행한 발표 참조. 石原雄介, 「일본-호주 안전보장 파트너쉽의 고찰: 일한관계에의 함의」(국방대학교 한국-일본 교관교류 세미나 발표, 2011. 3. 23). 2007년 3월에 있었던 일본과 오스트레일리아간 안보협력 공동선언 및 후속되는 2+2 회담 개최에 대해서는 朝日新聞 2007년 3월 10일 및 6월 7일 기사 참조.

39) 2009년 4월 23일, 한일 양국 국방장관 간에 체결된 양국 간 국방교류에 관한 의향서 내용은 국방일보 2009년 4월 27일 참조.

40) 미들파워 입장에서 한국 등과의 안보협력 필요성을 강조하는 연구는 添谷芳秀, 『日本の「ミドルパワー」外交』(ちくま新書, 2005), pp. 217-219 참조., 소에야 교수는 이러한 입장을 한국에서 열린 세미나에서도 밝힌 바 있다. Yoshihide Soeya, "Japan's Security Policy toward Northeast Asia and Korea: From Yukio Hatoyama to Naoto Kan"(한국전략문제연구소 국제심포지움, 2010. 7. 12) 참조.

러 중국의 군사적 불투명성에 대한 우려를 표명한 바 있다. 그러나 제4장에서는 그러한 중국 및 러시아와의 안보대화나 교류 등을 통한 신뢰관계 구축의 필요성을 동시에 강조하고 있다. 이 점은 「방위계획대강 2004」에서 경계감만이 표명된 것에 비하면 주목할 만한 변화라고 생각된다. 사실 일본 민주당 하토야마 수상 등 지도부는 총선거 전후에 중국을 포함한 동아시아 공동체 형성을 대외정책의 지론으로 제기한 바 있다. 또한 "새로운 시대의 안전보장과 방위력에 관한 간담회"에 참가한 시라이시(白石隆), 소에야 요시히데(添谷芳秀), 마스다 야스히로(松田康博) 등의 인사들이 평소에 중국과의 대화 및 교류 필요성을 강조하던 성향을 가지고 있었다는 점도 상기할 만 하다. 이런 연유로 「방위계획대강 2010」에는 중국에 대한 우려와 협력 필요의 양론(兩論)이 병기된 것으로 보여진다.

이상에서와 같이 「방위계획대강 2010」에서 표명된 안보정책들은 새롭게 정권을 잡은 민주당의 성향을 반영하여, 이전에 자민당이 주도해온 그것과 비교하여, 몇가지 변화를 보이고 있다. 〈표 2〉는 「방위계획대강 2010」의 주요 특징들을 이전 방위계획대강들과 비교한 것이다.

첫째, 일본이 추진해야 할 군사력 건설의 지침으로서 종전의 "기반적 방위력" 개념이 폐기되고, 새롭게 "동적 방위력"의 개념이 제시되었다. "동적 방위력" 개념이 복합적이고 중층적인 안보위협사태에 직면하여 정보능력을 바탕으로 보다 신속하고 다목적적인 대응을 가능하게 하는 내용을 포함하고 있다는 점에서, 후술하듯이 향후 일본의 군사력 증강 방향이 변화를 보이게 될 것으로 전망된다.

둘째, 민주당 하에서도 미일동맹은 일본 본토의 방위뿐 아니라 주변지역의 안정까지도 목표로 하여 공고화되는 방향으로 진전될 것으로 보인다. 특히 일본 민주당 정부가 2010년 5월에 공표된 미국의 국가안보전략서 등에서 표명된 글로벌 위협요인을 의식하면서, 해양 우주 및 사이버 공간 등 글로벌 공공공간에서의 미일 간 안보협력 등을 새로운 방위계획

〈표 2〉「방위계획대강 2010」 논점과 기존 방위계획대강들과의 비교

	1976년 대강	1995년 대강	2004년 대강	2010 대강
안보환경 평가	미소 양국 대립, 조선반도 긴장 계속, 주변제국 군사력 증강	미소 냉전 소멸, 지역분쟁, 핵과 미사일 확산	북한 위협, 중국 주의	글로벌 위협, 북한 위협, 중국 주의
자위대 임무	적절한 방위력보유, 침략 미연방지, 한정적, 소규모 침략 독력배제	일본방위 안보환경 구축 공헌	일본 위협 배제, 국제안보환경개선	동적 방위력 구축
미일동맹	국제관계 안정유지 및 일본에 대한 본격적 침략 방지에 큰 역할	일본 안전확보 불가결	일본 안전확보 불가결, 아시아태평양지역 평화와 안정 유지에 불가결	미일동맹 금후 필요불가결, 지역 내 불측사태 대비 일미협력, 지역적 글로벌 협력 추진
국제 사회와의 안보협력			국제평화협력활동, 유엔기구 개혁, 아세안지역포럼 등 다국간 노력	한국 및 오스트레일리아와 안보협력, 중국, 러시아와 안보대화, 유엔, ARF 등 협력
방위력 규모	적절한 방위력을 보유하여 효율적으로 운용하는 태세 구축, 핵 위협에 대해서는 미국 핵 억지력에 의존	기반적 방위력, 합리화 효율화 컴펙트화	기반적 방위력, 다기능 효율적 실효성	동적 방위력

대강에 반영한 점은, 향후 미일 간 안보협력의 범위가 보다 확대될 것임을 의미한다.

셋째, 동아시아 지역에서 일본이 한국 등과의 안보협력관계를 강화하고, 중국에 대해서도 그 군사적 불투명성에 대해서는 우려를 표명함과 동시에 군사적 신뢰관계를 구축하겠다고 한 것은, 종전의 자민당 정부의 지역안보정책과 비교하여 큰 변화라고 하지 않을 수 없다. 일본 민주당 정

부는 취임 초기부터 대외전략으로 동아시아 공동체론을 표방해왔는데, 그 연장선상에서 한국 및 중국과의 안보협력관계에도 유연하게 대응하고 있는 것으로 보여진다.

V. 「방위계획대강1 2010」 이후의 일본 방위정책 전망

그렇다면 「방위계획대강 2010」의 공표 이후 민주당은 과연 어떠한 방향으로 안보정책을 이끌어 나갈 것인가. 이 점을 군사력 건설, 미일동맹, 그리고 지역 내 안보협력 등의 측면으로 나누어 개별적으로 살펴보도록 하겠다.

1. 군사력 건설: "동적 방위력"개념의 구현

「방위계획대강 2010」은 일본의 안보목표를 달성하기 위해 필요한 방위력의 기준으로서 새롭게 "동적 방위력"의 개념을 제시하였다. "동적 방위력"은 「방위계획대강 2010」에서 각종 사태에 대한 보다 실효적인 억지와 대처를 가능하게 하기 위해, 즉응성, 기동성, 유연성, 지속성 및 다목적성을 갖추고, 고도의 기술력과 정보능력에 의해 지탱되는 군사력으로 정의되고 있다. 그러나 그 실체를 파악하기 위해서는 육해공 자위대의 전력증강 목표를 제시한 「방위계획대강 2010」의 〈별표〉나 「중기방위력정비계획(2011-2015)」에서 제시된 각 자위대의 전력증강 방향성과 목표를 종합적으로 검토할 필요가 있다. 다음의 〈표 3〉은 「방위계획대강 2010」의 별표를 역대 방위계획대강의 〈별표〉들과 비교한 것이다.

〈표 3〉에 따르면 「방위계획대강 2010」은 이전 방위계획대강과 비교하여 다음과 같은 특징을 갖고 있는 것으로 보인다. 우선 육상자위대 정원을 15만 5천 명 규모에서 약 1천 명 감축하였고, 육상자위대의 주력장비

〈표 3〉 방위계획대강에 나타난 자위대 군사력 규모 변화(1976, 1995, 2004, 2010)

		1976 방위계획대강	1995 방위계획대강	2004 방위계획대강	2010 방위계획대강
육상자위대	편성정수	18만인	16만인	15만 5천인	15만 4천인 상비 14만 7천인 즉응예비 7천인
	평시지역배비	12개 사단	8개 사단 6개 여단	8개 사단 6개 여단	8개 사단 6개 여단
	기동운용부대	1개 기갑사단 1개 공정단 1개 헬리곱터단	1개 기갑사단 1개 공정단 1개 헬리곱터단	1개 기갑사단 中央卽應집단	중앙즉응집단 1개 기갑사단
	지대공유도탄부대	8개 고사특과군	8개 고사특과군	8개 고사특과군	7개 고사특과군/연대
	전차 및 화포	1200량	전차 900량 약 900문	약 600량 약 600문	400량 400문
해상자위대	호위함부대(기동운용)	4개 호위대군	4개 호위대군	4개 호위대군 (8개대)	4개 호위대군 (8개대)
	호위함부대(지방대)	10개 대	7개 대	5개 대	4개 호위대
	잠수함부대	6개 대	6개 대	4개 대	6개 잠수대
	소해부대	2개 掃海隊群	1개 掃海隊群	1개 掃海隊群	1개 소해대군
	초계기부대			9개대	9개 항공대
	호위함	약 60척	약 50척	47척	48척
	잠수함	16척	16척	16척	22척
	작전용 항공기	220기	170기	약 150기	약 150기
항공자위대	항공경계관제부대	28개 경계군 1개 비행대	8개 경계군 20개 경계대 1개 비행대	8개 경계군 20개 경계대 1개 경계항공대 (2개 비행대)	4개 경계군 24개 경계대 1개 경계항공대 (2개 비행대)
	요격전투기부대	10개 비행대	9개 비행대	전투기부대 12개 비행대	전투기부대 12개 비행대
	지원전투기부대	3개 비행대	3개 비행대		
	항공정찰부대	1개 비행대	1개 비행대	1개 비행대	1개 비행대
	항공수송부대	3개 비행대	3개 비행대	3개 비행대	3개 비행대

항공자위대	지대공유도탄 부대	6개 고사군	6개 고사군	6개 고사군	6개 고사군
	공중급유. 수송부대			1개 비행대	1개 비행대
	작전용 항공기	430기	약400기	약350기	340기
	이 가운데 전투기	350기	약300기	약260기	약260기
MD	이지스시스템 탑재호위함			4척	6척
	항공경계관제 부대			7개 경계군 4개 경계군	11개 경계군/대
	지대공유도탄 부대			3개 고사군	6개 고사군

인 전차와 화포 보유도 각각 600대(문)에서 400대(문)로 줄였다. 이에 반해 해상자위대와 항공자위대의 전력은 대체로 현상유지되고 있거나, 약간 강화되는 양상을 보이고 있다. 해상자위대의 호위함과 작전용 항공기 대수는 이전 방위계획대강 수준과 대체로 동일하고, 항공자위대의 작전용 항공기 및 공중급유 수송부대 전력도 현 수준이 유지되도록 되었다. 다만 해상자위대 잠수함 전력은 기존의 16척 체제에서 22척 체제로 증강되도록 되어 있다. 미사일방위를 담당하는 MD 체제는 이지스 시스템을 탑재한 호위함이 4척에서 6척 체제로 증강되고, 지대공 유도탄, 즉 PAC-3 시스템도 3개 고사군에서 6개 고사군으로 증편되고 있다.

일본 정부가 매년 막대한 액수의 국채를 발행하여 적자 재정을 편성하고 있는 것은 잘 알려진 사실이다. 재정적자 상태를 면하지 못하고 있는 상황에서 민주당 정부는 재정 축소를 추진하고 있고, 그 연장선상에서 방위비 총액도 삭감될 수밖에 없는 것이 실정이다.[41] 이러한 한정된 방위

41) 민주당 간 나오토 내각은 2011년도 예산을 전년 대비 10% 삭감한다는 방침을 지시하였고, 이에 따라 방위성 예산도 2010년의 4조 7900억 엔 수준에서 2011년에는 4

비의 범위 내에서 일본 정부는 육상자위대의 병력이나 주요 지상장비 등은 과감하게 삭감하면서, 일본의 지리적 특성에 비추어 다양하고 복합적으로 전개될 수 있는 위협요인들에 즉각적이고 효율적으로 대응할 수 있는 해상자위대나 항공자위대, 미사일방어체제의 전력들은 현상유지, 혹은 강화하는 방향으로 대응하고 있는 것이다.

「방위계획대강 2010」의 제5장, "방위력의 양태"와 「중기방위력정비계획(2011-2015)」에 나타난 사항을 재구성하면, 향후 일본 방위력의 증강과 관련해서 다음과 같은 특징들도 도출된다.

첫째, 기존의 통합막료회의를 대체하여 2006년 설치된 통합막료감부의 조직과 기능을 강화하여, 소위 합동형 지휘체제를 명실상부하게 강화하는 군사개혁이 진행되고 있다. 「방위계획대강 2010」에는 통합막료감부에 위성통신 및 정보통신네트워크를 활용한 지휘통제기능을 강화하고, 정보공유태세 및 사이버공격 대처 태세도 강화한다는 방침이 표명되었다. 또한 수송, 위생, 고사, 구난, 보급 및 정비 등의 분야에서 공동부대화를 추진한다는 방침도 제시되었다.

둘째, 오키나와 남서부의 도서지역에 육상자위대 부대를 새롭게 배치하고, 같은 오키나와의 나하기지에도 전투기부대 1개 비행대를 일본 본토 지역에서 이전시키도록 하였다.[42] 이 결과 중국과 대치하고 있는 남서지역 도서들에 유사사태 발생 시 즉각적인 대응이 가능한 전력들을 전진배치하는 양상이 나타나고 있다.

조 3450억 엔으로 삭감되었다. 朝日新聞 2010년 8월 14일. 크리스토퍼 휴즈는 일본의 방위예산이 달러기준으로는 완만한 상승세를 보였지만, 엔화 기준으로는 1990년대 후반부터 감소되는 추세를 보였다고 지적한다. Christopher W. Hughes, *Japan's Remilitarization*(London:The International Institute for Strategic Studies, 2009), p. 37.

42) 일본 정부가 오키나와 서남방의 요나구니 지역에 육상자위대 100여 명을 신규 배치하려는 계획에 대해서는 Martin Fackler, "A hesitant bulwark against China," *International Herald Tribune*(February 11, 2011) 참조.

셋째, 미사일방어를 담당하는 이지스 시스템 탑재 호위함 전력과 지대공 유도탄 부대를 각각 증강함으로써 북한 및 중국이 개발, 배치하고 있는 탄도미사일로부터의 위협에 대비하는 태세를 강화하려고 하고 있다.

넷째, 해상자위대의 잠수함 전력을 22척 체제로 증강하고, 육상자위대에서 특수전을 담당할 목적으로 2007년에 신설된 중앙즉응집단 및 2000년 이후 신편된 항공자위대의 급유수송부대를 계속 강화함으로써, 해상거부 및 대테러전 능력, 나아가 원거리 투사능력까지도 보강하고 있다.

이같이 본다면 「방위계획대강 2010」에서 표명된 "동적 방위력"이란 개념에는 일본에 대한 탄도미사일 위협 및 테러리즘 위협 등과 같은 새롭고도 복합적인 위협 양상에 대응하여, 선택과 집중 원칙에 입각해 병력과 지상 장비 등은 감축하지만, 특수전 전력이나 미사일 방어전력, 나아가 원거리 투사능력도 강화하여, 위협이 발생할 경우 즉각적이고 통합적으로 위협을 배제할 수 있는 태세를 구축하겠다는 의지가 담겨 있는 것으로 생각된다.

2. 미일동맹의 공고화

2009년 9월, 민주당 정부의 출범 이후 하토야마 수상은 "대등한 미일동맹관계 구축"을 슬로건으로 내세우면서, 오키나와 후텐마 기지의 이전지역 재검토, 주일미군 주둔경비 가운데 일본측 부담분(소위 배려성예산)의 시정, 미일지위협정의 개정 등을 추진한 바 있다. 그러나 이 가운데 후텐마 기지 이전 재검토는 이미 2006년 미일 간에 합의된 사항을 번복하는 결과를 가져오는 것으로서 미국 측은 물론이고, 일본 안보전문가들로부터도 강력한 반발을 불러일으켰다.

결국 2010년 6월, 하토야마 수상이 사임하고 간 나오토 수상이 정권을 맡으면서, 미일 간에는 원래 자민당 시기에 나타났던 것처럼, 긴밀한 협력관계가 연출되고 있다. 앞에서 언급한 것처럼 「방위계획대강 2010」

은 이러한 일본 민주당 정부의 미일동맹에 관한 현실주의적 방향으로의 선회를 보다 명백히 보여주는 것이었다. 방위계획대강의 구체적인 문안 작업이 진행되던 2010년 8월 이후 미국은 일본측에 대해 중국과 북한의 군사동향에 대한 일본측의 정보, 감시, 정찰활동 강화를 요구하였다고 전해졌고, 이에 따라 「방위계획대강 2010」에서는 일본의 잠수함 보유목표가 종전의 16척에서 22척으로 늘어났다. 아울러 중국 및 북한 해군 활동을 감시하기 위해 해상자위대 P-3C 초계기의 정찰활동도 늘어났다고 알려졌다.[43)]

일본 민주당 정부는 "대등한 미일동맹 관계 구축"을 상징하는 정책의 하나로 간주했던 주일미군 주둔경비의 일본측 부담분 결정과정에 있어서도, 애초에 주장해왔던 "대등성" 원칙을 접지 않을 수 없었다. 2011년 3월 30일, 중원 외무위원회에서 민주당, 자민당 등이 합의한 주일미군 주둔경비의 일본측 부담분에 관한 특별협정안은 종전 자민당이 취해온 방식을 답습하여, 일본측이 향후 5년간 미군기지 근무 노동자의 급여와 광열수비 등을 매년 1881억 엔 부담하는 것으로 결정된 것이다.[44)]

미국과 일본은 자위대와 주일미군 간의 유사시 운용에 관해서도 보다 긴밀한 협력관계를 보이기 시작했다. 2010년 12월 3일부터 12월 10일까지 자위대와 미군은 규슈, 오키나와, 동해(일본명 일본해) 해역을 무대로, 자위대 병력 3만 4천 명, 함정 40여 척, 항공기 250기, 미군측 병력 1만 명, 항모 1척을 포함한 함정 20척, 항공기 150기 등이 참가하는 대규모 연합훈련 포레스트 라이트[Forest Light] 훈련을 실시하였다. 미일 간의 연합 군사훈련은 1986년 이후부터 실시되어 왔으나, 10회째를 맞는 2010년의 훈련이 최대 규모로 실시되었다고 평가되었다.[45)]

---

43) 朝日新聞 2010년 12월 22일 인터넷판.

44) 朝日新聞 2011년 3월 31일.

45) 朝日新聞 2010년 11월 12일. 중국측 언론도 이 훈련에 상당한 관심을 기울였다.

2010년 7월에는 미일 간 군수지원협정ACSA: Acquisition and Cross-Servicing Agreement이 체결되었다. 이 협정의 결과 일본 자위대와 미군 간에는 일본에 대한 무력공격사태, 주변사태, 연합훈련의 경우뿐만 아니라, 하이티 지진 발생 당시와 같은 국제재난구호 활동시에도 상호 물품 및 역무 등을 상호지원할 수 있는 체제를 갖추게 되었다.[46)]

미일 간의 군사협력은 2011년 3월 11일, 일본 동북부 지방에서 발생한 대지진 및 해일사태 시에 다시 한번 발휘되었다. 지진 발생 직후 여러 나라가 협력의사를 밝힌 가운데, 미국은 항모 로널드 레이건을 포함한 함정 20여 척, 병력 1만 8천 명을 파견하여 실종자 수색 및 피해지역 복구에 앞장섰다. 유사시에 작동되도록 된 미일 간 공동조정소가 도쿄의 이치가야에 소재한 일본 방위성, 요코다 기지, 그리고 센다이 등 3개소에 설치되어, 주일미군과 자위대 간의 긴밀한 연합태세를 확인하는 계기로도 되었다.[47)]

이같은 양상을 볼 때, 대등한 동맹관계 구축을 표방하던 민주당 초기의 이상주의적 미일동맹관은 당분간 재현되기 힘들 것으로 보여진다. 오히려 자민당의 동맹정책을 연상케 할 정도로 민주당은 현실주의적 입장으로 선회하면서 미일동맹의 공고화에 주력하고 있는 것으로 생각된다.

3. 아시아태평양 지역의 안보협력 네트워크 확대: 한일안보협력의 강화 추진

「방위계획대강 2010」은 한국 및 오스트레일리아 등 기본적 가치와 이익을 공유하는 국가들과의 안보협력 강화 필요성을 제창하였다. 실제 일

Xinhua News Agency, 2010. 12. 7 참조.

46) 朝日新聞 2010년 7월 18일.

47) 朝日新聞 2011년 4월 7일 기사 및 Martin Fackler, "Mission for U.S. troops: Rebuild an airport, but quietly," *International Herald Tribune*(April 13, 2011)도 참조.

본 민주당 정부는 「방위계획대강 2010」의 공표를 전후로 한국 및 오스트레일리아 등과의 안보협력을 강력하게 추진하고 있다. 오스트레일리아와는 2007년도에 공동의 안보협력선언을 발표하고, 정례적으로 외교 및 국방담당 각료가 참가하는 2+2 회담을 개최해왔다. 이에 더해 2010년 5월 15일에는 양국이 비전통적 안보분야와 재해구난 분야에서 안보협력을 확대할 것으로 합의한 군수지원협정ACSA를 체결하였다.[48)]

일본 민주당 정부는 한국 이명박 정부와도 다양한 안보협력을 추진하고 있다. 2010년 10월 13일에는 한국 정부가 주관하여 부산에서 개최된 대량살상무기 확산방지구상PSI에 미국, 호주, 프랑스, 캐나다 등과 더불어 일본이 참가하였고,[49)] 같은 해 12월에는 미국과 일본이 일본 영토와 영해에서 실시한 연합훈련 포레스트 라이트에 한국도 옵서버로 처음 참가하였다.[50)]

일본 정부는 한국과 보다 공식적인 안보협력 합의를 체결하고자 여러 차례 의사를 타진하였다. 2010년 10월 말, 마에하라 세이지(前原誠司) 외상은 한국측 김성환 외교통상부 장관에게 정보분야에서의 안보협력, 즉 양국 간의 정보보호협정GSOMIA 체결을 타진하였다. 2011년 1월 10일, 우리측의 김관진 국방장관과 회담을 가진 일본의 기타자와 도시미(北澤俊美) 방위상은 한일 양국 간에 군사비밀보호협정 및 상호군수지원협정ACSA 등을 체결할 의향을 타진하였다. 한국 정부에서도 이같은 협정의 필요성을 공감한 것으로 알려졌으나, 야당 및 시민단체 등의 반발로 결국 한국 정부는 신중하게 이 문제에 접근하고 있는 것으로 보인다.[51)]

---

48) Yoshihide Soeya, 앞의 논문에서 재인용.

49) 조선일보 2010년 10월 6일 인터넷판.

50) 朝日新聞 2010년 12월 9일 인터넷판.

51) 이같은 한일 간의 군사비밀보호협정 및 상호군수지원협정 체결 가능성과 관련하여, 자유선진당, 민주당 등 한국의 야당들은 반대의사를 표명하였고, 경실련, 녹색연합, 평화네트워크 등 시민단체들도 반발하고 나섰다. 경향신문 2011년 1월 14일 인터넷판.

흥미로운 점은 미국 정부가 한일 간 군사협력에 대해 적극적으로 후원하는 입장을 공개적으로 표명하고 있는 점이다. 2010년 12월 8일, 한국의 한민구 합참의장과 공동기자회견을 가진 미국의 멀린 합참의장은 북한 위협에 직면하여 한국, 미국, 그리고 일본이 단결하지 않으면 안되고, 그런 점에서 한미연합군사훈련에 일본이 참가하는 것이 바람직하다는 의견을 밝혔다.[52] 2011년 2월 8일, 미 합참이 공표한 국가군사전략서National Military Strategy도 아시아태평양 지역에서 중국의 부상과 북한의 군사적 도발을 경계하면서, 미국은 "한국과 일본이 상호간 안보연대를 개선하고, 군사협력을 증진하고, 지역 안보를 보전하는 것을 지속적으로 지원할 것"이라고 밝혔다.[53] 따라서 향후 한국 정부는 일본 민주당 정부로부터의 안보협력 요청에 대해, 반발하고 있는 국내 일부 여론과 이를 적극 후원하는 미국으로부터의 입장 사이에서 쉽지 않은 결정에 직면하게 될 것으로 보인다.

VI. 맺는 말

2009년 9월, 민주당 정권이 등장하고 난 이후 많은 연구자들은 일본의 외교안보정책이 어느 방향으로 향하게 될 것인가에 대해 주목해 왔다. 2010년 중국에 의해 국민총생산GDP 규모가 추월당하면서 세계 3위의 경제국가로 내려앉았지만, 여전히 일본은 경제적으로나, 외교적으로나 글로벌 질서 및 동아시아 지역질서에서 비중 있는 행위자임에 분명하기 때문이다.

---

52) 朝日新聞 2010년 12월 9일 인터넷판.

53) Chairman of the Joint Chiefs of Staff, *The National Military Strategy of the United States of America* (February 8, 2011), p.13.

21세기 일본의 국가전략을 전망하면서 혹자는 일본이 전후 정착되었던 요시다 독트린의 연장선상에서 움직일 것이라고 전망하였다. 다른 연구자들은 일본이 경제적 능력에 상응하여 외교와 안보정책 측면에서도 국제적 영향력을 확대하는 보통국가의 길을 걸어갈 것이라고 예상하였다. 다른 학자들은 일본이 요시다 독트린에서 이탈하는 것은 사실이며, 보통국가 혹은 국제적 자유주의 국가의 갈림길에서 자신의 전략을 선택하게 될 것이라고 분석하였다. 그러나 이 전망들은 자민당 집권을 전제로 한 분석들이어서, 민주당 정권의 등장은 새로운 고찰을 필요로 하게 된 것이 사실이다. 그런 점에서 민주당 정권 등장 이후 1년여의 논의기간을 거쳐 2010년 12월에 공표한 「방위계획대강 2010」은, 그 문서적 성격으로 보나, 책정 경위를 통해 볼 때, 민주당 하의 일본 외교 및 방위정책이 어떤 방향으로 전개될 것인가를 전망하게 하는 중요한 자료임에 분명하다.

민주당의 안보전략에 관한 비전들이 담겨 있다고 해도 과언이 아닐 「방위계획대강 2010」을 이전의 자민당이 책정했던 「방위계획대강 2004」, 혹은 자민당이 새롭게 책정하려 했던 「방위계획대강 2009」의 여러 시안들과 비교해 볼 때, 자유주의적 성향을 지닌 민주당의 특성이 부분적으로 반영되고 있는 것도 사실이다. 예컨대 안전보장 정책의 목표의 하나로 "인간의 안전보장" 개념이 처음으로 수용되고 있는 점이나, 중국의 해공군력 근대화와 군사적 불투명성에 대한 우려뿐만 아니라, 교류를 통한 신뢰구축의 정책방향이 포함되어 있는 점의 의미는 결코 가볍지 않다. 기본적 가치와 이익을 공유하는 한국과 오스트레일리아 등 미들파워 국가들 간의 안보협력 강화를 통해 국제질서의 안정과 평화에 기여하겠다는 구상도 민주당의 자유주의적 성향이 담겨 있다고 보여진다. 자민당이 「방위계획대강 2009」의 여러 시안들에서 제기했던 "적기지 공격능력 보유"나 "무기수출 3원칙의 수정", "헌법 개정을 통한 자위군의 명기(明記)" 구상 등이 결국에는 포함되지 않은 점들도 주목되어야 한다. 요컨대 민주당은 자민당의 정책들과 차별되는 안보정책을 추구하려 하였으며, 그러한 지향성이 「방위계획대강 2010」의 문면에 적지 않게 반영되어 있는 것이다.

그러나 동시에 간과할 수 없는 점은 「방위계획대강 2010」에는 자민당이 종전에 추구해온 안보정책과의 연속성, 혹은 그 강화라고 볼 수 있는 점도 적지 않다는 것이다.「방위계획대강 2010」은 일본 방위정책의 기축 가운데 하나로 기능해온 "기반적 방위력" 개념을 과감하게 폐기하고, 이를 대체하여 "동적 방위력"의 개념을 일본이 구축해야 하는 군사력의 기준으로 제시하였다. 글로벌 정세 및 아시아태평양 지역질서에 대두하는 복잡하고 다양한 위협에 대응하기 위해 더 이상 최소한의 방위력이 아닌 선택과 집중의 원칙을 통한 맞춤형 첨단전력을 보유하겠다는 의지가 이 개념에는 반영되어 있다. 미일동맹의 적용 범위도 단순히 아시아 태평양 지역이 아니라, 해양 우주 및 사이버 공간을 포함하는 글로벌 공공공간에까지 확장되고 있다. 실제적으로 「방위계획대강 2010」의 공표 이후 미일동맹 관계는 자민당 집권기간에 못지 않은 연합훈련태세의 공고함을 보여주고 있다.

이같은 측면들은 민주당의 안보 및 방위정책이 단순한 이상주의 혹은 국제적 자유주의의 성향을 반영한 것만이 아니라 현실주의적 성향도 착종되어 있음을 말해 준다. 구사회당과 구자민당 계열이 혼합되어 구성된 민주당의 복합적 성향이 안보정책 관련 문서에서도 반영되어 있는 것이다. 보통국가를 지향하는 일본의 현실주의는 경제적 능력에 상응하여 국제질서에 대한 안보적 역할도 강화할 것을 요청한다. "미들파워 외교론"이나 "인간의 안전보장"으로 상징되는 국제적 자유주의론은 국제적 인도지원이나 개발도상국에 대한 경제적, 기술적 지원 확대를 일본의 외교정책으로 요청한다. 민주당 안보정책의 방향성이 표현된 「방위계획대강 2010」에는 이 두가지 성향이 착종되어 있는 것이다. 그렇게 본다면 향후에도 민주당의 안보정책은, 보통국가론으로 상징되는 현실주의적 경향과

“인간의 안전보장”에서 상징되는 국제 자유주의적 성향을 동시에 표방하면서, 아시아 태평양 지역 및 국제안보질서에 대한 선택적 관여를 지속해 갈것으로 보여진다.

| 참고문헌 |

박영준, 『제3의 일본: 21세기 일본 외교/방위정책에 대한 재인식』, 한울, 2008.

新たな時代の安全保障と防衛力に関する懇談会, 『新たな時代における日本の安全保障と防衛力の将来構想: 「平和創造国家」を目指して』(2010年8月).

『平成17年度以後に係る防衛計畫の大綱について』(2004. 12. 10)(http://www.kantei.go.jp/jp/kakugikettei/2004/1210taikou.html).

石原雄介, 「일본-호주 안전보장 파트너쉽의 고찰: 일한관계에의 함의」(국방대학교 한국-일본 교관교류 세미나 발표, 2011. 3. 23).

宇野重規, 「友愛のうるさ, 異論を接着」, 『朝日新聞』, 2009년 11월 22일.

神谷萬丈, 「安全保障の概念」, 防衛大學校安全保障學研究會, 『安全保障學入門』(亞紀書房, 2003).

久保文明, 「日米 龜裂」, 『讀賣新聞』, 2009년 12월 16일.

自由民主黨 政務調査會 國防部會 防衛政策檢討小委員會, 「提言: 新防衛計劃の大綱について: 國家の平和·獨立と國民の安全·安心確保の更なる進展」(2009. 6. 9).

添谷芳秀, 『日本の「ミドルパワー」外交』(ちくま新書, 2005).

______, 「東アジア安全保障システムのなかの日本」, 添谷芳秀·田所昌幸編, 『日本の東アジア構想』(慶應義塾大學出版會, 2004).

田中明彦, 『安全保障: 戦後50年の模索』(読売新聞社, 1997).

東京財團 安全保障研究 プロジェクト, 『新しい日本の安全保障戦略 : 多層協調的安全保障戦略』(東京財團政策研究部, 2008. 10).

長島昭久, 「민주당의 안전보장정책: 우주, 사이버 일미협동으로」, 『朝日』, 2010년 5월 8일.

中谷元, 『防衛省の真実』(幻冬舍, 2008).

中西寛,『國際政治とは何か: 地球社會における人間と秩序』(中公新書, 2003).
日本経済団体連合会,「国家戦略としての宇宙開発利用の推進に向けた提言」(2010. 4. 12).
______,「新たな防衛計画の大綱に向けた提言」(2010. 7. 20).
鳩山由紀夫,『新憲法試案』(PHP, 2005).
防衛省,『防衛白書 2007: 平成19年版 日本の防衛』(防衛省, 2007).
Auslin, Michael, "Creaky alliance," *International Herald Tribune*(November 12, 2009).
Berger, Thomas U., "The Pragmatic Liberalism of an Adaptive State," Thomas U. Berger, Mike M. Mochizuki and Jitsuo Tsuchiyama, eds., *Japan in International Politics: The Foreign Policy of an Adaptive State*(Boulder: Lynne Rienner, 2007).
Cha, Victor D.,"Is Tokyo rewriting the rules?," *International Herald Tribune*(January 8, 2010).
Chairman of the Joint Chiefs of Staff, *The National Military Strategy of the United States of America*(February 8, 2011).
Fackler, Martin, "A hesitant bulwark against China," *International Herald Tribune*(February 11, 2011).
______, Martin, "Mission for U.S. troops: Rebuild an airport, but quietly," *International Herald Tribune*(April 13, 2011).
Hughes, Christopher W., *Japan's Remilitarization*(London: The International Institute for Strategic Studies, 2009).
Posen,Barry R., "Command of the Commons: The Military Foundation of U.S.Hegemony," *International Security*, Vol.8, No.1(Summer 2003).
Pyle, Kenneth B., *Japan Rising: The Resurgence of Japanese Power and Purpose*(New York: A Century Foundation Book, 2007).

Samuels, Richard, *Securing Japan: Tokyo's Grand Strategy and the Future of East Asia*(Ithaca, N.Y.:Cornell University Press, 2007).

Soeya, Yoshihide, "Japan's Security Policy toward Northeast Asia and Korea: From Yukio Hatoyama to Naoto Kan"(한국전략문제연구소 국제심포지움, 2010. 7. 12).

The White House, *National Security Strategy*(May 2010).

6 21세기 새로운 위협과 중국의 전략적 대응

군구조 개편 및 전력증강 실태

기세찬(국방대학교)

I. 머리말

현재 중국은 1970년대 덩샤오핑의 개혁개방 이후 이룩한 고도의 경제성장을 기반으로 군사력을 강화하고 있으며 또 이를 통해 자국의 영향력을 전 세계로 확대해나가고 있다. 중국은 국가 안보 측면에서 한국과의 이해관계 정도, 그 국가의 지역적 영향력 등을 종합해 볼 때 전반적으로 한국 안보에 큰 영향을 미치고 있다. 글로벌 금융위기와 함께 중국이 G2로 부각하고 있는 시점에서, 중국이 21세기의 새로운 안보위협을 어떻게 평가하고, 군사적 측면에서 어떻게 대응해나가고 있는지를 분석 평가하는 매우 중요한 작업이다.

최근 중국의 급속한 경제발전과 함께 강화되고 있는 중국군의 군사력에 대해 미국을 비롯한 인접국들은 매우 우려를 표방하고 있다. 비록 중국이 최근 발행된 『2010 국방백서』 등에서 중국이 방어적 전략 원칙을 지향하고 있음을 명백히 밝히고 있지만,[1] 미국은 타이완해협을 겨냥한 중국의 군사력이 결코 감소되지 않았음을 지적하면서 중국의 방어적 전략원칙 등이 단지 수사적 표현에 불과하다고 주장하고 있다.[2] 최근 중국의 군사력 증강과 군사 투사력의 확대는 중국 정부가 주장하는 것처럼 단지 자국의 영토를 방위하기 위한 자위적 차원의 일환인가? 아니면 경제력과 군사력을 기반으로 향후 아시아에서 패권을 추구하려 하는 것인가?

선행연구들은 주로 중국의 전통적 안보위협에 주안을 두고 중국의 안보정책 방향, 군사전략 개념, 그리고 군사력 건설 등을 분석하고 이에 대한 대응방향 등을 모색하는 데 초점을 맞추어 왔다. 하지만 21세기 들어 세계는 대테러, WMD, 해적 등 여러 가지 초국가적 위협들이 대두되고 있다. 따라서 21세기 중국의 안보전략을 조금 더 명확하게 분석하기 위해서는 이러한 초국가적 위협들에 대해서 중국이 어떻게 대응하고 있는지도 포함하여 분석할 필요가 있다. 본고는 이러한 시각에 입각해 기존의 중국의 전통적 안보위협에 관한 평가와 연구를 바탕으로 비전통적 안보분야로 확대하여 21세기 새로운 위협의 등장에 따른 중국의 대응전략을 검토하고자 한다.

연구에 필요한 자료는 중국국방대학, 군사과학원 등에서 출판된 자료를 중심으로 하되, 미국의 주요 기관과 중국 전문가들이 저술한 자료를 광범위하게 활용한다. 중국 문헌으로는 2010년에 발행된 『중국국방백서』가 될 것이다. 이 책은 지역 및 세계 안보정세에 대한 중국의 시각과 국방정책 그리고 기본적인 군사력 현황 등이 나와 있다. 미국 측 자료로는 대표적으로 미 국방성에서 의회에 보고한 중국 연례보고서Military and Security Developments Involving the People's Republic China 2010를 참고할 것이다. 이 보고서는 현재 중국의 대내외안보위협, 중국의 군사전략, 국방비 등을 분석한 것으로써

---

1) 『2010年 中國的國防』.

2) U.S. Office of the Secretary of Defence, *Annual Report to Congress: Military and Security Developments Involving the People's Republic of China 2010*. 이하 U.S. Office of the Secretary of Defence, *Military and Security Developments Involving the People's Republic of China 2010*로 약칭.

참고자료로서의 가치를 충분히 지니고 있다. 중국이 군사자료들을 대부분 공개하고 있지는 않지만, 지금까지 공개된 자료와 연구보고서들을 잘 규합하여 활용한다면 본 연구의 목적을 달성하는 데는 크게 어렵지 않을 것으로 생각된다.

연구를 진행함에 있어 본고는 기존에 미국이나 중국이 주장하고 있는 소위 중국위협론 또는 중국의 평화옹호주의라는 어느 하나의 관점에서 접근하기보다는 객관적인 입장에서 분석하고자 한다. 단, 중국에 여러 소수민족이 있지만 14억의 인구 중 한족이 91%를 차지한다는 점을 감안하여 본고는 타이완, 신장, 티베트 등 자치정부의 독립을 용인하지 않는 공식적인 중앙 정부의 입장에서 중국의 위협인식과 대응전략 등을 평가할 것이다.

연구목적을 달성하기 위해 본고는 먼저 제2절에서 21세기 안보환경의 변화에 따른 중국의 안보전략을 검토할 것이다. 다음으로 중국이 안보전략을 달성하기 위해 실제 군사 분야에서 어떠한 노력 등을 하고 있는지, 제3절과 제4절에서 군사조직체계와 군사력건설을 중심으로 살펴보겠다. 마지막으로 제5절에서는 중국의 국제안보협력분야를 다자외교, 군사외교, 국제평화유지활동을 중심으로 검토해보도록 하겠다.

II. 21세기 안보환경의 변화와 중국의 안보전략

1. 21세기 안보환경의 변화와 중국의 위협인식

탈냉전 이후 대부분의 사람들은 세계가 보다 평화를 구축하는 방향으로 진행될 것이라고 예상했다. 그러나 기대와는 달리 2001년 9월 11일 미국의 뉴욕과 워싱턴에서의 무자비한 테러사건 이래 세계는 비대칭적인 '복합적 위협hybrid threats'에 직면해 있다. 자유시장경제의 확산에 의한 긍정적 기여로 민주주의의 세계화는, 각 국이 평화, 안정, 경제번영이라는 국가

이익을 증진시키려는 일반적 목적을 추구하게 함으로써 더욱 안정된 세계로의 길을 터 주었지만, 이는 또한 대량살상무기의 확산, 전제국가나 실패한 국가들의 지원을 받는 국제범죄조직이나 테러 네트워크, 마약조직 등과 같은 초국가적 위협에 의한 불안정요소의 확산을 용이하게 만들었다.[3]

중국도 여기에 예외가 될 수 없다. 중국의 안보전략은 중국을 둘러싼 지정학적 취약성, 내외부의 안보환경의 영향을 받고 있다.[4] 내부적으로는 독립을 주장하는 소수민족의 테러, 빈부격차로 인한 사회 불안, 외부적으로는 중국의 부상과 영향력을 두려워하는 주변국 및 강대국의 견제 등과 같은 안보환경에 둘러싸여 있다. 지금 국제사회는 중국의 경제적, 군사적 영향력 확대에 따라 한편으로는 견제를 하면서도, 한편으로는 국제사회에서 중국의 책임 있는 역할을 주문하고 있다. 중국이 21세기 안보환경을 어떻게 인식하고 있고 어떠한 안보정책을 수립할 것인가는 이미 국제적인 관심사가 되었다.

중국은 개혁·개방정책을 채택한 1978년 이래 네 차례에 걸쳐 안보 환경에 대한 인식과 정책 변화를 겪어온 것으로 평가된다.[5] 첫 번째는 경제개혁 초기에 이루어진 것으로 1970년대 주적으로 상정하였던 소련의 위협의 감소와 초강대국간의 핵전쟁이 당분간 발생하지 않으리라는 판단하에 중국 지도부는 경제건설에 재원을 집중하기 위하여 1982년부터 미·소 초강대국에 편향되지 않는 독립적인 외교정책을 추진하였다. 두 번째는 1986년 12월과 1988년 5월 사이에 이루어졌는데, 중국 지도부는 이후

---

3) 류재갑, 「동북아 지역 평화·안보와 한미안보협력체제 개선을 위한 양자-다자주의적 접근」, 『국제정치논총』 제43집 3호(2003. 9), p. 90

4) 중국은 9,752,900km^{2}의 면적과 13억 3,300만 명의 인구를 보유하고 있고, 그 국경선은 1만 4,000km에 이른다.

5) 황병무·멜 거토부, 『중국안보론』, 국제문제연구소, 2000, pp. 86-109; 김성한, 「동아시아 미군 재편에 대한 중국의 평가와 군사전략 변화전망」, 국방정책연구보고서(05-06), (2005. 12), pp. 61-62.

세계의 전략적 문제는 더 이상 냉전과 관련한 군사적 대치가 아닌 경제문제가 중심이라고 인식하였다. 이에 따라 중국 지도부는 기존의 '인민전쟁전략' 방식을 포기하고 '제한국지전쟁' 전략을 채택하였다.

세 번째는 1991년 소련의 붕괴와 미국이 걸프전에서 적용한 군사기술에 의해 크게 자극을 받아 이루어졌다. 이에 중국은 외교적으로는 주변국과 선린외교를 강화하여 분쟁의 소지를 약화시키고, 미국에 대해서는 대응보다는 협력을 위주로 한 외교전략을 채택하였으며, 국가 간의 관계에 있어서 양자 간뿐만 아니라 다자 및 국제기구에 보다 적극적으로 참여하였다.

네 번째는 1990년대 말 미국이 보다 공세적인 패권적 외교전략을 구사하고 있다는 판단을 바탕으로 이루어졌다. 특히 2001년 부시 행정부가 들어선 이후 취했던 전 세계적 대테러 노력은 실제 중국을 전략적으로 포위하는 양상을 띠고 있다는 인식을 중국에게 주기에 충분하였다. 미국은 아프가니스탄 전쟁을 계기로 중국의 서부접경지역인 중앙아시아에 군대와 군사시설들을 주둔시키고, 동남아에서는 싱가폴, 베트남, 필리핀 등과 군사교류를 확대하였으며, 서남아시아에서는 중국과 적대관계였던 인도와 협력관계를 강화하였다. 이에 중국은 상하이협력기구SCO를 설립하여 중앙아시아에서 미국을 견제하고, 군사적으로는 타이완문제와 관련하여 미국과의 충돌을 상정하면서 전략변화를 시도하였다.

한편, 테러, 해적, 마약 문제들이 국경을 넘어 세계 각국에 보편화됨에 따라 최근 중국 정부는 기존의 전통적 안보위협과 함께 비전통적 위협을 중요시하고 있다. 그렇다면 중국이 인식하고 있는 전통적 안보위협과 비전통적 안보위협은 무엇을 말하는가?

먼저 전통적 안보위협으로 중국은 외부세력의 직접적인 군사적 위협, 영토주권의 분할, 그리고 주변국가의 불안정 등을 들고 있다.[6] 중국은 특

6) 劉靜波 主編, 『21世紀初中國國家安全戰略』(北京: 時事出版社, 2006), pp. 70-77.

히 일부 강대국이 전 지구적인 신속타격능력을 발전시키고, 네트워크 전략 등을 증강시켜 중국을 위협하고 있다고 인식하고 있다. 2010년 국방백서에서 중국은 "미국이 미·중 3개 공동 성명의 원칙을 위반하고 계속 타이완에 무기를 수출함으로써 미·중 관계와 타이완해협 지역의 평화와 안전을 심각하게 손상"하였고, 또 "미국이 아태지역 군사동맹체계를 강화시키고 지역안보의 개입 역량을 증대시키고 있다"고 우려하고 있다.[7] 즉 중국은 미국의 내정간섭과 봉쇄정책을 매우 중요한 전통적인 안보위협으로 인식하고 있는 것이다.

둘째, 중국이 주요 전통적 안보위협으로 지목하고 있는 것은 주변국과의 영토분쟁이다. 중국은 남사군도를 비롯한 주변국과의 영토분쟁이 중국의 권익을 침해하고 있다고 인식하고 있다. 중국은 역사적으로 영토분쟁에 있어 무력사용을 폭넓게 사용해왔으며 때로는 전쟁으로 발전하기도 하였다. 예를 들면 1962년의 중인전쟁, 1979년의 중월전쟁 등이 그 대표적인 예이다. 1998년 이후 중국은 11곳에서 6개의 국가와 영토분쟁을 진행하고 있는 것으로 알려져 있다.[8] 그 중 몇몇 분쟁은 배타적 경제 수역EEZ과 매장가능성이 있는 해저유전 및 가스전 지역과 관련이 있다.

셋째, 중국은 주변 환경의 불안정을 지역 및 중국의 주요 안보위협으로 인식하고 있다. 중국의 국가이익은 급속한 경제발전과 맞물려 있다. 따라서 경제적으로 빠른 성장을 추구하고 있는 중국에게 특히 북한의 핵문제와 같은 사안들이 결코 중국의 경제 및 군사안보에 도움이 되지 않을 것은 분명하다.

다음으로 중국의 비전통적 안보위협 인식이다. 최근 세계화와 정보화 추세에 따라 안보 대상과 영역은 다양해지기 시작했으며, 이른바 비전통

---

7) 『2010年 中國的國防』.

8) U.S. Office of the Secretary of Defence, *Military and Security Developments Involving the People's Republic of China 2010*, p. 17.

적 안보 개념에 대한 논의가 증대되고 있다. 비전통 안보 개념은 전통안보의 상대적인 의미로써, 군사·정치·외교적인 문제 이외에 주권국가와 인류의 생존과 발전에 위협이 되는 요소를 말한다.

중국은 2010년 국방백서에서 지금의 국제 안보정세를 다음과 같이 언급하고 있다.

> 국제 안보정세는 더욱 복잡화되고 있다. 국제질서·종합국력·지역정치 등의 국제 전략을 둘러싼 경쟁은 나날이 격렬해지고 있고, 선진국과 발전도상국, 전통강대국과 신흥강대국의 모순이 종종 출현하고 있으며 국부충돌과 지역 쟁점이 여기저기서 발생하고 있다. … 테러·경제안보·기후변화·핵확산·정보안보·자연재해·공공위생안보·초국가적 범죄 등 각 국의 안보를 위협하는 전 지구적 성격의 도전이 뚜렷이 증가하고 있다.[9]

이상에서 중국은 경제, 환경, 테러, 빈부격차 등의 사회문제들을 중요한 안보위협 요인으로 인식하고 있음을 알 수 있다.

그러나 비전통 안보 개념 자체가 모호하고 추상적이며 포괄하고 있는 대상과 영역이 광범위해 비전통 안보의 영역을 명확히 규정하기는 어렵다.[10] 예를 들면, 티베트나 신장 등에서의 분립독립 운동은 중국의 입장에서 비전통 안보 영역에 속한다고 볼 수 있다. 하지만 이 사안들에 대해 미국 등 국제사회가 지속적인 관심을 갖고 개입할 수 있는 문제이므로 중국은 이것을 단순히 비전통 안보위협으로만 볼 수 없다. 즉 지역의 분리독립주의는 중국의 주권과 영토 안정에 심각한 위협이 될 수 있는 사안으로 전통적 안보 영역에도 속한다고 볼 수 있는 것이다.

---

9) 『2010年 中國的國防』.

10) 이수형, 「비전통적 안보 개념: 등장 배경, 유형 및 속성」, 함택영·박영준 편, 『안전보장의 국제정치학』, 사회평론, 2010, pp. 48-50.

이상에서 중국이 현재의 안보환경을 어떻게 평가하고 있는지 살펴보았다. 요약하면 중국은 현재의 세계가 복합적이고 다양한 위협에 노출되어 있으며, 특히 근래 들어서 비전통적 안보 분야의 위협이 대두되고 있으므로 기존의 안보 질서로는 이러한 위협들에 효과적으로 대응하지 못할 것이라고 인식하고 있다.

2. 중국의 안보정책결정구조와 신안보관

중국은 미국의 국가안보전략national Security, 국방전략National Defense Strategy 등과 같은 문서는 공간하지 않고 있다. 일반적으로 중국의 안전보장에 대한 인식과 태도는 지도자의 공식석상에서의 발언 등으로 판단할 수 있다. 중국의 주요 지도부는 당대회 보고나 정부공작보고, 혹은 국제회의에서의 연설을 통해 안보인식의 변화와 주요 정책을 제기해 왔다.

중국의 지도자들은 전략적 우선순위들에 의거 국가정책을 결정한다. 현재 중국이 핵심이익으로 간주하고 있는 것은 중국공산당 영도하 중국 특색의 사회주의 제도 견지와 국가의 정치안정 유지, 중국의 경제성장과 발전을 유지하기 위한 유리한 국제환경 조성, 그리고 중국의 주권과 영토 방어 및 강대국으로서 중국의 위상 확보 등이다.[11] 이러한 중국의 안보인식과 정책의 구체적인 내용은 국방백서(中國的國防)나 우주백서(中國的航天)를 통해 체계화되고 있다.

그렇다면 중국은 어떠한 안보정책 구조를 가지고 대내외 안보정책을 결정하고 있는가? 중국의 정치권력 구조는 당·정·군의 3계통으로 이루어져 있지만, 실제로는 당이 정부(국무원)와 군대(중앙군사위원회)를 영도하고 있다. 중국공산당 정치국 상무위원은 실질상 권력의 핵심으로써 중국의 대내외적 정책결정 과정에서 핵심적 영향력을 행사하고 있다. 따

11) U.S. Office of the Secretary of Defence, *Military and Security Developments Involving the People's Republic of China 2010*, p. 15.

라서 중국의 안보정책 결정 과정에서는 정치국 상무위원이 최고의 결정 권한을 행사하면서, 국무원의 부서 혹은 위원회(외교부, 국방부, 국방과학기술공업위원회 등), 당 중앙위원회의 직속기관(중앙대외연락부, 중앙대외선전소조 등), 중앙군사위원회 총부 산하 관료 기구 등을 통해 정책을 논의하고 결정한다.[12)]

중국의 정책결정과정에서 주목해야 할 것은 바로 '영도소조(領導小組)'이다. 이 영도소조는 당 최고지도부가 영역별로 업무를 분담하여 자신들의 책임분야에서 정책결정과 집행과정을 지휘하기 위해 만든 일종의 협의기구이다. 외교안보분야에는 중앙외사영도소조가 운영되고 있는데 1958년에 처음 신설되었다. 외교안보 관련 문제가 발생했을 때 관련된 다양한 부처들이 참여하여 외교정책을 논의하며 필요 시에 외교전문가들을 초청하여 참여시키기도 한다.[13)]

개혁개방의 추진과 함께 국가 간 관계를 중시하는 정부부문의 역할이 늘어남으로써 외교정책결정과정에서 국무원 산하의 외교부와 국가안부의 역할도 중요해졌다. 그리고 최근에는 중국 정부가 중국의 외교안보 정

〈표 1〉 중국의 안보정책 결정구조[14)]

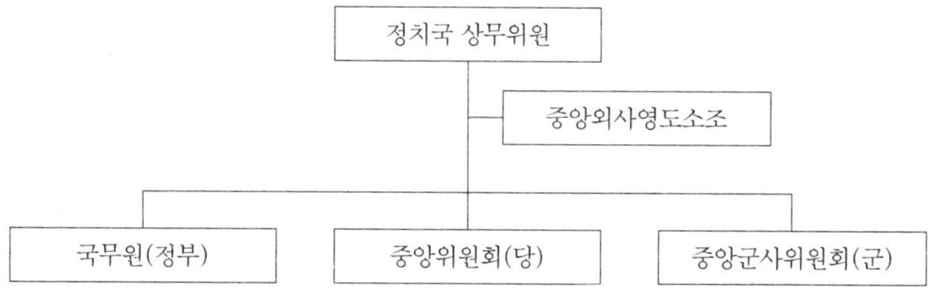

12) 李繼耐 主編, 『新世紀新段階國防和軍隊建設』(北京: 人民出版社, 2008), pp. 124-138.

13) 위의 책.

14) 김예경, 「중국의 안전보장제도와 정책", 함택영·박영준 편, 앞의 책, p. 434.

책결정 과정에서 비록 완전히 독립적인 민간연구 기관은 아니더라도 정책연구기관, 전문가 및 학자, 대학 등의 자문 및 위탁연구 활동을 통해 폭넓게 의견을 수렴하고 있다. 이는 중국의 안보정책 결정 과정에서 중국지도부가 의견 수렴기관을 조금씩 다변화하고 있다는 것을 보여준다. 그렇다면 중국 지도부는 현재 어떠한 안보관을 가지고 있는가?

장쩌민(江澤民)과 후진타오(胡錦濤)는 기본적으로 덩샤오핑의 '평화와 발전'의 시대적 정신을 계승하였다. 하지만 탈냉전 이후 국제환경의 변화에 따라 비전통적 안보위협이 증가함에 따라 중국 지도부는 국가안보개념을 확대하였다.

1998년 중국 국방백서에 근거하면, 중국의 신안보관은 주권안보, 포괄안보, 협력안보의 강조를 통해 군사적 안보 영역 이외에 정치, 경제, 사회 등 다양한 안보 영역에 대한 관심과 국제사회의 공동이익에 대한 국제협력을 강화한다는 것을 핵심 내용으로 하고 있다. 즉 신안보관의 핵심개념은 상호신뢰, 상호이익, 주권평등, 협력으로, 기존의 전통적인 안보 개념이 제로섬 게임의 특징을 가지고 있었다면, 신안보개념은 국제협력의 중요성을 강조하고 있는 것이다.

중국에서 신안보관 개념의 등장은 국제환경의 변화와 밀접한 관련이 있다. 냉전의 종식과 함께 국제사회에서는 세계화의 바람이 불기 시작했고, 이 세계화는 전 세계 개별국가들을 민주화, 규범화-시장화 등으로 유도하여 평화와 발전, 그리고 안전을 도모하는 일체화된 사회로 전환시키는 역할을 하게 되었다. 중국 지도부 또한 중국이 세계화의 조류에 적응하여 국가발전을 이룩하는 것이 새로운 세계에서 국가가 생존하고 발전하는 방법이라고 인식하게 되었다.[15)]

이에 따라 중국은 군사안보 중심의 전통적 안보개념을 확장하여 경제, 자원, 정보, 국제테러리즘 등 세계화시대에 발생하는 다양한 종류의 다국가적 갈등을 중국의 안보를 위협하는 요소들로 규정하고 이들 위협을 적절히 통제하는 것을 국가안보의 개념에 포함시켰다. 그리고 이 비전통적안보분야의 문제들은 국제사회의 상호의존성의 가속화와 함께 심화 확대되고 있기 때문에 다자주의에 의한 국제사회의 협력으로 해결될 수 있다고 인식하였다.[16]

그래서 중국은 전통적인 군사안보영역에 대한 태도전환을 모색하였고, 개혁개방 이후의 국력신장에 부합하는 자국의 이미지 제고와 국제사회에서 상호신뢰구축을 추구하면서 다자간 국제체제에 대한 참여를 확대하게 되었다. 중국은 1986년에는 32개의 국제기구에 참여하면서 참여비율이 세계 평균을 상회하였으며 2000년도에는 50개에 달했다.[17] 이러한 결과는 안보개념의 전환에 따른 중국의 협력적 외교태도를 보여주는 것이라고 말할 수 있다.

하지만 이러한 원칙이 모든 경우에 있어서 일괄적으로 적용되는 것은 아니다. 왜냐하면 타이완문제와 같이 이슈영역의 특수성에 따라 대응의 강도가 다르고, 아울러 국내정치적인 제약도 존재하기 때문이다. 특히 중국 정치체제가 상대적으로 지니고 있는 정치과정의 임의성과 불투명성은 신안보관이 지니고 있는 정책적인 시사점을 정치적 수사로서 치부하게 할 수도 있다.

중국이 서방의 협력안보에 참여한다고는 했지만, 사실상 중국은 여전히 주권안보를 협력안보보다 더 중요한 위치에 놓고 있다. 중국이 국제사회에 협력하는 과정에서 이렇게 제한적인 면을 도입하는 근본적인 원인은 중국인의 주권에 대한 특별한 인식에 기인한다고 볼 수 있다. 주지하듯이 중국은 역사적으로 아편전쟁 이후부터 20세기 중반까지 일본을 비

15) 한석희, 「중국의 신안보개념('신안전관') - 다자간 안보에 대한 중국의 협력가능성과 한계 -」, 『국제지역연구』 제8권 제1호(2004. 4. 30), pp. 225-226.

16) 劉靜波 主編, 앞의 책, pp. 115-124.

17) 한석희, 앞의 논문, p. 231.

롯한 서구 열강의 침략을 받아왔다. 중국의 민족주의는 자국에 대한 이러한 외세의 침략에 대항하는 과정에서 형성되었기에 특히 주권 문제에 있어서 민감한 반응을 보이고 있는 것이다.

이렇게 볼 때 중국은 다자간 안보체제에 참여하면서 국제체제가 추구하는 가치, 규범 등을 수용하고 자국의 외교적 태도를 근본적으로 변화시키기보다는 자국의 발전과 국가이익에 유리한 부분만 선별적으로 받아들이는 제한적인 변화만을 시도하고 있는 것으로 보인다. 즉 중국의 신안보관은 중국이 새로운 국제환경에 적응하여 다자간 안보체제에 참여할 수 있는 근거로서 역할을 하고 있지만, 그 개념 자체가 중국의 현실주의적 대외관계를 부정하는 것은 아니라고 판단할 수 있다.

III. 중국의 군사전략과 군 조직체계

1. 중국의 군사전략

중국의 군사전략을 분석 및 평가하기 위해서는 먼저 과거 중국의 군사전략의 변화과정을 이해할 필요가 있다. 이하에서 신중국 성립 이후부터 현재까지 중국의 군사전략의 변화과정을 개관하고, 현재 중국이 채택하고 있는 '정보화조건하 국부전쟁의 승리'의 개념과 내용을 구체적으로 살펴보도록 하겠다.

중국은 1949년부터 1970년대 후반까지 인민전쟁이라는 불리는 군사독트린을 유지했다. 인민전쟁 군사사상은 시간을 벌기 위해 공간을 활용하고 적을 깊숙이 유인해서 섬멸하는 것으로써 주로 대중동원에 의존하는 전략이다. 마오쩌둥의 인민전쟁론은 국공내전과 항일전쟁 시기에는 혁명수행의 전략으로써, 1950-1960년대 냉전시기에는 미·소에 대한 억제전략의 일환으로써 목적과 역할을 했다고 할 수 있다.

마오쩌둥 사후 중국의 군사전략은 '현대적 조건하의 인민전쟁'으로 다소 탈바꿈했다. 1970년대 중반 중국지도부에는 1930년대와 1940년대 팔로군이 사용했던 방식으로는 현대전쟁을 치를 수는 없다는 위기인식이 존재했다. 이에 중국 지도부는 무기와 장비를 역사적 조건에 맞게 변화시키고, 또 전략거점, 주요도시, 요새지역을 포기하기보다는 산업과 전략지역의 중요성을 강조함으로써 마오의 영토양보모델의 수정을 꽤했다. 이렇게 탄생한 중국의 '현대적 조건하의 인민전쟁' 개념은 과거 인민 중심에서 무기와 장비를 중요시하는 현대전략으로 변화해가는 과도기적 성격을 가지고 있었다고 보여진다.[18]

한편, 1985년 5월 23일부터 6월 6일까지 개최되었던 중국 중앙군사위원회 확대회의는 중국군사사상의 일대 전환점이었다. 여기서 중국지도부는 경제발전에 집중할 수 있는 평화롭고 안정된 국제환경이 조성되었다는 평가하에 군사교리의 전면적인 수정을 꾀했다. 중국 군사지도부는 미래의 전쟁은 전면전보다는 국부적인 전쟁이 될 것이라고 판단하였다.[19]

국부전쟁은 중국인의 시각에서 전쟁이 일어나는 지리적 범위와 추구되어지는 정치적 목표의 범위에 의해서 제한을 받는 투쟁을 말한다. 국부전쟁에서 군대의 목적은 적을 섬멸하거나 영토에서 몰아내는 것이 아니라 제한된 군사행동을 통하여 자신의 입장과 의지를 표출하여 국가의 의지를 적에게 강요 또는 교훈을 주는 데 있다. 그러나 초강대국으로부터 당면 위협의 부재가 자동적으로 중국에게 안전한 안보환경을 제공해주는 것은 아니었다.

그래서 중국은 현대전에서 기술의 중요성에 대한 인정과 국부전이라

18) 김호준, 「中國의 軍事思想」, 권선홍 외, 『강대국 군사전략론』 국제관계연구총서 VIII(부산외국어대학교출판부, 2004), p. 191.

19) Li Nan, "The PLA's Warfighting Doctrine, Strategy, Tactics," *The China Quarterly*, No. 146, June 1996, p. 445.

는 새로운 형태의 전쟁에 대비하기 위한 군현대화를 추진하였다. 1983년 군 구조 개편 및 1985-87년 100만 명 병력 감축 등의 군 개혁 노력은 이러한 배경과도 연관이 있었다. 그러나 정부의 경제우선 정책으로 당시 군은 현대화에 필요한 충분한 재정적 지원을 받지 못함으로써 인민전쟁 교리를 크게 벗어나지 못했다.

그런데 1991년 걸프전은 중국 지도부에 엄청난 충격을 안겨다 주었다. 중국 지도부는 정밀유도탄, 토마호크 크루즈 마시일, B1·B2 스텔스기, 전자정보전에 있어서 중국의 취약점을 절감했다. 중국 인민해방군은 대규모의 후진적 무기와 장비, 비대한 관료조직, 비합리적 규제와 인적 구조, 군인의 자질부족으로 특징지워져 왔고, 빈약한 하드웨어, 군인들의 전문기술부족, 제도적 무력함과 변화에 대한 저항 등이 가장 큰 문제로 인식되어져 왔다. 걸프전은 이러한 중국군의 작전전략과 훈련의 전면적 재검토를 촉발시켰다.

1993년 중앙군사위원회 전체회의를 통해 중국 군사지도부는 중국인민해방군이 "현대적 조건하 특히 첨단기술조건하의 국부전쟁에 대비해야 한다"라는 결론에 도달했다. 이러한 첨단기술론은 1995-1996년 타이완해협 위기, 1999년 코소보 전쟁, 그리고 최근 아프간 전쟁 및 이라크 전쟁을 통해 그 중요성이 재삼 입증되었다. 또한 미국의 주도로 도래한 서구 군사혁신의 물결은 중국이 더욱더 첨단기술론에 관심을 두게 만들었고, 중국군은 군사혁신의 핵심을 서구와 마찬가지로 정보화로 인식하게 되었다.[20]

최근 이러한 경향은 더욱 심화되었다. 이와 같은 중국지도자들의 의식을 반영하듯, 중국은 2004년과 2006년 『국방백서』에서 군 정보화의 중요성을 언급하였고, 2008년도 『국방백서』에서는 "정보화를 주요 지표로

---

20) 박창희, 「중국인민해방군의 군사혁신(RMA)과 군현대화」, 『국방연구』 제50권 제1호 (2007. 6), p. 85.

하는 군대의 질적 건설을 강화한다"고 강조하였다.[21]

현재 중국군은 '정보화 조건하 국부전쟁의 승리'를 달성하기 위해 '적극적 방어'전략과 '비대칭전략'을 채택하고 있다. 적극적 방어란 적극적 공세행동을 통한 방어를 의미한다.[22] 중국의 적극방어전략은 두 가지 주요한 특징을 가지고 있다. 첫째, 중국의 적극방어전략은 더 이상 군사영역에만 한정되지 않는다. 미국을 비롯한 주변 국가들이 군사혁신 및 정보전 수행능력 강화에도 불구하고 중국은 재정적·기술적 이유로 단기간 내 정보화 전쟁을 수행할 수 있는 능력을 구비하기 어렵다. 따라서 중국은 상대적으로 열세에 있는 정보전 수행능력을 보완하기 위해 정치·경제·사회·외교적 측면에서 다양한 대응책을 마련하는 데 주안을 두고 있다.[23]

둘째, 적극방어전략은 국부전쟁의 특성을 반영하여 신속결전을 추구한다. 현대의 국부전에서는 군사행동이 단시간 내에 이루어지며, 대개 한두 개의 전역, 심지어는 전술 수준의 행동을 통해서도 전략적 목적을 달성할 수 있게 되었다. 중국 또한 현대 국부전쟁의 특성을 반영하여 신속하고 결정적인 전역 또는 전투를 통해 전쟁의 승부를 결정지으려 할 것으로 판단된다.[24]

다음으로 중국은 현재 비대칭전략을 추구하고 있다. 중국이 군사현대화를 통해 전력을 증강시킨다 하더라도 당장 서구와 같은 수준의 능력을 구비한다는 것은 불가능하다. 그래서 중국은 적의 우주군사체계에 대한 공격을 불가피하면서도 매혹적인 비대칭전략으로 간주하고 있다.[25] 왜냐

---

21) 『2008年 中國的國防』, 국방정보본부 역, 『2008년 중국국방백서』, p. 6.

22) 彭光謙, 『中國軍事戰略問題研究』(北京: 解放軍出版社, 2006), p. 226.

23) James C. Mulvenon, et al., *Chinese Response to U.S. Military Transformation and Implication for the Department of Defense* (Santa Monita : RAND, 2006), pp. xii, 39-43.

24) 박창희, 「21세기 전략환경 변화와 중국의 군사전략」, 『中蘇研究』 통권 119호, 2008 가을, pp. 60-61.

25) U.S. Office of the Secretary of Defence, *Military and Security Developments*

하면 현대의 정보화된 전쟁은 정보기술을 바탕으로 한 네트워크 중심의 전쟁을 추구하고 있고, 서구 강대국들 대부분이 전쟁수행의 핵심적인 부분을 우주자산에 의존하고 있기 때문이다.

요컨대, 마오쩌둥의 적극방어전략이 '유격전'을 근간으로 한 비대칭 전략이었다면, 현재의 '정보화조건하 적극방어전략'은 적의 정보화에 내재하고 있는 취약성을 겨냥한 비대칭을 추구하고 있는 것이다.[26] 즉, 현재의 중국군의 군사전략은 정보화조건에 부합된 적극적 방어와 비대칭전을 수행하는 것으로써 최근 국부화 및 정보화 된 전쟁양상에 부합되도록 변화하고 있음을 알 수 있다.

2. 중국군의 조직체계

2010년 중국의 국방백서는 "중국의 무장역량이 공산당의 영도하에 있으며, 국방정책결정기관인 중앙군사위원회 주석의 책임하에 있다"는 것을 명백히 밝히고 있다.[27] 공산당 일당 지배체제를 유지하고 있는 중국의 경우, 군사력은 단순히 국가방위를 위한 무장력이 아니라, 정권을 창출하고 지켜나가는 정치적 통치력의 근간으로 그 특징을 가지고 있다. 그래서 중국군의 지휘구조는 군에 대한 지휘통솔을 담당하는 군 지휘관과 함께 정치위원을 병존시키고, 다수의 부지휘관, 부부서장을 두어 이를 통해 상호감시·견제·협조·의견수렴 등을 할 수 있는 체제를 갖추고 있다.

신중국 성립 이후 중국은 지속적으로 군 편제를 보강하여 왔다. 중국군은 현재 육·해·공 3군과 제2포병이라는 독립된 병종으로 구성되어 있다. 개혁개방 이전까지 중국군은 마오의 인민전쟁 교리의 영향을 받아 육군 중심으로 발전시켰으나, 개혁개방 이후 특히 걸프전 이후에는 해·공

Involving the People's Republic of China 2010, p. 22.

26) 박창희, 「중국인민해방군의 군사혁신(RMA)과 군현대화」, 앞의 책, p. 92.

27) 『2010年 中國的國防』.

〈표 2〉 중국군 조직체계[28)]

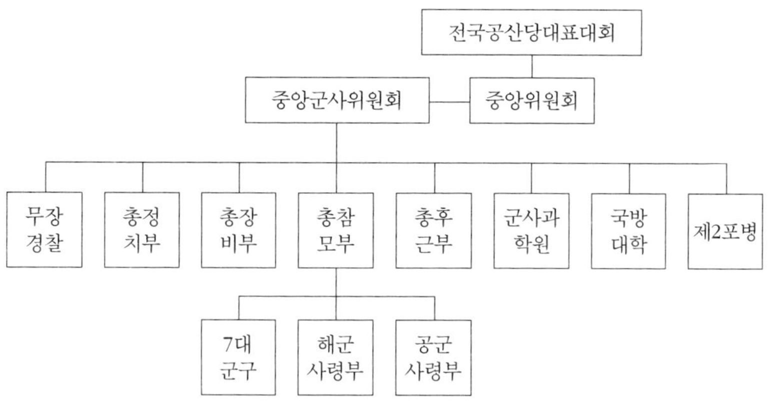

군 및 제2포병의 전략증강에 힘써오고 있다.

중앙군사위원회 산하에는 중국군 총부기관, 즉 중국군 총참모부, 총정치부, 총후근부, 총장비부가 있다. 이 4대 총부는 중앙군사위원회의 업무기관이며 전군의 군사, 정치, 후근, 장비업무의 지도기관이다. 총참모부는 전국 무장역량의 건설을 조직적으로 지도하고, 무장역량의 행동을 조직적으로 지도하는 책임이 있고, 총정치부는 전군의 당 업무를 관리하고 조직적인 정치업무를 시행하는 책임이 있으며, 총후근부는 전군의 군수지원업무를 조직적으로 지도하는 책임이 있다. 그리고 총장비부는 전군의 장비 업무를 조직적으로 지도하는 책임이 있다.

중국군의 조직에서 특이한 점은 〈표 2〉에서 확인할 수 있듯이 해·공군과 달리 육군은 육군사령부가 없다는 것이다. 대신 총참모부가 육군사령부 역할을 병행하면서 전국에 7개(베이징, 선양, 지난, 난징, 광저우, 청두, 란저우) 1급 군구(대군구(大軍區))를 두어 예하 부대를 지휘하고 있다. 신중국 수립 직전 중국 육군은 대부분 보병으로 구성되었고 총병력

28) U.S. Office of the Secretary of Defence, *Military and Security Developments Involving the People's Republic of China 2010*, p. 14.

은 약 420만 명이었다. 하지만 그동안 지속적으로 병력을 감축하여 현재는 약 160만 명 규모를 유지하고 있는 것으로 알려져 있다. 부대 규모는 총 21개 혼성집단군, 54개 사단, 78개 여단으로 구성되어 있으며 전국 7대 군구에 분산 배치되어 있다.

7대 군구는 신중국 성립 직후 수도권과 동북, 그리고 산동의 전략적 중요성을 고려하여 베이징군구, 선양군구, 지난군구에 3-6개 집단군을 편성하여 강력한 전력을 보유하였다. 하지만 1990년대 후반부터는 타이완의 독립추진으로 양안 관계가 악화되면서 타이완과 관련성이 높은 난징군구의 전력을 강화하고 있는 추세이다.

중국의 당·군지도부는 중국의 해양전략, 해군의 임무 및 발전방향, 해군력 증강 등 분야에 대한 포괄적 검토를 통해 전략적 요구를 규명하는 한편, 해군전력 정비작업을 활발하게 추진하고 있다. 중국군은 지난 수년간 중국에 대한 지상 위협이 크게 감소한 반면 해양주권과 해양권익을 보호해야 할 필요성이 커지고 있다고 인식하고 있다. 특히 남사군도, 조어도, 타이완과 같은 영해·영토분쟁, 연안지역의 중요성, 해양에너지 개발, 해상교통로 보호, 전략적 종심의 확대 필요성을 강조하고 있다. 중국 해군은 연안해군을 벗어나 근해해군의 규모와 전력수준을 갖추었으며, 고도로 성장하는 경제력을 바탕으로 대양해군으로의 발전을 도모하고 있다. 중국 해군의 작전범위도 동지나해와 남지나해는 물론이고 태평양 및 인도양으로까지 확대되고 있다.

중국 해군은 수상함정부대, 잠수함부대, 항공병, 해안방어, 해병 등의 병과와 특수부대로 구성되어 있다. 해군의 지휘체제는 베이징에 위치한 지휘부 통제하 함대-기지-지대(대대)순으로 편성되어 있다. 해군사령부 예하 3개 함대(동, 남, 북해)로 편성되어 있고, 함대별로 해군항공병부가 있으며, 함대별 20척 내외의 잠수함 및 300척 내외의 수상함정으로 구성되어 있다. 항공사령부의 위치는 동해함대사령부는 상하이에, 남해함대

〈표 3〉 해군의 조직체계[29]

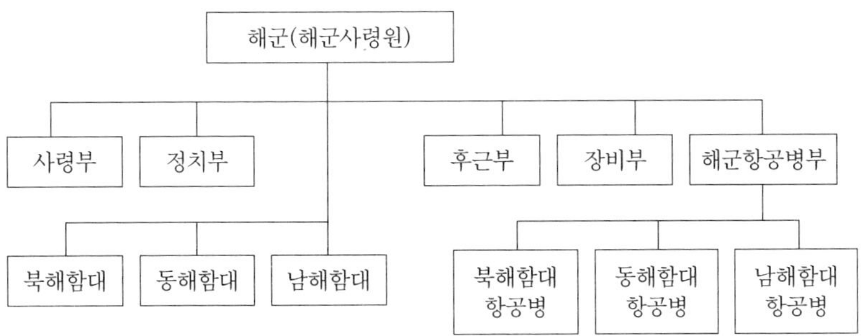

사령부는 광동에 북해함대사령부는 칭다오에 위치해 있다.

총 병력 30만 명의 중국 공군은 중국의 영공 및 국가 주요시설, 군사 시설 보호의 임무를 담당하고 있다. 무기 체계의 현대화를 위해 S-300의 도입지속, 신형 전투기 도입 및 개발을 우선사업으로 추진하고 있다. 공군사령부는 작전, 훈련, 조직구조, 장비계획, 장병모집 등의 책임을 지고 있으며 공군작전을 직접 지휘하지 않고, 기타부서와 함께 행정 조직의 하나로 공군작전의 방향과 정책을 수립하고 작전과 훈련에 관련된 각종 규정 및 규칙을 작성하고 있다. 공군 작전을 지휘하는 것은 각 군구 사령원(司令員)이다.

공군사령부 예하에는 공중교통 통제부, 통신부, 지상방위부, 기상부, 근무부, 군사훈련부, 과학연구부, 현대화부, 레이더부, 인사부, 외사국 등의 부서가 있다. 그리고 공군사령부 예하에 공정군단, 미사일 기지, 방공센터 등이 있고, 군구공군사령부 예하에 공군군단 소속의 비행단들이 편성되어 있다. 세부 전력으로 공군사령부는 7개의 군구사령부와 44개의 항공사단으로 구성되어 있으며, 32개의 전투사단, 5개의 폭격사단, 7개의 공격사단 및 2개의 수송사단이 편성되어 있다. 항공연대는 최대 4개

29) 군사위원회 해군(약칭: 軍委海軍)은 중앙군사위원회가 해군을 지휘하는 조직으로써 조직의 장은 해군사령원이다.

〈표 4〉 공군의 조직체계[30]

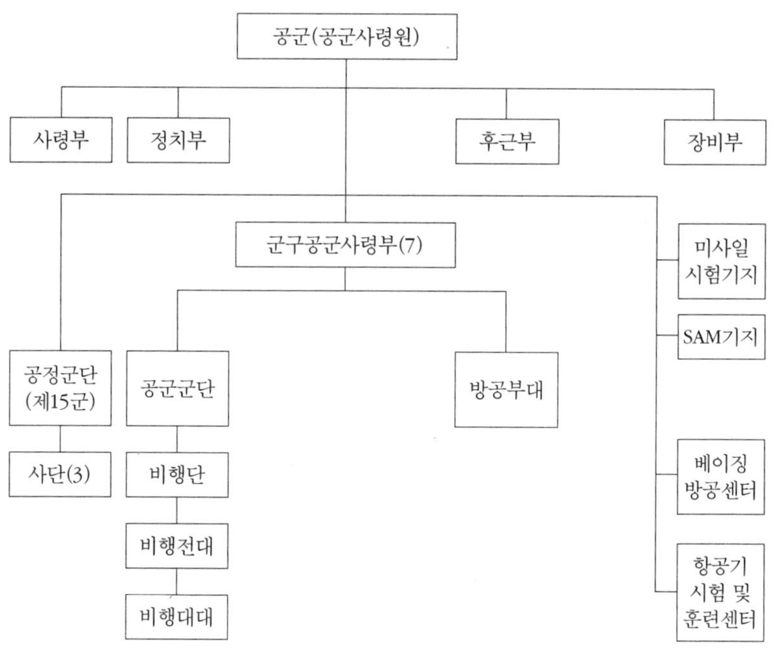

의 비행대로 구성되어 있고, 1개 항공사단은 3개의 항공연대로 편성되어 있다. 군구에 배치된 항공사단의 수는 군구별로 차이가 있으며 중국 남서부에 다수가 배치되어 있는 것으로 알려져 있다.[30]

제2포병은 병력이 10만 이상으로 추정되며, 미사일 부대 5만 명 이외에 기술장비부대, 공병, 화학병, 통신병, 전투근무지원 부대, 과학연구기관 요원 등이 포함되어 있어 고도의 과학기술 작전 수단과 인재를 구비한 핵공격 능력을 보유한 정예군이다. 제2포병은 전략 미사일 부대, 전술 미사일부대와 특수부대로 구성되어 있으며, 구체적으로는 단거리, 중거리,

30) 성채기 외, 『2009 동북아 군사력과 전략동향』, 한국국방연구원, 2010, p. 180. 군사위원회 공군(약칭: 軍委空軍)은 중앙군사위원회가 공군을 지휘하는 조직으로써 조직의 장은 공군사령원이다.

장거리 및 대륙간 탄도미사일부대, 공병, 정보, 수색, 측지, 전산, 기상, 대화생방, 통신, 위장 등 작전부대와 기술지원, 후방연락 분야 등의 부대를 포함하고 있다. 사령부는 베이징에 있고, 예하에는 6개의 군급 기지(선양, 란저우 군구 각 2개, 베이징, 청두 군구 각 1개)가 있으며, 17개 미사일 발사 여단 및 1개의 독립연대를 관할하고 전국 70여 곳에 미사일 발사기지가 있다.

이상에서 중국군의 군 조직체계를 살펴보았다. 중국군의 군 조직체계에서 가장 큰 특징은 중국 인민해방군이 여전히 당의 군대로서의 기능을 하고 있다는 점일 것이다. 중국지도부가 당의 군대라는 의식을 배제하고 국가와 국민의 군대라는 중국 국민에게 심어주기 위해 1983년 국가중앙군사위원회를 설립하였지만, 중국공산당은 군을 여전히 당의 과업수행의 도구이자 국가체계 보위세력으로써 간주하고 있다. 2010년 국방백서에서 "중국 인민해방군이 창조정신으로 정치공작을 추진하고, 사상교육, 여론유도, 문화훈도 등의 방식을 통해 당에 충성하는 혁명 군인의 핵심가치관을 기른다"라고 언급하고 있는 점은,[31] 중국 공산당이 지속적으로 군 내부의 정치·사상교육을 중요시하고 있음을 보여준다.

IV. 중국군의 군사현대화

1. 군사현대화의 목표와 방향

중국군은 '정보화 조건하 국부전쟁의 승리'를 달성하기 위해 현재 '적극적 방어'전략과 '비대칭전략'을 채택하고 있다. 적극적 방어란 적극적 공세행동을 통한 방어를 의미한다. 앞서 언급했듯이 마오쩌둥의 적극방

31) 『2010年 中國的國防』.

어전략이 '유격전'을 근간으로 한 비대칭전략이었다면, 현재의 '정보화조건하 적극방어전략'은 적의 정보화에 내재하고 있는 취약성을 겨냥한 비대칭을 추구하고 있는 것이 특징이다.[32)]

중국군은 이러한 '정보화조건하 적극방어전략'을 달성하기 위해 군사현대화에 부단히 주력하고 있다. 중국은 중국 군사현대화의 방향과 관련해서 2008년 국방백서에 다음과 같이 언급하고 있다.

> 기계화를 기초로 정보화를 주도로 삼아 기계화와 정보화의 복합 발전을 가속화한다. 과학기술 강군을 견지하고, 신기술 무기장비를 발전시키고, 인재 양성 전략계획을 실시하고, 정보화 조건하 군사훈련을 전개하고, 전면적인 현대화 군수를 건설하여 확실한 전투력 생성 모델로 전환한다. 중점 요소를 부각시키고 우선과 차선, 해야 할 것과 하지 말아야 할 것을 분명히 하고, 가장 핵심적인 영역에서의 도약식 발전을 적극적으로 실현한다.[33)]

위의 내용을 통해서 중국의 군사현대화가 첨단기술조건, 나아가 정보화조건하 전쟁에서 승리하는 데 그 목적이 있다는 점을 확인할 수 있다. 그러나 중국군의 현 기술수준으로는 볼 때 당장 서구와 같은 수준의 정보전 능력을 갖춘다는 것은 불가능하다. 따라서 중국군은 '중국특색의 군사혁신', 즉 서구의 정보화에 편승하고 따라잡기 위한 '도약식 발전전략'을 추구하고 있다.

중국의 경우 아직까지 정보화 시대에 진입하지 못한 채 기계화 또는 반기계화 시대에 머물러 있다. 그러므로 중국군은 기계화와 동시에 정보화를 추구하면서 기계화 단계를 뛰어넘어 곧바로 정보화 단계에 진입해야 한다. 하지만 중국은 서구의 정보화를 기계적으로 답습하는 것은 곧

---

32) 박창희, 「중국인민해방군의 군사혁신(RMA)과 군현대화」, 앞의 책, p. 92.
33) 『2008年 中國的國防』, pp. 7-8.

퇴보를 의미하는 것으로 간주한다. 서구의 기술이 혁신적으로 발전하고 있는 상황에서 단순히 상대를 따라잡기 위한 현대화는 결국 영원히 달성할 수 없는 목표가 될 뿐만 아니라 자칫 이것은 중국으로 하여금 엄청난 비용의 무기체계를 도입하도록 해서 구소련과 같이 미국이 파놓은 '첨단무기 함정'에 빠지는 결과를 초래할 수 있다.[34)]

그래서 중국은 서구의 방식을 맹목적으로 따라잡고 경쟁하려 하기 보다는 적의 약점을 최대한 이용할 수 있는 방식으로 정보화를 추구하려 한다. 즉 중국은 적의 네트워크 분야에서 먼저 정보화를 달성하여 적의 네트워크체계를 파괴함으로써 우세한 적을 무력화할 수 있을 것으로 믿고 있는 것이다. 중국의 군사현대화의 방향은 기계화와 정보화를 동시에 추구하되, 일부 분야에서는 적의 급소를 겨냥한 비대칭 능력을 적극 구비하려는 것으로 볼 수 있다.

이에 따라 중국군은 "2010년 이전에 견실한 기초를 다지고, 2020년 이전에 기계화를 기본적으로 실현함과 아울러 정보화 건설에 있어 중대한 발전을 이룩하며, 21세기 중반에 국방과 군 현대화의 목표를 기본적으로 실현한다"[35)]라는 국방과 군현대화 건설 '3단계 발전전략'을 제시하였다. 현재 중국은 군 현대화의 1단계가 종료되었고 2단계가 진행 중인 것으로 평가하고 있다.

2단계는 2020년까지 향후 10년간 다음과 같은 분야를 중점으로 하여 추진할 것으로 전망된다. 첫째, 병력을 230만 명에서 150만 명으로 감축하는 것으로 상비 병력을 과감하게 줄이면서 군 정보화와 첨단화를 추진할 것이다. 둘째, 재래식 전력을 포함해서 중국 본토에 대한 접근거부능력, 정밀타격능력, 핵 억지력, 원거리 공정작전능력 등의 강화를 추진할 것이다. 셋째, 항모 도입, 5세대 전투기 도입, DF-21C 탄도미사일개조,

34) 박창희, 「중국인민해방군의 군사혁신(RMA)과 군현대화」, 앞의 책, pp. 89-90.
35) 『2008年 中國的國防』, 국방정보본부 역, 『2008년 중국국방백서』, pp. 6-7.

〈표 5〉 2009년 중국국방비 지출[36)]

단위: 억 위안(人民幣)

구분	현역부대	예비역부대	민병	합계	
				금액	점유율(%)
병력유지비	1,670.63	14.65	·	1,685.28	34.04
교육훈련비	1,521.71	19.65	128.59	1,669.95	33.73
장비비	1,574.26	14.31	7.30	1,595.87	32.23
총계	4,766.60	48.61	135.89	4,951.10	100.00

조기경보 및 공중통제능력 강화 등을 통해 정보화전쟁 수행능력을 강화할 것이다.[36)]

중국군은 이러한 목표를 달성하기 위해 지속적으로 국방예산을 증가시켜 나가고 있다. 중국 측 자료에 의하면 2008년과 2009년의 중국 연간 국방예산은 각각 4,178.76억 위안(元)과 4,951.10억 위안(元)으로 전년도와 비교해 각각 17.5%와 18.5% 증가한 것으로 나와 있다. 중국 국방비는 주로 병력유지비·교육훈련비·장비비의 3항목으로 구성되며, 각 항목이 차지하는 점유율은 〈표 5〉와 같이 대략 비슷하다.

최근 증가한 중국 국방비의 주요 항목은 ① 부대 환경 개선, ② 다양한 군사 임무 수행, ③ 중국 특색의 군사변혁 추진이다. 중국 정부는 "전체 국가 예산을 고려하여 적정 국방비를 증액하였으며, 2010년 국방예산은 5,321.15억 위안(元)으로 2009년도에 비해 7.5% 증가하였지만, 국방비의 증가폭은 줄어들었다"라고 주장한다.[37)] 대체로 2010년 중국의 국방비 증가율은 1989년 이후 처음으로 10% 밑으로 떨어졌다. 그러나 2011년 중국 국방 예산은 다시 전년도에 비해 12.7% 증가하여 10%대를 회복하였다. 따라서 2010년도에 중국의 국방비 증가율이 감소한 것은 세계경제 침체에 따른 일시적인 현상으로 판단된다. 〈표 6〉의 미국 측 자료에

36) 『2010年 中國的國防』.

37) 위의 책.

〈표 6〉 중국의 국방 예산[38)]

단위: 십억달러

구분	1999	2000	2001	2002	2003	2004	2005	2006	2007	2008	2009
국방예산	22	24	30	34	38	40	42	50	56	60	72
국방비 지출평가	56	62	66	72	80	88	96	108	124	136	146

의하면, 전체적으로 중국의 국방비는 최근 10년 사이에 3배가량 증가하였다.

현재 중국은 세계 최대 규모인 230만 명의 병력을 보유하고 있으며, 이들을 교육, 훈련시키고 무기, 장비 등을 현대화시키기 위해서는 막대한 예산이 필요하다. 공식적으로 발표되지 않는 예산을 감안할 경우 중국의 실제 국방비는 공식 국방비의 약 1.8배 정도가 될 것으로 추정된다.[39)] 따라서 중국 정부가 여전히 국방비의 사용 내역을 완전히 공개하고 있지는 않지만 여러 정황으로 미루어 볼 때, 중국의 국방 예산은 미국에 이어 제2위 수준을 유지하고 있는 것으로 추정된다. 향후에도 중국은 미국의 간섭을 받지 않고 자국의 핵심이익을 확보할 때까지 군사력을 계속해서 증강해나갈 것으로 전망된다.

2. 군사력 건설

중국군은 군 현대화의 목표에 따라 각 군별로 군사 현대화를 추진하고 있다. 먼저 중국 육군은 동적인 방어부대로부터 중국의 주변부를 따라 작전을 수행할 수 있는 보다 공격적이고 기동성 있는 부대로 변혁시키고 있다. 2010년 중국 국방백서에 육군의 목표가 '기동작전과 입체 공방작

---

38) U.S. Office of the Secretary of Defence, *Military and Security Developments Involving the People's Republic of China 2010*, p. 42.

39) 공식 국방비에 누락된 예산으로는 군 외 연구기관의 연구비, 인민무장경찰 예산, 무기구매예산, 인민해방군의 자체 수입(무기판매 수익, 상업활동 이익 등) 등이 있다.

전'의 요구에 따라 '부대편제를 최적화'하고 '원정기동과 통합공격능력'을 현저하게 증강시키는 것이라고 언급하고 있다.[40] 이것은 육군의 개혁이 원칙적으로 '최소화, 모듈화, 그리고 다기능'을 지향하고 있고, '공지통합작전, 장거리 기동, 신속 공격, 그리고 특수작전' 능력이 있는 부대로 만들려고 하고 있다는 것을 보여준다. 이와 같은 중국 육군의 개혁은 러시아와 미국의 군사교리를 모델로 한 것으로 추정된다.

중국군은 현재 병력 약 230만 명을 앞으로 10년간 150만 명 수준으로 줄이는 대신 첨단무기로 무장하는 등 2020년까지 현대화 및 정예화를 추진할 계획으로 알려져 있다.[41] 이 병력 감축의 주요 대상은 육군으로, 현재 육군 비율 60%를 50%로 낮추고, 해군과 공군 비율을 각각 25%로 상향 조정할 것으로 알려져 있다. 이는 중국이 병력 감축을 통해 예산을 절약하고 이를 군 현대화에 집중 투자하자는 의도로 이해될 수 있다.

중국 제2포병은 중앙군사위원회가 직접 지휘·통제하고 전략부대로서, 중국에 대한 타국의 핵무기 사용을 억제하고, 핵반격 및 재래식 유도탄 정밀타격 임무를 맡고 있다. 과거 중국의 제2포병은 고체연료 기술을 보유하지 못하여 신속한 사격체계를 구비하지 못했을 뿐만 아니라 발사체계도 고정식 발사대에 국한되어 적의 재래식 무기로도 파괴될 만큼 초전 생존성에 취약하였다. 그러나 근래 중국군의 미사일 분야는 급속도로 발전하여 이동식 고체연료 탄도미사일 기술을 구비하는 등 방위산업 가운데 가장 성공적이고 능력을 갖춘 분야로 발돋움하고 있다.

중국군의 군사력 건설에서 최근 가장 두드러진 분야는 해군이다. 중국 해군은 해상 침략 저지, 국가 영토 방어, 해상 권익의 보호라는 세 가지 주요 임무를 설정하고 있으며, 해상작전은 반해상교통로anti-sea lines of communication, 상륙작전, 대함, 해상 수송 보호, 그리고 해군 기지 방어 6개의

---

40) 『2008年 中國的國防』.

41) 구자룡, 「中, 인민해방군 현대화-정예화 추진」, 동아일보, 2011. 2. 10, A20.

공방작전에 초점을 맞추고 있다.[42] 이러한 목표하에 중국은 타이완해협에서 미국의 해군력을 저지 및 지연시키기 위해 '반접근anti-acess전략' 차원의 해군력 증강과 함께 해양에서 국가이익을 보장하고, 정치적 목적 달성과 중국의 영향력을 투사할 수 있는 역량 확보를 위해 해군력을 증강하고 있다.[43]

최근 하이난도(海南島)에 중국의 신 해군기지 건설이 기본적으로 완료된 것으로 알려져 있다. 이 기지는 대량의 전략핵 잠수함, 최신 전투함 등을 수용할 수 있는 능력을 보유하고 있다. 지하시설을 갖추고 있는 이 기지는 중국 해군에 핵심 이익 해상로에 직접접근을 제공하고, 남중국해로 잠수함을 비밀리에 전개할 수 있는 잠재 역량을 제공할 것으로 판단된다.[44] 2010년 12월 중국 해군의 핵잠수함이 일본 규슈와 타이완, 필리핀을 잇는 제1열도선을 별다른 제지를 받지 않고 돌파한 것으로 알려졌다.[45]

근래 중국 해군의 원해작전 임무들에 대한 중요성이 강조되고는 있지만, 중국 해군은 당분간 제1열도선과 제2열도선 내에서의 작전을 준비하는 데 초점을 맞출 것으로 예상된다. 왜냐하면 중국은 여전히 타이완유사와 관련하여 미국과의 잠재적인 충돌을 대비하지 않을 수 없기 때문이다. 이러한 상황은 베이징이 타이완 이슈와 관련해 적절한 해결책을 찾을 때까지 지속될 것이다.

---

42) U.S. Office of the Secretary of Defence, *Military and Security Developments Involving the People's Republic of China 2010*, p. 22.

43) U.S. Office of the Secretary of Defense, "Military Power of the People's Republic of China 2009," *Annual Report to Congress*, p. 1.

44) U.S. Office of the Secretary of Defence, *Military and Security Developments Involving the People's Republic of China 2010*, p. 2.

45) 윤종구, 동아일보, 2011. 1. 1

46) U.S. Office of the Secretary of Defence, *Military and Security Developments Involving the People's Republic of China 2010*, p. 23.

〈그림 1〉 제1열도선과 제2열도선[46]

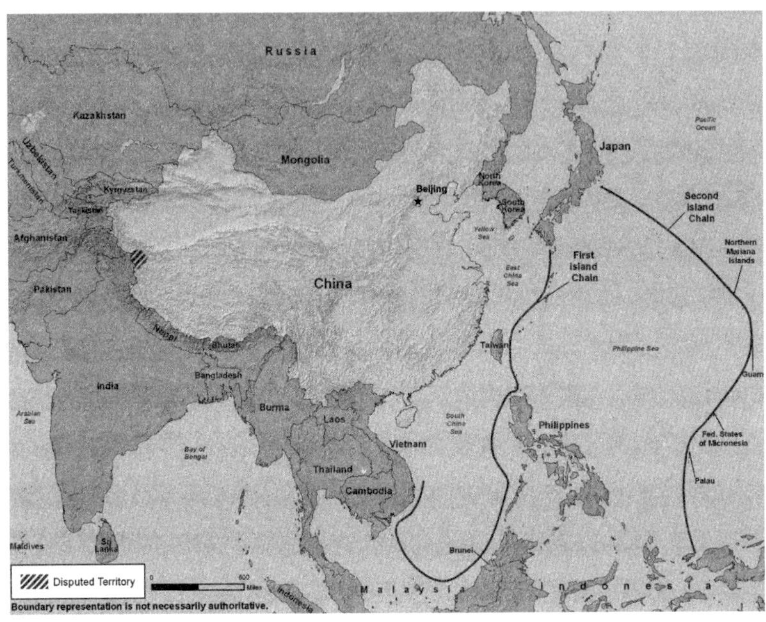

중국의 해군력 건설에 있어서 특히 주목해야 할 부분은 항공모함건설이다. 중국은 실전배치할 항공모함 연구 개발을 추진해왔다. 2009년 3월 양광례 국방부장이 “중국이 항모 없는 유일한 강대국으로 남아 있지 않을 것”이라고 발언한 것은 중국의 항모 보유가 코앞에 와 있다는 것을 의미한다. 중국 관영 신화통신은 2011년 4월 7일 랴오닝(遼寧)성 다롄(大連)조선소에서 마무리 작업 중인 항모 ‘바랴크Varyag’가 거의 완성단계에 있으며 시험운행을 끝내고 올해 진수할 예정이라고 보도했다.[47] 미 국방성도 2020년 안에 중국이 항공모함을 실전 배치할 수 있을 것으로 전망하고 있으며, 중국 해군이 항공모함에서 사용될 전투기의 운용에 필요한

47) 동아일보, 2011. 4. 8, A21.

조종사 50명을 훈련시킬 계획을 이미 추진 중에 있다고 언급하고 있다.[48)] 중국이 항모를 실전해 배치한다면 중국 해군이 추진 중인 '적극적 근해방어'전략은 소기의 목적을 달성할 것으로 보인다.

다음으로 중국 공군의 급속한 성장도 주목된다. 중국 공군은 현재 공세적이고 독자적인 작전수행능력을 구비하려 하고 있다. 중국 공군은 연안에서 공격과 방어작전을 수행하기 위해 제한된 영역 방어를 위한 공군력에서 미국과 러시아 모델로 하여 보다 융통적이고 민첩한 공군력으로 전환을 지속하고 있다. 임무 중점은 공중 타격, 방공 및 미사일 방어, 조기 경보 및 정찰, 그리고 전략 기동성이다.

또한 중국 공군은 중국의 글로벌 이익을 보호하기 위해 장거리 수송 및 병참 능력을 요구받고 있다. 2009년 11월 11일 중국공군 창설 60주년 기념행사에서 중국 공군사령원 쉬치량(許其亮) 장군은 "우주로 확대되는 군비 경쟁의 경향이 불가피하다. 본토방위에 초점을 맞추던 것에서 공중과 우주를 통합하는 방향으로 중국공군을 변혁시켜야하며, 중국 공군은 공격과 방어능력을 모두 갖추어야 한다"고 강조했다.[49)] 하지만 해군과 마찬가지로 중국 공군 또한 당분간 가장 최우선적인 초점은, 동아시아에서 타이완과 미국에게 신뢰할만한 군사적 위협을 줄 수 있는 능력을 길러서 이를 통해 타이완의 독립 방지 및 나아가 타이완에 베이징의 영향력을 행사할 수 있는 여건을 조성하는데 맞추어질 것으로 생각된다.

2011년 1월 11일 미 게이츠 국방장관이 중국을 방문했을 때 중국이 자체 기술로 개발한 스텔스 전투기인 젠(殲·섬멸한다는 뜻)-20의 시험비행은 중국의 공군력이 급속도로 발전하고 있음을 단적으로 보여준다. 젠-20은 공중 급유를 통해 장거리 비행이 가능하고 장거리 순항미사일을

---

48) U.S. Office of the Secretary of Defence, *Military and Security Developments Involving the People's Republic of China 2010*, p. 2.

49) *Ibid.*, p. 4.

비롯해 최대 3,000파운드에 이르는 폭탄을 탑재할 수 있는 것으로 알려졌다. 중국은 이르면 2017년에 젠-20을 실전배치할 것으로 알려졌다. 중국의 군사기술이 미국의 턱 밑까지 추격했음을 보여준다.

만약 젠-20이 실전 배치되면 중국 공군은 일본 오키나와~타이완~필리핀~남중국해~말레이시아로 이어지는 제1열도선은 물론이고, 사이판~괌~인도네시아로 이어지는 제2열도선을 돌파하는 임무를 수행할 수 있을 것이다. 중국이 일본과 베트남 등 동남아 국가들과 영토 갈등을 빚고 있는 지역은 대부분 제1열도선 부근에 접해 있어 젠-20의 작전반경에 들어온다.

V. 중국의 국제안보협력 강화

중국은 지역 내에서 다자주의를 외교적 도구로 활용하고 있다. 즉 중국은 다자기구 참여를 통해 경제적 이익을 챙기는 것은 물론, 중국위협론을 완화시키고, 미국의 영향력을 제한하는 가운데 중국의 영향력을 확대하고 있는 것이다.[50] 하지만 중국이 처음부터 다자주의에 적극적으로 참여한 것은 아니었다. 1990년대 중반까지만 하더라도 중국은 지역다자주의에 대해 부정적 인식을 가지고 있었다. 그 이유는 중국이 역내 다자기구들을 중국을 비난하고 집단적으로 대항하기 위한 수단에 불과한 것으로 보았기 때문이다.

그러나 1997년부터 중국은 다자주의에 대한 태도를 바꾸기 시작했다. 중국은 1997년 '신안보 개념'으로 상호신뢰, 상호수혜, 평등, 협력, 그리고 평화적 방법에 의한 분쟁해결이라는 다섯 개의 원칙을 제시하고,

---

50) Evan S. Medeiros, *China's international Behavior: Activism, Opportunism, and Diversification* (Santa Monica: RAND, 2009), pp. 77-78.

이 원칙하에서 다자주의를 적극 추구할 것임을 밝혔다.[51] 중국이 1997년 한국, 중국, 일본이 참여하는 ASEAN+3과 1998년 중국이 참여하는 ASEAN+1 기구의 창설을 주도한 것은 이러한 맥락에서 이해될 수 있다.

21세기에 들어와 중국의 다자주의는 이전보다 더욱 활발하게 전개되고 있다. 2001년 중국은 다보스Davos 포럼을 모방하여 아시아 보아오포럼Boao Forum For Asia 등 비정부기구를 창설하였다.[52] 2002년에는 ASEAN, 남아시아지역협력연합SAARC, 그리고 걸프지역협력회의Gulf Cooperation Council 등 독자적 기구들 간의 대화를 증진하기 위한 아시아협력대화Asian Cooperation Dialogue의 창설멤버가 되었다. 2002년 11월 정상회담에서 중국은 ASEAN과 4개의 주요 합의에 서명하였는데, 여기에는 남중국해에서의 당사국들의 행동, 비전통적 안보이슈에 대한 협력, 포괄적 경제협력에 대한 합의, 그리고 농업협력에 관한 양해각서가 포함되었다. 2003년부터는 북한의 비핵화를 논의하기 위한 6자회담을 주도하였으며, 그해 10월 정상회담에서 중국은 ASEAN과 우호협력을 체결하였다.[53]

중국의 다자협력 분야에서 특히 주목되는 것은 상하이협력기구SCO의 창설과 활동 강화이다. 중국과 러시아를 주축으로 하는 상하이협력기구는 2002년부터 합동군사훈련의 필요성에 대하여 논의를 시작하였고, 2003년 8월에는 우즈베키스탄을 제외한 5개국이 카자흐스탄과 중국에서 반테러 작전의 명목으로 합동군사훈련을 실시하였다. 2005년 7월 5-6일 카자흐스탄의 수도 아스타나에서 열린 상하이협력기구 정상회의에서는 중앙아시아 주둔 미군의 조기철수와 역내 외세의 개입 반대를 천명하여 미국의 중앙아시아 역내 영향력 확대 움직임에 대한 거부감과 반대 입장

---

51) David Shambaugh, *Modernizing China's Military: Progress, Problems, and Prospect*(Berleley: University of California Press), p. 41.

52) *Ibid.*.

53) Evan S. Medeiros, *op. cit.*, p. 131.

을 분명히 밝히기도 하였다.[54] 이는 상하이협력기구가 제3국을 겨냥하지 않는다는 자체의 공식 입장에도 불구하고 반미적인 성격의 지역협력 혹은 동맹으로 발전하고 있음을 보여준다.

최근 중국은, 중국이 주도하는 국제협력기구의 범위를 역내지역 국가들만으로 한정하지 않고 외부적으로 더 확대하고 있다. 2011년 4월 14일 브라질, 러시아, 인도, 중국, 남아프카공화국 정상들은 중국 하이난도 싼야(三亞)에서 "미래의 전망, 함께 번영을 누리다"를 주제로 제3차 브릭스[BRICS] 정상회의를 마치고 32개항으로 구성된 '싼야 선언'을 채택했다.[55]

미국 골드만삭스의 보고서가 10여 년 전 처음 '브릭스'라는 말을 사용할 때는 중국, 러시아, 인도, 브라질 4개 주요 개도국 경제를 통칭하는 경제용어였다. 그러나 브릭스 정상들이 이번 제3차 회담에서 정치, 군사, 경제, 환경 등 다양한 분야에 걸친 합의사항을 담은 '싼야 선언'을 발표함으로써 브릭스는 이제 서방 주요국 모임인 G7이나 G8에 필적하는 대항마 역할을 할 수 있는 주요 협의체로 부상한 것이다.

이번 회의에서 브릭스 정상들은 서방 주도의 리비아 공습에 대해 "평화적인 수단에 의한 해결을 지지한다"면서 한목소리로 서방의 리비아 군사개입을 비판했다. 이는 브릭스가 단순히 경제협의체에 머물지 않을 것임을 의미한다. 브릭스 5개국 중 유일하게 리비아 공습에 대한 유엔 결의안에 원칙적인 지지를 나타냈던 남아프리카공화국까지 이 같은 선언에 동참한 것도 주목된다. 이번 브릭스 정상회담은 중국이 주도하는 국제협의체가 처음으로 발걸음을 내딛었다는 데 큰 의미가 있다.

중국은 21세기에 들어 다자주의에 적극 참여할 뿐만 아니라 개별 국가와의 양자협력도 강화하고 있다. 2002년 제16차 공산당대표회의에서 지

54) 김성한, 「동아시아 미군 재편에 대한 중국의 평가와 군사전략 변화전망」, 국방정책연구보고서(05-06)(2005. 12), p. 77.

55) 구자룡, 「中주도 국제협의체 첫발 떼다」, 동아일보 2011. 4. 15. A20.

역외교를 위한 방침을 "위린웨이산(與隣爲善), 이린웨이반(以隣爲伴)"으로 제시하였는데 그 의미는 "주변국과 선린관계를 맺고, 주변국을 동반자로 삼는다"는 의미이다. 중국이 국제적으로 다양한 국가들과 동반자관계를 수립하려는 이유는, 중국이 직접적으로 패권적 전략 혹은 세력균형 전략을 추구할 경우 가져올 수 있는 부정적 결과를 피하는 한편, 편승전략 혹은 고립전략이 야기할 취약성을 회피하기 위한 것으로 볼 수 있다.

중국은 러시아와 1996년 '전략적 협력 동반자관계'를 수립하였으며, 2001년에는 '선린, 우호 및 협력조약'을 체결하였다. 한국과는 1998년 '협력적 동반자관계'에서 2003년 '전면적 동반자관계'로, 또 2008년에는 '전략적 협력 동반자관계'로 발전하였다.[56] 미국과는 1997년 '전략적 동반자 관계'를 체결하였으며, 2003년에는 ASEAN과, 2005년에는 인도, 파키스탄, 인도네시아, 그리고 2008년에는 베트남과 전략적 동반자관계를 수립하였다.[57] 다만 정치외교적으로 냉랭한 일본과는 2008년 '전략적 호혜관계'를 체결한 바 있다.

또한 중국은 각국과의 군사외교를 적극 추진하고 있다. 중국은 군사외교가 정부의 총체적인 외교와 국방과 무장력의 근대화에 공헌해야 한다고 언급하고 있다.[58] 이러한 사고하에 중국은 외국군과 상호신뢰, 우호와 협력을 추진하고 있는데, 이러한 군사외교활동들에는 군 고위 인사의 방문, 국제 양자 및 다자 협상, 무기 장비의 전시, 국제 군사 교역 협상, 국제 군사 학술 교류, 국제 군사 기술 협력, 국제 군사 스포츠 등이 포함된다.

현재 중국은 150여 개국 이상과 군사관계를 맺고 있으며, 107개국의

56) 이태환, 「한중 전략적 협력 동반자 관계」, 『세종정책연구』, 제6권 2호(2010년), pp. 127-133.

57) Evan S. Medeiros, *op. cit.*, pp. 83-85.

58) 『2010年 中國的國防』.

해외 공관에 무관을 파견하고 있다. 중국에 무관을 파견한 나라는 85개국에 이른다.[59] 중국은 각국의 군과 교류 및 협력을 심화시키고 있다. 최근 2년 동안 인민해방군 고위군사대표단이 40여 국가를 방문하였고, 60여 국가의 국방장관 및 총참모장들이 중국을 방문하였다.[60] 중국은 러시아와 전략적 상호신뢰 및 구체적 협력을 부단히 발전시키고 있고, 북한 및 한국군과 우호 왕래를 확대하고 있고, 파키스탄과 교류와 협력을 심화시키고 있으며, 중·인 양군 관계의 발전에도 진력하고 있다. 그리고 오스트레일리아와 뉴질랜드와의 군사교류도 증진시키고 있으며, 나아가 아프리카, 서아시아, 라틴아메리카 그리고 남태평양 국가들과의 군사교류도 발전시키고 있다.

중국의 군사외교 확대는 군사교류와 협력을 통해 국제사회에서의 지지기반을 확보하고, 중국의 군사적 위협에 대한 인식을 불식시키며, 그리고 군사훈련 등의 참관을 통해 중국군의 군사교리와 작전능력을 발전시키고자 하는 의도 등이 내포되어 있는 것으로 판단된다.

VI. 맺음말

본고는 21세기 들어 새롭게 등장한 대테러, 해적 등 초국가적 위협들에 대해서 중국이 전통적 안보위협과 함께 이러한 위협들을 어떻게 인식하고 있고 또 어떠한 대응전략을 가지고 대응해가고 있는지 분석해보았다.

중국은 2012년으로 예정된 중국지도부의 권력이양을 순조롭게 진행하고 경제성장을 지속하기 위해서는 안정적 국제환경 조성이 필수적임을

---

59) Peng Guangqian·Zhao Zhiyin·Luo Yong, *China's National Defense*(Singapore: Cengage Learning Asia Pte Ltd, 2010), p. 120.

60) 『2010年 中國的國防』.

인식하고 있다. 중국의 입장에서 현재의 국제전략 및 안보 상황이 전적으로 만족스러운 것은 아니지만 현재의 구도를 흔들기보다는 현 상황을 유지하는 것이 자국의 국익에 유리하다고 판단하고 있는 것 같다.

이는 일본과 아세안 등 주변국가와 미국을 비롯한 서방국가를 안심시켜야 한다는 요구가 작용한 것으로 보인다. 그러나 2010년 서해, 남사군도, 조어도 문제에서와 같이 자국의 군사력 투사를 강화하고 있는 중국이 언제까지 평화외교공세를 지속할 것인가는 미지수이다. 왜냐하면 중국이 세계가 보다 복합적이고 다양한 여러 위협에 노출되어 있다고 우려하고는 있지만, 현재 중국 지도부는 이것을 중국에게 있어 위기이자 하나의 전략적 기회로 이용하려 하고 있기 때문이다.

중국의 안보위협 인식은 앞서 살펴보았듯이 개혁개방이래 네 차례에 걸쳐 변화가 진행되어 왔다. 현재 중국은 과거 전통적 안보위협에 초점을 맞추었던 것에서 점차 비전통적 안보위협을 중요시 하고 있다. 그러나 중국이 비전통안보위협을 강조하여 국제 협력의 중요성을 강조하고는 있지만, 전통적 안보위협을 소홀히 하고 있는 것은 아니다. 중국은 여전히 전통적 안보위협을 중요시하여 군사현대화를 지속추진하고 있다.

중국의 장기적이고도 총체적인 군사력의 변혁은 군사력 투사와 반접근/지역거부anti-access/area-denial를 위한 능력향상에 있는 것으로 보인다. 최근까지도 타이완해협 유사에 대비하여 중국은 타이완 맞은편의 난징 군구에 가장 진보한 시스템을 지속 강화하고 있다. 또한 중국은 계속해서 지상 탄도 및 크루즈미사일을 개발하여 미국의 탄도미사일방어체계에 대응하기 위한 방법을 개발하고 있다.

중국이 2010년 국방백서에서 1차 중국군의 군사현대화 목표가 달성되었다고 자평하고 있는 점은 주목된다. 향후 중국군의 군사현대화가 보다 정밀하고 기술적인 수준에서 업그레이드 될 것으로 예상되는 부분이다. 사실 지난 10여 년간 중국이 매년 두 자리 수 이상의 국방비를 투자

하여 재래식전력뿐만 아니라 핵무기, 항공모함, 우주무기체계 등 첨단 전략무기체계를 구축해 나가고 있다는 점을 감안하면, 이러한 성과는 당연한 결과일 것이다. 특히 항공모함을 포함한 중국의 대양 해군 건설과 스텔스 전투기의 개발은 동아시아 전략 안보 지형에도 큰 변화를 줄 것으로 전망된다.

그러나 미국을 비롯한 선진국들이 네트워크화, 첨단화, 우주화 등을 주도하고 있다는 점을 감안할 때, 중국의 군사력 수준은 아직은 선진국과 최소한 10년 이상 격차를 보이는 것으로 판단된다. 따라서 중국은 과거 소련처럼 미국과 군비경쟁을 하기보다는 특정분야에서의 '도약식 발전전략'을 추구함으로써 전력의 열쇄를 상쇄시키려 하고 있다. 하지만 현재와 같은 중국의 군사현대화 추세가 계속된다면 중국은 2020년경에는 아시아에서 우월하고 배타적인 군사력을 지니게 될 것이다.

중국은 근래 유엔 평화유지 활동에 과거보다 적극적으로 참여하고 있다. 이는 중국의 군사력 투사의 확대에 따른 중국위협론을 약화시키고 미국의 패권과 지역동맹체제에 대응하기 위한 전략으로 보인다. 동시에 중국은 이를 통해 중국군의 현대화 건설에도 기여시키고 있다. 그럼에도 불구하고 중국의 유엔 평화유지 활동의 적극적 참여가 중국의 국제사회로의 편입을 촉진하는 동시에 실제로 유엔 평화유지활동의 원활한 운용에 도움을 주고 있다는 점 또한 사실이다.

본고에서 분석한 21세기 새로운 위협에 대한 중국의 대응은, 향후 한반도 안보와 관련하여 다음과 같은 시사점을 준다. 첫째, 앞서 언급했듯이 중국은 이미 1980년대부터 변화하는 세계안보정세에 따라 전략개념을 새롭게 도입하여 국지전을 대비하는 전략개념을 발전시키고 그에 따라 군사현대화를 추진하였다. 한국 또한 그동안 이지스함, 차세대전투기 등을 개발하여 군사현대화에 박차를 가하고 있다. 하지만 한국적 특성에 맞는 군사교리를 개발하고 이에 따라 한국군의 현대화를 추진하고 있는

지는 의문이다. 물론 북한과 대치하고 있는 한국군으로서는 당장 현재의 군사적 위협에 몰두할 수밖에 없다. 하지만 보다 장기적인 차원에서 한국적 상황에 맞는 군사개혁을 추진하기 위해서는 미래 전장에 부합한 군사전략 개념을 먼저 입안하고 이에 따라 군사 현대화를 추진해나가야 할 것이다.

둘째, 현재 중국의 군사력 증강이 가속화되고 있는 점을 감안하면, 중국 지도부의 군사력 증강의지 또한 당분간 불변할 것으로 전망된다. 특히 중국의 군사력 증강이 기존의 방어적이고 제한된 지역에 대한 전쟁을 상정하던 것에서 벗어나 남중국해와 태평양 그리고 우주를 대상으로 하는 공세적 성격의 첨단군사력 확보를 지향한다는 점에서, 향후 미국 및 일본의 영향권과 충돌하여 동북아 지역에 불안정을 가져올 가능성이 농후하다. 따라서 한국으로서는 중국의 공세전략이 동북아 및 한반도에 미치는 영향을 냉철하게 판단하고 이에 대비해나가야 할 것이다.

셋째, 중국의 군사전략은 불가피하게 역내 국가들과의 전략무기 개발 경쟁을 증대시킬 것이다. 이미 일본 정부가 지난해 12월 각료회의에서 잠수함 전투기 등 첨단무기에 대한 투자를 확대하는 방향으로 방위정책을 확정한 것은 이미 동아시아에서 군비경쟁이 새로운 단계에 들어서고 있음을 보여준다. 한국의 입장에서 중국의 군사력 증강이 우려되는 사안인 것은 분명하다. 그러나 중국의 군사력 강화를 적대적인 것으로 해석하여 군비경쟁을 시작하거나 불필요한 갈등을 야기할 필요는 없다. 오히려 군사적인 면에서 자체적인 대응보다는 미국 및 우방국과의 동맹관계를 계속 확대하여 대처하는 것이 중요하다. 특히 한·미 양자동맹의 공고한 토대 위에서 다자동맹을 통해 공동방위체제를 발전시켜 나가는 것이 현명한 선택일 것이다.

결론적으로 현재 세계화 현상이 심화됨에 따라 주변국의 특정 문제가 우리 안보에 직간접적으로 영향을 미치고 있다. 특히 한국 경제는 대부분

대외 무역에 의존하고 있으므로 우리의 국익을 위해서는 지역 및 세계 안정이 필수적이다. 한국은 보다 능동적으로 동북아지역에 형성될 새로운 성격의 군비경쟁 구도의 본질을 정확히 이해하고, 각국이 느끼게 될 안보 딜레마를 평가하면서 동북아지역의 안보협력대화의 계기로 활용해나가는 지혜를 발휘해야 할 것이다.

| 참고문헌 |

권선홍 외, 『강대국 군사전략론』, 국제관계연구총서Ⅷ(부산외국어대학교출판부, 2004).

김성한, 「동아시아 미군 재편에 대한 중국의 평가와 군사전략 변화전망」, 국방정책연구보고서(05-06), (2005. 12).

류재갑, 「동북아 지역 평화 · 안보와 한미안보협력체제 개선을 위한 양자-다자주의적 접근」, 『국제정치논총』 제43집 제3호(2003. 9).

박창희, 「중국인민해방군의 군사혁신(RMA)과 군현대화」, 『국방연구』 제50권 제1호(2007. 6).

______, 「21세기 전략환경 변화와 중국의 군사전략」, 『中蘇硏究』 통권 119호(2008. 가을).

성채기 외, 『2009 동북아 군사력과 전략동향』, 한국국방연구원, 2010.

이태환, 「한중 전략적 협력 동반자 관계」, 『세종정책연구』, 제6권 제2호(2010).

한석희, 「중국의 신안보개념('신안전관')-다자간 안보에 대한 중국의 협력가능성과 한계-」, 『국제지역연구』 제8권 제1호(2004. 4).

함택영 · 박영준 편, 『안전보장의 국제정치학』, 사회평론, 2010.

황병무 · 멜 거토부, 『중국안보론』, 국제문제연구소, 2000.

『2008年中國的國防』, 국방정보본부 역, 『2008년 중국국방백서』.

『2010年中國的國防』.

劉靜波 主編, 『21世紀初中國國家安全戰略』(北京: 時事出版社, 2006).

李繼耐 主編, 『新世紀新段階國防和軍隊建設』(北京: 人民出版社, 2008).

彭光謙, 『中國軍事戰略問題硏究』(北京: 解放軍出版社, 2006).

Li nan, "The PLA's Warfighting Doctrine, Strategy, Tactics," *The China Quarterly*, No. 146, June 1996.

Medeiros, Evan S., *China's international Behavior: Activism, Opportunism, and Diversification* (Santa Monica: RAND, 2009).

Mulvenon, James C. et al., *Chinese Response to U.S. Military Transformation and Implication for the Department of Defense* (Santa Monita: RAND, 2006).

Office of the Secretary of Defence, *Annual Report to Congress: Military and Security Developments Involving the People's Republic of China 2010.*

Office of the Secretary of Defence, *Annual Report to Congress: Military Power of the People*'s Republic of China 2009.

Peng Guangqian · Zhao Zhiyin · Luo Yong, *China's National Defense* (Singapore: Cengage Learning Asia Pte Ltd, 2010).

Shambaugh David, *Modernizing China's Military: Progress, Problems,* and *Prospect*, (Berleley: University of California Press).

7 21세기 새로운 위협과 러시아의 전략적 대응

이홍섭(국방대학교)

I. 서론

러시아의 21세기는 푸틴과 함께 시작되었다. 푸틴 대통령은 '강한 러시아의 재건'을 모토로 이전에 발표되었던 국가안보 관련 문건들을 연이어 바꾸었다. 그 결과 옐친시대의 대미 관계가 '복종을 통한 파트너십'이었다면 푸틴시대의 그것은 '힘(개입)을 통한 파트너십'으로 변경되었다.[1)]푸틴정부를 계승한 메드베데프 정부는 푸틴이 설정했던 계획에 의거해 국정이 진행된다고 보아도 무방할 정도로 정책의 연속성이 강하다. 푸틴의 계획[Putin's Plan]이란 푸틴의 정책노선을 의미하며 국가전략을 책임지고 있는 그의 모든 아이디어를 일컫는데[2)] 현 메드베데프 정부의 노선도 전반적으로 푸틴의 계획을 수행하는 것으로 평가받고 있다.

---

1) Dmitri Trenin, "Russia's Strategic Choices," *Policy Brief*(Carnegie Endowment for International Peace, May 2007).

2) Clifford G. Gardy and Andrew C. Kuchins, "Putin's Plan," *The Washington Quarterly* 31:2 (Spring 2008), pp. 117-129.

국제적 환경에 있어서도 푸틴정부는 9·11로 상징되는 '테러와의 전쟁'에 적극 동참함으로써 국가안보를 무엇보다도 중요한 국정과제로 부각시켰다. 또한 푸틴은 러시아의 국가발전은 '강한 국가, 굳건한 안보체제'에 바탕을 두어야 한다고 강조하면서 안보의 개념을 광의적으로 적용하기 시작하였다. 이에 따라 안보체제 확립이 단순히 군사적인 측면에서만 진행된 것이 아니라 경제발전을 위한 초석, 나아가 강력한 국가건설을 위한 국가발전전략의 맥락에서 전개되었다. 2007년 2월 국세청장 출신의 세류드코프를 국방장관에 임명한 것도 최적화의 원칙에 따라 군의 효율성을 높이기 위하여 군 출신이 아닌 민간출신의 회계전문가에게 맡긴 것으로 평가할 수 있을 것이다.

러시아가 21세기 들어 인식하고 있는 위협요인은 실로 다양하다. 군사적 위협은 상대적으로 크게 줄어든 것으로 판단한 반면 군사외적으로 국내외의 다양한 위협 요인들에 직면하고 있는 것이다. 그러면서도 나토의 확장, 특히 과거 공산권 국가들의 나토가입에 큰 위기의식을 보이고 있으며 중국의 급성장에 따른 G2체제의 등장에도 부담을 느끼고 있다. 또한 국내외 테러 및 분리주의 문제도 심각한 고민거리이며 경제의 구조적 취약성 극복도 러시아가 안고 있는 과제이다. 더불어 인구감소 및 건강지수 악화에 따른 노동력(병력) 충원의 어려움도 안고 있다.

본 글의 목적은 국제사회에서 주도적인 역할국으로서의 위상을 회복하려는 러시아가 21세기를 맞아 인식하고 있는 위협의 내용을 파악하고, 이에 대한 러시아의 대응방안을 살펴보는 것이다. 그런데 이러한 대응방안은 안보개념의 확장에 따라 국가발전전략의 맥락에서 전개됨을 전제로 해야 할 것이다.[3] 2008년에 출범한 메드베데프 정부의 안보전략은 푸

3) 본 보고서에서 새로운 위협에 대한 러시아의 대응이란 광의적인 안보전략으로서 국가전략 혹은 발전전략과 동일한 의미로 사용되고 있다. 이는 오늘날의 '안보' 개념이 경제발전을 포함하여 포괄적으로 사용되고 있기 때문이다.

틴의 그것을 계승하고 있다. 다만 푸틴시기까지의 안보전략은 안보를 바탕으로 국가발전을 위한 전략적 구상을 밝힌 데 비해, 메드베데프 시기의 것들은 오히려 '발전을 통한 안보security through development'를 강조하는 차이가 발견된다.[4] 즉 군사력보다는 소프트파워, 예컨대 경제·과학기술·환경·인구·정보력의 건설을 더욱 더 중요시 하게 된 것으로 평가할 수 있다.[5]

II. 러시아의 새로운 안보위협 인식

안보에 대한 러시아의 인식 변화는 2008년 메드베데프 대통령의 연설에서도 나타나는데, 그는 "오늘날 우리가 필요로 하는 안보는 서로로부터 혹은 어떤 상대에 대한 적대감에서 나오는 것이 아니라 초국경적인 위협을 의미한다"고 지적하였다.[6] 실제로 러시아의 안보위협에 대한 인식은 탈냉전 이후 급속도로 변화하였다. 2006년 수행된 조사에 의하면 1990년대 후반 이후 안보위협에 대한 러시아의 인식은 외부의 군사적 위협으로부터 새로운 유형의 위협, 예컨대 경제의 범죄화, 이주문제, 마약유통, 테러리즘, 인종갈등 등으로 다양화되었다.[7] 러시아과학원 사회학연구소가 실시한 여론조사에서는 그루지야와 우크라이나의 나토가입을 가장 큰 위협(46%)으로, 그 다음으로는 코카서스에서의 지속적 분쟁(39%), 국제

---

4) "Стратегия национальной безопасности Российской Федерации до 2020 года" (National Security Strategy of the Russian Federation to 2020), at http://rustrans.wikidot.com/russia-s-national-security-strategy-to-2020(검색일: 2010. 9. 15).

5) Alexander Zhebin, "A Smart Power Strategy of Russia," 국방대학교 안보문제연구소 제27차 국제회의 프로시딩(2009. 6. 18), p. 60.

6) http://archive.kremlin.ru/text/appears/2008/07/204113.shtml (검색일: 2011. 1. 20).

7) Andrei Zagorski, "The Limits of a Global Consensus on Security: the Case of Russia," *Chaillot Paper*, no.118 (October 2009), p. 70.

테러(35%) 순으로 나타났다.[8)] 대다수의 러시아인들은 북코커서스에서의 테러리즘은 범지구적 테러리즘을 대표하는 것이며, 포스트 소비에트 공간에 대한 나토의 침범은 러시아 안보에 대한 유사한 위협이라는 러시아 정부의 주장을 지지하는 것으로 나타나고 있다.[9)] 이상의 논의를 종합할 때, 오늘날 러시아 국민들이 자의적 혹은 타의적 이유에서 인식하고 있는 위협은 테러사태 및 분리주의, 나토의 확장, 사회경제적 위기 등 다양화되는 양상을 보여주고 있다.

러시아는 『국가안보전략 2020』National Security Strategy 2020, 이하 NSS2020에서 탈냉전 이후 지속적으로 변화하고 있는 국제관계를 분석하고 있는데, 그에 따르면 세계는 세계화에 따라 모든 사안에 대한 상호의존이 심화되었고 민족국가들은 불평등 발전에 따른 갈등의 심화를 경험하고 있다. 또한 국제사회는 범세계적 혹은 지역적 구도의 불충분, 그리고 법적 기제의 불충분성으로 인해 점증하는 안보위협에 직면해 있다고 분석하고 있다.

1. 정치·사회 분야

가. 테러사태

1990년대 중반이후 러시아는 지속적인 테러사건을 경험하고 있다. 푸틴정부는 자국이 겪고 있는 체첸전쟁과 미국이 주도하고 있는 '국제테러와의 전쟁'을 상호 밀접한 관계, 즉 체첸 분리주의자들 역시 알 카에다의 지원을 받는 테러주의자들로 동일시하였다. 이에 따라 9·11사태 직후 미국의 대 테러전쟁에 대한 푸틴대통령의 즉각적인 지지표명은 '테러'에 대한 그의 위협인식을 정당화시키는 최선의 방법이었으며 동시에 러시아

---

8) "What Russia Fears?," An analytical report prepared by the institute of Sociology of the Russian Academy of Sciences in cooperation with the Russian office of the Friedrich Ebert Foundation, Moscow, 2008, p. 108.

9) Levada Center, "Nationwide Survey,"(September 2008), at http://www.russiavotes.org/security/security_russia_place.php. (검색일: 2011. 3.10).

정부가 체첸사태의 무력진압을 정당화할 수 있는 논리적 주장이었다.[10)]

이미 2000년 10월, 푸틴은 국제테러리즘은 범지구적 위협이며 러시아는 이에 맞서 싸울 첫 번째 국가 중 하나라고 주장하였다. 이런 논리의 연장선상에서 푸틴은 베슬란 사건과 테러위협을 정치적 자유의 제한 및 안보분야에 대한 정부의 재량권 확대를 위한 정당화 구실로 이용하였다.

나. 인구감소

인구감소 현상은 러시아 사회가 당면하고 있는 가장 심각한 위협 요인으로서 이로 인한 국가 경쟁력 약화를 우려하고 있다. 러시아의 인구는 1992년 이래 계속해서 감소하고 있다. 남녀의 평균수명은 각각 59세 및 72세(2005년)로 그 격차가 세계최고에 이르렀다. 전체 인구는 1992년 1억 4,870만 명을 최고조로 2002년에는 1억 4,500만 명, 2010년에는 1억 4,290만 명으로 감소하였다. 이는 높은 사망률과 낮은 출생률로 인한 현상으로 청년인구의 감소를 유발하여 2005년 130만 명 수준이던 18세 인구가 2018년경에는 60만 명이 될 예정이다.[11)] 이런 상태에서 빈번한 군내 폭행 사건 및 장교와 사병 모두에 대한 처우 저하는 젊은이들의 징집회피 현상으로 나타났다. 2011년의 경우 징집대상자의 출생연도가 1993인데, 1987-1999년 사이 남자 출생률은 50% 이상 줄어들어 그 위기감이 더욱 커지고 있다.[12)]

오는 2025년에는 노동력 부족사태에 직면하게 될 것이라는 보고서가 나왔다. 동 보고서에서 전문가들은 2025년이면 러시아인구가 지금보다 2

---

10) Thomas Gomart, *Russian Civil-Military Relations: Putin's Legacy*(Washington, D.C.: Carnegie Endowment for International Peace, 2008), p. 83. 이런 맥락에서 러시아는 체첸반군과 알 카에다 세력의 연계를 주장하고 있다.

11) Olga Oliker, Keith Crane, Lowell H. Schwartz, Catherine Yusupov, *Russian Foreign Policy: Sources and Implications*(Santa Monica, CA: RAND, 2009), p. 146.

12) IISS, *The Military Balance 2011*(2011), p. 178.

천만 명 줄 것으로 보고 결과적으로 3천 5백만 명의 이민 노동자를 받아들여야 할 것이라고 지적했다.[13] 전문가들은 낮은 출산율과 높은 사망률 탓에 러시아 인구가 2020년 1억 3천 700만 명, 2050년 1억 1천 600만 명으로 떨어질 것으로 예상하고 있다. OECD는 러시아의 2020년 인구증가율이 주요 20개[G20] 국가 중 최악인 -0.62%로 전망했다.

인구학적 위기는 러시아의 미래에 대한 위기감을 증폭시키고 있다.[14] NSS2020에서도 인구위기를 안보위협의 여러 요인들 중 하나로 제시하였다. 예컨대 시베리아와 같은 지역의 경우 충분한 노동력이 있어야만 천연자원을 유용하게 개발하는데 인구가 감소함으로써 전략적 개발에 취약한 면을 보여주고 있다.

다. 부패문제

2008년 러시아검찰은 러시아의 부패한 관료들이 부정하게 받아 챙기는 돈이 한해 정부예산의 1/3에 맞먹는 규모인 것으로 조사됐다고 발표했다.[15] 2009년의 경우 적발된 뇌물 사건의 평균 뇌물 액수가 전년 대비 두 배 이상 증가한 것으로 나타났다. 내무부가 처리한 뇌물 사건은 7천 856건으로 2008년과 비교해 10.2% 증가 했으며 2천 251명이 기소돼 기소율도 전년 대비 14.9% 증가했다. 적발 뇌물 금액의 평균 액수는 780달러로 전년의 306달러와 비교해 두 배 이상 증가한 것으로 집계됐다. 메드베데프 대통령은 취임 직후 부패와의 전쟁을 선포하고 대통령 직속 반부패위원회를 구성하는가 하면 부패 방지법을 만들어 시행하고 있지만, 아직 사회 전반에 만연된 뇌물관행은 줄지 않고 있다. 국제투명성기구가 발

---

13) *Риа Новости*, 2010.6.3

14) Ben Judah, "Russia : Ominous Demographics," International Relations and Security Network(ISN), at http://www.cdi.org/russia/johnson/2009-190-21.cfm (검색일:2010. 9. 20).

15) *Interfax*, 2008. 6. 6

표한 부패인식 지수 조사에서 러시아는 2010년 조사대상 178개 국가 중 154위를 기록했다.[16)]

2. 외교·안보 분야

가. 나토의 확대

나토의 동유럽으로의 확대와[17)] 러시아 국경지역까지의 확대 가능성은 러시아가 나토에 대하여 부정적인 행동을 하게 만들었다.[18)] 특히 우크라이나와 그루지야가 서방안보구도에 참여하는 점은 러시아의 전통적 영향권을 침해하는 것으로 간주하게 되었고, 러시아에 대한 전략적 포위로 여기게 되었다.[19)] 또한 폴란드와 체코에 설치하려던 미사일방어체제는 러시아와 나토 간 긴장의 한 요인이 되기도 하였는데 오바마 미국대통령이 2009년 9월, 이 계획을 철회함으로써 긴장이 완화되었다. 2008년 8월 남오세찌야와 압하지야 지역에서 발생한 러시아-그루지야 분쟁은 러시아가 자신들의 이해관계가 걸린 지역에서는 자동적으로 개입한다는 사례를 분명히 보여주었다. 이런 경향은 군사독트린과 NSS2020에서도 관찰되고 있다. 그렇지만 NSS2020은 나토 및 미국과의 협력 가능성도 배제하지 않고 있다. 실제로 지난 몇 년 동안 러시아와 미국은 상호 견해를 교환하고 쌍무수준에서 그리고 나토-러시아 협의회[NATO-Russia Council] 및 OSCE를 통해 일련의 국제문제에 대해 협력을 모색해왔다. 한편 일부에서는 나

---

16) http://www.transparency.org (검색일: 2011. 5. 30).

17) 구공산권국가 중 나토에 가입한 국가로는 체코·폴란드·헝가리(1999년), 루마니아·불가리아·에스토니아·라트비아·리투아니아·슬로바키아·슬로베니아(2004년), 크로아티아·알바니아(2009년) 등 12개국이다.

18) Eugene Rumer and Angela Stent, "Russia and the West," *Survival*, 51:2 (2009), pp. 98-99.

19) Igor Zevelev, "NATO's Enlargement and Russian Perceptions of Eurasian Political Frontiers," George Marshall European Center for Security Studies, www.nato.int/acad/fellow/98-00/zevelev.pdf (검색일: 2010. 9. 10).

〈표 1〉 탈냉전 후 나토 확대

연도	확대 차수	국가
1999	4차 확대 (3개국)	헝가리, 폴란드, 체코
2004	5차 확대 (7개국)	라트비아, 루마니아, 리투아니아, 불가리아, 슬로바키아, 슬로베니아, 에스토니아
2009	6차 확대 (2개국)	알바니아, 크로아티아

토의 확대에 대한 러시아의 인식이 엘리트群의 정치성향에 따라 편차가 있는 것으로 지적하고 있다. 즉 자유주의적 서구주의자, 실용적 민족주의자, 근본적 민족주의자로 분류하고 첫째 그룹은 나토의 호의적인 집단, 두 번째 그룹은 나토의 확장에는 거부감을 보이나 협력가능성도 추진하는 집단이며, 세 번째 그룹은 나토에 적대적인 그룹이다.[20]

나. 중국의 부상

2010년 중국은 일본을 제치고 세계 2위의 경제대국으로 부상하였다. 2030년경에는 중국의 경제규모가 미국을 추월해 세계1위로 올라설 전망이며 2050년 GDP 예측에 따르면 미국을 100으로 했을 때 중국은 126으로서 그 격차를 벌이고 있다. 반면 러시아는 지수 17로서 세계 6위로 예측되고 있다.[21] 이를 바탕으로 미국과 중국이라는 양 강대국을 상징하는 G2라는 용어가 등장하게 된 것이다. 이에 따라 러시아는 대미견제의 차원에서 협력관계를 유지하고 있는 중국의 부상에 한편으로는 우려하는 모습을 보이고 있다. 예컨대 러시아 국민들은 중국의 성장이 러시아에게 위협이 된다는 견해를 보이고 있다. 이는 중국이 경제적 부상을 바탕으로 자국의 주권과 안전을 확보하는 데서 벗어나 자국의 국제적 지위와 영향

20) 고상두, 「나토확대에 대한 러시아의 대응」, 『한국과 국제정치』 26-1(2010 봄).

21) http://www.photius.com/rankings/gdp_2050_projection.html (검색일: 2011. 5. 30).

력을 확대하려 한다는 점에서 그러하다.[22)]

다. WMD 확산

핵·생화학 무기 등 WMD의 확산과 불량국가나 테러리스트들의 WMD 사용 가능성은 모든 국가의 안보를 위협하고 있다.[23)] 화학, 생물무기는 1925년 제네바의정서에 따라 전쟁수단으로 사용이 금지된 이후 화학무기금지조약[CWC], 생물무기금지조약[BWC]에서도 개발·생산·보유를 금지하였다. 그러나 비교적 생산비용이 낮고 제조 기술 습득이 용이하며, 사전 적발이 어렵다는 특성 때문에 전쟁이나 테러 발생 시 사용 가능성은 핵무기 보다 훨씬 높은 실정이다.

특히 러시아는 구소련 붕괴이후 러시아와 독립국가연합 내 핵물질 관리체계가 약화되면서 관련기술 종사자가 테러단체에 매수되고, 이들 테러단체에 의한 핵무기 및 핵물질의 이용가능성에 대한 우려가 고조되고 있다. 또한 체첸전쟁 및 코카서스 지역에서의 불안정이 러시아에 대한 WMD 사용으로 이어질까 염려하고 있다.[24)]

3. 경제 분야

가. 경제의 구조적 취약성

1999년부터 2007년까지 러시아 경제는 연평균 7%의 고성장을 기록하였다. 2008년 세계금융위기시 러시아경제도 큰 타격을 입었으나 이후 다시 성장을 회복하고 있다. 이에 따라 러시아는 이미 GDP에서는 세계 8위를 기록하고 있고 구매력에서는 6위를 기록하고 있다. 2030년경에는

---

22) 유동원, 『G2 시대를 대비한 중국 대외전략의 변화』, 국방대학교 안보문제연구소, 2010.

23) Zagorski, *op.cit.*, p. 75.

24) Oliker, Crane, Schwartz, Yusupov, *op. cit.*, p. 126.

세계 5위의 경제대국이 될 것으로 예측되고 있다.[25] 그러나 아직도 기업들에는 사업하기에 매우 어려운 나라로 꼽혔다. 미국 헤리티지 재단과 월스트리트 저널이 공동 집계해 발표한 '2011 경제자유지수'에서 183개국 중 143위를 기록하였다.[26] 또한 에너지자원을 비롯한 자원의 수출에 과도하게 의존하는 경제구조를 갖고 있어 에너지가격의 부침에 크게 좌우되고 있다. 2008년 세계금융위기 시 국제유가가 배럴당 147달러(2008년 7월)에서 5개월 만에 34달러(2008년 12월)로 떨어지자 러시아 주식시장은 80%나 떨어지는 반응을 보였다.[27]

일반적으로 학계에서 정의하는 에너지자원 의존형 경제는 GDP의 10%, 총수출의 40% 이상을 에너지자원 수출이 차지하는 경우를 일컫는다. 그런데 러시아의 경제개발통상부에 따르면, 2005년 러시아의 GDP에서 천연자원, 연료, 에너지의 채굴, 가공, 정제 산업이 차지하는 비중은 15.89%, 총 수출에서 차지하는 비중은 2004년 56.8%, 2005 년 1-11 월 66.7%, 2006년 1월 73%로 나타나고 있다. 이는 러시아 경제가 명백하게 에너지자원 수출의존형 경제임을 보여준다.

나. 자원전쟁

러시아는 21세기를 천연자원 고갈의 시대로 규정하고 세계적인 자원 고갈 위기로 인해 서양의 여러 국가들이 부족한 천연자원을 러시아에서 획득하려는 변화에 대해 민감하게 반응하였다.[28] 실제로 카스피해 석유

---

25) Anders Aslund and Andrew Kuchins, *The Russia Balance Sheet*(Washington, D.C.: CSIS, 2009), p. 40.

26) "2011 Index of Economic Freedom," at http://www.heritage.org/index/Ranking (검색일: 2011. 5. 30).

27) Aslund and Kuchins, *op.cit.*, p. 48.

28) BP가 추정한 러시아의 석유 확인매장량은 95억 톤으로서 전 세계에서 차지하는 점유율이 6.0%로 세계 7위(중동 제외할 경우 베네수엘라에 이어 2위)를, 천연가스 확인매장량은 47조m^3로서 전 세계 점유율 26.7%로 세계1위를 기록하고 있다. 이 외에도

및 가스의 채취와 파이프라인의 관리는 새로운 거대게임의 중심 과제가 되었다. 이에 따라 러시아는 다른 국가나 외국기업이 이 지역으로 침투하는 것을 적대적으로 인식하게 된 것이다. 영토의 보전과 함께 천연자원의 적절한 관리와 서구 자본에 의한 자국 천연자원의 침탈을 막아야 한다고 느끼고 에너지자원을 안보문제와 직결되는 중요한 요소로 평가한 것이다. 세계 주요 국가들도 에너지 확보를 국가발전과 안보의 관건으로 인식하게 되었고 에너지 외교 전략에 몰두하고 있다. 즉 에너지안보문제는 시장논리를 넘어 패권경쟁의 수단으로서 외교안보정책의 중심축으로 봐야 한다고 지적되고 있다.[29] 이에 따라 최근 자원부국의 에너지·자원 무기화 추세는 자원빈국들의 에너지안보문제와 결부되어 국제적 이슈로 등장하게 된 것이다.[30] 중앙아시아지역은 구소련이 해체되면서 독립한 국가들로서 풍부한 에너지자원과 더불어 미국의 반테러작전을 위한 중요한 군 기지 역할을 수행함으로써 그 중요성이 더욱 부각되고 있다.[31] 이에 따라 러시아는 미국과는 협력과 견제, 중국 및 일본과는 자원분배를 통한 영향력 확대를 도모하였다.

4. 군사 분야

1991년 소비에트체제 해체 이전까지 러시아(소련)군은 세계에서 가장 강력한 군 가운데 하나였으며 병력면에서도 532만 명으로 세계최대

석탄의 경우 확인매장량은 약 1,570억 톤으로서 세계 2위에 위치하고 있다.

29) 김재두, 「북핵위기와 동북아에너지안보 질서의 변화」, 에너지경제연구원·동북아에너지협력 전문가 컨퍼런스 발표문, 2006. 12. 27.

30) 유럽 및 CIS국가들은 2006년 1월에 단행된 러시아의 우크라이나 가스공급중단 조치 및 반러성향의 CIS국가(우크라이나, 그루지야)들에 대한 가스공급가 대폭인상(1,000m^{2}당 40$ → 90$ 또는 240$) 추진 등과 같은 자원무기화 경향을 우려하고 있다.

31) '중앙아시아'(Central Asia)란 용어에 대한 정의도 다양하게 소개되고 있는데, 본 연구에서는 카자흐스탄, 우즈베키스탄, 키르기즈스탄, 투르크메니스탄, 타직스탄 5개국을 대상으로 한다.

규모를 자랑하였다. 그러나 이행기과정에서 고르바초프가 최우선적으로 추진한 경제개혁은 막대한 재원을 필요로 하였고 이것은 군 규모를 축소하는 것으로 '군 개혁'이 현실화되었다.

옐친시기에는 군 개혁의 의미가 공산당의 영향력을 제거한 새로운 군 지휘부를 만들고, 소비에트로부터 물려받은 모든 군을 재건설하고 좀더 작은 러시아군 건설을 위한 계획 개발을 뜻하였다. 문제는 재원의 부족으로 전투력 향상 및 전문화된 소수정예군을 위한 지원은 이루어지지 못한 채 군의 규모만 축소함으로써 군의 사기 및 효율성은 떨어지게 되었다. 이런 와중에 벌어진 1994년 제1차 체첸전쟁에서는 중대한 좌절을 경험하여야만 했다. 또한 1998년 모라토리움으로 귀결된 경제위기 국면을 맞이해서는 훈련에 필요한 연료부족으로 주요 중장비 무기들은 움직일 수조차 없었고 장교들은 생활고를 해결하기 위해 부업을 가져야만 할 정도로 군은 어려움에 처하게 되었다. 계속된 체첸전쟁은 군 예산의 상당 부분을 고갈시켰을 뿐만 아니라 군의 사기를 저하시켰다. 더욱이, 체첸전쟁 실패의 원인이 형편없는 훈련 및 장비, 그리고 리더십의 부재 등이라고 알려지자 러시아 국민들은 자녀들을 군에 보내는 데 큰 거부감을 갖게 되었다.

2000년, 118명의 군인들이 사망한 쿠르스크 잠수함 참사는 제대로 계획된 군 개혁의 필요성과 시급함을 일깨우게 되었다. 이에 따라 푸틴정부는 2000년 국가안보개념과 군사독트린을 새롭게 정립하고 군 개혁을 추진하였다. 푸틴시기의 군 개혁은 군명령체계의 일원화와 모병제 도입, 3군 체제 도입을 목표로 하였지만 여전히 재원의 부족과 군 엘리트층의 반대로 직업군인화를 비롯한 일부 계획들은 실현에 어려움을 겪고 있다.

III. 러시아의 대응

안보위협에 대한 대처방안으로 러시아정부는 권력의 중앙화, 반테러 법안 및 새로운 군사독트린, 엘리트의 군사화, 그리고 에너지자원의 무기화를 추진하였다. 이들은 안보위협에 대한 고려에서 나온 정부의 전략적 대응이면서, 동시에 국가발전전략으로서 추진되었다.

1. 정치·사회분야

가. 권력의 중앙화

지방 주지사에 대한 주민 직접선거는 2004년 베슬란 인질테러사건 이후인 2005년 1월부터 폐지되었다. 대신 대통령이 임명하고 지방의회의 형식적 승인을 받도록 선출방식을 변경하였다. 또한 푸틴은 7개의 연방지구를 만들어 대통령 전권대표를 임명함으로써 지역 주지사들에게 큰 영향력을 행사하였다. 이들 대통령 전권대표들의 임무는 각 지역의 연방주체들의 행위를 조정하고 지역법이 연방법과 헌법에 준거하도록 하고, 세금징수와 연방자금의 흐름을 감독하는 것이다.[32] 그런데 이들 7명 전권대표 중 5명을 군 장성 출신으로 선발하였다.

상원(연방회의)의원 구성도 과거에는 각 지역의 행정수장과 의회 의장이 당연직으로 상원의원이 되던 것을 변경하여 각 지역의 행정수장 및 의회의장이 임명하도록 하였는데, 이 과정에서 대통령행정실의 입김이 강하게 작용하였다. 하원(국가두마)의원 구성방식도 변경하여 2005년 지역선거구제를 폐지하고 국가두마 전 의석을 정당지지도에 따라 배분하도록 하였다.[33] 또한 정당이 의석을 얻기 위해서는 적어도 7% 이상의 득표

32) Aslund and Kuchins, *op.cit.*, p. 31.

33) Stephen K. Wegren and Dale R. Herspring, eds., *After Putin's Russia: Past Imperfect, Future Uncertain*(New York: Rowman & Littlefield Publishers, INC.,

율을 획득해야 하는 규정을 만듦으로써 2007년 12월 총선에서 4개의 정당만이 남게 되었다.

이 외에도 수정법안을 통해 대통령에게 지방 행정수장 해임권과 지방의회 해산권을 부여하였다. 또한 주지사들로 구성된 새로운 기구인 국가협의회state council를 설립하여 대통령에게 정책자문 역할을 담당하도록 하여 이들이 중앙에서 소외되지 않도록 배려함과 동시에 감독을 강화하였다. 또한 푸틴 총리가 당수인 단합러시아당United Russia을 전국적인 국가정당으로 성장시켜 거의 모든 지방의회를 점유하도록 하고 동시에 지방에 근거를 둔 정당을 금지함으로써 권력의 중앙집중화를 가속시키고 있다.

한편 인구감소에 대해서는 그 이유가 높은 사망률과 낮은 출산율을 주 원인으로 보고 이에 대한 대처를 서두르고 있다. 특히 남성들의 수명이 59세에 불과한데 그 주요 원인이 음주와 흡연에 있다는 분석에 따라 금연관련 국제기구인 FCTC에 2008년 가입하였다. 이로써 러시아는 담배와 관련된 광고나 후원을 금지하는 등 흡연율을 낮추기 위해 노력하였다. 그리고 정부는 처음으로 2009년 예산에 건강한 생활 증진을 위한 기금을 책정하였다. 이와는 별도로 2006년부터 국가건강프로젝트를 통해 보건개혁이 추진되었는데 2006-2007년에는 이 계획을 위해 90억 달러가 배당되었다.

부패문제 해소를 위해서도 러시아 정부는 다각도로 해결책을 모색하고 있는데, 우선 기본적으로 판사와 검사들의 위상을 개선하기 위해 노력하였다. 즉 판검사들이 주택이나 기본적인 생활을 위해 행정부에 의존해야 하는 상황을 제거하였다. 이에 따라 법정에 대한 국민들의 신뢰도가 2000년과 비교해 2008년도에는 상당히 개선되었다.[34)]

2010), p. 48.

34) Anders Aslund, Sergei Guriev, and Andrew Kuchins, eds., *Russia After The Global Economic Crisis*(Washington, D.C.: CSIS, 2010), p. 86.

나. 반테러리즘법 채택

2006년 3월에 채택된 반테러리즘법New Counter-Terrorism Law은 연방보안국FSB에게 테러방지를 위해 광범위한 권한을 부여하였다.[35] 즉 테러 발생가능성이 있다고 판단시, FSB는 '테러위협체제'를 선포하고 도청, 우편물 검열, 여행제한, 집회·시위 금지 등 언론·사회 통제권한을 부여 받았다. 그런데 동 법안은 테러 발생 시 군 및 경찰의 작전권 등을 둘러싼 부처 간 관할권 싸움으로 국가두마 통과가 2년 지연되었다. 이에 대해 푸틴대통령이 대통령 명령으로 FSB 국장이 주관하는 '국가 반테러위원회' 설립을 요구함으로써 관할권을 둘러싼 논쟁을 종식하고 법안을 통과시켰다. 반테러수정법은 대통령에게 테러와의 전쟁수행을 위한 해외파병권도 부여하였다.

결과적으로 반테러법에 따라 FSB의 역할이 상승하였는데[36] 반테러작전을 수행할 경우, FSB가 군, 경찰 등을 총괄하여 책임을 맡게 되었다. 2006년 1월에는 '국가 반테러 위원회'를 창설하여 FSB 국장이 위원장을 겸직하게 되었다. 각 지방의 대테러 위원회 위원장은 주지사 및 공화국 대통령이 겸직하였으며, 테러리즘과 관련된 문제와 예방에 대해서 주지사들은 FSB 국장에게 종속되었다.

다. 엘리트의 군사화

푸틴의 초기 권력기반의 3대 축은 옐친페밀리로 알려진 거대기업, 쌍트 뻬쩨르부르그 출신의 자유주의 성향 테크노크라트, 그리고 주요 무력기구 출신인 실로비키로 알려져 있다.[37] 전직 보안기구 및 군, 경찰 출신

---

35) *Ibid.*, ch. 2.

36) *Ibid.*, ch. 3.

37) Lilia Shevtsova, "Putin's Legacy: How the Russian Elite Is Coping with Russia's Challenges," *Briefing* no.4, Carnegie Moscow Center, (June 2006), p. 2.

들을 의미하는 실로비키들은 푸틴정부 출범 이후 대통령행정실, 정부, 그리고 지방기구에서 그 비중과 영향력이 확대됨으로써 엘리트의 '군사화'라는 지적을 받게 되었다.[38] 일부 조사에서는 정부 고위관료들 중에서 실로비키 출신이 70%에 이른다고 주장되었다.[39] 이는 푸틴대통령 이전까지 권력구조에서 실로비키의 비율이 13%를 넘지 않은 것과 비교하면 크게 늘어난 수치이다.[40] 이들이 부각된 것은 푸틴 자신이 국가보안위원회KGB 및 연방보안국FSB에서 일을 한 경험과 이때 형성된 인맥이 큰 역할을 했기 때문이다. 특히 FSB의 중심은 구소련의 KGB 출신자들로 뭉쳐져 있기 때문에 구KGB 출신 엘리트들이 현재의 러시아를 지배한다고 볼 수 있다. 실로비키의 신조는 개인의 권리와 자유를 희생하더라도 러시아를 '강한 국가'로 만들어 내는 것이다. 실로비키 그룹의 정상에는 푸틴 전 대통령 자신이 있고, 이고르 세친I. Sechin 전 대통령 행정실 부실장, 세르게이 이바노프 전 국방장관, 니콜라이 파트루셰프 FSB 국장 등이 있다. 즉 대통령부와 국방부, FSB가 실로비키를 형성하고 있으며 그 중에서도 대통령부가 실로비키의 중심적인 조직이다. 이들은 푸틴 제1기 동안 옐친페밀리 그룹(일명 '세미야')인 알렉산드르 볼로신 전 대통령행정실장, 미하일 까샤노프 전 총리, 블라디미르 수르코프V. Surkov 전 대통령 행정실 부실장과의 싸움에서 승리를 거두었다. 그 결과 베레좁스키와 구신스키 등 '세미야'에 가까운 올리가르히가 잇달아 해외로 도피하였다. 알렉산드르 보로신의 경질 그리고 2003년 10월 거대석유회사 유코스의 총수 미하일 호도르코프스키Khodorkovsky의 체포도 실로비키의 승리였다. 2004년 9월 초에 발

---

38) Olga Kryshtanovskaya and Stephen White, "Putin's Militocracy," *Post-Soviet Affairs*, Vol.19, No.4(October-December 2003), pp. 289-306.

39) Joel M. Ostrow, Georgiy A. Satarov, and Irina M. Khakamada, *The Consolidation of Dictatorship in Russia* (London: Praeger Security International, 2007), p. 3.

40) Ol'ga Kryshtanovskaya, "The Russian Elite in Transition," *Journal of Communist Studies and Transition Politics*, Vol.24, No.4 (December 2008).

생한 베슬란학교 점거사건 뒤에 발표된 지방수장의 임명제, 하원 소선거구제 폐지 등 푸틴의 일련의 제안들은 권력집중을 지향하는 것으로 보인다. 2004년 3월의 정부기구 개편으로 내무부, 비상사태부, 외무부, 국방부, 법무부 등 5개 부처가 대통령 직할이 된 것도 그러한 움직임의 일환으로 이해된다. 이와 같이 과거 엘리트를 대표하는 관료출신과 올리가르히의 제거 및 정부기구 개편은 엘리트의 군사화 경향을 낳게 되었다.

2. 외교·안보분야

가. 실용주의 외교노선의 강화

러시아는 국가전반의 '종합적 현대화comprehensive modernization'를 통하여 세계적 강대국 지위를 회복하기로 목표를 설정하고 '실용주의 외교'를 더욱 강화하기로 하였다. 메드베데프 대통령은 2009년 11월 12일 행한 국정연설에서 러시아의 대외정책은 '국가 현대화'라는 국내적 과제를 달성하는 데 초점이 맞추어져야 하며, 따라서 대외정책은 지극히 실용주의적이어야 한다고 강조하였다. 즉 메드베데프 대통령은 외교정책의 효율성은 국민들의 생활수준을 얼마나 증진시키는 데 기여했느냐에 의해 판단되어야 한다면서 외국인 투자 유입, 신기술 및 혁신적 사고에 관심을 가져야 한다고 주장하였다.

러시아는 21세기에 들어와 국제사회에서의 발언권 증대 및 각종 다자회의에서의 국익증대를 실현시키기 위해 다극주의·다자주의 외교를 지속시켜 왔다.[41] 유라시아 국가로서 세계적 차원의 각종 다자회의는 물론 유럽과 아시아 차원, 아·태 지역 차원의 각종 다자회의(OSCE, NRC, APEC, G20, G8, CICA, CIS 차원의 각종 다자협력체 등)에 적극 참여해 왔는데, 예컨대 반테러·WMD 비확산을 위한 국제공조에 적극 참여해 왔

41) Hongsub Lee, "Multilateralism in Russian Foreign Policy: Some Tentative Evaluations," *International Area Review*, Vol.13, No.3 (Autumn 2010).

다. 메드베데프 정부는 한편으로는 UN차원의 반테러 협력을 지속하면서, 다른 한편으로는 SCO 회원국들과 양자차원의 반테러 군사훈련을 실시하였음은 물론 CSTO 차원의 신속대응군 창설을 주도하였다. 또한 러시아는 북한의 핵실험에 대한 UN 제재에 동참하고 이란의 핵개발 저지를 위한 국제적 노력에도 협력하고 있다.

세르게이 라브로프Lavrov 장관은 2007년 12월에 발표한 글에서 푸틴 대통령이 2007년 2월 독일 뮌헨 국제안보회의에서 한 연설을 러시아 자주외교정책의 전기라고 규정하였다.[42] 푸틴은 당시 미국은 국경을 넘어 다른 국가에 자신의 입장을 강요하는 일극체제를 지향한다고 비판하고 이제는 일극체제 대신 다극체제가 자리 잡게 될 것이라고 말했다. 푸틴의 외교구상을 구체화한 라브로프의 논문은 러시아는 더 이상 서방에서 배울 필요를 느끼지 못한다며 서방은 러시아를 비정상적인 국가라고 비난하지만 왜 그런지는 설명하지 못하면서 러시아를 가르치려 한다고 비판했다. 미국의 외교정책도 비판대상에 올렸다. 라브로프는 명분 없는 이라크 전쟁은 결국 미국의 외교정책에 철학적 기초가 결여돼 있음을 보여준다고 지적했다. 이란 핵문제도 앞으로 무력 수단이 아니라 반드시 대화를 통해 해결해야 한다고 주장했다. 라브로프 장관은 러시아와 유럽연합 관계가 러·미 관계에 너무 영향을 받는다며 EU는 미국과 관계없이 자주적으로 러시아와 협력틀을 구축해야 할 것이라고 강조했다. 향후 국제무대에서 러시아의 역할에 대한 언급도 했는데, 라브로프 장관은 2000년 이후 우리는 옛 소련이 파리클럽에 지고 있던 채무 237억 달러를 모두 갚았고 GDP 1조 달러 돌파로 세계경제의 톱10에 진입했다며 민주주의와 시장경제를 바탕으로 한 러시아는 앞으로 국제무대에서 우리의 책임과 역할을 다 할 것이라고 했다. 그는 또 이제 냉전과 함께 일극주의는 종식됐

42) "Внешня политнка России: новый Этап,"(러시아 대외정책: 새로운 단계) *Эксперт*, no.47(Dec. 17, 2007).

고 다극주의 시대가 도래했다며 러시아는 중동평화나 코소보 독립 등 어떤 사안이든지 당사국의 입장을 듣고 설득할 준비가 돼 있고 개방·정직에 기초한 외교정책을 펴겠다고 선언했다. 중국·인도와의 3각 협력, 옛 소련의 11개국으로 구성된 CIS의 단합, 46개 회원국을 둔 아프리카연합AU과의 유대 강화 등도 제시했다.

메드베데프 대통령은 2008년 7월 신외교정책개념foreign policy concept을 발표하였다.[43] 메드베데프가 발표한 신외교정책 개념은 2000년에 푸틴이 발표한 외교정책에 이어 8년 만에 발표된 것으로 러시아 정부가 추진할 외교정책의 목표와 기본방향 및 계획을 규정하고 있다. 메드베데프 대통령이 제시한 러시아의 신외교정책 개념은 2000년에 푸틴이 수립한 외교정책 방향과 기본적인 방향에서 일치하며, 그동안 상황변화에 따라 변화가 필요한 부분의 내용을 수정하거나 보완하는 내용을 담고 있는 것으로 평가되고 있다. 2000년도에 푸틴은 러시아는 유엔과 국제법에 최상의 가치를 부여하고 다극화 시대의 국제질서 담당자로서의 역할을 수행할 것이며 미국의 일방주의를 결코 따르지 않을 것이라는 강경 외교정책 노선을 천명했는데, 8년이 지나서 발표한 메드베데프의 신외교정책개념도 이와 유사한 주장을 되풀이 하고 있다.

그 주요 내용을 보면, 러시아는 지역적인 규모와 국제적인 규모로 전개되는 문제를 해결할 수 있는 강한 힘과 능력을 가지고 있다면서 세계가 러시아의 말을 경청할 뿐만 아니라 러시아가 문제를 적극적으로 해결하기를 기대한다는 것이다. 이에 따라 메드베데프 대통령은 세계 다른 국가들에게 새로운 국제체제를 건설하기 위한 공개적이고 정직한 토론에 나설 것을 권고하고 안전보장문제를 포함한 모든 국제적 이슈의 해결을 위하여 러시아와 함께 일할 것을 요청하였다. 그러면서 아직도 일부 국가들

43) *Российская газета* (July 16, 2008).

이 문제를 힘으로 해결하려는 경향이 있다면서 이는 좋지 않은 결과를 가져올 뿐이라고 경고하였다. 이러한 상황에서 러시아는 대결을 피하고 자신들의 국가이익을 지키는 것이 중요한 과제라면서 독자적으로 또는 파트너들과 함께 집단적인 행동을 준비해야 한다고 지적하였다. 그리고 개별국가나 집단의 이익을 위해 국제법이 파괴되어서는 안 되는데, 예컨대 코소보의 일방적인 독립선언과 이를 국가로 승인하는 행위는 명백히 국제법 위반이라고 주장하였다. 메드베데프 대통령은 유엔의 역할을 강화하면서 국제적인 상황을 개선할 필요가 있다면서 유엔은 지난 수십 년간 국제적인 안전보장 문제에 우리인류가 대처해 온 유일한 실체라고 강조하였다. 메드베데프 대통령은 국제적인 차원에서 군비축소와 군비에 대한 통제를 계속해서 유지할 필요가 있다면서 이러한 과정에 러시아와 미국의 역할이 중요하지만 다른 국가도 동참할 것을 호소하였다. 메드베데프 대통령이 지적한 러시아의 또 다른 과제는 '유라시안경제공동체'EurAsEC와 '집단안전보장기구'CSTO를 통하여 CIS의 통합과정을 강화하는 것이다. 이를 위해 CIS 국가들은 경제, 문화, 교육 분야에서 협력 역량을 강화해야 하며, 유라시아 지역의 광범위한 통합과 관련하여 상하이협력기구SCO의 역할 강화 필요성을 역설하였다.

메드베데프 대통령에 의해 발표된 러시아의 신외교정책개념은 2000년에 발표된 푸틴 대통령의 외교정책의 기본적인 골격을 유지하면서 지난 8년간 달라진 러시아의 정치경제적 위상을 반영하여 국제외교무대에서 적극적이고 주도적인 역할을 담당하겠다는 의지를 강력히 표명하고 있는 것으로 평가된다. 기본적으로 푸틴의 외교정책을 그대로 고수하면서 변화된 환경에 적응하는 방향으로 기존의 외교정책기조를 부분적으로 수정하고 있다.

다극적 국제구조를 강조하면서 유엔과 국제법의 준수의 중요성과 미국의 일방주의를 반대하는 기본입장은 푸틴 대통령 이래 되풀이 되어 온 러시아 외교의 기본 방향으로서 신외교정책 개념에서도 크게 강조되고 있다. 러시아는 미국 위주의 일방주의에 대한 강력한 반대의사를 표명하면서, 미국과 NATO의 확대에 반대하고, 유럽의 재래식 무기제한협정의 결함을 강력히 비판하였으며, 유럽의 안전보장을 위한 새로운 협정을 제안함으로써 유럽의 평화정착을 위해 새로운 질서를 창출할 필요성을 강조하였다. 또한 동부 유럽에 전략미사일을 설치하려는 미국의 시도에 강력한 반대의견을 피력하면서, 이러한 시도에 대하여 강력한 대응조치를 마련할 것임을 공공연히 밝히고, CIS국가인 그루지야와 우크라이나의 나토가입에 대한 강력한 반대 입장을 확고히 하였다.

메드베데프가 발표한 신외교정책의 이러한 기본방향의 재강조를 놓고 러시아의 일부 정치·외교평론가들은 미국 등 서방국가에서 메드베데프 대통령이 등장하면서 좀더 부드럽고 자유주의적인 외교정책을 펼칠 것을 기대했으나 신외교정책의 발표로 이러한 기대가 무너지게 되었으며, 향후 러시아의 외교는 푸틴 대통령시대 외교정책의 연장선상에서 보수적인 방향으로 전개될 가능성이 커졌다는 분석도 나왔다. 그러나 2000년의 외교정책방향에서는 미국과 관련하여 2개의 문장으로 커다란 격차를 해소할 필요성을 언급하는데 그쳤으나, 신외교정책에서는 미국의 부시정권 시기에 악화된 러·미 관계에도 불구하고 안전보장과 경제 그리고 다른 분야에서의 커다란 잠재적 가능성을 언급하고 '전략적 동반자관계'로의 발전 필요성을 강조하면서 대 미국관계의 개선의사를 표명하였다.

나. 다자안보전략 추구

러시아는 안보구축을 위하여 다자안보협력기구의 역할 증대를 모색하고 있다. 이런 맥락에서 러시아는 유럽안보협력기구OSCE와 상하이협력기구SCO의 역할에 크게 기대하고 있다. 여기서 특히 주목하는 기구는 상하이협력기구인데, 이는 1996년 구소련 국가와 중국의 오래된 국경문제 및 국경수비대 문제를 해결하기 위해 중·러 양국 및 카자흐스탄, 키르기스스탄, 그리고 타직스탄 5개국으로 설립되었다. 이들의 공동관심사인 국경문제가 잘 해결되자 이들은 관심영역을 점차 확대해 왔고 2001년 6월, 상하이에서 열린 '상하이 포럼'에서 우즈베키스탄을 포함하는 6개국으로 구성된 SCO로 새롭게 설립된 것이다. 이 기구는 회원국 간에 안보, 경제, 운송, 문화, 재난구호 및 법집행에 있어서 협력을 증진할 것을 목표로 하였는데, 이 중에서도 안보와 경제협력을 최우선 과제로 설정하였다. 북경에 소재하는 사무국은 주로 경제·무역 문제의 조정을 담당하고 있으며 '2020년까지의 경제발전프로그램' 책정을 위한 준비 작업이 이루어지고 있다. 또한 SCO 산하에는 비즈니스 위원회나 은행 간 연합 등의 기구도 정비되고 있다. 아프가니스탄 정세가 불안정해지고 중앙아시아 지역에서 테러리즘 활동이 활발하게 된 이후, SCO 가입국은 테러나 분리·과격주의, 불법이민이나 마약밀수 등 국경을 넘나드는 위협에 대처하려는 입장을 취하고 있다. 우즈베키스탄의 수도 타슈켄트에는 테러문제를 전문으로 취급하는 '지역 반테러기구'RATS가 설치되어 있다.

또한 가입국에 의한 합동군사훈련도 실시되고 있다. 2005년부터 시작된 평화사명 연합훈련은 2007년, 2009년, 2010년 4차례 실시되었다. 2007년 연합군사훈련은 8월 9일부터 17일까지 9일간 실시되었는데 6개국에서 파병한 6천 5백여 명의 병력과 폭격기를 포함한 80여 편의 항공기가 참가하였다. 2005년에는 러시아와 중국 2개 국가만 참여하였지만 2007년 훈련에는 SCO에 가입한 6개국이 모두 참여했다는 점에서 진정한 의미의 첫 번째 연합군사훈련이었다고 볼 수 있다. 2009년 연합군사훈련은 중국 심양군구 조남연합전술훈련센터에서 실시되었는데 실전연습에서 러·중 양국 군대는 2600명의 병력을 투입했으며 탱크, 자주포 등 각종 장갑무장차량 백여 대와 전투폭격기, 공격기 등 각종 비행기 60여대를 동원하여 "연합통제, 입체돌파, 기동저항, 반격·심층섬멸" 4가지 내용을 연습하였다. 2010년에는 카자흐스탄에서 연합훈련이 실시되었다.

다. 에너지의 무기화

푸틴정부는 지속적인 경제성장을 통한 강대국 지위회복을 달성하기 위해서 에너지 산업에 대한 국가통제의 강화가 필요하다고 인식하고 그동안 준비해오던 '에너지 전략 2020'Russian Energy Strategy for the Period up to 2020을 2003년 5월에 발표하였다.[44] 그 근본 취지는 에너지의 효율적 사용을 통해 경제성장을 달성하여 결과적으로 국민들 삶의 질을 높이는 데 있다고 명시하고 있다.

2009년 8월에는 『에너지전략 2030』ES-2030을 발표하였다.[45] ES-2030은 ES-2020의 후속전략으로서 시대적 요구와 새로운 국정과제 및 우선순위에 부합되도록 ES-2020의 대상기간을 2030년까지 연장, 수정하였다. 그 내용을 보면, ES-2030은 ES-2020 추진과정에 대한 평가, 에너지산업 발전현황, 그리고 에너지산업의 향후 발전방향 등에 대한 분석을 바탕으로 작성되었으며, 또한 러시아 경제발전을 위한 대내·외적 여건 변화 요인들을 반영하였다. 주요 대외적 도전은 국제 에너지시장 불안정과 국제 에너지가격 변동에 따른 위기 극복, 그리고 세계경제체제에서 러시아의 위상 강화와 대외경제활동의 효율성 제고를 위한 에너지산업의 역할 강화 등이다.

2030년까지 에너지자원 수출은 계속해서 러시아 경제성장의 주된 요인으로 되겠지만, 국가경제에 미치는 영향력은 점차 감소할 것으로 보고 있다. 또한 향후 에너지자원 수출 증가속도가 둔화되고, 2030년경에 에

44) 2000년부터 준비된 에너지전략은 2003년 5월에 기본내용이 수정 완료되어, 2003년 8월 인준을 받았다. http://www.gazprom.ru/eng/articles/article15253.shtml (검색일: 2007. 9. 15).

45) "Energy Strategy of Russia For the Period up to 2030"(2009. 11. 13) at http://energystrategy.ru/projects/docs/ES-2030_(Eng).pdf (검색일: 2010. 8.20).

너지자원 수출이 안정세를 보이게 되며 이러한 추세는 경제구조 다변화와 에너지자원 수출 의존도를 낮추려는 정부의 장기 경제정책과도 깊은 연관성을 갖는다. 앞으로 러시아 연료에너지자원의 총수출에서 유럽지역이 차지하는 비중은 아·태 지역으로의 에너지 수출시장 다변화로 인하여 점차 감소할 것이다. ES-2030의 3단계에 아르면, 액체 탄화수소(원유 및 석유제품)의 대 아시아 수출 비중은 현재 6%에서 22-25%, 가스 수출은 0%에서 19-20%로 각각 증가할 것으로 예측하고 있다.

3. 경제분야

가. 국가자본주의

푸틴의 경제정책은 '국가자본주의'라고 불리고 있는데, 이는 시장경제의 작동원리를 왜곡한다는 비판도 있지만 혼란기에 국가의 기능을 강화하여 최단 시일 내에 정치적 안정과 경제적 고도성장을 이룰 수 있는 효율적인 통치방식이라고 러시아 집권세력들은 주장하고 있다. 즉 국가산업의 국유화 정책과 국가 주도의 경제운영, 국영기업들의 규모 확대를 통한 단시간 내의 경제성장 추구, 강력한 중앙집권을 통한 정치안정과 일사불란한 추진력 등으로 요약되는 푸틴의 국가자본주의가 없었다면 러시아의 경제회복은 불가능했다는 평가가 지배적이다.[46)]

옐친 대통령 시기 신자유주의 정책으로 인한 경제파탄을 경험한 푸틴은 옐친시기에 사유화된 주요 산업의 재국유화 정책 등을 통해 국가의 경제적 역할을 다시 강화하였다. 특히 석유·가스 에너지 산업에 대한 국민들의 전통적인 안보우려를 반영하여 실로비키들을 묶은 에너지-실로비키 복합체를 통해 러시아 부활의 추동력을 얻으려 했다. 푸틴의 이러한 국가자본주의는 정부가 국가발전을 위한 정치·경제 정책을 제시하고 이

---

46) 유철종·박상남·채인택, 『두 개의 권력, 러시아의 미래』, 플래닛미디어, 2008, p. 133

를 실현하기 위해 권위주의적이고 강압적인 정책수단을 동원하는 통치방식이다.[47]

이런 경제전략의 기조하에 2007년 10월, 러시아 경제발전통상부(현 경제발전부)는 '러시아연방 장기 사회·경제발전 구상'을 발표하였다. 이는 2020년까지 러시아 장기 경제발전 전략을 제시한 것으로서 푸틴의 뒤를 이은 메드베데프 대통령이 이 구상을 승인함으로써 러시아 대내외 경제발전 정책의 기조가 될 것으로 예견된다. 이 구상은 '강한 러시아'로 나아가기 위해서 그에 부합하는 국가발전 경제전략이 필요했기 때문에 나온 것으로 해석된다. 역동적인 경제발전을 추진하고, 지속적인 국민복지 향상을 도모하며, 국가안보를 강화하고, 국제 사회에서 러시아 지위를 강화하기 위하여 발표된 이 문건은 7가지 달성 목표를 제시하였다.[48] 첫째, 국민소득 및 생활수준의 지속적 향상을 통해 서방선진국 수준에 상응하는 복지국가를 건설한다. 이를 위해 구매력평가[PPP] 기준 1인당 국내총생산[GDP]을 2020년까지 3만 달러, 2030년까지 4~5만 달러 수준으로 향상시킨다. 둘째, 경쟁우위와 국가안보를 확보하는 방향으로 경제정책을 추진함으로써 과학, 기술부문에서 강국으로서의 러시아 지위를 확보한다. 셋째, 선도적인 연구개발과 첨단기술 개발을 통해 세계경쟁에서 러시아의 특화를 확보한다. 이를 바탕으로 세계 하이테크 제품 및 서비스 시장에서 러시아의 시장점유율을 10% 이상(세계순위 4~6위)으로 높인다. 넷째, 글로벌 에너지부문 인프라구축에서 러시아가 지닌 우월적 지위를 공고히 한다. 다섯째, 운송 및 트랜지트[transit]부문에서 러시아가 지니고 있는 글로벌 경쟁우위를 실현한다. 여섯째, 러시아 전역에 독자적인 금융 인프라를 구축하고, 독립국가연합[CIS], 유라시아경제공동체[EurAsEc], 중동부유럽 금융

47) 위의 책, p. 135.

48) 이종문, 「러시아 경제발전의 미래」, 고재남·엄구호, 『러시아의 미래와 한반도』, 한국학술정보, 2009, pp. 241-242.

시장에서 선도적 지위를 확보함으로써 세계 지역금융센터의 하나로 탈바꿈한다. 일곱째, 효율적인 민주제도를 확립하고 영향력 있고 활동적인 시민사회 기관 및 단체의 형성 및 발전을 도모한다.

이와 함께 향후 러시아의 발전방향(과제)으로서 다음 정부에서도 푸틴의 "2020년까지의 국가전략"을 실천해야 한다고 역설하였는데, 그 내용은 첫째, 에너지의존형 경제발전을 우려하고 제조업분야의 투자를 격려하였다. 둘째, 인적자원에 대한 대대적 투자를 통해 지식산업 육성을 역설하였다. 셋째, 수명을 75세로 연장시킬 것을 지적하였다. 이는 현재 남성인구의 절반 가량이 60세 이하에서 사망하는 심각한 상황을 반영한 것이다. 넷째, 중산층을 육성하여 2020년까지는 전체인구의 60-70%선으로 확대해야 한다고 제시하였다. 마지막으로 지역균형발전을 제시하였다.

나. '현대화' 및 '경제현대화' 추진

메드베데프 대통령은 2009년 11월 연방교서를 통해 "미래에 대한 나의 구상의 바탕에는 러시아가 원칙적으로 새로운 기반하에 세계강국의 지위를 획득해야 하며, 또한 그럴 수 있다는 확신이 있다. 조국의 위신과 국가의 복지는 영원할 수 없으며, 과거의 업적으로 결정될 수 없다. 예산수입의 대부분의 비중을 차지하는 석유가스복합체, 우리의 안보를 보장하는 핵무기, 산업 및 공공인프라에 이르는 이 모든 것들은 대부분 사실상 소비에트 시절에 이루어진 것"이라고 밝히고 러시아는 원칙적으로 다른 기반하에 세계 강국의 지위를 획득해야 한다고 강조했다.

그런데 경제현대화란 러시아 경제의 고질적인 문제인 유가 의존적 경제구조를 탈피하는 가운데 러시아 경제성장을 가로막는 생산성 저하와 비효율성의 문제를 극복하기 위한 일종의 산업구조 재편을 의미한다. 메드베데프 대통령은 러시아가 경제 강국으로 부상하기 위해서는 빠른 시일 내에 독특한 지식과 신기술에 입각한 고부가가치 상품을 생산하는 소위 '스마트경제'로의 산업재편이 필요하다고 보고, 스마트 경제의 견인차로서 러시아가 상대적으로 기술 경쟁력을 구비한 5개 산업, 즉 에너지 효율화, 정보통신, 우주기술, 원자력, 의료산업을 집중 육성한다는 목표를 정해놓고 있다.

메드베데프의 '현대화' 및 '경제현대화'에 대하여 푸틴 총리는 일단 이를 지원하는 입장을 취하고 있다. 즉 2009년 11월 21일 개최된 통합러시아 전당대회 연설에서 이에 대한 적극적인 지지와 정책추진 의사를 밝혔던 것이다. 푸틴은 메드베데프가 추진하고 있는 '현대화' 정책을 아직까지는 현 정치권력체제를 뒤엎거나, 위상변화를 가져올 사안으로 파악하기 보다는 현 국정운영을 동반자적으로 이끌어 가는 매개로 인식하고 있는 것으로 판단된다.

현대화에 대하여 크렘린 행정실 제1부실장인 블라디슬라프 수르코프는 견고한 권력만이 현대화를 이루는 도구이며 러시아는 강한 중앙정부를 가질 때 현대화될 수 있다면서 그것을 '전제주의적' 현대화라고 불러도 될 듯하다고 밝혔다. 수르코프 부실장은 대통령 측근에서 국민의 여론을 수렴해 정책으로 구체화하는 역할을 하는 정치전략전문가로 크렘린 내에서 메드베데프 대통령의 두뇌 역할을 하는 것으로 알려졌다. 그는 푸틴 현 총리의 대통령 재직 시에는 행정실 부실장으로 있으면서 당시 러시아의 중앙집권화된 권력 시스템인 '주권 민주주의'라는 개념을 만들어 내 관심을 끌기도 했다.

다. 경제통합위원회 발족

러시아 정부는 2010년 1월 경제 각 부문을 통합, 관리할 경제발전통합위원회(이하 위원회)를 구성했다. 이고르 슈바로프 제1부총리가 위원장을, 빅토르 줍코프 제1부총리가 관세·무역 분과위원장 자리와 함께 부위원장을 맡았다. 이 위원회는 국세청, 관세청 등 각급 경제 관련 기관의 활동을 조율하고 정부조직과 비정부기구NGO, 기업 간의 상호 협력 창구 역할을 하게 된다. 특히 안정적 경제발전 대책을 마련, 그 이행 여부를 점검하면서 금융과 실물 부문의 개혁 일정을 관리하고 외국과의 통상 분야에서 관세 규제 등을 통한 국내 시장 보호 방안을 강구하게 된다. 또 위원회는 중앙정부와 지방정부 간 균형발전 방안을 찾는 한편 CIS 소속 국가, 그리고 유럽연합, 아시아·태평양경제협력체APEC, 동남아국가연합ASEAN, 유라시아경제공동체EurAsEC 등 다른 외부 경제통합체들과의 협력을 총괄하게 된다. 위원회의 출범은 금융위기 후유증을 최소화하는 동시에 경제개혁에 속도를 내면서 러시아의 경제 위상에 맞는 새로운 경제발전 모델을 마련하기 위한 포석으로 풀이된다. 또 러시아의 WTO 가입과 OECD 가입을 이른 시일 안에 실현하려는 크렘린의 의중이 반영된 것으로 풀이된다.

4. 군사 분야

가. 새로운 군사독트린의 채택

메드베데프의 군사독트린은 2010년 2월에 승인되었다.[49] 군사갈등을 4가지(군사분쟁, 국지전, 지역전, 대규모전)로 분류하고 있는데 이에 따르면 체첸전은 군사분쟁으로, 러-그루지야 전쟁은 국지전으로 분류하고 있다. 이 분류에 따라 핵무기의 사용이 1993년 군사독트린에서는 대규모전쟁에서만, 2000년 군사독트린에서는 대규모전 및 지역전까지 확대하였다. 그런데 2010년 군사독트린에서는 준비과정에서 핵사용을 대규모전, 지역전에 이어 국지전에까지 확장하려는 움직임이 있었지만 최종적으로 지역전과 대규모전에 한정하였다. 다만 러시아의 국가안보가 '위기'에 처할 경우 소규모 국지전small-scale local wars이라도 핵선제 공격preventive nuclear

49) "Военная Доктрина Росийской Федерации,"(The Military Doctrine of the Russian Federation)(2010. 2. 5), at http://www.scrf.gov.ru/documents/33.html (검색일: 2010. 9. 10).

strikes을 배제하지 않는다고 명시하고 있다. 이는 지난 독트린이 핵의 선제공격을 러시아의 국가안보가 위기에 처하는 대규모전에 한정한 것과는 차이가 난다.

군사독트린은 니콜라이 파트루셰프 안보회의 서기의 관장하에 안보회의 부서기인 유리 발류예프스키 전 총참모장에 의해 준비되었다. 파트루셰프는 핵무기가 러시아의 전략적 최우선 가치라고 강조하였다. 또한 2010년 군사독트린에는 미국이나 나토와 같은 전통적인 위협과 함께 에너지나 천연자원이 새로운 위협으로 명기되었다. 한편 군사독트린에 나타나고 있는 러시아의 국가이익은 다음과 같다. 첫째, 국제안보를 강화하는데 공통의 이해관계를 바탕으로 설립된 러시아의 파트너 국가들의 모임인 CSTO, SCO, CIS 등을 확대 한다. 둘째, 러시아 군은 러시아와 그 시민들의 이익을 보호하고 국제평화와 안보를 유지하기 위하여 작전상 러시아 국경 밖에서 활동할 수 있다. 셋째, 러시아경제의 이익, 즉 에너지 생산기반과 북극해에서의 생산기반을 보호할 목적으로 특수부대를 창설하고 훈련한다.

그런데 이전 독트린이 '위협'만 언급한 데 비하여 금번 독트린은 '위협'과 함께 '위험'에 대하여 언급하고 있다. 또한 위험에 대하여는 구체적으로 언급하고 있는 데 비해 위협에 대해서는 애매하게 논하고 있으며 위협의 가능성을 낮게 보고 있다. 위험으로 언급된 것으로는 (1) 나토가 그 활동반경을 세계화하고 군사적 하부구조를 러시아 인접지역까지 확대함으로써 나타난 위험, (2) 외국군 부대의 러시아 인근 혹은 동맹국에의 파병, (3) 미사일방어체제의 개발 및 배치, (4) 유럽헌장과 다른 국제법을 어기면서 러시아 이웃 지역에 대한 군사력 사용의 위험 등이다. 마지막 항목인 군사력 사용의 위험 사례로는 1999년 나토의 세르비아 공격과 2008년 그루지야의 남오세찌야 공격을 지적하고 있다.

종합적으로 볼 때 러시아 안보전략에서 국제환경상 크게 문제로 대두된 첫 번째 위험 리스트는 나토의 확대로 볼 수 있다. 물론 이를 '위협'이 아닌 '위험'으로 분류함으로써 협력의 가능성도 열어두고 있다. 그러면서 집단안보협력기구인 CSTO, SCO, CIS 등을 협력을 위한 적합한 행위자로 평가하고 있다. 그런데 중국과 인도와의 관계가 '특별한 관계'라는 언급은 없다. 이는 중국이 러시아에게 장차 위협이 될 수도 있다는 의미도 내포하고 있는 듯하다. 이외에도 대량살상무기 및 탄도미사일 기술의 확산, 재래식 무기의 초정밀화, 세계적 테러리즘, 인종 간 긴장, 종교적 극단주의, 분리주의 등이 위험한 국제환경 요소들로 지적되었다.

나. 군사개혁의 지속

세르듀코프 국방장관은 군의 '고비용, 저능률' 문제를 지적하면서 군수뇌부가 거부감을 느끼는 '개혁' 이라는 용어 대신 '최적화 및 개선'이라는 용어를 사용하면서 새로운 군을 건설하고 있다. 러시아는 군을 미국식의 '소수의 그러나 잘 정비된 신속대응군' 체제로[50] 전환하기로 방향을 설정하고 2010년 7월에는 메드베데프 대통령이 '러시아의 전략적 군 지역편성'이라는 포고령을 통해 4개의 통합전략사령부joint strategic commands를 설립하였다. 그리고 2010년 9월에는 전통적인 6개의 군관구military district를 통합조정하여 4개의 군관구로 개편하였다. 이에 따라 평시에는 군관구가 중심 조직분류로 남아있고, 특별한 시기, 즉 군사훈련이나 전시에는 통합전략사령부 체제를 운용하기로 하였다(표 2). 통합전략사령부의 설립은 명령체계를 간소화하기 위한 것인데, 이렇게 할 경우 명령체계가 대폭 줄어든다고 주장한다.[51] 그러나 작전사령관(통합전략사령부)과 행정사령

---

50) Pavel K. Baev, "Military Reform against Heavy Odds," in Anders Aslund, Sergei Guriev, and Andrew C. Kuchins, eds., *Russia after the Global Economic Crisis*(Washington, D.C.: Center For Strategic and International Studies, 2010).

51) *The Military Balance 2011*(IISS, 2011), p. 174.

〈표 2〉 4군관구/합동전략사령부 체제

2010. 9 이후			2010. 9 이전
평시(행정)	특별시기(작전)*	본부	6군관구 체제
서부군관구 (Western Military District)	서부합동전략사령부 (Joint Strategic Command West)	St. Petersburg	모스크바 군관구 레닌그라드 군관구 발틱함대 북부함대
남부군관구 (Southern M. D.)	남부합동전략사령부 (J.S.C. South)	Rostov-na-Donu	북코카서스 군관구 흑해함대 카스피해 전대
중부군관구 (Central M. D.)	중부합동전략사령부 (J.S.C. Center)	Yekaterinburg	볼가-우랄 군관구 시베리아군관구(서부)
동부군관구 (Eastern M. D.)	동부합동전략사령부 (J.S.C. East)	Khabarovsk	태평양함대 극동 군관구 시베리아 군관구(동부)

* 군사훈련 및 전시

관(군관구) 의 역할이 명료하지 않다는 문제가 있다.

한편 인력 조정에 있어서는 전체 장교의 수를 33.5만 명에서 2012년까지 15만 명으로 감원하기로 하였고 위관급 장교는 5만 명에서 6만 명으로 증원하기로 하였다.[52] 또한 2009년 말에는 연대[regiments] 및 사단[division]으로 편성된 지상군 제도를 폐지하고 여단체제를 도입하여 40개의 상비 여단체제가 형성되었다.[53] 군 편제는 '3군+3독립전투병과'(지상군, 해군, 공군+공수부대, 전략로켓부대, 우주군)체제로 운용하기로 결정하였다. 이와 함께 군은 무기현대화 작업을 서둘러 2015년까지 30%, 2020년

52) http://www.brahmand.com/news/storydetails.php?newsheadid=13&nid=5262(검색일: 2010. 12. 24); *The Military Balance 2011*(IISS, 2011).

53) 2009년말 이후 러시아의 군체제는 4단계 military district(군관구)-army(군)-division(사단)-regiment(연대)에서 3단계인 joint strategic command(합동전략사령부)-army(군)-brigade(여단) 으로 변경되었다.

까지 70%의 무기현대화를 달성하기로 하였다.

다. 대외군사협력 강화

러시아는 SCO를 통해 2005년부터 연합군사훈련을 실시하고 있는데, 이를 통해 SCO는 단순한 지역 협력기구 수준을 넘어 나토(북대서양조약기구)에 맞서는 準군사동맹체로 부상하고 있다. 러시아는 인도나 이란과 같은 국가들의 참여를 통하여 SCO 내의 대 중국 균형성을 강화하는 동시에 유라시아 내에서 러시아가 주도하는 집단안보조약기구CSTO의[54] 강화를 통해 대미 전략적 균형은 물론 대중견제력을 강화하는 정책도 동시에 추구함으로써 전략적 안정과 균형화를 위한 이중적 전략을 구사하고 있다.

러시아군은 2010년 6월 말부터 7월 초에 걸쳐 시베리아를 포함한 극동전역에서 대규모 군사훈련을 실시하였다. 이 훈련에는 태평양함대사령부와 극동, 시베리아 관구 사령부 산하 2만 명의 병력과 70대의 전투기, 30대의 전함이 참여하였다. 지난 2008년 훈련에 참가한 병력이 8천 명이었던 것에 비하면 올해 훈련 규모가 대폭 커졌다. 러시아 군은 이번 훈련에서 실제 지상 사격 훈련은 물론 가상 공중 공격, 수륙 양동작전 등을 실시하였다. 니콜라이 마카로프 러시아군 총참모장은 이번 훈련이 특정 국가나 군사블록을 목표로 한 훈련이 아니라면서 극동지역에서의 안보와 국익을 확고히 다지기 위한 순수한 의미의 군사훈련이라고 말했다.

2008년 여름 그루지야 전쟁 이후 중단되었던 나토와 러시아의 군사협력이 2010년 들어 재개됐다. 양측은 1월 브뤼셀 나토 본부에서 나토-러시아협의회NRC 체제 아래 최고위급 군사대화인 참모총장급 회담을 개최, 대 테러리즘과 해상구조, 해적퇴치 등의 현안을 논의했다. 나토와 러시아가 NRC 틀 속에서 참모총장급 회담을 개최하기는 그루지야 전쟁 이

---

54) 2002년 러시아, 벨라루시, 아르메니아, 카자흐스탄, 타지키스탄, 키르키즈스탄 6개국으로 창설되었고, 이후 2006년 우즈베키스탄이 가입함.

후 처음으로 러시아에서는 니콜라이 마카로프 참모총장이, 나토 측에서도 28개 회원국의 참모총장이 참석했다.

Ⅳ. 결론

세계 주요 국가들은 탈냉전 이후 이전과는 다른 다양한 대내외 위협에 직면하고 있다. 러시아도 예외가 아니어서 국내의 경제문제, 인구학적 위기를 비롯하여 테러리즘이나 에너지문제, 군사블록NATO 위협 등 국제환경에서 오는 다양한 위협에 대응해야 하는 입장이다. 특히 소비에트체제 해체 이후 국가의 정체성 확립과 국가발전을 동시에 수행해야 한다는 점에서 대내외적 위협에 대한 러시아의 대응은 국가발전전략의 맥락에서 전방위적으로 진행되어 왔다. 이를 위해 각 정권은 〈국가안보개념〉, 〈군사독트린〉, 〈외교개념〉등을 정권교체 직후 발표해왔다.

이들 문건들을 통해 볼 때 메드베데프 정부의 안보전략은 푸틴의 그것을 계승하고 있다. 다만 푸틴시기까지의 안보전략은 안보를 바탕으로 국가발전을 위한 전략적 구상을 밝힌 데 비해, 메드베데프 시기의 안보전략은 오히려 '발전을 통한 안보security through development'를 강조하는 차이가 발견된다. 즉 군사력보다는 소프트파워, 예컨대 경제·과학기술·환경·인구·정보력의 건설을 더욱 더 중요시하게 된 것으로 평가할 수 있다.[55] 그런데 러시아는 인구감소로 인한 국가 경쟁력 약화를 우려할 지경에 이르고 있다.

러시아는 탈냉전 이후 국제사회에서의 발언권 증대 및 각종 다자회의에서의 국익증대를 실현시키기 위해 다극주의·다자주의 외교를 지속시

55) Alexander Zhebin, "A Smart Power Strategy of Russia," 국방대학교 안보문제연구소 제27차 국제회의 프로시딩(2009. 6. 18), p. 60.

켜 왔다. 유라시아 국가로서 세계적 차원의 각종 다자회의는 물론 유럽과 아시아 차원, 아·태 지역 차원의 각종 다자회의에 적극 참여해왔다. 이런 맥락에서 러시아는 반테러·WMD 비확산을 위한 국제공조에 적극 참여해왔다. 메드베데프 정부는 한편으로는 UN차원의 반테러 협력을 지속하면서, 다른 한편으로는 SCO 회원국들과 양자차원의 반테러 군사훈련을 실시하였으며 CSTO 차원의 신속대응군 창설을 주도하였다.

이런 맥락에서 미국과도 갈등보다는 협력적 대미 외교의 틀 안에서 국제문제를 해결하기 위한 양자·다자 차원의 외교적 노력을 지속하였다. 미국의 오바마 정부도 스마트 외교에 기초한 다자주의적 국제협력주의를 지향하면서 이란·북한 핵개발 문제, 아프가니스탄 전쟁, WMD 비확산 등 국제문제를 해결하기 위해서는 러시아와의 협력이 불가피함을 인식하였고 이에 따라 러시아와 관계 '재조정'을 위한 노력을 경주하고 있다.

지금까지 살펴본 바와 같이 러시아는 탈냉전 이후, 특히 21세기에 들어와 국가의 안정을 위협하는 요인들이 더욱 다양화되었다고 인지하고 있다. 이는 군사적 위협만이 아니라 초국경적 위험을 포함하여 경제적 취약성도 포함되어 있다. 이에 따라 러시아는 국가발전전략의 차원에서 다각도에서 그 대응책을 강구하고 있다. 결국 군사적 대응은 그 대응책의 일부분에 해당하며 그 대처방안은 거시적 국가발전전략의 맥락에서 평가해야 할 것이다. 이런 맥락에서 어느 한 영역의 문제는 별개의 것이 아니라 서로 연계되어 있다. 따라서 러시아가 직면하고 있는 수많은 위협요인들의 해결을 위해서는 정치·사회, 외교·안보, 경제, 그리고 군사분야에서 종합적으로 다루어져야 할 과제인 것이다.

| 참고문헌 |

고상두, 「나토확대에 대한 러시아의 대응」, 『한국과 국제정치』 26-1 (2010 봄).

고재남, 「푸틴정부 에너지 전략의 국제정치적 함의」, 외교안보연구원, 『주요국제문제분석』, 2006. 10. 16.

김재두, 「북핵위기와 동북아에너지안보 질서의 변화」, 에너지경제연구원·동북아에너지협력 전문가 컨퍼런스 발표문, 2006. 12. 27.

유철종·박상남·채인택, 『두 개의 권력, 러시아의 미래』, 플래닛미디어, 2008.

이종문, 「러시아 경제발전의 미래」, 고재남·엄구호, 『러시아의 미래와 한반도』, 한국학술정보, 2009.

Aslund, Anders and Andrew Kuchins, *The Russia Balance Sheet*(Washington, D.C.: CSIS, 2009).

Aslund, Anders, Sergei Guriev, and Andrew Kuchins, eds., *Russia After The Global Economic Crisis*(Washington, D.C.: CSIS, 2010).

Baev, Pavel K. "Military Reform against Heavy Odds," in Anders Aslund, Sergei Guriev, and Andrew C. Kuchins, eds., *Russia after the Global Economic Crisis*(Washington, D.C.: Center For Strategic and International Studies, 2010).

Gardy, Clifford G. and Andrew C. Kuchins, "Putin's Plan," *The Washington Quarterly* 31:2(Spring 2008).

Goldman, Marshall I., *Petrostate: Putin, Power, and the New Russia*(Rowman and Littlefield, 2008).

Gomart, Thomas, *Russian Civil-Military Relations: Putin's Legacy*(Washington, D.C.: Carnegie Endowment for International Peace, 2008).

IISS, *The Military Balance 2011*(2011).

Judah, Ben, 「Russia: Ominous Demographics」, International Relations and Security Network(ISN), at http://www.cdi.org/russia/johnson/ 2009-190-21.cfm (검색일: 2010. 9. 20).

Kryshtanovskaya, Ol'ga and Stephen White, "Putin's Militocracy," *Post-Soviet Affairs*, Vol.19, No.4(October-December 2003).

Kryshtanovskaya, Ol'ga, "The Russian Elite in Transition," *Journal of Communist Studies and Transition Politics*, Vol.24, No.4(December 2008).

Lee, Hongsub, "Multilateralism in Russian Foreign Policy: Some Tentative Evaluations," *International Area Review*, Vol.13, No.3(Autumn 2010).

Levada Center, "Nationwide Survey," (September 2008), at http://www.russiavotes.org/security/security_russia_place.php. (검색일: 2011. 3. 10).

Oliker, Olga, Keith Crane, Lowell H. Schwartz, Catherine Yusupov, *Russian Foreign Policy: Sources and Implications*(Santa Monica, CA: RAND, 2009).

Ostrow, Joel M., Georgiy A. Satarov, and Irina M. Khakamada, *The Consolidation of Dictatorship in Russia*(London: Praeger Security International, 2007).

Rumer, Eugene and Angela Stent, "Russia and the West," *Survival*, 51:2 (2009).

Shevtsova, Lilia, "Putin's Legacy: How the Russian Elite Is Coping with Russia's Challenges," *Briefing* no.4, Carnegie Moscow Center(June 2006).

Trenin, Dmitri, "Russia's Strategic Choices," *Policy Brief*(Carnegie Endowment for International Peace, May 2007).

Wegren, Stephen K. and Dale R. Herspring, eds., *After Putin's Russia: Past Imperfect, Future Uncertain*(New York: Rowman&Littlefield Publishers, INC., 2010).

"What Russia Fears?," An analytical report prepared by the institute of Sociology of the Russian Academy of Sciences in cooperation with the

Russian office of the Friedrich Ebert Foundation, Moscow, 2008.

Zagorski, Andrei, "The Limits of a Global Consensus on Security: the Case of Russia," *Chaillot Paper*, no.118(October 2009).

Zevelev, Igor, "NATO's Enlargement and Russian Perceptions of Eurasian Political Frontiers," George Marshall European Center for Security Studies, www.nato.int/acad/fellow/98-00/zevelev.pdf (검색일: 2010. 9. 10)

Zhebin, Alexander, "A Smart Power Strategy of Russia," 국방대학교 안보문제연구소 제27차 국제회의 프로시딩 (2009. 6. 18).

"2011 Index of Economic Freedom," at http://www.heritage.org/index/Ranking (검색일: 2011. 5. 30).

"Стратегия национальной безопасности Российской Федерации до 2020 года"(National Security Strategy of the Russian Federation to 2020), at http://rustrans.wikidot.com/russia-s-national-security-strategy-to-2020 (검색일: 2010. 9. 15).

"Военная Доктрина Росийской Федерации,"(러시아연방 군사독트린)(2010. 2. 5), at http://www.scrf.gov.ru/documents/33.html (검색일: 2010.9.10).

"Внешня политнка России: новый Этап,"(러시아 대외정책: 새로운 단계) *Эксперт*, no.47(Dec. 17, 2007).

"Основные положенияя военнойдоктрины," *Извезстия*, 18 ноября 1993 г.

"Energy Strategy of Russia For the Period up to 2030"(2009. 11.13) at http://energystrategy.ru/projects/docs/ES-2030_(Eng).pdf (검색일: 2010. 8. 20).

"The Foreign Policy Concept of The Russian Federation," July 12, 2008, at http://archive.kremlin.ru/eng/text/docs/2008/07/204750.shtml (검색일: 2009. 1. 20).

http://www.brahmand.com/news/storydetails.php?newsheadid=13&nid=5262 (검색일: 2010. 12. 24).

http://archive.kremlin.ru/text/appears/2008/07/204113.shtml (검색일: 2011. 1. 20).

http://www.photius.com/rankings/gdp_2050_projection. html (검색일: 2011. 5. 30).

http://www.transparency.org (검색일: 2011. 5. 30).

http://www.asiatoday.co.kr/news/view.asp?seq=337278 (검색일: 2010. 10. 30).

Риа Новости, 2010. 6. 3.

Interfax, 2008. 6. 6.

Российская газета, 2008. 7. 16.

8 21세기 새로운 위협과 나토의 전략적 대응

NATO 전략개념 2010을 중심으로

이수형(국가안보전략연구소)

I. 서론

흔히 대서양동맹Atlantic Alliance으로 알려진 북대서양조약기구North Atlantic Treaty Organization, 이하 NATO는 1949년 4월 창설 이후 오늘에 이르기까지 현존하는 그 어떤 다자동맹보다도 변화하는 국제안보환경에 잘 적응·발전해왔다. 물론, 이것이 의미하는 바는 NATO의 변화·발전 과정에 있어서 커다란 위기나 회원국 간 대립과 갈등이 없었다는 것을 말하는 것은 아니다. 그보다는 오히려 NATO는 발전과정에 있어서 그 어떤 동맹 못지않게 회원국가들 사이에서 수많은 크고 작은 대립과 갈등을 겪어왔기 때문에 역설적으로 대서양동맹의 변천사는 위기의 역사라고도 할 수 있다.[1)]

그럼에도 불구하고 NATO가 현재까지 존재할 수 있는 것은 다름 아닌 북대서양조약에서 제시한 동맹의 가치와 절차에 부합하는 전략개념Strategic Concept의 기능 때문이었다. NATO의 법적 토대가 되는 북대서양조약

1) Lawrence Freedman, "The Atlantic Crisis," *International Affairs*, 58-3(Summer 1982), pp. 395-412.

이 체결 이후 오늘에 이르기까지 단 한 번의 수정·변화도 없었던 것과는 대조적으로 NATO의 전략개념은 주기적·지속적으로 갱신되면서 안보환경의 시대적 변화에 조응, 동맹의 존재와 역할 및 임무를 새롭게 규정하여 NATO의 정체성과 생명력을 유지·강화시켜왔던 것이다. 그러므로 북대서양조약에 대한 동맹의 운영적·역동적 견해를 반영하는 NATO의 전략개념은 언제나 한 가지 이상의 목적에 기능해왔고 오늘날에는 적어도 내부적으로는 과거의 결정과 실행을 편찬하여 동맹의 토대를 강화하고 새로운 전략적 방향을 제공하는 기능과 냉전 종식 이후 새로운 외부적 기능인 공공외교public diplomacy의 기능을 가지고 있다.[2)]

이러한 주요 기능을 가지고 있는 NATO의 전략개념은 동맹 탄생 직후인 1949년 12월 1일 '북대서양지역의 방위를 위한 전략개념(DC 6/1)'을 시작으로 1952년 12월 3일의 전략개념(MC 3/5, 전진방위전략), 1957년 5월 23일의 전략개념(MC 14/2, 대량보복전략), 1968년 1월 16일의 전략개념(MC 14/3, 유연반응전략),[3)] 1991년 11월의 동맹의 신전략개념, 1999년 4월의 동맹의 전략개념, 그리고 2010년 11월 동맹의 신전략개념으로 총 7차례에 걸쳐 수정·변화되어 왔다.[4)] 이를 통해 NATO는 1949년에 체결된 북대서양조약의 수정·변화 없이 내·외적 안보환경의 시대적 변화

---

2) Jens Ringsmose and Sten Rynning, *Come Home, NATO?: The Atlantic Alliance's New Strategic Concept*, DIIS Report(Danish Institute for International Studies), 2009: 04, pp. 6-8.

3) 전략문서를 통해 확인할 수 있는 NATO의 전략은 크게 전략개념, 전략지침, 그리고 전략개념을 실행하기 위한 조치들로 세분화할 수 있다. 냉전시대 NATO의 전략문서에 대해서는 다음을 참조. Gregory W. Pedlow(ed.), *NATO STRATEGY DOCUMENTS 1949-1969*(Brussels: NATO Office of Information Service, 1997).

4) 냉전시기부터 2010년에 이르기까지 NATO의 전략개념과 NATO의 진화에 대한 전반적인 내용에 대해서는 다음을 참조. European Security and Defense Assembly, *The NATO Strategic Concept and Evolution of NATO*, Report submitted on behalf of the Defense Committee by the Earl of Dundee and Rene' Rouquet, 2 December 2010.

에 조응하면서 조약의 핵심 가치와 임무 등을 수행해왔던 것이다.[5)]

이런 맥락에서 이 글의 목적은 NATO 탄생 이후 오늘에 이르기까지 변화·발전되어 온 NATO의 전략개념을 역사적으로 고찰하는 가운데 전략개념의 주요 내용과 그것이 국제안보의 흐름과 변화에 대해 갖고 있는 안보적 함의를 도출해내는 것이다. 이러한 연구 목적을 달성하기 위한 이 글의 논리체계는 다음과 같다. 먼저, 제2절에서는 냉전시대 NATO의 핵심전략개념이었던 전진방위전략, 대량보복전략, 그리고 유연반응전략의 주요 내용을 고찰한다. 제3절에서는 냉전 종식 이후 1990년대에 등장·발전한 NATO의 (신)전략개념을 고찰·분석하는 것이다. 제4절에서는 21세기 최초의 NATO 전략개념인 2010년 11월 리스본 정상회담에서 채택된 신전략개념의 등장 배경과 주요 내용을 고찰한다. 제5절에서는 2010년 리스본 정상회담에서 채택된 신전략개념이 NATO 및 국제안보에 미치는 영향을 분석하고자 한다.

II. 냉전시대 NATO 전략개념의 변화

1. 전진방위전략(Forward Defense Strategy)

1949년 9월 북대서양이사회는 조약 제 3조와 제5조의 내용을 관장할 방위위원회[DC]와 동맹의 방위와 직접적으로 관련된 문제를 다루기 위해 군사위원회[MC]를 수립하였다. 그러나 당시 통합군사지휘구조를 갖추지 못한 NATO는 군사기획과정을 관장하는 미국·영국·프랑스로 대표되는 상

---

5) 이러한 변화과정에 있어서 NATO의 전략개념은 군사적 관점과는 별도로 동맹의 응집력을 강화시키기 위해 정치적 이데올로기의 기능을 담당해왔던 것도 사실이다. NATO 전략개념의 정치적 이데올로기 활용에 대해서는 다음을 참조. Paul Buteux, *Strategy, Doctrine, and the Politics of Alliance: Theatre Nuclear Force Modernization in NATO*(Boulder: Westview Press, 1983), pp. 1-31.

임그룹[SG]을 통해 전반적인 전략개념을 발전시켜 나갔다. 그 결과 1949년 12월 1일 NATO의 첫 번째 전략개념이라 할 수 있는 '북대서양지역의 방위를 위한 전략 개념(DC 6/1)'이 탄생하였다.

NATO의 첫 번째 전략개념은 향후 NATO 전략의 발전을 통해서 지속되어왔던 근본적 원칙들이 담겨져 있었다.[6] 즉, 대서양동맹의 방어적 성격, 전쟁 예방에 대한 강조, 집단성의 중요성, 핵무기의 역할, 그리고 지역적 상이성 내에서 전략적 통일을 기하는 것 등이다. 특히 첫 번째 전략개념에서 유사시 NATO의 대응능력으로 전략적 폭격에 의한 핵무기 사용을 언급하고 있다는 점[7]은 당시 대다수 서방의 군사기획가들이 NATO의 재래식전력이 소련 및 소련의 동유럽 위성국가들의 재래식전력보다 상당히 열세에 있다는 인식을 반영한 것이었다.

그러나 NATO의 첫 번째 전략개념은 유사시 핵무기 사용을 암시하고 있었음에도 불구하고 보다 구체적이고 세부적인 전략지침을 포함하고 있지는 않았다. 이러한 측면을 반영하여 NATO는 1950년 3월 28일 군사위원회의 세 번째 회담에서 마련된 '북대서양지역기획을 위한 전략지침(MC 14)'을 공식적으로 승인하였고, 또한 1950년 4월 1일 'NATO 중기계획(DC 13)'을 마련하였다. 이러한 측면은 유럽의 방위를 위한 핵무기 사용을 포함하여 NATO 전략의 주요 요소들이 한국전쟁 발발 이전에 이미 마련되었다는 점을 암시하는 것이었다.[8]

한편, 예나 지금이나 NATO의 전략개념 형성에 가장 큰 영향력을 행

---

6) D.C. 6/1, "The Strategic Concept for the Defense of the North Atlantic Area," pp. 1-7.

7) D.C. 6/1, p. 7. 전략문서의 정확한 표현은 다음과 같다. Insure the ability to carry out strategic bombing promptly by all means possible with all types of weapons, without exception.

8) Gregory W. Pedlow, "The Evolution of NATO Strategy 1949-1969," in Pedlow(1997), p. xv.

사하는 미국에서는 1940년대 후반과 1950년대 초반에 걸쳐 이른바 '대논쟁Great Debate'이라 일컬어지는 미국의 유럽 전략에 관한 논쟁이 있었다. 이 논쟁은 국제주의와 고립주의 간의 논쟁이 아니라 가능한 한 동쪽으로 더 깊숙한 지역에서 유럽을 방위해야 한다는 전진방위 주창자들과 유럽 대륙으로부터의 철수를 끝내고 일차적으로 공군력과 해군력에 의존하자는 주변전략 주창자들 간의 논쟁이었다. 당시 미 군부에서 육군은 기본적으로 전진방위를 공군은 주변전략을 그리고 해군은 육군의 주장에 동정적이었다.[9]

이러한 대논쟁은 미국의 핵전략 형성 및 NATO의 전력개념과 밀접한 관계가 있었다. 특히, 1949년 소련의 핵실험과 1950년 6월에 발발한 한국전쟁 등으로 NATO는 소련에 비해 수적 열세에 있는 자신의 재래식 전력의 증강 필요성을 강하게 느꼈다. 1949년부터 1952년에 걸친 NATO의 전략개념은 유사시 핵무기 사용을 암시하고 있었음에도 불구하고 기본적으로 재래식전력에 의존하는 것이었다. 따라서 NATO는 1950년 9월 뉴욕에서 개최된 북대서양이사회에서 전진방위와 그에 따른 통합군사지휘구조의 필요성을 절감하였고, 이를 계기로 NATO의 군사제도화는 탄력을 받게 되어 1951년 4월 유럽연합군사령부ACE 창설을 필두로 연이은 군사조직들이 탄생하게 되었다. 또한 그 과정에서 1950년 12월 서유럽연합WEU의 군사기구는 NATO로 통합되었다. 이에 따라 NATO는 통합군사지휘구조를 갖추는 동시에 1952년 2월 리스본 회담에서 사무총장직과 국제참모진을 창설하였다. 결과적으로 NATO는 리스본 회담을 통해 정치구조와 군사구조를 갖춘 상설 기구로 재탄생하게 되었다. 또한 NATO는 리

9) Marc. Trachtenberg, "The Nuclearization of NATO and U.S.-West European Relations," in Francis H. Heller and John R. Gillinghan(eds.), *NATO: The Founding of The Atlantic Alliance and The Integration of Europe*(New York: St. Martin's Press, 1992), p. 414.

스본 회담에서 1954년까지 대략 100개의 사단을 창설하여 재래식전력을 증강한다는 '전력 목표'에 합의하였다.[10)]

NATO의 전진방위전략의 채택은 필연적으로 그리스와 터키, 그리고 서독의 신규 회원국 가입이라는 NATO 확대문제를 야기했다. 1952년 2월 18일 그리스와 터키가 NATO 신규 회원국으로 가입했고, 서독의 NATO 가입 문제는 서독의 재무장 문제와 결부되어 많은 논쟁과 시간을 요하게 되었다. 그리스와 터키가 동맹의 새로운 회원국으로 가입함에 따라 NATO는 자신의 전략개념을 보다 정교하게 발전시킬 필요성이 커졌다. 이에 따라 NATO는 변화된 전략개념에 내용물과 신뢰성을 부여하기 위해 1952년 12월 3일 첫 번째 전략개념인 DC 6/1을 수정·보완하는 차원에서 두 번째 전략개념으로 소위 전진방위전략이라 할 수 있는 '북대서양조약지역 방위를 위한 전략개념(MC 3/5)'[11)]과 12월 9일 '전략지침(MC 14/1)'을 최종적으로 마련하였다. 그러므로 냉전 초기 NATO의 군사전략은 전진방위전략으로 귀착되었다. 당시 NATO가 전진방위전략을 강조하게 된 배경은 첫째, 대논쟁에서 서유럽 국가들과 위험을 공유하겠다는 정치적 필요성을 고려한 육군 전략의 승리, 둘째, 당시 핵무기의 수적 제한으로 적성국의 공격 목표를 제한할 필요성에 따른 핵전략의 불충분성, 그리고 셋째는 기존 전략의 급격한 변화에 대한 정치적 의지 부재를 들 수 있다.[12)]

2. 대량보복전략(Massive Retaliation Strategy)

NATO가 합의한 리스본 회담의 전력목표는 다음과 같은 복합적인 이

---

10) J. Michael Legge, *Theater Nuclear Weapons and the NATO Strategy of Flexible Response*(Santa Monica: RAND Corporation, 1983), p. 3.

11) MC 3/5, "The Strategic Concept for The Defense of The North Atlantic Treaty Area," pp. 1-7.

12) Trachtenberg(1992), pp. 416-17.

유로 인해 그 실현성이 의문시되었다. 첫째, 미국을 포함하여 당시 주요 NATO 회원 국가들의 경제적 어려움으로 인해 재래식 전력 목표는 비현실적이고 충족될 수 없다는 생각이 지배적이었다. 둘째, 1940년대 후반과 50년대 초반에 나온 일련의 연구결과는 소규모의 전술핵무기의 발전은 전장 사용에 적합하며 소련의 우월한 재래식전력을 억지하기 위해 전장핵무기를 사용할 수 있다는 주장이 미국에서 제기되었다.[13] 셋째, 무엇보다도 새롭게 출범한 미국의 아이젠하워 행정부가 채택한 소위 새로운 전망[New Look] 정책은 NATO의 전략을 재래식전력보다는 핵무기의 역할을 강조하는 방향으로 전환시켰다. 아이젠하워 행정부의 새로운 전망 정책은 소련이 미국 본토를 공격할 수 있는 전략 핵능력이 없기 때문에 미국은 핵무기를 가지고 소련을 위협할 수 있다는 믿음에 기초하였던 것이다. 요컨대, 아이젠하워 행정부의 등장과 더불어 NATO 군사전략의 핵전력으로의 강화는 기본적으로는 미국의 핵능력의 발전에 따른 것이었다. 1952년에 있었던 수소폭탄 실험, 보다 효율적인 소형의 핵무기 등장, 그리고 이러한 핵무기를 소련 영토 깊숙이 운반할 수 있는 장거리 폭격기의 존재 등 이러한 모든 것들이 1953년 미국 방위정책에 대한 아이젠하워 행정부의 고려에 기여했다.[14]

아이젠하워 행정부의 국가안보정책으로서 새로운 전망은 1950년대 미국이 누렸던 핵 우위의 표현이었다. 주변적인 국가이익이 걸린 분쟁에 장기간에 걸친 개입을 회피하면서, 덜레스가 1954년 11월 대외관계위원회에서 행한 연설과 3개월 후 『포린 어페어[Foreign Affairs]』에 실린 한 논문에서 표현되었듯이, 아이젠하워 행정부는 "대량적인 원자적·열핵 보복"을 위

13) Lawrence Freedman, *The Evolution of Nuclear Strategy*(London: Macmillan Press, 1982), pp. 68-69.

14) Michael J. Legge(1983), p. 3.

한 수단을 유지할 것이라는 점을 소련과 중국에 통지하였다.[15] 이런 배경하에 1950년대 초반 미국의 전술핵무기가 유럽에 최초로 배치되었다. 미국 전술핵무기의 유럽 배치는 기본적으로 미국 전략핵무기의 부산물로서 소련의 재래식전력을 상쇄시키고 NATO의 안보를 충족시키기 위한 필요조건이었다. 따라서 미국은 NATO의 핵전략 채택을 강하게 추진했고 1954년 12월 북대서양이사회는 NATO 전략을 미국의 전략노선과 일치시켰으며, 유럽연합군최고사령부SHAPE에게 유사시 핵무기를 사용할 수 있다는 가정하에 군사기획을 마련할 수 있는 권한을 위임했다.[16] 결국, NATO는 1956년 12월 MC 14/2로 알려진 군사위원회 전략문서를 NATO의 공식적인 군사전략으로 채택했고, 1957년 5월 23일 북대서양이사회는 핵전력을 우선시하는 이른바 대량보복전략으로 알려진 "NATO 지역의 방위를 위한 전반적인 전략개념(MC 14/2)"을 NATO의 세 번째 전략개념으로 승인하였다.

3. 유연반응전략(Flexible Response Strategy)

1950년대 중반 이후 소련의 핵전력이 발전함에 따라 미국과 NATO 내에서는 대량보복전략에 대한 비판이 제기되었다. 왜냐하면 대량보복전략은 기본적으로 소련에 대한 미국 핵전력의 절대적 우위와 미국 본토에 대한 소련의 제2차 공격의 가능성이 없는 상황에서만 전략으로서의 신뢰성을 가질 수 있었기 때문이었다. 따라서 소련의 핵전력이 증강되는 추세에 따라 대량보복전략은 부적당한 전략으로 평가되어 NATO의 군사전략

15) James E. Doughrty, Robert L. Pfaltzgraff, Jr., *American Foreign Policy: FDR To Reagan*(New York: Haper & Low Publishers, 1986), 이수형 역, 『미국외교정책사: 루스벨트에서 레이건까지』, 한울 아카데미, 1997, p. 154.

16) Wallace J. Thies, "Learing in U.S. Policy Toward Europe," in George W. Breslauer and Philip E. Tetlock(eds.), *Learning in U.S. and Soviet Foreign Policy*(Boulder: Westview Press, 1991), p. 166.

의 변화는 불가피하게 되었다.

1960년대에 들어와 소련의 핵전력이 보다 강화됨에 따라 1961년 1월 새로 출범한 케네디John F. Kennedy 행정부는 미국의 외교안보정책에 대한 포괄적 심의에 착수하였다. 특히, 케네디는 새롭고 보다 융통성 있는 재래식전력 선택과 핵무기에 대한 보다 강화된 중앙통제를 수반하는 대항전력 전략counterforce strategy을 발전시킴으로써 보다 신뢰할 수 있고 현실적인 핵 억지를 촉구하였다. 또한 1961년 3월에 국무부와 국방부가 공동으로 준비한 이른바 애치슨 보고서Acheson Report는 케네디가 지시한 목적들을 동맹의 목표로 전환시켰다. 애치슨 보고서에 따르면, 군사영역에서 과거 NATO는 전면적 핵전쟁에 대비한 동맹의 군사전력 증강에 집중하였으나 핵공격이나 대규모 재래식공격 가능성이 희박한 현 상황에서 NATO는 가장 가능성이 높은 우발적 사건에 대처하기 위한 보다 실용주의적 접근방법을 권고하였다.[17)]

1961년 4월 20일 케네디 대통령은 이러한 내용을 담고 있는 애치슨 보고서를 승인했다. 또한 케네디 대통령, 맥나마라Robert S. McNamara 국방장관, 러스크Dean Rusk 국무장관, 핀레터Thomas Finletter NATO 대사 등은 새로운 전략의 기본 요소들을 표명하면서 NATO의 전략개념이 이에 상응하는 변화와 재래식전력을 증강시킬 수 있는 조치들을 촉구하였다.[18)] NATO의 전략개념 변화를 촉구하는 미국 정책결정자들은 미국은 대규모 핵전쟁이나 전면전쟁에 대한 조치를 취하기를 상당히 꺼린다는 점을 은연중에 암시하였다. 특히 이러한 미국 정책결정자들의 입장은 1962년 6월 16일 맥나마라 장관의 앤아버Ann Arbor 연설[19)]을 통해 공표되었다. 앤아버 연설에서

---

17) Jane E. Stromseth, *The Origins of Flexible Response: NATO's Debate Over Strategy in the 1960s*(New York: St. Martin's Press, 1988), pp. 29-35.

18) William W. Kaufmann, *The McNamara Strategy*(New York: Harper & Row, 1964), pp. 65-70.

19) Sam Charles Sarkesian & Robert A. Vitas(eds.), *U.S. National Security Policy and*

맥나마라는 NATO는 소련의 공격에 상응하는 수준에서, 즉 재래식전력에는 재래식으로 핵전력에는 핵전력으로 대응하는 유연반응전략을 채택해야 한다고 제안했다.

유연반응전략은 억지개념에 입각하여 제2차 보복능력을 증가시키는 조치로 미국의 3대 핵전력strategic triad인 대륙간탄도미사일, 전략폭격기, 그리고 잠수함발사미사일이라는 운반 체제를 기본으로 하는 것이었다. 이처럼 핵전력의 분산화를 통해 소련의 선제핵공격으로부터 생존가능성을 증가시킬 수 있으며, 따라서 잔존 전력을 통한 제2차 보복공격력을 증대시키고자 하는 것이었다. 그러나 유연반응전략에서는 사실상 NATO의 억지력에 있어서 재래식전력의 가치가 강조되었다. 왜냐하면 유연반응전략이 단계적으로 이루어지기 위해서는 소련에 비해 열세에 있는 NATO의 재래식전력 증강이 이루어져야 했기 때문이었다. 이로 인해 NATO의 새로운 군사전략을 둘러싸고 미국과 서유럽 국가들 간에 격렬한 논쟁이 본격화되었다.

전면적인 핵공격보다는 제한적인 핵전쟁 가능성을 염두에 두고 재래식전력 증강을 선호하는 미국의 입장과 서유럽의 안전에 대한 확실한 억지정책으로 과거와 마찬가지로 핵무기의 사용을 강조하는 서유럽 국가들의 입장은 조율되기 힘든 동맹게임이었다. 이러한 동맹게임에서 미국과 서유럽 국가들 간의 첨예한 논쟁은 직접적 방위direct defence, 신중한 확전deliberate escalation, 그리고 전면적 핵 대응general nuclear response이라는 3가지 종류의 군사적 대응에 관한 문제였다.[20]

이러한 유연반응전략의 3단계 과정에 있어서 미국의 입장은 유사시

Strategy: Documents and Policy Proposals(Westport, Connecticut: Greenwood Press, Inc., 1988), pp. 93-98.

20) Helga Haftendorn, *NATO AND THE NUCLEAR REVOLUTION: A Crisis of Credibility, 1966-67*(Oxford: Clarendon Press, 1996), p. 79.

재래식공격에 대한 재래식방위를 강조함으로써 은연중에 유럽에 국한된 제한전쟁을 선호했다. 서유럽 국가들은 전술핵무기의 선택적 사용을 재래식 직접 방위와 전면적 핵전쟁 사이의 중간 단계로서 확보하고자 하였다. 그러나 서유럽 국가들은 3가지 대응형태를 개별적 단계의 연속으로 이해해서는 안 된다는 입장을 강조하면서 전략핵무기의 신속한 사용을 선호했다. 일련의 협상과정을 통해 미국과 서유럽 국가들은 제한적 공격은 먼저 재래식전력을 사용하여 상쇄시켜야 하지만 핵전력을 사용한 대항공격은 WTO의 핵무기 사용을 동반한 대규모 침략에 대한 적절한 대응이라는 점에 합의하였다. 결과적으로 미국과 서유럽 국가들은 거의 6년에 걸친 격렬한 논쟁 끝에 1967년 12월 NATO의 군사전략으로 MC 14/3으로 알려진 유연반응전략을 공식적으로 채택하였고, 1968년 1월 16일 북대서양이사회는 NATO 억지력으로써 핵전력과 재래식전력 간의 우선성 문제를 모호하게 만든 유연반응전략인 "NATO 지역의 방위를 위한 전반적인 전략개념(MC 14/3)"을 승인했다.

III. 냉전 종식과 NATO의 (신)전략개념

1. 새로운 전략개념의 등장 배경

냉전 종식은 유럽의 안보 환경을 급격히 변화시켰다. 분단국 독일의 통일, 바르샤바조약기구Warsaw Treaty Organization의 해체, 소연방의 붕괴와 그에 따른 위성국가들의 주권 회복, 그리고 독일에 주둔해 있던 소련 병력의 철수 등 냉전시대 NATO의 적성 국가들이었던 지역에서 엄청난 변화가 일어났다. 이와 같은 격변은 지정학적 지진이었고, 20세기 두 번에 걸친 세계대전의 여파로 수립된 베르사유Versailles와 얄타Yalta 질서를 해체시켰다. 독일 통일은 얄타 질서를 뿌리째 뽑아버렸고 소연방, 유고슬라비아, 그리

고 체코슬로바키아의 해체는 주로 베르사유 질서를 해체시켰다.[21)]

공산주의의 붕괴, 동유럽의 자유화, 그리고 독일 통일과 유럽 분단의 종식 등으로 1990년대 초반 유럽의 안보환경은 새롭게 평화와 희망에 대한 기대감을 갖게 했지만, 다른 한편으로는 얄타와 베르사유 질서 해체에 따른 불안정과 잠재적 위협 요소들이라는 판도라의 상자[Pandora's box]를 열어 놓게 되었다.[22)] 따라서 NATO가 직면하거나 대처해야 할 안보 위협은 회원 국가들의 영토에 대한 특정 국가의 침략보다는 중·동유럽의 많은 국가들이 직면하고 있는 인종분규와 영토분쟁 등을 포함한 정치적, 경제적, 그리고 사회적 곤경에서 발생하는 불안정에서 연유하는 것들이다. 이러한 위협들은 본질적으로 다면적·전방향적이고 예측과 평가가 어렵다. 유럽 내·외부에서 발생하는 이러한 새로운 불안정과 불확실성을 처리하는 방법이 냉전이 종식된 유럽 대륙의 일차적인 안보문제가 되었다.

이러한 안보 환경의 변화로 냉전의 부산물인 NATO는 생존을 위한 존재이유와 정체성 확보가 필요하게 되었다. 냉전 종식 직후 1990년과 1991년에 걸쳐서 NATO의 존재 여부는 불투명하였다.[23)] 그러나 NATO 회원 국가들은 NATO의 역할이 새롭게 정의되고 확대되어야 한다는 데 의견을 같이 했다. 국제레짐이론에서 시사하듯이, 거래비용의 중요성과 장래에 대한 불확실성 때문에 NATO 회원 국가들은 새로운 안보제도를

---

21) Ronald D. Asmus, "Double Enlargement: Redefine the Atlantic Partnership after Cold War," in David C. Gompert and F. Stephen Larrabee(eds.), *America and Europe: A Partnership for a New Era*(Cambridge: Cambridge University Press, 1998), 이수형 역, 『미국과 유럽의 21세기 국제질서』, 한울 아카데미, 2000, p. 51.

22) 판도라의 상자에 대한 낙관적/비관적 입장에 대해서는 다음을 참조. John C. Garnett, "European Security after the Cold War," in M. Jane Davis(ed.), *Security Issues in the Post-Cold War World*(Cheltenham, U.K.: Edward Elgar, 1996), pp. 12-39; John J. Mearsheimer, "Back to the Future: Instability in Europe After the Cold War," *International Security*, 15-1(Summer 1990), pp. 5-56.

23) Joseph Lepgold, "NATO's Post-Cold War Collective Action Problem," *International Security*, 23-1(Summer 1998), p. 80.

창설하는 것보다 이미 존재하고 있는 안보제도를 새로운 목적과 역할에 맞게 구조조정을 하는 것이 보다 용이하다는 점을 인식했던 것이다. 따라서 NATO는 서유럽 방위로부터 유럽 전체에 걸쳐서 안보를 관리하는 것으로 자신의 책임감을 확대해야 했다.[24)]

냉전 종식 직후인 1990년 7월 런던회담에서 NATO 정상들은 유럽에서 발생했던 급격한 변화들을 반영하여 NATO의 신전략개념을 구성하였다. 신전략개념은 대서양동맹의 안보목표 추구를 위한 개념적 토대를 제공하고 정치적 접근방법의 강화와 군사력의 상당한 감축과 재조정을 포함하는 안보에 대한 광범위한 접근방법broad approach을 수용하였다.[25)] 이러한 신전략개념은 1991년 11월 로마 NATO 정상회담에서 합의·채택되었다. 따라서 냉전 종식 이후 NATO의 첫 번째 신전략개념은 무엇보다도 냉전 종식이라는 체제 차원의 구조적 변화에 대한 NATO의 신속한 대응에서 등장하게 되었던 것이다. 즉, 1991년의 NATO 신전략개념이 등장하게 된 것은 탄생 당시 동맹의 기본적 원칙들을 재확인하는 가운데 안보환경의 근본적 변화에 따른 동맹의 정치·군사적 구조조정의 필요성과 향후 유럽에서 전개될 안보환경의 변화가 가져올 다양한 충격에 대한 대비책 차원에서 등장한 것으로 이는 NATO 전략개념의 근본적 고찰을 필요로 하는 것이다.

한편, 1999년 NATO 창설 50주년을 기념하는 워싱턴 정상회담에서 승인된 전략개념은 기본적으로 1991년 11월에 합의·채택된 신전략개념을 수정·보완하여 이를 최종 승인한 전략개념이다. 그렇기 때문에 1999년 NATO의 전략개념은 '새로운 전략개념'으로 인식되기 보다는 1991년

24) Ronald Asmus, Richard L. Kugler, and F. Stephen Larrabee, "Building a New NATO," *Foreign Affairs*, 72-4(September/October), 1993, pp. 28-40.

25) Michael Legge, "The Making of NATO's New Strategy," *NATO Review*, 39-6, December 1991, p. 9.

의 신전략개념을 수정·보완한 것으로 통상 전략개념으로 이해된다. 1991년 신전략개념 채택 당시 NATO 정상들은 1997년 7월에 있을 정상회담에서 91년의 신전략개념을 재검토하고 99년에 있을 정상회담에서 승인될 최종적 전략개념의 준비를 이미 북대서양이사회에 지시했던 것이다.[26] 그러므로 1999년의 전략개념은 신전략개념 채택 이후 8년의 유럽안보상황의 변화를 반영하여 전환기 유럽안보환경에서 동맹 자체의 정치·군사적 구조조정, 중·동유럽으로의 NATO 확대, 유럽 안보환경을 관리하면서 등장한 NATO의 동반자관계와의 협력구조, 냉전 이후 NATO의 군사전력 태세 및 재래식·핵전력의 역할 변화 등을 반영함과 동시에 향후 21세기 안보환경에 대비하여 1991년에 채택된 NATO의 신전략개념을 수정·보완하여 최종적으로 승인한 전략개념이라 할 수 있다.

2. 전략개념의 주요 내용 및 함의

가. NATO 전략개념의 주요 내용

1991년 11월 로마 정상회담에서 합의·채택된 NATO의 신전략개념은 결론을 포함하여 크게 5개 부분Part으로 구성되어 있다.[27] 즉, 1991년의 신전략개념은 제 1부분에서는 전략적 맥락, 제 2부분에서는 동맹의 목적과

26) NATO(2010), *Towards The New Strategic Concept: A Selection of Background Documents*, p. 32.

27) "The Alliance's Strategic Concept," *Agreed by the Heads of State and Government participating in the meeting of the North Atlantic Council in Rome on 7-8 November 1991*, NATO, *NATO Handbook*(Brussels: NATO Office of Information and Press, 1995), pp. 235-48; NATO(2010), *Towards The New Strategic Concept: A Selection of Background Documents*, pp. 21-32. 동맹의 전략개념을 담고 있는 1995년의 NATO 문서와 2010년의 NATO 문서상의 한 가지 흥미로운 차이점은 95년 NATO 문서에서 1항으로 처리한 부분이 2010년 NATO 문서에서는 그냥(항 없이) 제시되면서 결론의 마지막 60항에서 97년 NATO 정상회담에서 91년의 신전략개념을 재검토할 것이라는 점을 언급하고 있다는 점이다. 2010년 NATO 문서의 마지막 60항에서 언급하고 있는 내용은 1991년 당시 보안상 삭제 내지는 의도적으로 생략된 것으로 판단된다.

안보기능, 제 3부분에서는 안보에 대한 광범위한 접근방법, 제 4부분에서는 방위를 위한 지침, 그리고 제 5부분은 신전략개념의 결론부분이다. 한편, 동맹 창설 50주년을 기념해서 1999년 4월 워싱턴에서 개최된 NATO 정상회담에서 1991년의 신전략개념을 수정·보완한 전략개념은 1991년의 신전략개념과 마찬가지로 결론을 포함하여 크게 5개 부분으로 구성되어 있다. 즉, 1999년의 전략개념은 먼저 서론에서 지난 91년 신전략개념 채택이후 변화되어 온 안보환경을 평가하는 가운데 제1부분에서는 동맹의 목적과 임무, 제2부분에서는 전략적 관점, 제 3부분에서는 21세기 안보에 대한 접근방법, 제4부분에서는 동맹의 전력원칙지침, 그리고 제5부분은 전략개념의 결론부분이다. 1999년의 전략개념은 기본적으로 1991년 신전략개념을 바탕으로 변화된 안보환경을 고려하여 이를 수정하였기 때문에 여기에서는 1999년 전략개념 각 부분의 주요 내용들을 고찰하고자 한다.

제1부분인 동맹의 목적과 임무The Purpose and Tasks of the Alliance는 91년 신전략개념의 제2부분에 해당하는 것으로 주요 내용은 다음과 같다. 즉, NATO의 핵심적이고 영속적인 목적은 워싱턴 조약에서 제시되었듯이 유엔헌장의 원칙에 부합하면서 정치·군사적 수단으로 모든 회원국의 자유와 안보를 보호하는 것이다. 따라서 대서양동맹은 회원국의 방위를 보장할 뿐만 아니라 이 지역의 평화와 안정에 기여하는 것이다. 이러한 핵심 목적을 달성하기 위하여 대서양동맹은 안보, 협의, 그리고 억지와 방위라는 근본적인 안보 임무를 수행하는 것이다. 특히, 유럽-대서양 지역의 안보와 안정을 강화하기 위하여 위기관리와 동반자관계를 증진시키는 것이다. 1999년 전략개념의 내용이 1991년의 신전략개념과 다른 점은 위기관리와 그동안 변화 발전해온 동맹의 동반자관계 증진의 필요성에 대한 강조이다.

제2부분인 전략적 관점Strategic Perspectives은 91년 신전략개념의 제1부분에

해당하는 것으로 전략적 환경의 전개와 그에 따른 안보 도전과 위험이라는 부분으로 나뉘어져 있다. 91년의 신전략개념이 냉전 종식 직후 변화된 유럽안보환경의 특성과 그에 따른 잠재적 안보 도전과 위험에 초점을 맞추었다면, 99년의 전략개념에서는 91년의 신전략개념 채택 이후 8년간 전개된 안보환경의 변화상과 그에 따른 안보 도전과 위험들을 제시하고 있다. 먼저, 전략적 환경의 전개 부분에서는 다국적합동전력[CJTF]을 포함하여 NATO의 새로운 지휘구조와 동맹 내에 유럽안보방위정체성[ESDI] 구축 등 동맹의 내부적 개혁을 담고 있다. 또한 유럽안보제도의 변화와 발전 측면에서 유럽안보협력기구[OSCE]의 제도화와 유럽연합의 공동외교안보정책[CFSP]의 발전이 유럽-대서양 지역의 안보와 안정에 기여한다는 점을 명시하고 있다. 나아가 전략적 환경의 전개에서는 군비통제 측면에서 유럽재래식전력[CFE] 조약, 전략무기감축조약[START], 핵비확산조약의 무기한·무조건적 확장 등의 진전을 평가하고 있다. 안보도전과 위험에서는 동맹의 안보는 다면적이고 평가가 어려운 광범위하고 다양한 군사적·비군사적 위험에 노출되어 있으며, 이러한 위험은 유럽-대서양 지역 내부와 주위의 불확실성과 불안정과 동맹 주변의 지역적 위기 가능성을 포함한다. 특히, 핵과 생화학[NBC] 무기의 확산과 운반수단은 심각한 관심사로 국제적 비확산 레짐의 강화에도 불구하고 비확산과 관련된 주요 도전들이 남아 있다. NATO 주변과 다른 지역들을 포함하여 일부 국가들은 핵과 생화학 무기들과 운반수단을 매매하거나 획득하고자 한다. 비국가 행위자들은 이러한 무기의 일부를 만들거나 사용하고자 하는 잠재력을 보여주었다. 더군다나 국가적·비국가적 적대세력은 대서양동맹이 점차적으로 정보체제에 의존하는 점을 이용하여 그러한 체제를 파괴하기 위한 정보 운영을 꾀하고자 한다. 그들은 전통적 무기에서 NATO의 우위를 상쇄시키기 위해 이러한 종류의 전략을 사용하고자 한다.

제3부분은 21세기 안보에 대한 접근방법[The Approach to Security in the 21st Century]

이다. 이 부분은 91년 신전략개념의 3부분인 안보에 대한 광범위한 접근방법에 해당하는 것이다. 91년의 신전략개념에서 안보에 대한 광범위한 접근방법으로 유럽에서의 평화 보호, 대화와 협력, 집단방위, 그리고 위기관리 및 갈등예방을 강조했다면, 1999년의 전략개념에서는 이를 보다 구체화한 것으로 크게 1) 유럽과 북아메리카 안보의 불가분성을 강조하는 대서양 간 연계, 2) 북대서양조약 제5조 및 이에 해당되지 않는 위기대응 작전에 필요한 동맹의 군사능력 유지, 3) 1996년 베를린 합의에 따른 유럽안보방위정체성, 4) 갈등예방과 위기관리, 5) 유럽-대서양동반자관계이사회EAPC, 평화를 위한 동반자관계PfP, 지중해 대화MD, NATO-러시아 관계 및 NATO-우크라이나 관계의 중요성과 필요성을 강조하는 동반자관계, 협력, 대화, 6) 북대서양조약 제10조에 의거한 신규 회원국 가입에 대한 확대, 7) 군비통제와 군축, 그리고 비확산 등에 대한 대서양동맹의 입장과 임무 등을 제시하고 있다.

제4부분은 동맹의 전력원칙 지침Guidelines for the Alliance's Forces Principles Of Alliance Strategy으로 91년 신전략개념의 제4부분인 방위지침에 해당하는 부분이다. 이 부분의 내용 역시 91년 신전략개념에서 제시한 주요 내용 대부분을 담고 있는 동시에 지난 8년간 전략적 환경의 전개에 따라 이를 보다 구체화시켜 나갔다. 특히, 동맹의 전력태세와 관련해서 1999년의 전략개념은 이를 1) 동맹 군사력의 임무, 2) 동맹의 전력태세지침, 3) 재래식전력의 특징, 4) 핵전력의 특징으로 세분화하였다. 이 부분 역시 91년 신전략개념에서 담고 있던 대부분의 내용을 수정·반영하고 있기 때문에 91년의 신전략개념과 큰 차이는 없다고 볼 수 있다. 다만, 1999년의 전략개념에서는 동맹의 재래식 전력과 관련해서 핵·생화학무기와 그 운반수단의 확산에 대한 위험과 잠재적 위협을 강조하면서 이에 대한 방안의 일환으로 미사일 방위의 필요성을 거론하고 있다. 나아가 동맹의 군사력과 정부·비정부 차원의 민간 환경 간의 상호작용이 작전 성공에 중요하게 작동한

다는 점을 지적하면서 민군 협력의 중요성을 언급하고 있다.

나. 1990년대 NATO (신)전략개념의 함의

1991년 NATO의 신전략개념과 이를 수정·보완한 1999년의 전략개념이 NATO 및 당시의 국제안보환경에 대해 갖고 있는 함의는 무엇보다도 '지구적이 아닌 유럽의 안정과 평화'와 불가분의 관계에 있었다. 20세기 후반 국제체제의 급격한 변화과정에서 분출된 중·동유럽 국가들의 정치·경제적 이행으로 유럽의 안보환경은 평화로운 서유럽 지역과 과도기적 양상을 보이고 있는 불안정하고 불확실한 중·동유럽 지역이라는 소위 평화의 경계선이 존재했던 것이다.[28)]

이런 상황에서 NATO에게 있어서 현실적으로 가장 중요한 임무는 서유럽의 안정과 평화를 중·동유럽으로 확산시켜 유럽 대륙의 분단을 종식시키고 평화롭고 안정된 새로운 유럽안보환경을 구축하는 것이었다. 1990년대의 (신)전략개념에서 중시된 NATO의 실질적 임무와 역할은 북대서양조약 제5조에 근거한 전통적인 방위임무가 아니라 위기관리와 평화유지 임무에 더 큰 비중을 두게 되었다. 1991년 신전략개념 채택, 1994년 동쪽으로의 NATO 확대 천명, 보스니아-헤르체코비나[Bosnia-Herzegovina]에 대한 NATO의 개입과 데이턴 협정[Dayton Peace Agreement]의 실행 등으로 NATO는 중·동유럽의 변화를 위한 민주주의의 증진자이자 행위자로서 자신의 새로운 정체성을 구성할 수 있었다.[29)] 그러므로 NATO가 1990년대의

---

28) 냉전 종식 직후 유럽 전체의 안보환경을 서유럽의 평화적 핵심지역, 중유럽의 중간지역, 그리고 동유럽과 발칸지역이라는 외부지역과 각 지역에 따른 안보상황에 대한 분석에 대해서는 다음을 참조. Adrian Hyde-Price, "European Security in the Twenty-first Century: Towards a stable Peace Order?," in Andrew Cotty and Derek Averre(eds.), *New Security Challenges in Postcommunist Europe: Securing Europe's East*(Manchester and New York: Manchester University Press, 2002), pp. 190-212.

29) Trine Flockhart, *After The Strategic Concept: Towards a NATO Version 3.0*, DIIS Report, 2011: 06, p. 35.

(신)전략개념에서 기존의 집단방위의 역할을 강조하고 있더라도, 이는 중·동유럽으로의 평화와 안정을 확산시키기 위한 NATO의 집단안보 역할을 달성하기 위한 하나의 수단으로 파악하는 것이 타당할 것이다.[30]

이런 맥락에서 1990년대의 (신)전략개념에서 나타난 NATO의 세계관과 군사적 역할과 임무, 그리고 정치적 기능은 기본적으로 '유럽적·지역적'이었다. 물론, 1991년의 신전략개념에서 NATO는 동맹의 안보를 지구적 맥락에서 고려하고 테러리즘의 행위와 사보타지, 사활적 자원흐름의 붕괴, 그리고 대량살상무기의 확산 등을 포함하여 광범위한 다른 위험에 의한 영향을 받을 수 있다는 점을 언급하고 있다.[31] 그러나 1991년의 신전략개념에서 언급된 테러리즘과 관련하여, NATO는 이러한 사건들을 국가적 해결을 촉구하는 국내 법집행의 문제로 고려했지 국제적 안보 동맹의 동원화 차원에서 인식하지는 않았다.[32] 즉, NATO는 1991년의 신전략개념에서 테러리즘을 보다 광범위한 성격의 안보위험 중의 하나로 언급했던 것이다.[33]

한편, NATO의 안보 영역과 관련하여 1999년의 전략개념에서는 '유럽-대서양 지역Euro-Atlantic region'의 안보와 안정을 강화하기 위하여 위기관리와 동반자관계를 증진시키는 것을 강조하고 있다.[34] NATO가 보스니아-헤르체코비나와 코소보 사태를 계기로 인종 청소를 종식시키기 위해 소

---

30) Lawrence Kaplan, "Collective Security and the Case of NATO," in Joseph Smith(ed.), *The Origins of NATO*(U.K.: University of Exter Press, 1990), p. 107.

31) NATO(2010), *Towards The New Strategic Concept: A Selection of Background Documents*, p. 23.

32) Christopher Bennett, "Combating terrorism," *NATO Review*, Spring 2003 http://www.nato.int/docu/review/2003/issue1/english/art2_pr.html.

33) Berit Kaja Børgensen, "NATO and International Terrorism: Can NATO Move Beyond Controversy?," in Jens Ringsmose and Sten Rynning(eds.), *NATO's New Strategic Concept: A Comprehensive Assessment*, DIIS Report, 2011:02, p. 63.

34) NATO(2010), *Towards The New Strategic Concept: A Selection of Background Documents*, p. 34.

위 실질적인 역외out-of area 활동에 참여하기로 한 중요 결정을 내렸고,[35] 유럽-대서양지역이 NATO 방위영역을 넘어서는 것은 분명하지만 그렇다고 이것이 지구적 영역을 의미하는 것은 아니다. 그렇기 때문에 1999년의 전략개념에서 21세기 안보에 대한 접근방법에서 강조하고 있는 내용들은 기본적으로 유럽 대륙 전체에 걸쳐서 평화와 안정을 구축하기 위한 방편의 일환으로 나온 것이다. 특히, 1999년의 전략개념에서 강조하고 있는 평화를 위한 동반자관계, 지중해 대화, 유럽-대서양동반자관계이사회, NATO-러시아 관계, 그리고 NATO-우크라이나 관계 등은 NATO의 중·동유럽으로의 확대정책을 점진적이고 원만하게 추진하기 위한 지역 차원의 정치적 기능중의 하나였던 것이다. 결과적으로 1990년대의 (신)전략개념을 통해 NATO는 상당한 정도의 자기존경심을 과시하면서 존재론적 안보ontological security를 증대시켜나갔던 것이다.[36] 요컨대, NATO는 1990년대 유럽에 국한된 지역 차원에서 가장 명백한 실천적 성공을 기록하였던 것이다.

IV. 2010년 NATO의 신전략개념

1. 신전략개념의 등장 배경과 채택과정

2010년 11월 리스본 정상회담에서 채택된 NATO의 신전략개념은 1999년의 전략개념 이후 지난 10여 년의 국제안보환경의 변화에 대한 대응 차원에서 나온 것이라 평가할 수 있다. 지난 10여 년의 국제안보환경

---

35) Trine Flockhart, Kristian Søby Kristensen, *NATO and Global Partnerships-To Be Global or To Act Globally?*, DIIS Report, 2008: 7, p. 9.

36) Trine Flockhart(2011), *After The Strategic Concept: Towards a NATO Version 3.0*, p. 35.

의 변화에 있어서 NATO의 2010년 신전략개념을 구성하는 데 가장 큰 영향을 미친 것은 무엇보다도 2001년 9·11 테러를 계기로 나타난 미국과 NATO의 테러와의 전쟁, 그리고 2008년 하반기 국제금융위기를 계기로 부각된 나머지 국가들의 부상과 지구적 경기침체에 따른 힘의 이동이다.[37)]

먼저, 테러리즘의 지구적 안보위협으로의 현실화이다. 2001년 9·11 테러는 NATO에게 엄청난 영향을 미쳤다. 2001년 9월 12일 NATO는 자신의 역사상 처음으로 북대서양조약 제5조를 발동하여 9·11 테러를 모든 회원국에 대한 무장공격으로 간주, 미국이 주도하는 테러와의 전쟁 차원에서 진행된 아프가니스탄 전쟁에 합류하게 되었다. 9·11 사건을 계기로 NATO는 테러를 지구적 위협으로 고려하여 자신의 전력과 동반자관계를 재고해야만 했다.[38)] 나아가 2002년 11월 프라하에서 열린 NATO 정상회담에서 테러리즘은 의제를 지배했고 그 회담에서 채택된 많은 결정들은 대 테러리즘 방위를 위한 자신의 군사 개념과 더불어 국제적 테러리즘에 맞서는 중요한 행위자로서 NATO의 새로운 역할을 열어놓았다.[39)]

그러나 테러리즘과의 전쟁이 NATO에게 유럽-대서양 지역 중심의 지역적 행위자에서 지구적 행위자로의 역할과 임무 확대를 야기했다면, 다른 한편으로는 테러리즘과의 전쟁은 NATO 회원 국가들에게 심각한 대

---

37) Fareed Zakaria, *The Post-American World*(New York: W.W. Norton & Company, 2008)

38) Trine Flockhart, Kristian Søby Kristensen(2008), *NATO and Global Partnerships-To Be Global or To Act Globally?*, pp. 9-13.

39) Berit Kaja Børgensen, "NATO and International Terrorism: Can NATO Move Beyond Controversy?," in Jens Ringsmose and Sten Rynning(2011), *NATO's New Strategic Concept: A Comprehensive Assessment*, p. 66. 프라하 NATO 정상회담에서 나온 주요 결정에 대해서는 다음을 참조. NATO, *The Prague Summit and NATO's Transformation: A Reader's Guide*(Brussels: NATO Public Diplomacy Division, 2003).

립과 갈등, 그리고 나아가 동맹 균열의 한 원인으로 작용하였다. 비록 9·11 사건이 유럽 국가들의 동정심과 강력한 동맹의 결속을 이끌어냈지만, 미국과 유럽 국가들 간의 관계는 2002년 초반부터 지속적으로 나빠지기 시작하였다. 미국과 유럽 국가들 간의 관계 악화는 2003년 2월 프랑스, 독일, 그리고 벨기에가 이라크와의 전쟁 시 터키를 방위하겠다고 NATO가 미리 제출한 군사기획에 대한 승인을 거부하였을 때 가장 절정에 달했다. 이러한 유럽 국가들의 거부는 사실상 북대서양조약 제4조에 대한 거부와 마찬가지였다.[40] 요컨대, 테러리즘의 지구적 안보위협으로의 현실화는 NATO의 지구적 역할 확대를 촉진시켰지만, 다른 한편으로는 이라크 전쟁과 전후 처리, 그리고 NATO의 아프가니스탄 전쟁이 장기화되면서 미국과 유럽 국가들 간에 주기적인 긴장과 갈등을 야기하는 동맹 균열의 한 원인으로도 작용하였다.[41]

테러리즘의 지구적 안보위협과 더불어 2008년 하반기에 부각된 소위 나머지 국가들의 부상과 지구적 경기침체는 2010년 리스본 NATO 정상회담에서 결정된 많은 정치적·전략적 결정을 이해하는 데 단서를 제공해

---

40) Trine Flockhart(2011), *After The Strategic Concept: Towards a NATO Version 3.0*, p. 38.

41) 무엇보다도 유럽 국가들이 미국의 이라크 전쟁에 대해 명백한 반대 입장을 표시한 것은 미국의 행동이 대서양공동체가 구축해왔던 정치적 협의로 상징되는 구성적 규범을 위반했다는 것이다. 이런 점에서 이라크 전쟁을 둘러싼 미국과 유럽 국가들 간의 갈등과 대립은 '대서양사회에서의 테러(terrors in Transatlantia)', '대서양동맹의 빈사상태(The Near-Death of Experience of the Transatlantic Alliance)', '화성인 미국과 금성인 유럽(American were from Mars and Europeans from Venus)', '동맹 회원국 간의 전쟁(Allies at War)' 등으로 표현되었다. 이에 대해서는 다음을 참조. M. Cox, "Beyond the West: Terrors in Transatlantia," *European Journal of International Relations*, 11, 2005, pp. 203-33; E. Pond, *Friendly Fire: The Near-Death of Experience of the Transatlantic Alliance*(Washington, D.C.: The Brookings Institute Press, 2004); Robert Kagan, "Power and Weakness," *Policy Review* 113, 2003, pp. 1-26; Philip H. Gordon&Jeremy Shapiro, *Allies at War: America, Europe, and the Crisis over Iraq*(New York: McGraw-Hill, 2004)

주고 동맹이 작동하는 구조적 맥락을 정의하는 데 중요하다. 특히, 지구적 세력균형의 전환은 NATO의 2010년 신전략개념에 있어서 러시아와의 관계 재설정, NATO 국경을 넘어선 안보위협, 지중해와 걸프 국가들과의 관계, NATO의 신중한 지구적 야망, 그리고 동반자관계에 대한 강조에 영향을 미쳤고, 지구적 경기침체는 유럽의 재정 감축과 방위예산의 심각한 축소로 유럽 국가들의 군사적 허약성을 부각시켜 동맹 내에서 방위비 분담 문제를 둘러싼 대서양 간 갈등을 지속적으로 노출시킬 것이다.[42)]

특히, 나머지 국가들의 부상과 관련된 국제체제에서 힘의 이동과 분산은 2010년 신전략개념에서 언급하고 있듯이 국제안보환경에서 국가 행위자이외에 비국가 행위자의 중요성을 부각시켰다. 이와 관련하여 하스[R. Haass]는 21세기 국제관계는 무극체제[Nonpolirity]로 정의될 것이며, 세계는 한 두 개 국가나 몇 개 국가들에 의해서가 아니라 다양한 종류의 힘을 보유·행사하는 아주 많은 행위자들이 지배하는 것이다. 이것은 과거로부터의 구조적 전환을 보여주는 것으로 다수의 국가 행위자의 출현으로 외견상 세계는 다극적인 것처럼 보이지만, 수많은 권력의 중심이 존재하고 이들 중 상당수는 비국가 행위자이다.[43)] 요컨대, 21세기 무극체제가 도래할 것이라는 하스의 논거는 비국가 행위자의 영향력 증대와 권력 원천의 다원화와 분산화에 근거하고 있는 것이다. 이러한 하스의 논거는 NATO의 2010년 신전략개념에 있어서 핵심 임무와 원칙, 안보환경, 위기관리, 그리고 유럽연합과 유엔 등의 다자안보제도 및 동반자관계를 통한 협력안보 분야 등에 부분적으로 녹아 있다.

한편, 2010년 신전략개념의 준비 및 채택과정은 이전의 전략개념의 채

---

42) Adrian Hyde-Price, "NATO's Political Transformation and International Order," in Jens Ringsmose and Sten Rynning(2011), *NATO's New Strategic Concept: A Comprehensive Assessment*, pp. 45-54.

43) Richard Haass, "The Age of Nonpolarity: What Will Follow U.S. Dominance," *Foreign Affairs*, 87-3(2008), pp. 44-56.

택과정과는 매우 다른 양상을 보여주었다. 일반적으로 전략개념과 같은 NATO의 핵심문서는 모든 회원국의 대표로 구성되는 위원회를 통해 작성되었지만, 28개국으로 늘어난 회원국 수를 감안해 보았을 때, 회원국 전체가 참여하여 합의구축을 통한 핵심문서 작성은 이제 더 이상 불가능하게 되었다.[44] 이러한 점이 고려되어 2009년 4월 스트라스버그-켈 정상회담에서 회원 국가들이 새로운 전략개념을 준비하기로 합의하자, 새로 취임한 라스무센Anders Fogh Rasmussen NATO 사무총장은 중요하고 핵심적인 역할을 담당하면서 울브라이트Madeleine K. Albright 전 미 국무장관을 의장으로 하는 소위 12명의 NATO 전문가 그룹을 결성, 이들에게 초안을 마련케 하였다.

그러나 라스무센 사무총장이 전문가 그룹에게 신전략개념 초안을 맡기게 된 이면에는 양적으로 불어난 회원 국가들의 수가 중요했던 것이 아니라 앞에서 언급했듯이 9·11 테러 이후 불거진 미국과 유럽 국가들 간의 갈등과 대립의 결과로 주요 핵심 쟁점에 있어서 회원국가들 간의 합의구축의 어려움 때문이었다. 사실, 9·11 테러 이후 급변한 상황의 심각성을 고려했을 때 이미 NATO는 새로운 전략개념의 필요성을 인식했었다. 이러만 측면은 2006년 리가Riga 정상회담 이후 주기적으로 확인되었다.

이런 맥락에서 2006년 리가 정상회담에서 승인된, 향후 10년 동안 동맹의 능력, 기획, 훈련, 그리고 정보를 위한 우선순위를 제시한 포괄적 정치지침CPG: Comprehensive Political Guidance,[45] 2008년 부카레스트Bucharest 회담에서 NATO 정상들이 북대서양이사회에 준비를 지시하여 2009년 스트라스버그/켈Strasbourg/Kehl 정상회담에서 채택된 동맹안보선언DAS: Declaration on Alliance Security은[46] 2010년 신전략개념이 채택되기 전에 나온 NATO 회원국들 간

44) Karl-Heinz Kamp, "NATO's strategy after the Lisbon summit," *Atlantisch perspectief*, 34-8, 2010, p. 4.

45) NATO(2010), *Towards The New Strategic Concept: A Selection of Background Documents*, pp. 47-51.

46) NATO(2010), *Towards The New Strategic Concept: A Selection of Background*

의 전략개념에 대한 타협적 산물인 것이다.

2. 2010년 신전략개념의 주요 내용

2010년 리스본 NATO 정상회담에서 채택된 '북대서양조약 회원국의 방위와 안보를 위한 전략개념'은 한마디로 적극적 관여와 현대적 방위Active Engagement, Modern Defense로 압축될 수 있다. 2010년의 전략개념의 주요 구성 부분의 표제어는 1) 핵심 임무와 원칙, 2) 안보 환경, 3) 방위와 억지, 4) 위기관리를 통한 안보, 5) 협력을 통한 국제안보 증진, 6) 문호 개방과 동반자관계 등이다. 여기에서는 주요 구성 부분의 핵심 내용을 통해 2010년 전략개념의 전반적인 윤곽을 살펴보고자 한다.

동맹의 핵심 임무와 원칙Core Tasks and Principles과 관련해서 NATO의 근본적이고 영속적인 목적은 정치·군사적 수단으로 모든 회원국의 자유와 안보를 보호하는 것으로 오늘날 대서양동맹은 예측할 수 없는 세계에서 안정의 핵심적 원천이다. NATO의 영토와 국민들의 안보를 보장하기 위하여 대서양동맹은 집단방위, 위기관리, 그리고 협력안보라는 3가지 핵심적인 임무를 효과적으로 수행하고 또한 수행해나갈 것이며, 그러한 3가지 임무는 언제나 국제법에 따라서 동맹 회원국을 보호하는 데 공헌하는 것이다. 전 영역에 걸친 NATO 임무를 가능한 한 효과적·효율적으로 수행하기 위하여 회원 국가들은 지속적인 개혁과 현대화, 그리고 변환과정에 관여할 것이다.

안보 환경Security Environment과 관련하여, 오늘날 유럽-대서양 지역은 평화롭고 NATO 영토에 대한 재래식 공격의 위협은 낮다. 이는 반세기 이상 NATO를 안내해 온 굳건한 방위, 유럽-대서양 통합, 그리고 적극적인 동반자관계 정책의 역사적 성공이다. 그러나 재래식 위협을 무시할 수 없으

Documents, pp. 52-53.

며, 세계 도처의 많은 지역과 국가들은 국제안정과 유럽-대서양 안보 결과에 예측하기 어려운 결과를 지닌 상당한 현대적 군사능력의 획득을 목격하고 있다. 여기에는 유럽-대서양 지역에 실제적이고 점증하는 위협을 부과하는 탄도 미사일의 확산이 포함된다. 향후 10년 동안 세계의 가장 휘발성이 강한 일부 지역에서의 확산이 가장 심각할 것이다. 테러리즘은 NATO 회원 국가들의 국민의 안보와 국제적 안정과 번영에 직접적인 위협을 부과한다. NATO 국경을 넘어선 불안정과 갈등 역시 극단주의, 테러리즘, 그리고 무기, 마약, 그리고 국민들 납치와 같은 초국가적 불법행위를 통해 동맹 안보를 직접적으로 위협할 수 있다. 사이버 공격은 보다 자주, 보다 조직적이고 피해비용이 증가하고 있다. 외국 군대와 정보기관, 조직범죄, 테러주의자와 극단주의자 집단들은 그러한 공격의 원천이 될 수 있다. 아울러 건강 위험, 기후 변화, 수자원 부족, 그리고 에너지 부족 증대를 포함하는 주요 환경적·자원 경색은 NATO의 관심 지역에서 미래 안보 환경을 형성하고 NATO 기획과 작전에 심대한 영향을 미칠 잠재성을 가지고 있다.

방위와 억지Defense and Deterrence와 관련해서 동맹의 최우선적인 책임은 과거와 마찬가지로 공격으로부터 회원국의 영토와 국민을 보호하는 것이다. 핵전력과 재래식전력 간의 적절한 혼합에 바탕을 두고 있는 억지는 동맹의 전반적인 전략의 핵심 요소이다. 회원국 안보에 대한 최상의 보장은 특히 미국 핵전력을 통한 동맹의 전략핵에 의해서 제공되는 것이다. NATO의 최우선적 책임을 완수하기 위해 대서양동맹은 전 범위에 걸친 필요한 능력을 갖추어야 한다. 특히, 이와 관련해서 탄도 미사일 공격에 대한 방위능력 발전과 생화학 및 방사선과 핵무기의 위협에 대처할 수 있는 능력을 더욱 발전시켜야 한다. 또한 사이버 공격을 방지, 감지, 그리고 보호하고 이로부터 회복할 수 있는 능력을 더욱 발전시켜 나가야 한다. 이를 위해 NATO 기획과정을 활용하여 국가적 사이버 방위능력을 강화·조정하고, 모든 NATO 기관을 중앙집권적 사이버 보호하에 두고, NATO의 사이버 자각, 경고, 그리고 대응을 회원 국가들과 더 잘 통합시켜야 한다.

위기관리를 통한 안보Security through Crisis Management에 있어서 NATO는 위기 예방과 관리, 그리고 갈등 후 안정화와 재건 지원이 필요한 장소와 시점에 관여할 것이다. 특히, 아프가니스탄과 서부 발칸에서 벌어진 NATO 작전의 교훈으로부터 포괄적인 정치적·민군 접근방법이 효율적인 위기 관리에 필요하다는 것을 명확히 했기 때문에 대서양동맹은 위기 전, 위기 진행, 그리고 위기 후 모든 과정에 걸쳐서 다른 국제적 행위자와 같이 적극적으로 관여할 것이다. 심지어 갈등 종식과 관련하여 국제 공동체는 지속적인 안정 조건을 만들기 위해 계속된 지원을 제공해야만 하고, NATO는 되도록이면 관련 국제적 행위자와 긴밀한 협력과 협조를 통해 안정화와 재건에 기여할 수 있는 준비와 능력을 갖추어 나갈 것이다. 이를 위해 NATO는 정보 공유를 강화하고 원정 작전을 위한 독트린과 군사능력을 더욱 발전시켜 나가며 위기 스펙트럼에 걸쳐 통합적인 민-군 기획을 강화해나갈 것이다.

협력을 통한 국제안보 증진Promoting International Security through Cooperation에 있어서 전략개념이 중요하게 다루는 문제는 군비통제와 군축, 그리고 비확산의 문제이다. 이미 대서양동맹은 냉전 종식 이후 변화된 전략 환경에서 유럽에 배치된 핵무기의 수와 NATO 전략에 있어서 핵무기에 대한 의존도를 급격하게 낮추었고 향후에도 보다 진전된 감축 여건을 만들어 나갈 것이다. 그러나 향후 진전된 조치는 보다 많은 러시아의 단거리 핵무기 비축량과의 불균형을 고려해야만 한다.

NATO 확대Open Door는 회원국의 안보에 실제적으로 기여해왔으며, NATO의 문호개방은 모든 유럽의 민주주의 국가들에게 열려 있다. 전체로써 하나이고 자유롭고 공동가치를 공유하는 유럽이라는 대서양동맹

〈표 1〉 2010년 NATO의 신전략개념의 구성과 주요 내용

전략개념 구분	주요 주제와 새로운 구상
서론	• 동적인 세계와 영구적인 원칙 간의 균형
핵심 임무와 원칙	3가지 동등한 필수적인 핵심 임무 • 집단방위 • 위기관리 • 협력안보
안보 환경	• 재래식위협을 무시할 수 없으나 수많은 비재래식 위협이 지배적
집단방위와 억지	재래식과 핵 수단 간의 균형이 보다 중요 • 탄도 미사일 방위 • 사이버 공격에 대한 억지 • 에너지 안보에 대한 기여 • 출현하는 기술의 영향에 대한 평가
위기관리	• 강화된 정보 공유 • 적절하지만 신중한 민간 위기관리능력 • 위기 지역에서 지방군을 훈련·발전시킬 수 있는 능력 • 신속전개를 위해 활용할 수 있는 회원국의 민간 특수요원 훈련
협력안보	• 핵무기 제로 비전을 포함한 군축 • 미래 확대를 위한 문호개방(구체적으로 후보국 언급 없음) • 광범위하지만 다소 모호한 동반자관계 야망
현대화	• 비용-효율과 납세자 관심

출처: Jens Ringsmose and Sten Rynning, "Introduction. Taking Stock of NATO's New Strategic Concept," in Jens Ringsmose and Sten Rynning(eds.), *NATO's New Strategic Concept: A Comprehensive Assessment*, DIIS Report, 2011:02, p. 17.

의 목표는 유럽-대서양 구조로 모든 유럽 국가들을 궁극적으로 통합시킴으로서 가장 잘 기능할 수 있을 것이다. 한편, 유럽-대서양 안보 증진은 지구 전체에 걸친 국가들 및 조직과의 광범위한 동반자관계 네트워크를 통해 가장 잘 보장될 수 있다. 이러한 동반자관계는 NATO의 근본적인 임무 성공에 실체적이고 가치적인 기여를 한다. 동반자관계에 있어서 적극적이고 효율적인 유럽연합은 유럽-대서양 지역의 전반적인 안보에 기여하므로 유럽연합은 NATO와 독특하고 핵심적인 동반자이다. 또한 NATO-러시아 협력은 전략적 중요성을 갖고 있으며, NATO-러시아 관계는 NATO-러시아 기본법과 로마 선언의 목표, 원칙, 그리고 공약에 기초해 있다. 유럽대서양동반자관계이사회와 평화를 위한 동반자관계는 전체로써 유럽의 자유와 평화에 대한 동맹의 비전에 핵심적이다. 나아가 동맹은 다가오는 해에 지중해 대화를 더욱 발전시켜 나갈 것이며, 이스탄불 협력구상과의 협력을 더욱 강화시키고자 한다. 이상에서 논의한 2010년 NATO 신전략개념의 대체적인 윤곽을 정리해 보면 〈표 1〉과 같다.

V. 2010년 신전략개념과 NATO의 변화

1. 방위동맹에서 안보제도로의 전환

동맹 탄생 때부터 오늘에 이르기까지 주기적으로 변화해온 NATO의 전략개념에 있어서 언제나 가장 중요한 동맹 임무중의 하나는 회원국의 영토방위였다. 지난 냉전기 NATO의 전략개념은 기본적으로 회원국의 영토방위에 우선적 초점이 맞추어진 군사전략이었다는 것은 말할 필요도 없고, 냉전 종식 이후 1990년대의 NATO (신)전략개념에서도 회원국의 영토방위는 동맹의 최우선적 임무중의 하나였다. 그러나 NATO의 2010년 신전략개념에서 나타난 두드러진 특징 중의 하나는 NATO의 핵심임무 중에서 영토방위와 관련된 집단방위가 위기관리 및 협력안보와 우선순위 없이 동등한 수준에서 논의되었다는 점과 보다 중요한 것은 동맹이나 회원국의 영토에 대한 구체적인 언급이 없다는 점이다. 이는 '회원국의 영토에 대한 무장공격이나 침략'을 언급했던 기존의 전략개념과 주요 분기점을 제시하는 것이다.[47] 따라서 북대서양조약 제5조의 탈영토화 de-territoriasation가 의미하는 것은 조약 제5조의 위협은 영토보다는 위협의 지리적 기원과 관계없이 회원국이나 전체로서 동맹의 안보에 대한 모든 위협으로 간주할 수 있다는 것으로 보다 광범위한 위협의 스펙트럼을 포괄

47) Trine Flockhart(2011), *After The Strategic Concept: Towards a NATO Version 3.0*, p. 15.

하는 것이다.[48] 이러한 NATO 방위의 탈영토화는 대량살상무기의 확산과 결부된 테러리즘의 지구적 안보위협의 현실화와 불가분의 관계에 있는 것이다. 이러한 점은 2010년 신전략개념의 전조라 할 수 있는 2006년의 포괄적 정치지침에서도 언급되었다. 2006년 11월 리가 NATO 정상회담에서 승인된 포괄적 정치지침은 테러리즘과 대량살상무기의 확산은 NATO가 향후 10년에서 15년 사이에 직면할 가능성이 큰 위협이고, 그러한 위협이 '어디에서 발생하든지 간wherever they may come'에 21세기 위협과 위험, 그리고 도전이라는 전체적인 스펙트럼에 효과적으로 대응할 수 있는 필요성을 강조하였다.[49]

이런 맥락에서 보았을 때, 2010년 신전략개념을 통해 확인할 수 있는 NATO의 변화상은 이제 NATO는 기존의 유럽-대서양지역의 영토방위를 위한 경성안보hard security의 집단방위동맹에서 연성안보soft security를 위한 안보제도로 변화한다고 파악할 수 있다. 다만, NATO의 영토중심의 집단방위는 무의미하게 된 것이 아니라 2010년 신전략개념에서 새롭게 강조하고 있는 미사일방위에 초점이 맞추어져 있다. 집단방위의 의미를 미사일방위에서 찾고자 하는 NATO의 의도는 2010년 신전략개념의 초안 역할을 담당한 소위 '울브라이트 보고서Madeleine Albright Report'에서도 지적하고 있다. 이 보고서에서는 NATO의 미사일방위체제는 억지력과 대서양간 책임 공유, 그리고 안보가 불가분적이라는 원칙을 강화시킬 것이고, 러시아와의 공고한 협력을 허용할 것이라고 언급하고 있다.[50] 또한 집단방위 차원에서 미사일방위의 필요성과 중요성은 2010년 11월 리스본 정상회담에서

---

48) Trine Flockhart(2011), *After The Strategic Concept: Towards a NATO Version 3.0*, p. 16.

49) NATO(2010), *Towards The New Strategic Concept: A Selection of Background Documents*, p. 47.

50) Group of Experts(2010), *NATO 2020: Assured Security, Dynamic Engagement*, p. 44.

채택된 정상선언The Summit Declaration에 보다 자세히 언급되고 있다.[51] 요컨대, NATO는 전통적 안보위협이 부재하고 지속적인 군사력 감축의 압박에 직면하여 기존의 집단방위의 역할을 미사일 방위체제에서 찾고 있는 것으로 2010년 신전략개념에서 강조된 미사일방위는 NATO 회원국가들 간의 안보적 불가분성이라는 동맹의 집단방위를 위한 국내적 역할을 강조하고 있는 것으로 이해하는 것이 타당할 것이다.[52]

한편, 테러리즘은 NATO의 집단방위의 의미 변화를 야기하였다. 따라서 향후 NATO는 집단방위의 성격과 지구적 안보에 대한 기여를 놓고 어려운 논쟁에 처해질 가능성이 그 어느 때보다도 높다. 즉, 이전까지 주로 집단방위동맹 역할을 수행해왔던 NATO가 보다 광범위한 안보문제를 다루는 안보제도로의 변화를 꾀한다는 것은 필연적으로 변화과정에 있어서 도출될 수 있는 NATO 내부에서의 많은 문제점들(예를 들면 새로운 정체성, 집단방위와 지구적 안보간의 적절한 조화 문제, 그리고 기존 안보제도인 유럽연합과 유엔 등과의 실질적 협력 관계 구축 문제 등)을 어떻게 극복해나갈 수 있는지가 관건이라 할 수 있다.

2. 지구적 활동영역과 정치적 기능 강화

2010년 신전략개념을 계기로 향후 NATO가 기존의 집단방위동맹에서 보다 더 포괄적인 안보제도로 변화해나간다는 것은 필연적으로 NATO의 활동영역 및 기능적 변화와 맞물려 있다. 이와 관련해서 2010년

---

51) "Lisbon Summit Declaration," Issued by the Heads of State and Government participating in the meeting of the North Atlantic Council in Lisbon on 20 November 2010, *Press Release*, 20 November 2010

52) Trine Flockhart, "Nuclear Posture, Missile Defense and Arms Control-Towards Gradual but Fundamental Change," in Jens Ringsmose and Sten Rynning(2011), *NATO's New Strategic Concept: A Comprehensive Assessment*, pp. 155-64; Trine Flockhart(2011), *After The Strategic Concept: Towards a NATO Version 3.0*, pp. 15-20.

신전략개념이 기존의 전략개념과 갖는 차별성은 지구적 관여에 대한 집단적 의도와 지구적·정치적 성격의 강조라고 볼 수 있다.[53] 전통적으로 NATO 역사에 있어서 가장 논쟁적이고 지속되었던 쟁점 중의 하나가 바로 NATO의 활동영역 및 성격과 맞물려있는 역외[out-of-area] 문제였다. 일찍이 아롱[Raymond Aron]은 대서양동맹은 언제나 유럽-대서양 지역 내에서는 동맹 이상이었으나 그 지역 밖에서는 전통적인 동맹 이하였다고 기술한 바 있다.[54] 그만큼 역외문제는 동맹 회원국가들 간에 대립과 갈등을 야기할 수 있는 첨예한 논쟁의 영역이었다.

최근 NATO의 용어에서 새롭고 주기적으로 등장하는 지구적, 지구적 위협, 지구적 동반자관계, 지구적 안정, 지구적 안보 제공자와 같은 용어는 모두 NATO의 전통적인 역외문제와 맥을 같이하고 있는 것으로 NATO의 역할과 관련하여 지구적이라는 의미에 대해서는 크게 두 가지 입장이 존재한다. 하나는 미국과 대서양주의자로 대변되는 적극론자의 입장으로 NATO는 대서양지역을 넘어서서 다른 민주주의 국가들을 포함하도록 회원국을 보다 넓히는 조치를 취해야 한다는 입장이다. 이는 사실상 지역 동맹인 NATO를 지구적 동맹으로 전환시켜야 한다는 것이다.[55] 이와는 달리 프랑스와 독일 등 유럽주의자로 대변되는 신중론자의 입장으로 NATO는 지구적 위협에 맞설 수 있어야 하고 또한 지구적으로 행동해야 한다는 것이다. 그러면서도 NATO는 과거와 마찬가지로 대서양동맹으로 남아 있으면서 지구적 활동을 해야 한다는 입장이다.[56] 2010년 신

53) Jens Ringsmose and Sten Rynning, "Introduction: Taking Stock of NATO's New Strategic Concept," in Jens Ringsmose and Sten Rynning(2011), *NATO's New Strategic Concept: A Comprehensive Assessment*, pp. 7-8.

54) Raymond Aron, *Peace and War: A Theory of International Relations*(New Brunswick, NJ.: Transaction Publishers, 2003), p. 445.

55) Ivo Daalder and James Goldgeier, "Global NATO," *Foreign Affairs*, 85-5(2006), pp. 105-113.

56) Michele Alliot-Marie, "Don't Diminish NATO's Effectiveness," *The Washington*

전략개념에서는 적극론자와 신중론자의 입장을 감안하여 보다 신중한 지구적 야망more modest global ambitions으로 타협되었지만,[57] 한편으로는 NATO의 지구적 경찰 역할을 반대하는 러시아, 중국, 브라질과 같은 부상하는 국가들의 반대를 고려한 것이기도 하다.[58] 그럼에도 불구하고 적극론자와 신중론자 모두는 NATO의 지구적 역할 확대를 지지하고 있기 때문에 향후 NATO의 활동영역은 지구적 차원에서 전개될 가능성이 농후하다.

NATO의 성격이 지역적 혹은 지구적 동맹에 관계없이 동맹 활동영역의 지구화를 지향해나간다는 것은 NATO의 정치적 기능이 강화될 것을 예고하는 것이다. 주지하다시피, NATO는 정치적·군사적 기능을 갖고 있다. 지난 냉전기 NATO의 기능은 일반적으로 정치적 기능보다는 군사적 기능에 더 큰 무게중심이 있었다. 그러나 냉전 종식 이후 NATO는 보다 정치적 기능을 강화하는 방향으로 발전해왔고, 2010년 신전략개념에서 동맹의 핵심 임무와 원칙으로 위기관리와 협력안보가 집단방위와 동등한 가치를 갖고 NATO의 활동반경이 지구적으로 확대됨에 따라 NATO에서 정치적 기능은 보다 강화되는 것으로 나타나고 있다.

특히, 2010년 신전략개념에서 강조하고 있는 포괄적 접근방법Comprehensive Approach은 NATO의 정치적 기능 강화를 단적으로 보여주고 있다. 초기에는 협조적 기획과 행동Concerted Planning Action으로 알려진 포괄적 접근방법은 2006년 리가 정상회담에서 처음 도입된 개념이다. 이 개념은 군사적·민간적 문제해결에 대한 상이한 접근방법과 다양한 국제적 행위자들과 특히 NATO와 유럽연합 및 유엔과의 증진된 다자협력을 포괄하는 것이다.[59] 따라서 포괄적 접근방법의 핵심은 위기관리와 개입을 필요

Times, October 20, 2006.

57) NATO, *Strategic Concept 2010*.

58) Adrian Hyde-Price(2011), "NATO's Political Transformation and International Order," p. 50.

59) Trine Flockhart(2011), *After The Strategic Concept: Towards A NATO Version 3.0*, p.

로 하는 상황 이전과 그 기간 동안 이와 관련된 모든 행위자들과의 긴밀한 협력과 조정을 이끌어내는 것이다. 다만, NATO는 아프가니스탄에서 그리고 향후의 분쟁이나 위기 시에도 다른 행위자들로부터 책임을 떠맡으려고 하지는 않지만, 계속해서 일련의 공고한 정치·군사적 능력을 제공하는 것이다.[60] 요컨대, NATO의 포괄적 접근방법은 위기관리와 개입과 같은 작전을 펼칠 경우 관련된 모든 행위자들(국제기구, 개별 국가, 비정부기구, 사적 영역과 당사국 정부) 간의 협력과 조정을 증진시키고자 하는 것이다.

VI. 결론

1949년 4월 북대서양조약에 입각해 탄생한 NATO는 오늘에 이르기까지 총 일곱 차례에 걸친 전략개념의 주기적·지속적 수정과 변화를 통해 시시각각으로 변화하는 국제안보환경에 잘 적응해왔다. 그러한 전략개념의 변화 내용에 있어서 언제나 동맹의 핵심적인 임무는 회원국의 영토를 책임지는 집단방위의 역할이었다. 이러한 NATO의 가장 우선적인 임무는 냉전 때는 말할 것도 없고, 냉전 종식 이후에도 변화가 없었다.

그러나 21세기에 들어와 최초의 NATO 전략개념이라 할 수 있는 2010년 리스본 신전략개념은 이전의 전략개념이라 할 수 있는 1991년과 1999년의 그것과는 많은 점에서 차이를 보이고 있고, 그런 점에서 NATO의 변화과정에서 하나의 주요 분기점을 제공해줄 수 있다고 평가할 수 있

22.

60) Niels Henrik Hedegaard, "NATO's Institutional Environment: the New Strategic Concept Endores the Comprehensive Approach," in Jens Ringsmose and Sten Rynning(2011), *NATO's New Strategic Concept: A Comprehensive Assessment*, p. 78.

다. 2010년의 신전략개념은 무엇보다도 9·11 테러와 나머지 국가들의 부상으로 변화된 국제안보환경에 적응하기 위한 NATO의 대응과 향후 NATO가 나아갈 방향을 집약적으로 제시해주고 있다. 앞에서 언급하였듯이, 이제 NATO는 안보활동의 지역성을 넘어서서 지구적 활동영역에서 정치적 기능을 강화해나가면서 국제평화와 안정을 도모하는 데 기여해나갈 것으로 전망된다.

이러한 NATO 활동영역의 지구화와 정치적 기능강화는 필연적으로 다른 지역적·국제적 안보제도들과의 정치적 협력뿐만 아니라 분쟁 지역이나 장소의 해당 행위자들과의 긴밀한 협력을 더욱 필요로 하게 되었다. 그에 따라 NATO는 2010년 신전략개념에서 제시한 임무와 역할을 제대로 충족시키기 위한 내부적 정치·군사적 구조조정을 지속적으로 단행해나갈 필요성이 그 어느 때보다도 중요해졌다.

그러나 과거와 마찬가지로 오늘날에도 NATO에게 있어서 역외문제는 내부 회원 국가들에게 뿐만 아니라 무극체제의 국제안보환경에서 다른 주요 국가들의 이해관계에 영향을 미칠 수 있는 매우 민감한 쟁점이라고 볼 수 있다. 이럼 점에서 향후 NATO의 역외 안보활동이 국제안보에 미치는 영향은 적어도 다음과 같은 두 가지 딜레마를 갖고 있다고 판단된다. 우선적으로, 지구적 차원의 NATO 역외활동은 회원 국가들 간의 상이한 이해관계를 노출시키면서 위기관리와 협력안보에 내재되어 있는 공공재 안보의 약점을 보다 부각시킬 가능성이 높다는 것이다. 즉, 지구적 차원에서 NATO의 주기적인 역외활동은 동맹 회원 국가들에게 역외활동에 대한 피로증세의 누적과 비용분담에 정치적 갈등을 야기할 가능성이 높다는 것이다.

다음으로 지구적 차원의 NATO 역외활동은 회원 국가들 내부 차원에서뿐만 아니라 지역적·국제적 다른 국가들에게도 매우 민감한 반응을 야기할 수도 있다는 점이다. 오늘날 국가 행위자 차원에서의 국제체제는 다극체제의 양상을 보이고 있기 때문에 지구적 차원의 NATO 역외활동이 실제적 효과를 거두기 위해서는 국제사회의 주요 행위자들의 이해와 협력이 전제되어야 한다. 그러나 NATO는 기본적으로 서구적 가치의 정체성을 바탕으로 하고 있기 때문에 NATO 역외활동의 성격도 기본적으로 민주평화론에 기반을 두고 전개될 가능성이 높다. 따라서 NATO 역외활동을 둘러싸고 NATO의 주요 국가들과 NATO와 다른 주요 국가들과의 정치적 이해관계의 충돌 가능성도 배제할 수 없다는 점이다. 일례로, 2011년 소위 자스민 혁명의 여파로 분출된 리비아 사태에서 목격할 수 있듯이, NATO의 군사개입은 NATO 회원 국가들 간의 상이한 정치적 입장 노출과 비서구적 정체성을 보이고 있는 인도, 러시아, 중국 등의 정치적 반발을 야기하는 원인을 제공해주고 있다.

이런 맥락에서 보았을 경우, 향후 NATO에게 있어서 무엇보다 우선적으로 해결해야 할 가장 중요한 과제는 역외활동과 관련한 자신의 정체성을 확립하는 문제라 할 수 있다. 비록 NATO 회원 국가들이 지구적 차원의 역외 활동을 지지하는 입장이라 할지라도, 그 자체만으로 NATO의 정체성이 확립되는 것이 아니기 때문이다. 즉, NATO가 지구적 차원의 역외활동에 주기적으로 참여한다는 것이 지구적 동맹 혹은 지구적 안보제도로서의 NATO를 의미하는 것이 아니기 때문이다. 과거와 마찬가지로 여전히 지역적 동맹이나 안보제도로 남아 있으면서 필요에 따른 지구적 안보활동을 전개할 수도 있기 때문이다. 이러한 점은 정체성의 지리적 영역과 지리적 영역을 뛰어 넘는 NATO의 기능적 안보 활동은 역설적으로 NATO의 임무와 역할에 결코 순기능적으로 작동하지 못할 가능성을 암시해주는 것이다.

| 참고문헌 |

Alliot-Marie, Michele, "Don't Diminish NATO's Effectiveness," *The Washington Times*, October 20, 2006.

Aron, Raymond, *Peace and War: A Theory of International Relations* (New Brunswick, NJ.: Transaction Publishers, 2003).

Asmus, Ronald, Richard L. Kugler, and F. Stephen Larrabee, "Building a New NATO," *Foreign Affairs*, 72-4, September/October, 1993,

Bennett, Christopher, "Combating terrorism," NATO Review, Spring 2003, http://www.nato.int/docu/review/2003/issue1/english/art2_pr.html.

Buteux, Paul, *Strategy, Doctrine, and the Politics of Alliance: Theatre Nuclear Force Modernization in NATO* (Boulder: Westview Press, 1983).

______, *The Politics of Nuclear Consultation in NATO, 1965-1980* (London: Cambridge University Press, 1983).

Cotty, Andrew and Derek Averre (eds.), *New Security Challenges in Postcommunist Europe: Securing Europe's East* (Manchester and New York: Manchester University Press, 2002).

Cox, M., "Beyond the West: Terrors in Transatlantia," *European Journal of International Relation*, 11, 2005.

Daalder, Ivo and James Goldgeier, "Global NATO," *Foreign Affairs*, 85-5 (2006).

Davis, M. Jane (ed.), *Security Issues in the Post-Cold War World* (Cheltenham, U.K.: Edward Elgar, 1996).

de Mesquita, Bruce Bueno, *The War Trap* (Conn.: Yale University Press, 1981).

Doughrty, James E., Robert L. Pfaltzgraff, Jr., *American Foreign Policy: FDR To Reagan*(New York: Haper & Low Publishers, 1986), 이수형 역, 『미국외교정 책사: 루스벨트에서 레이건까지』, 한울 아카데미, 1997.

Duffield, John S., *Power Rules: The Evolution of NATO's Conventional Force Posture*(Stanford, California: Stanford University Press, 1995).

European Security and Defense Assembly, *The NATO Strategic Concept and Evolution of NATO*, Report submitted on behalf of the Defense Committee by the Earl of Dundee and Rene' Rouquet, 2 December 2010.

Flockhart, Trine, *After The Strategic Concept: Towards a NATO Version 3.0*, DIIS Report, 2011: 06.

Flockhart, Trine, Kristian Søby Kristensen, *NATO and Global Partnerships-To Be Global or To Act Globally?*, DIIS Report, 2008: 7.

Freedman, Lawrence, "NATO Myth," *Foreign Policy*, 45, Winter 1981-1982.

______, "The Atlantic Crisis," *International Affairs*, 58-3 (Summer 1982).

______, *The Evolution of Nuclear Strategy*(London: Macmillan Press, 1982).

Gompert, David C. and F. Stephen Larrabee(eds.), *America and Europe: A Partnership for a New Era*(Cambridge: Cambridge University Press, 1998), 이수형 역, 『미국과 유럽의 21세기 국제질서』, 한울 아카데미, 2000.

Gordon, Philip H. & Jeremy Shapiro, *Allies at War: America, Europe, and the Crisis over Iraq*(New York: McGraw-Hill, 2004).

Gregory, Shaun R., *Nuclear Command and Control in NATO: Nuclear Weapons Operations and the Strategy of Flexible Response*(New York: St. Martin's Press, 1996).

Group of Experts(2010), *NATO 2020: Assured Security, Dynamic Engagement* (Brussels: NATO Public Diplomacy Division, 2010).

Haass, Richard, "The Age of Nonpolarity: What Will Follow U.S. Dominance,"

Foreign Affairs, 87-3(2008).

Haftendorn, Helga, *NATO AND THE NUCLEAR REVOLUTION: A Crisis of Credibility, 1966-67*(Oxford: Clarendon Press, 1996).

Haslam, Jonathan, *The Soviet Union and the Politics of Nuclear Weapons in Europe, 1969-87: The Problem of the SS-20*(London: MacMillan Press, 1989).

Heisenberg, Wolfgang E., "The Reception of American Deterrence Theory in the Federal Republic of Germany and the German Nuclear Debate of 1950s," *The Journal of Strategic Studies*, 9-4, December 1986.

Kagan, Robert, "Power and Weakness," *Policy Review* 113, 2003.

Kamp, Karl-Heinz, "NATO's strategy after the Lisbon summit," *Atlantisch perspectief*, 34-8, 2010.

Kaufmann, William W., *The McNamara Strategy*(New York: Harper & Row, 1964).

Knorr, Klaus, *Military Power and Potential*(Lexington: D.C. Health and Company, 1970).

Legge, J. Michael, "The Making of NATO's New Strategy," *NATO Review*, 39-6, December 1991.

______, *Theater Nuclear Weapons and the NATO Strategy of Flexible Response*(Santa Monica: RAND Corporation, 1983).

Lepgold, Joseph, "NATO's Post-Cold War Collective Action Problem," *International Security*, 23-1, Summer 1998.

Mearsheimer, John J., "Back to the Future: Instability in Europe After the Cold War," *International Security*, 12-1, Summer 1990.

NATO, *Towards The New Strategic Concept: A Selection of Background Documents*(Brussels: NATO Public Diplomacy Division, 2010).

_____, *The Prague Summit and NATO's Transformation: A Reader's Guide*(Brussels: NATO Public Diplomacy Division, 2003).

Pedlow, Gregory W.(ed.), *NATO STRATEGY DOCUMENTS 1949–1969*(Brussels: NATO Office of Information Service, 1997).

Pond, E., *Friendly Fire: The Near-Death of Experience of the Transatlantic Alliance*(Washington, D.C.: The Brookings Institute Press, 2004).

Ray, James Lee, "Friends as Foes: International Conflict and Wars Between Formal Allies," in Charles S. Gochman and Alan Ned Sabrosky (eds.), *Prisoners of War?: Nation-States in the Modern Era*(Lexington, Mass.: Lexington Books, 1990).

Ringsmose, Jens and Sten Rynning(eds.), *NATO's New Strategic Concept: A Comprehensive Assessment*, DIIS Report, 2011: 02.

Ringsmose, Jens and Sten Rynning, *Come Home, NATO?: The Atlantic Alliance's New Strategic Concept*, DIIS Report, 2009: 04.

Sarkesian, Sam Charles & Robert A. Vitas(eds.), *U.S. National Security Policy and Strategy: Documents and Policy Proposals*(Westport, Connecticut: Greenwood Press, Inc., 1988).

Schwartz, David N., *NATO's Nuclear Dilemma*(Washington, D.C.: The Brookings Institution, 1983).

Smith, Joseph(ed.), *The Origins of NATO*(U.K.: University of Exter Press, 1990).

Snyder, Glenn H., "The Security Dilemma in Alliance Politics," *World Politics*, 36-4, July 1984.

Stromseth, Jane E., *The Origins of Flexible Response: NATO's Debate Over Strategy in the 1960s*(New York: St. Martin's Press, 1988).

Thies, Wallace J., "Learing in U.S. Policy Toward Europe," in George W.

Breslauer and Philip E. Tetlock(eds.), *Learning in U.S. and Soviet Foreign Policy*(Boulder: Westview Press, 1991).

Trachtenberg, Marc., "The Nuclearization of NATO and U.S.-West European Relations," in Francis H. Heller and John R. Gillinghan (eds.), *NATO: The Founding of The Atlantic Alliance and The Integration of Europe*(New York: St. Martin's Press, 1992).

Weber, Steve, "Shaping the Postwar Balance of Power: Multilateralism in NATO," in John Gerard Ruggie(ed.), *Multilateralism Matters: The Theory and Praxis of an Institutional Form*(New York: Columbia University Press, 1993).

Weitsman, Patricia, "Intimate Enemies: The Politics of Peacetime Alliance," *Security Studies*, 7, Autumn 1997.

Zakaria, Fareed, *The Post-American World*(New York: W.W. Norton& Company, 2008).

제3부

맺음말

9 21세기 국제안보정세 변화와 한국 국가안보전략의 방향*

박영준(국방대학교 안보대학원)

I. 머리말

저명한 국제정치학자인 미국 MIT 대학의 베리 포젠Barry Posen 교수는 군사전략을 공격, 방어, 억제 전략으로 유형화하면서, 각 국가가 어떠한 상황에서 어떠한 유형의 군사전략을 갖는가에 따라, 국제관계의 성격은 물론, 해당 국가의 흥망성쇠가 좌우될 수 있다고 지적한 바가 있다.[1] 예컨대 제1차 세계대전 직전에 독일이 채택하여 프랑스 및 러시아, 나아가 영국 및 미국과의 양면 전쟁에 적용되었던 쉴리펜 플랜의 공격적 군사전략은 결국 승리를 보장하지 못하였고, 서부전선 교착상태 및 패전의 결과

---

* 이 글은 2011년 12월 9일, 세계일보와 국방연구원이 공동으로 주최한 "제2회 동북아 안보심포지움"에서 발표한 논문을 보완한 것임을 밝혀둔다. 이 글의 일부는 『월간조선』 2011년 7월호에 졸고 「주변 4강의 안보전략서를 통해본 한국의 국방개혁안」으로 게재된 바 있다.

1) Barry R. Posen, *The Sources of Military Doctrine:France, Britain, and Germany between the World Wars*, (Ithaca, New York: Cornell University Press, 1984), chap. 1.

를 초래하였다. 마지노선으로 상징되듯, 제2차 세계대전 이전에 프랑스가 채택한 대독일 방어전략 역시 기갑부대를 앞세운 히틀러의 전격전 전략에 효과적으로 대응하지 못하는 결과를 낳았다. 중일전쟁 및 태평양전쟁 시기에 일본의 제국 육해군이 운용했던 제국국방방침(帝國國防方針)의 공격전략도 결국 미국을 위시한 연합국의 공세에 직면하여 일본을 패전의 나락으로 떨어뜨리는 결과를 낳았다.[2] 요컨대 국제정세 및 피아의 객관적인 국력 상황 등을 적절하게 고려한 국방 및 군사전략은 평시에 위협요소를 억제하고 전시에 전승(戰勝)을 보장하는 효과를 낳지만, 그렇지 못한 군사전략의 책정은 오히려 전시에 패배를 자초하게 되고 국가를 쇠망의 길로 끌어내릴 수 있다. 그래서 포젠은 군사전략은 본질적으로 국가의 궁극적인 목적을 달성하기 위한 보다 상위차원의 국가전략, 혹은 국가안보전략과 정합성을 가져야 한다고 주장했다.

역사상 뛰어난 군사전략가들도 군사전략을 국가전략의 하위 범주로 위치지우고, 어디까지나 군사전략이 국가전략의 목적을 달성하기 위한 수단으로 운용되어야 한다는 점을 강조해왔다. 나폴레옹 전쟁을 경험한 클라우제비츠는 그의 주저 『전쟁론』에서 '전쟁은 결투'이며, '불확실성과 우연에 점철된 영역'이라는 정의를 내림과 동시에 '전쟁은 다른 수단에 의한 정치의 연속'이라고 하면서, 정치목표를 달성하기 위한 수단으로서의 군사전략을 강조한 바 있다.[3] 이점을 보다 명확하게 규정한 것은 제1차 세계대전에 군인으로서 직접 참전하고 제2차 세계대전 당시에는 언론인으로서 이를 면밀히 관찰했던 영국의 전략가 리델 하트에 의해서였다. 그는 전쟁의 수행 과정에는 "정책 목적을 달성하기 위해 군사적 수단을

2) 제국 일본 육군과 해군의 군사전략에 대하여는 黒野耐, 『帝国国防方針の研究』(総和社, 2000) 참조.

3) 『전쟁론』제1편 참조, 국내 발췌번역본으로는 카를 폰 클라우제비츠, 『전쟁론』, 류제승 역, 책세상, 1999 참조.

배분하고 적용하는 방책"인 군사전략도 중요한 역할을 담당하지만, 그 상위 차원에서 "전쟁의 정치적 목적을 달성하기 위해 한 국가 또는 여러 국가의 자원을 조정하고 지향하는" 대전략Grand Strategy 차원의 방책이 더욱 중요하다고 보았다. 그에 의하면 군사력은 전쟁의 상황에서 적의 의지를 박탈하기 위해 필수적인 요소이지만, 전쟁을 넘어 전후의 평화까지를 건설해야 하는 과제를 염두에 둔다면, 국가는 군사수단 이외 외교, 경제, 도덕의 힘까지를 포함하는 대전략 차원의 방책을 준비하지 않으면 안 된다는 것이다.[4)]

리델 하트의 통찰이 제시된 이후, 특히 제2차 세계대전 종전 이후 주요 국가들은 대전략, 혹은 국가전략National Strategy의 중요성을 인식하면서, 개별 부서별로 군사전략, 외교전략, 경제전략을 공표하면서도, 이러한 개별 전략들이 상위 차원의 국가전략, 혹은 국가안보전략과 부합되도록 하는 노력을 기울여왔다. 공교롭게도 작년과 올해에 걸쳐 한반도를 둘러싼 미국, 일본, 중국, 러시아, 그리고 나토 등에서 주요 군사전략과 국가안보전략이 책정되었다. 그렇다면 각국은 과연 어떠한 국가목표를 달성하기 위해 어떠한 내용의 국가안보전략 및 국방전략을 공표한 것일까. 한반도를 둘러싼 주요 국가들은 자국이 설정한 국가안보전략을 구현하기 위해 어떠한 군사력과 국방비를 지출하고 있는 것일까.

본 연구는 한국을 둘러싼 미국, 중국, 일본, 러시아 등을 중점적 대상으로 삼아 동아시아 지역 주요 국가들의 국가안보전략과 군사력 증강의 실태를 고찰하려는 목적을 가진다.[5)] 과연 동아시아 지역 주요 국가들은

---

4) 바실 리델 하트, 『전략론』, 주은식 역, 책세상, 1999, 제19장 참조.

5) 몽골과 타이완 등도 지리적으로 동북아의 범위에 해당되지만, 본 연구에서는 편의상 다루지 않기로 한다. 일본 학자 미치시타 나루시게는 동북아 군비증강 문제를 다루면서, 미국을 연구대상에서 제외한 바 있다. Narushige Michishita, "Arms Race?: Military Buildup and the Future of Arms Control in Northeast Asia"(국방대학교 안보문제연구소 주최 세미나 발표 자료, 2008. 10. 29). 그러나 지리적으로 북미에 위치

어떠한 국가안보전략에 입각하여 국방비와 군사력을 보유하고 있는 것일까? 둘째, 개별 국가들이 보유하는 국방비와 군사력은 과연 증강하는 추세를 보이고 있는가, 아니면 감축하는 경향을 보이고 있는가? 주변 국가들의 안보전략과 군사력 증강의 실태를 고려할 때, 한국이 추진해야 하는 안보전략, 국방정책의 방향은 어떠한 것이 되어야 할 것인가?

II. 동북아 주요 국가의 국방비 지출 추세

글로벌 수준에서 보면 탈냉전기로 접어들면서 미국과 러시아 등 강대국들 간에는 전략무기 감축조약 등이 체결되면서, 핵무기 등을 지속적으로 삭감하는 추세들이 나타나고 있다. 미국과 러시아는 1991년 START 조약, 2002년 모스크바 조약을 체결하여 양국이 보유하는 핵탄두를 각각 6,000발에서 2,200발 수준으로 삭감하기로 합의한 바 있었다. 그리고 2010년 4월 8일에는 오바마 미국 대통령과 메드베데프 러시아 대통령 간에 New START 조약이 체결되면서 양국은 2017년까지 핵탄두는 1,550발 수준으로, 운반수단은 700대 수준으로 삭감하기로 합의하였다. 〈표 1〉은 미국과 러시아가 핵전력 삭감에 관해 합의해온 조약들을 정리한 것이다.

이러한 성과들을 바탕으로 2010년 5월, 러시아가 제2차 세계대전 승전 65주년을 기념하여 주최한 군사퍼레이드에는 사상 처음으로 영국 및 프랑스 병력과 더불어 미국 제170 보병전투여단 병력이 초청을 받아 퍼레이드에 참가한 바도 있다.[6)]

하는 미국은, 한국 및 일본과 동맹관계를 맺고 있고, 이 지역에 8만여 명에 이르는 해외주둔군을 배치시키고 있기 때문에 본 연구에서는 동북아의 범위에 포함시킨다.

6) Ellen Barry, "Surprising Guests in a Russian Parade: American Troops," *The New*

〈표 1〉 미국과 러시아 간 핵무기 감축 주요 조약 현황

주요 조약	내용	비고
1991년 Start 조약	2009년까지 핵탄두 6,000개, 발사대 1,600대 수준 삭감	발사대: ICBM, SLBM, 전략폭격기
2002년 Moscow 조약	2012년까지 핵탄두 2,200발 수준 감축	
2010년 New Start 조약	2017년까지 핵탄두 1,550발, 발사대 700대 수준 감축	

〈표 2〉 동북아 주요 국가의 국방비 지출 추세 (Military Balance, 2001-2010, 단위: $ bn)

	2001	2002	2003	2004	2005	2006	2007	2008	2009	2010
미국	329	362.1	456.2	490	505	617	625.8	696.3	693.6	722.1
러시아	7.5	8.4	10.6	14.9	18.9	24.57	32.99	40.48	38.3	41.4
중국	17	20	22.3	25	29.5	35.3	46.7	60.1	70.3	76.4
일본	40.3	42.6	42.8	45.1	43.9	41.14	43.65	46	50.3	52.8
북한	1.31	1.4	1.6	41.7	2.2	2.3	2.3	2.3	2.3	4.38
남한	1.8	14.1	14.6	16.3	20.3	24.6	26.9	24.18	22.5	25.4

그러나 이 같은 미러 간 핵무기 삭감 추세나 군사적 신뢰구축의 노력에도 불구하고, 미국, 중국, 러시아 등 동북아 지역 국가들은, 지난 10여년간 지속적으로 국방비 지출을 늘려왔고, 양적으로도 세계 어느 지역 국가보다도 많은 국방비를 지출하고 있다. 〈표 2〉는 Military Balance에 나타난 동북아 주요 국가들의 국방비 지출 현황을 나타낸 것이다.

〈표 2〉를 보면 2001년 이래 아프간, 이라크 전쟁을 수행해온 미국의 국방비가 지난 10년간 계속 증가세를 보이고 있었을 뿐 아니라, 중국의 국방비도 지속적으로 증가하면서 2007년을 기점으로 일본의 그것을 추

York Times, (May.7, 2010).

월하기 시작했음을 알 수 있다. 또한 러시아도 2000년대 이래의 경제회복기조를 바탕으로 국방비 지출을 늘려왔음을 알 수 있다.

스톡홀름 국제평화연구소SIPRI가 매년 공표하는 연례보고서 자료를 보면, 전세계 국가들 가운데에서 미국, 중국, 러시아, 일본 등이 각각 세계 1, 2, 5, 6위 수준의 군비지출국임을 알 수 있다.[7] 이 결과 2010년도의 경우 유럽 지역의 군사비 지출은 2.8% 감소하는 경향을 보였지만, 남미지역은 5.8%, 아시아 지역은 1.4%의 증가세를 보였다.[8]

미국 의회조사국Congressional Research Service: CRS가 공표하는 전 세계 무기이전 상황에 관한 자료를 보아도, 동북아 국가들이 중동 및 남미 지역 국가들과 더불어 무기 수출 및 무기 구매에 가장 활발하게 관여하고 있음을 볼 수 있다. 2008년 및 2009년도의 경우 무기수출에 있어서는 미국(378억->226억 달러), 러시아(35억->104억 달러) 등이 주도적이었고, 무기구매에 있어서는 중국, 한국, 타이완 등이 적극적인 양상을 보인 바 있다.[9]

즉 미국, 중국, 일본, 러시아 등의 동북아 지역 관련 국가들은 현재까지는 한국 및 북한 등과 더불어 국방비 지출 및 대외 무기거래 등에 있어

여타 지역 국가들에 비해 활발한 양상을 보이고 있는 것으로 판단된다.[10]

---

7) 『朝日新聞』 2009년 6월 9일 및 『국방일보』 2011년 4월 12일 기사 참조. 2008년의 경우 군사비 지출은 미국 6,070억 달러, 중국 849억 달러, 프랑스 657억 달러, 영국 653억 달러, 러시아 586억 달러, 일본 463억 달러였다.

8) 『국방일보』 2011년 4월 12일 기사 참조.

9) 008년도의 경우 중국이 162억 달러, 한국이 14억 달러어치 무기를 수입했다고 한다. Congressional Research Service, "Conventional Arms Transfer to Developping Nations," International Herald Tribune (September. 8, 2009) 참조. 2009년도 무기거래 상황에 관해서는 Thom Shanker, "Bad Economy Drives Down Ars Sales," *New York Times*, September 13, 2010을 참조.

10) 다만 이들 국가들의 국방비 추세가 2012년도 이후에는 변화될 소지가 충분하다. 이미 미국은 향후 10년간 4,500억 달러 규모의 국방비 삭감 방침을 정해놓고 있다. 일본은

그렇다면 이들 국가들은 과연 어떠한 정세인식하에서 국가안보전략 및 군사전략을 어떻게 상정하고 있는 것일까?

III. 동북아 주요 국가의 국가안보전략 방향

국방비 지출은 군사력 증강과 더불어 국가의 중요한 군사적 수단을 이루게 된다. 그런데 군사적 수단은 최종적으로는 국가안보전략의 수행을 위한 도구이다. 즉 국가는 자신의 국가안보전략, 혹은 국가목표를 달성하기 위해, 군사부문에 역할을 부여하고, 국방비 편성 및 군사력 증강을 통해 이러한 역할을 수행하기를 요구하고 있는 것이다. 그렇다면 각국은 과연 어떠한 국가안보전략과 군사전략을 채택하고 있는 것일까?

1. 미국

미국은 1986년 제정된 골드워터-니콜스 법에 의해 새로운 정부가 등장할 때마다 대통령이 국가안보전략을 수립하여 의회에 제출하도록 하고 있고, 국방부 장관은 국가안보전략서에 준해 국방전략서National Defense Strategy 혹은 4개년 국방태세보고서QDR를 작성하여 대통령에게, 그리고 합참의장은 군사전략서를 작성하여 각각 대통령과 국방장관에게 제출하여 미군의 전략방향을 제공하도록 의무를 부과하고 있다. 이러한 관례에 따라 미국 오바마 행정부도 2010년에 국가안보전략서National Security Strategy 및 QDRQuadrennial Defense Review을 공표한 데 이어 2011년 2월에는 미 합참이 국가군사전략서National Military Strategy를 공개하였다.[11)]

후쿠시마 대지진 이후 피해 복구의 필요 때문에 국가재정의 긴축이 불가피하고, 방위비 지출에도 제약을 받을 것으로 예상된다.

11) The White House, *National Security Strategy* (May 2010); Chairman of the Joint

2010년의 국가안보전략서에서 오바마 행정부는 신흥세력의 부상에 의해 미국의 글로벌 영향력이 불가피하게 약화될 것이라는 정세판단을 내렸다. 신흥세력들이 즉각 미국의 실질적인 군사적 경쟁자가 되지는 않겠지만, 미국의 글로벌 파워가 분산되는 상황 속에서 테러리즘, 대량파괴무기의 확산, 우주와 사이버 공간에서의 비대칭적 위협, 실패한 국가들에 의한 분쟁 가능성, 글로벌 범죄 네트워크, 자연재해, 화석연료에 대한 의존, 기후변화와 범세계적 질병 등이 미국의 국가안보를 위협하는 요인들로 부상할 것이라고 지적하였다.

그리고 이 같은 위협요인들에 대처하기 위해 미국은 국내적으로는 국토방위 등의 노력을 경주하면서, 대외적으로는 동맹국들, 인도, 중국, 러시아 등의 파트너들, 기타 국제기구들과 협력할 것이라고 하였다. 특히 국가안보전략서는 북한과 이란에 의한 핵개발 시도를 주시하면서, 이들 국가들이 핵개발 프로그램을 폐기한다면 국제공동체와 정치적, 경제적으로 통합하는 수순을 밟을 것이지만, 만일 국제의무를 무시한다면 이 국가들을 고립시키고, 국제비확산 규범에 순응하도록 하는 다양한 수단을 추구할 것이라고 명언하였다.

미 합참이 2004년 이후 처음 발표한 국가군사전략서 2011은 미국이 여전히 세계 초강국이지만 다른 글로벌 파워들의 등장에 의해 국제질서가 다수의 극점이 존재하는 양태로 되고 있다고 분석하면서, 이러한 상황에서 적대국가 및 세력들에 의한 대량살상무기 및 핵테러 확산이 가장 위험한 요인이라고 지적하였다. 특히 합참의 국가군사전략서는 아시아에서는 북한의 핵능력과 불안정한 권력이양이 지역안정 및 국제적 비확산 노력에 대한 위협요인이라고 언급하였고, 중국의 군사적 현대화가 우주, 사

Chiefs of Staff, *The National Military Strategy of the United States of America* (February 8, 2011); David E.Sanger and Peter Baker, "Obama Reorients Approach of National Security Strategy," *New York Times*, (May 28, 2010)도 참고.

이버공간 및 인접 해역에 미치는 영향에 대해서도 우려를 표명하였다. 이러한 위협요인들에 대해 미 합참은 알 카에다와 같은 폭력적 극단주의를 패퇴시키고, 합동군 체제 및 전략무기 강화를 통해 지역적 범위에 걸친 침략을 억제하고, 동맹 및 파트너 국가들과 더불어 국제안보 및 지역안보의 협력틀을 확대하며, 제한된 국방예산 속에서 미래의 전력요소들을 강화하겠다는 전략방침을 밝혔다.[12)]

2. 중국

중국은 개혁개방의 길을 선택한 덩샤오핑(鄧小平) 시대 이후 소위 "도광양회(韜光養晦) 유소작위(有所作爲)"를 대외전략의 지침으로 삼아왔다. 즉 실력을 기르면서 자신의 할 바를 하자는 대외전략론이었다. 그리고 2003년 이후 후진타오(胡錦濤) 주석은 이를 대체하여 화평굴기(和平崛起), 혹은 화평발전(和平發展)의 방침을 제시하였다. 즉 중국 지도부는 미국 등 기존 국제질서의 주도국들과 정치적인 이념의 차이 등을 이유로 대립각을 세우기보다는 기존의 국제질서와 강대국들을 인정하는 가운데, 경제발전의 길을 모색해야 한다는 등소평 노선을 계승하고 있는 것이다.[13)]

그러나 다른 한편 중국 내에서는 중국이 경제력 강화를 기반으로 해서, 국제문제에서 보다 대담하고 적극적인 정책을 추진해야 하며, 국제안보분야에서도 영향력을 확대해가야 한다는 국가전략론이 대두되고 있기

---

12) 오바마 대통령은 2011년 리비아 사태가 발생한 직후에도 미 지상군의 개입 가능성을 배제하면서, 핵심적인 이익이 걸린 사안에 대해서는 미국이 단독으로 행동하겠지만, 여타 사안들은 동맹 및 파트너 국가들과 협력하겠다는 점을 재확인하였다. Helene Cooper, "Obama promises limited U.S. role in Libya fighting," *International Herald Tribune*, March 30, 2011.

13) 북경대학 국제관계학원원장인 왕지시(王緝思)는 중국의 많은 지도자들이 이러한 노선을 따르고 있다고 소개하였다. 아사히신문사 논설주필 船橋洋一 와의 인터뷰 참조. 『朝日新聞』 2010년 6월 8일자 참조.

도 하다.[14] 이런 관점에서 중국이 리비아 사태 등에 대한 인도주의적 개입에 적극 관여해야 한다는 정책론이 제기되고 있다.

그러나 아직 중국의 국가안보전략이나 군사전략은 대외관계에 관한 신중한 입장을 견지하고 있는 것으로 보인다. 중국은 2011년 3월, 국방백서 2010을 공표하였다.[15] 중국은 군사전략지침이라는 별도의 문서체계를 갖고 있으나, 1993년에 "신시기 적극방어전략"이 표명된 이후에는 공개되고 있지 않기 때문에, 사실상 2년마다 공표되고 있는 국방백서가 중국의 국방 및 군사전략을 판단케 하는 주요 자료가 되고 있다. 국방백서 2010에서 중국은 대만과 티베트 등의 분리독립 움직임, 영토와 해양에 대한 도전, 에너지, 금융 및 정보, 자연재해와 같은 비전통적 안보위협, 미국의 대만에 대한 무기판매 등이 안보도전요인이라고 지적하였다.[16]

중국은 기본적으로 방어적 국방정책과 평화적 외교정책을 추진하겠다고 천명하면서도, "신시기 적극방어"의 개념하에 인민해방군의 기계화와 정보화, 긴급사태 대응을 위한 특수부대 창설 등을 추진할 것이고, 아울러 핵무기 선제사용정책 포기와 같은 군비통제 및 주변국가와의 군사적 신뢰구축 등도 적극적으로 도모하겠다는 점을 밝혔다.

중국의 일부 소장 장교들은 미국을 적으로 간주하고, 미국이 중국의 핵심적 이익 추구에 도전하고 있다는 인식을 보이고 있는 것이 사실이

---

14) 이러한 견해를 밝힌 글로서 Yan Xuetong, "How assertive should a great power be?," *International Herald Tribune*, April 1, 2011 혹은 그의 다른 글 Yan Xuetong, "How China can defeat America," *International Herald Tribune*, November 21, 2011 참조. Yan은 중국 칭화대학 정치학 교수이다.

15) 이에 대한 분석은 황재호, 「중국 국방백서 2010 분석과 평가」, 『정세와 정책』(2011. 5); 박창희 · 유동원 · 기세찬, 『2010년 중국 국방백서 분석』(국방대학교 안보문제연구소 정책현안연구과제, 2011. 4. 13) 등을 참조.

16) Edward Wong and Jonathan Ansfield, "Chinese military sees regional challenges," *International Herald Tribune*, April 1, 2011.

다.[17] 그러나 공식적인 국가전략서나 군사관련 공식 문서에서는 보다 신중한 입장이 견지되고 있는 것으로 보인다.

3. 일본

일본도 2010년 12월을 기해 6년 만의 새로운 방위계획대강을 책정하였다.[18] 2004년에 공표되었던 이전의 방위계획대강은 당시의 자민당 정권이 주도한 것이었다. 그러나 2009년 8월의 역사적인 정권교체 이후 새로운 집권당으로 부상한 민주당은 자신들의 안보정책 성향에 부합하는 각계의 전문가들을 위촉하여 국가안보전략의 초안문서를 다시 작성케 하였고, 이를 토대로 공식적인 국방전략문서로서 방위계획대강의 최종 문안을 확정한 것이다. 방위계획대강 2010에서 일본 정부는 미국의 안보전략문서와 마찬가지로 대량살상무기와 탄도미사일 확산, 국제테러조직, 해적행위, 지역분쟁 및 파탄국가의 존재, 해양 및 우주와 사이버 공간의 안보, 기후변동 문제가 글로벌 질서에서의 새로운 위협요인이라고 강조하였다. 또한 방위계획대강은 아시아태평양 지역에서는 북한의 대량살상무기와 탄도미사일 개발이 불안정 요인이며, 중국의 군사적 불투명성도 우려사항이라고 지적하였다. 그리고 이러한 위협요인들에 대응하기 위해 일본은 기존에 군사력 증강의 기준개념으로 적용해왔던 "기반적 방위력 개념"을 포기하고, 새롭게 "동적 방위력" 개념을 제시하면서 이에 따라 군사력 증강을 도모하고, 대외적으로는 미일동맹을 강화하고, 나아가 한

---

17) 중국 국방대학 전략연구소장을 역임한 양이(Yang Yi) 제독은 2010년 8월 인민해방군보 기고문을 통해 미국이 중국을 봉쇄하고 있고, 중국의 핵심적 이익에 항상 도전해왔다고 주장하였다. Michael Wines, "China Shows Sterner Mien to U.S. Forces," *New York Times*, October 12, 2010에서 재인용.

18) 「平成23年度以後に係る防衛計画の大綱について」(2010. 12. 17). 이에 대한 분석은 박영준, 「방위계획대강 2010과 일본 민주당 정부의 안보정책 전망」, 『일본공간』제9호(국민대학교 일본학연구소, 2011.5).

국 및 호주 등 가치를 같이하는 주변 국가들과의 안보협력을 증진하면서 잠재적 위협들에 대처한다는 방침을 표명하였다.

4. 러시아

러시아도 2010년 2월, 새로운 군사전략을 공표하여, 2000년에 채택된 기존 군사전략을 대체하였다.[19] 새로운 군사전략에서 러시아는 향후 러시아가 직면할 수 있는 분쟁의 유형으로서 무력충돌, 지역전쟁, 국지전, 대규모 전쟁의 4가지 유형을 상정하고, 각각의 경우에 대비하여 핵무기와 재래식 군사력 등의 군사력 사용 원칙과 방식을 제시하였다. 이에 따르면 러시아는 핵무기의 경우는 대규모 전쟁, 지역전쟁뿐만 아니라 국지전에도 사용할 수 있게 하였다.

이 문서에서 러시아는 전통적 위협과 함께 에너지 및 천연자원을 새로운 위협요인으로 명기하였고, 그 외에 대량살상무기, 탄도미사일 기술의 확산, 재래식 무기의 초정밀화, 세계적 테러리즘 확산, 인종 간 긴장 고조, 종교적 극단주의 및 민족적 분리주의 대두 등을 위험한 국제환경요소로 평가하였다.[20] 이러한 위협요인에 대응하고 국가이익을 옹호하기 위해 러시아는 파트너 국가들인 CSTO, SCO, CIS 등을 확대하고, 시민들의 이익 보호 및 국제평화를 유지하기 위해 작전상 러시아 국경 밖에서 활동할 수 있고, 에너지 생산기반과 북극해에서의 생산기반을 보호할 목적으로 특수부대를 창설하여 훈련을 강화하겠다는 정책방향도 제시하였다.

---

19) 러시아 신군사독트린에 대한 소개는 이홍섭, 「21세기 새로운 위협과 러시아의 전략적 대응」, 국방대 안보문제연구소 편, 『21세기 국제안보의 도전과 과제』, 사회평론, 2011 참조.

20) 다만 러시아가 전통적으로 나토를 안보위협요인으로 인식하고 있는 점은 부인할 수 없다. 러시아 의회 국제관계위원회의 위원장인 콘스탄틴 코사체프는 나토를 세계정복을 추구하는 주요한 위협으로 인식하고 있다고 말하였다. Ellen Barry, "Surprising Guests in a Russian Parade: American Troops," *The New York Times*, 5.7, 2010에서 재인용.

새로운 군사전략 공표 이후 2010년 7월, 메드베제프 대통령은 "러시아의 전략적 군 지역편성"이라는 포고를 새롭게 발표하였다. 이 포고를 통해 러시아는 4개의 통합전략사령부를 신설하고 전통적인 6개 군관구를 통합조정하여 4개 군관구로 개편하고, 소수이지만 잘 정비된 신속대응군 체제로 전환하기로 방향을 새롭게 설정하였다. 이에 따라 평시에는 군관구가 중심 조직으로 기능하지만, 군사훈련이나 전시에는 통합전략사령부joint strategic commands 체제를 운용하기로 하였다. 이 결과 예컨대 기존에는 극동군관구, 시베리아 군관구, 그리고 태평양 함대가 병렬적으로 존재하였던 시베리아 이동 지방에는 동부군관구와 동부전략사령부가 평시와 전시에 각각 통합적으로 군체제를 운용하는 시스템으로 변화될 것으로 전망된다.

5. 동북아 주요 국가들의 국가안보전략 방향

이상에서와 같이 동북아 주요 국가들은 새로운 전략문서들을 통해 21세기 이후 자국이 직면한 안보위협요인을 도출하고, 그에 대응하기 위한 군사적, 혹은 외교적 방안들을 강구하고 있다.

우선 주목할 것은 주요 국가들이 공통적으로 대규모 전쟁의 가능성이 감소되었지만, 테러리즘이나 대량살상무기의 확산, 그리고 사이버 및 에너지 안보와 기후변화 등 비전통적 안보위협의 중요성을 지적하고 있는 점이다. 특히 미국 및 일본을 중심으로 북한의 핵개발 및 탄도미사일 개발이 국제사회 공공의 안보위협요인으로 인식되고 있음을 직시할 필요가 있다.

또한 주요 국가들이 향후 있을 수 있는 분쟁유형을 예상하면서 그에 대응하기 위한 전력준비를 모색하고(러시아의 경우), 위협에 대응하는 새로운 방위력 개념을 제시하고(일본의 경우), 대테러부대 창설 등 맞춤형 전력 창설을 서두르면서(중국의 경우) 새로운 위협요인들에 대응해가는 노력을 기울이고 있는 점도 유의할 만하다.

아울러 미국, 일본, 중국 등이 각국이 직면하고 있는 안보위협들에 대응하여 자국 단독이 아닌 동맹 및 우방 국가들, 나아가 국제기구와의 다양한 안보협력을 통해 위협요소를 배제하려는 점도 눈여겨보아야 한다. 특히 이들 각국이 공통적으로 한국과의 동맹관계 및 안보협력을 강조하고 있는 점도 특징적이다. 미국의 국가안보전략서나 군사전략서는 한국이 글로벌 이슈에 대처하는 데 중요한 리더가 되고 있다고 평가하면서, 아시아태평양 지역의 안보는 물론 핵확산대처, 테러리즘, 기후변화, 국제경찰, 사이버 안보 등의 분야에서 한국과 협력해갈 것이라는 의향을 분명하게 밝혔다. 일본도 방위계획대강에서 한국과의 안보협력을 강화해야 한다는 방침을 처음으로 명시하였다. 중국의 국방백서도 한국과의 해상군사협력 및 군사관계강화 필요성을 거듭 밝히고 있다. 그렇다면 각국은 이러한 국가안보전략 및 국방전략하에서 어떠한 수준의 군사력을 증강시키고 있는 것일까.

Ⅳ. 동북아 주요 국가의 군사력 증강 추세

1. 미국

미국은 여타 국가들에 비해 특이한 군구조를 갖고 있다. 2010년 시점을 기준으로 본다면 합참 예하에 전략사령부, 수송사령부, 특수작전사령부, 합동전력사령부 등 4개 기능사령부가 있고, 지역사령부로는 북미 지역을 관할하는 북부사령부, 남미지역을 관할하는 남부사령부, 중동지역을 관할하는 중동사령부, 유럽지역을 관할하는 유럽사령부, 아시아태평양 지역을 관할하는 태평양사령부, 그리고 2008년 10월 창설되어 아프리카를 관할하고 있는 아프리카 사령부의 6개가 존재한다. 지역사령부가

전 세계를 관할하는 군편제를 갖고 있는 국가는 전 세계에서 미국이 유일하다.

미국은 군구조뿐 아니라 전투력 측면에서도 글로벌 통제command of comons 능력을 갖고 있다. 2003년도에 발표한 논문을 통해 MIT 대학 정치학 교수인 베리 포젠Barry Posen은 미국이 군사위성 100여 개, 상업위성 150여 개, GPS 체제 운용 등으로 우주에 대한 통제를 하고 있으며, 핵공격잠수함SSN 54척, 항모 12척, 헬기항모 12척, 알레이 버크급 구축함 37척 등으로 해양통제 능력을 갖고 있고, 공중발사 정밀유도무기 등으로 항공에 대한 통제를 하면서, 글로벌 통제능력을 갖고 있다고 주장했다.[21]

〈그림 1〉 미국의 군구조

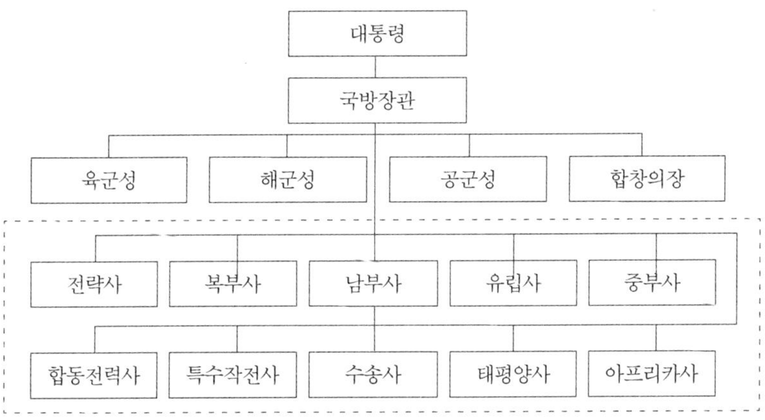

출처: 공군본부, 『2011 외국 군구조 편람』, 공군본부, 2011, p. 26.

21) 베리 포젠(Barry Posen)은 어느 1국에 귀속되지 않은 우주와 해양 등의 영역을 커먼(commons)이라고 정의하고, 미국이 커먼에 대한 통제 능력을 갖고 있다고 설명했다. Barry R.Posen, "Command of the Commons: The Military Foundation of U.S.Hegemony," *International Security*, Vol. 8, No. 1(Summer 2003), p. 8. 필자는 command of commons을 글로벌 통제라고 부르도록 하겠다.

2010-2011년도 Military Balance등을 종합하면, 미국은 핵탄두 이외의 전략무기로서는 ICBM 550기와 SLBM 432기, 해양전력으로서는 핵추진항모 11척, 전략잠수함[SSBN] 18척, 전술잠수함 53척, 항공전력으로서는 F-15 524기, F-16 755기, F-18 740여기, F-22 167기, 공중급유기 570기, B1, B2, B52 등의 폭격기 총 140여 기 등을 보유하고 있는 것으로 나타난다.

그런데 이라크 및 아프간 전쟁이 종전 국면을 맞게 되고, 재정적자 상황에 직면하면서 미국은 7,000억 불을 상회했던 국방예산을 삭감하려 한다. 이미 향후 10년간 4,500억 달러 규모의 국방예산을 감축한다는 방침이 결정되었고, 게이츠 국방장관은 퇴임 직전의 시기까지 국방조직 및 전력의 삭감에 대한 부분적인 조치를 취한 바 있다. 기능사령부 가운데 하나였던 합동전력사령부[Joint Forces Command]의 폐지가 결정되었고, 국방부 내의 2개 부서도 폐지되도록 되었다.[22] 육군은 기존에 추진해오던 미래전투체제[Future Combat System]를 축소하고, 해군은 신형 항모 및 함정 획득계획이 연기되었다. 공군은 F-22 조달 중지가 결정된 가운데 F-35 구매계획도 연간 100기 수준에서 48기 수준으로 하향조정되었다.[23] 향후 국방예산 감축

---

22) 폐지되는 부서는 네트워크 및 정보통합 차관실(the office of the assistant secretary of defense for networks and information integration)과 사업수송청(the Business Transformation agency) 등이다. Thom Shanker, "Pentagon Plans Steps to Reduce Budget and Jobs," *The New York Times*, August 10, 2010. 이러한 부서 재조정의 결과 장군 및 제독 직위 50여 개를 포함한 다수의 민간 관료 정원 규모 축소가 예상되었다.

23) "New budget reflects shift in priorities at Pentagon," *International Herald Tribune*, (April 8, 2009); Thom Shanker, "Pentagon Told to Save Billions for Use in War", *New York Times*, June 4, 2010 등 참조. 한편 게이츠 장관이 이라크나 아프간 전쟁의 사례에 비추어 탱크, 폭격기, 항모 전력 등을 삭감해야 한다는 입장인 데 반해 존 코닌 등 일부 상원의원들은 중국의 해군확장과 러시아의 영향력 확대 시도, 북한과 이란의 핵개발 시도에 대응하기 위해서도 기존 재래식 전력 증강계획은 유지되어야 한다고 주장했다. Thom Shanker, "Clash over budgeting for new kind of war," *International Herald Tribune*, May 12, 2009 참조.

규모가 보다 늘어날 것으로 전망됨에 따라 이 같은 전력별 삭감은 더욱 광범위하게 늘어날 것으로 전망된다.

그런데 미국은 재래식 전력의 전반적인 삭감에도 불구하고, 이라크 및 아프간 전쟁에서 맹위를 떨친 특수전 장비들, 그리고 핵전력 감소에 대응하기 위한 재래식 미사일의 능력 강화 및 사이버 대응태세 강화 등에는 오히려 적극적인 입장을 보이고 있다. 러시아와의 New START 조약에 의해 미국은 2018년까지 핵탄두수를 1,550개 수준으로 삭감하게 되었는데, 이를 보완하기 위해 미국은 재래식 미사일로 지구상 어떤 목표든지 1시간 이내에 타격할 수 있는 글로벌신속타격Global Prompt Strike 체제 구축을 추진하고 있다. 미국 전략사령부Strategic Command가 추진하는 이 체제는 2015년까지 캘리포니아 반덴버그 기지에 설치될 전망이다.[24)]

미국은 점증하는 제3국으로부터의 사이버 위협에 대응하기 위해 2010년 5월, 전략사령부 예하에 사이버사령부를 신편하였다. 사이버사령부의 설치와 함께 미 국방성은 2011년 7월, 최초의 사이버전략서를 공표하여, 사이버 공간에 대해 가해지는 공격을 전통적 전쟁행위와 같은 것으로 간주하고, 군사적 수단에 의한 보복도 불사하겠다는 전략방침도 새롭게 표명하였다.[25)]

게이츠 장관은 이라크와 아프간 전쟁에서 유효성이 입증된 프리데이터Predator와 리퍼Reaper 등 무인비행기UAV, 원격조정 차량, 의료지원헬기 등의 장비들은 지속적으로 증강해야 한다고 주장했다. 이 같은 입장에 부응하여 미 해군 등이 발주하여 노스롭 그라망이 추진해온 항모발진용 무인항

24) 2010년 4월, 백악관은 이 계획을 위한 2억 5천만 달러 예산을 의회에 요구하였다. David E. Sanger and Thom Shanker, "U.S. Faces Choice on New Weapons for Fast Strikes: A Nonnuclear Option," *The New York Times* (April 23, 2010).

25) 사이버전략서에 대한 소개는 David E. Sanger and Elisabeth Bumiller, "Doctrine on cyberwar takes shape at Pentagon," *International Herald Tribune*, June 2, 2011 참조.

공기 개발은 계속 추진되고 있고, 2011년 2월에는 시험비행이 실시되기도 하였다.[26)]

미국은 국방예산의 삭감에도 불구하고 아시아태평양 지역에 대한 미국의 전방전개 태세에는 영향이 없을 것이라고 여러 차례 확인하였다. 이 같은 발언들은 이 지역에 대한 미국의 전력전개 상황이나 동맹국과의 군사협력 양상에서 확인되고 있다. 아시아태평양 지역을 관할하는 미국 태평양사령부는 제3함대(샌디에이고)와 제7함대(요코스카)로 구성되고, 보유전력은 6개 항모전투단, 함정 90여척, 잠수함 41척 등이다.[27)] 태평양함대 사령부의 전력 및 주한미군, 주일미군의 전력 현황에는 아직 별다른 변화가 없다. 오히려 미국은 괌 지역의 전력을 증강하거나, 아시아 각국과의 연합훈련 태세를 강화하면서, 이 지역에 대한 군사적 관여를 높이고 있다.

2009년 5월 현재 B-52 전략폭격기 8대, F-15 전투기 18대 등이 배치되었던 괌의 앤더슨 미 공군기지에는 향후 무인정찰기 글로벌 호크 4대, 차세대 공중급유기 12대, 전략폭격기 6대, F-22와 F-35 등 제5세대 전투기 48대 등이 추가로 배치될 계획이다.[28)] 2011년 11월 16일, 오바마 대통령은 오스트레일리아의 길러드 수상과 가진 회담에서, 2012년에 호주 북부의 다윈 기지에 미 해병대 250인을 우선 배치하고, 최종적으로 2,500인의 해병대 병력을 배치하겠다고 밝혔다.[29)]

---

26) 미 제7함대 사령관 스코트 버스커크(Scott Van Buskirk) 중장은 이 기종이 아시아태평양 지역의 미래작전에서 중요한 역할을 하게 될 것이라고 평가하기도 했다. "U.S. developing sea-based drones to counter Chinese military advances," *International Herald Tribune*, May 17, 2011.

27) 2011년 10월 1일, 필자가 미 태평양함대사령부 기획참모부 차장 Mr. William Wesley 씨와 하와이 사령부에서 인터뷰에서.

28) 『중앙일보』 2009년 5월 14일자 기사 참조.

29) "Obama's Pacific power play: 'We are here to stay'," *International Herald Tribune*, November 18, 2011.

이뿐만이 아니라 미국은 이 지역 국가들과 다각적인 연합군사훈련 등을 실시하고 있다. 미국은 한국과 연례적으로 키 리졸브 훈련, 을지프리덤가디언UFG 훈련 등을 실시해오고 있고, 일본과도 매년 공동통합 지휘소훈련CPX 및 실병력 투입 연합훈련 등을 실시해왔다.[30] 미국은 태국과는 코브라 골드 연합훈련을 실시해오고 있고, 필리핀과도 바리카탕 연합군사훈련을 실시해왔다.[31] 여기에 더해 미국은 2009년에는 인도 및 일본을 포함한 말라바 해상훈련을 일본 서측 해역에서 실시한 바 있고, 2011년 7월에는 일본 및 오스트레일리아 등과 함께 브루나이 해상에서 연합해군훈련을 실시하기도 하였다. 이외 동년 7월 15일에는 베트남과 함께 다낭 해상에서 연합해군훈련을 실시하였다.[32] 이 같은 훈련 양상을 보면, 미국은 국방예산 삭감에도 불구하고, 아시아 태평양 지역에서는 역내 동맹 국가들과의 군사적 제휴를 강화하면서, 중국의 부상에 대응하는 견제hedge 전략을 전개하고 있는 것으로 보여진다.

2. 중국

중국의 군구조는 총참모부 예하에 육군 7대 군구, 해군, 공군, 제2포병, 인민무장경찰로 구성되어 있다. 총 병력은 230만 명에 달하고 있는데, 중국은 이를 150만 명 수준으로 감축하면서, 전력의 정예화를 도모하는 개혁을 진행시키고 있다. 중국은 2010년도의 경우 〈표 2〉에서 보이는 것처럼 국방비를 764억 달러 수준으로 공표했으나, 실제적으로는 항모건조비, 국방관련 연구비, 탄도미사일의 위성파괴 실험비, 퇴역군인 연금지원액 등은 가산되지 않아, 이를 포함할 경우 실제적으로는 미국에 이어

---

30) 2010년 12월 자위대 3만 4천 명, 주일미군 1만 명이 참가하여 실시된 자위대와 주일미군간의 연합훈련은 1986년 이래 10회째를 맞는 훈련이었다.

31) 1982년부터 실시해온 코브라골드 훈련에는 일본 자위대도 참가해왔고, 2010년부터는 한국 병력도 참가하고 있다.

32) 『朝日新聞』 2011년 7월 16일 참조.

세계 2위 수준인 1,000억 달러에서 1,500억 달러에 달하는 것으로 추정되고 있다.[33)]

〈그림 2〉 중국의 군구조

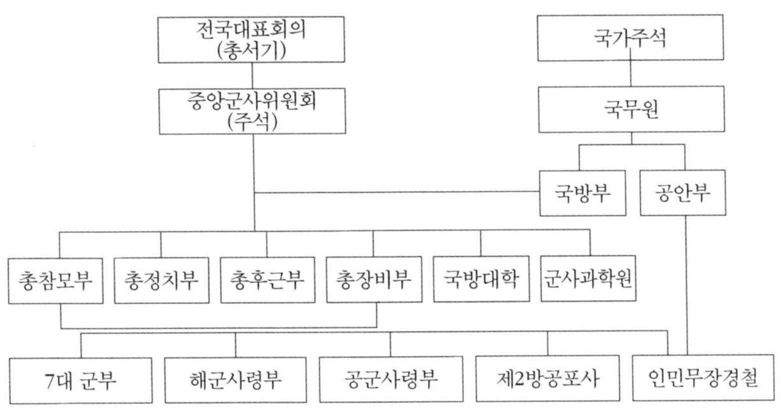

출처: 공군본부, 『2011 외국 군구조 편람』, 공군본부, 2011, p. 90.

중국은 이러한 국방비를 바탕으로 미국과 러시아 등이 갖고 있는 전 무기체계와 동일한 무기체계를 보유하려고 하고 있다. 1964년 최초의 핵실험 성공 이후 현재 중국은 400여 발의 핵탄두를 보유하고 있는 것으로 추정되고 있다. 중국은 대륙간 탄도미사일ICBM, 잠수함 발사 탄도미사일SLBM 등의 운반수단 확보에도 노력을 기울여 2010년 현재 66기의 ICBM(동풍 31, 사정거리 12,000km)과 36기 정도의 SLBM(巨浪-2, 사정거리 8,000km)을 갖고 있는 것으로 보인다.[34)] 2000년대 초반 중국의 ICBM이 20여 기였던 것에 비하면 그간 중국이 대폭 ICBM 전력을 증강

33) 『朝日新聞』 2010년 3월 5일자 기사.
34) *The Military Balance* 2011 (IISS, 2011), p. 230 참조.

시킨 것을 알 수 있다.[35] 중국은 사정거리 1,500km 전후의 중거리 미사일, 즉 둥펑(東風)- 21 등을 118기 정도 보유하고 있다. 중국은 2010년 5월, 대함탄도미사일 DF-21D를 실험하였는데, 이로 인해 DF-21D 미사일은 미국 항모의 중국 접근을 저지하기 위한 목적의 항모킬러 미사일로 간주되고 있다.[36]

중국은 전형적인 대륙국가로서 해군력을 지상전략에 종속되는 것으로 간주해왔다. 건국 초기 근해방어를 중점적 전략으로 추진해왔던 중국은 2000년대 이후 경제적 성장과 원양항행의 증대 등을 배경으로 원해진출 및 원해방어전략으로 전환하기 시작했다.[37] 이에 따라 수상함, 잠수함 등 중국 해군의 전력증강 양상에 변화가 나타나고 있다. 잠수함 전력은 중국 같은 대륙국가가 미국이나 영국 등 해양력이 강대한 국가를 상대하는 데 있어 반접근 및 지역거부Anti-Access and Area Denial 전략을 달성하는 데 유용한 자산으로 평가된다.[38] 중국은 2002년에 러시아로부터 킬로급 잠수함 8척을 구입하였고, 2004년도에는 원(Yuan)급SS 및 진급 잠수함SSBN을 진수시키는 등 잠수함 전력을 지속적으로 증강해 왔다.[39] 이 결과 2010년 현재 중국은 전략잠수함SSBN으로서 시아급 1척, 진급 2척 등 3척을 보유하고 있고, 전술잠수함은 한(漢)급 4척, 상(商)급 2척을 포함하여 모두 68

---

35) 국내 언론은 중국이 둥펑-31A 발사여단을 기존 1개 여단에서 2개 여단으로 증설하였을 것이라고 추정한다. 『조선일보』 2011년 9월 15일.

36) "U.S. developing sea-based drones to counter Chinese military advances," *International Herald Tribune*, May 17, 2011.

37) 미국 Naval War Colege 교수인 Nan Li 박사가 2010년 11월 19일, 보스턴대학 세미나에서 발표한 Nan Li, "China's Evolving Naval Strategy," (2010. 11. 19) 참조. 2007년 중국 공산당 제17전대에서 후진타오 중앙군사위 주석은 해군에 대해 근해종합작전능력을 향상시킴과 동시에 원해방위형으로 전환해야 한다고 강조한 바 있다. 防衛省防衛研究所 編, 『中國安全保障レポート』(東京: 防衛研究所, 2011), p. 12.

38) Robert S.Ross, "China's Naval Nationalism:Sources, Prospects, and the U.S. Response," *International Security*, vol.34, no. 2 (Fall 2009).

39) 防衛省防衛研究所 編, 『中國安全保障レポート』(東京: 防衛研究所, 2011), p. 30.

척에 이른다.[40] 2001년 시점의 잠수함 구성과 비교해보면 진급 전략잠수함, 상(商)급 전술잠수함, 원(Yuan)급 잠수함 등이 새롭게 취역된 것을 알 수 있다.

중국 해군의 주요 수상함정으로는 구축함 13척, 프리게이트함 65척을 들 수 있다. 그런데 최근에 중국은 이에 더해 항모 건조에 박차를 가하고 있다. 중국은 2011년 4월 현재 다롄조선소에서 러시아로부터 도입한 항모 스랑을 개조 중이며, 상하이 조선소에서는 독자적 항모 1척을 건조하고 있다. 이에 따라 2015년 전후로 중국은 항모 2척을 운용할 것으로 보여진다.[41] 중국의 항모보유는 1980년대 해군사령관 및 중앙군사위 부주석을 역임한 유화청(劉華淸) 제독이 원대하게 제시한 제1도련 및 제2도련 방어구상에서 유래한다. 유화청 제독은 2010년까지 중국 해군이 타이완–오키나와–필리핀을 잇는 제1열도선(島連) 내에서 제해권을 확립하고, 2020년까지는 오가사와라–괌–인도네시아를 잇는 제2열도선 내에서 제해권을 확립해야 한다고 주장하면서, 제2열도선의 통제를 위해 항모건조가 필요하다고 주장했던 것이다.[42] 따라서 항모를 보유할 경우 중국의 해군활동은 보다 더 광범위한 해역에서 활발하게 전개될 것으로 예상된다.[43]

중국 공군은 1998년에 제4세대 전투기인 J-10이 최초로 비행하였고, 1999년 이후 러시아로부터 SU-30이 도입되었다. 이후 이들 기종 및 J-11 등을 포함하는 제4세대 전투기의 점유비율이 높아지고 있다.[44] 1991년

---

40) *The Military Balance 2011* (IISS, 2011), p. 231 참조.

41) 『朝日新聞』 2009년 2월 13일 및 『조선일보』 2011년 4월8일 기사 참조.

42) 『朝日新聞』 2010년 8월 18일.

43) 다만 항모 운용에는 항모 자체뿐 아니라, 전문적 인력, 대잠전 능력, 방공능력 등이 종합적으로 요구되기 때문에, 중국으로서도 손쉬운 과제는 아닐 것이라는 전망도 강하다. Yoji Koda, "Japanese Perspective on PRC's rise as a Naval Power: Role of the USA, Japan and the ROK for our future," 한국전략문제연구소 국제학술세미나 발표논문, (2011년 7월6일).

44) 2010년 현재 J-10기는 144기, SU-30은 73기를 보유하고 있다. *The Military Balance*

에 개발된 공중급유기 H-6U는 현재 10기 정도를 운용하고 있고, 조기경계관제기인 KJ-2000과 KJ-200도 도합 8기를 운용하고 있다. 여기에 더해 중국은 아프간, 이라크 전쟁을 통해 효용성이 입증된 무인정찰기를 적극적으로 개발, 운용하고 있으며,[45] 2011년 1월에는 스텔스 성능을 가진 제5세대 전투기 J-20을 공개하기도 하였다.[46]

중국은 우주개발에도 적극적인 행보를 보이고 있다. 중국 공군 장성인 이학충(李學忠)은 최근 간행된 『국가항공우주안전론』이라는 책자에서 중국 우주개발전략의 단계를 논한 바 있다. 이 책에 의하면 중국은 2020년까지는 장비개발과 인재양성에 주력하면서, 우주에서의 국가이익 보호를 위한 초보적 태세를 정비하고, 2030년까지는 우주에서의 위협에 대비하는 공격과 방어의 능력을 갖추어 우주 공간에서의 대국의 지위를 점하며, 2050년까지는 우주 안보시스템을 완성하여 선진국 수준에 도달해야 한다고 하였다.[47] 이러한 우주개발전략에 따라 중국은 군총장비부를 중심으로 하여 독자의 GPS 체계 구축 및 우주선 발사 등을 추진하고 있다. 중국은 2011년 4월 현재 8기의 항법위성을 발사하여, 독자적인 GPS 체제인 베이더우(北斗) 구축을 위한 제1단계 작업을 완료했으며,

---

2011 (IISS, 2011), p. 234. 그런데 제4세대 전투기가 전체 공군기 가운데 점하는 비율에 대해 상이한 견해가 존재한다. 일본 방위연구소는 2010년 기준으로 28%라고 보는 반면, 최종건 교수는 53%까지 보고 있다. 防衛省防衛硏究所 編, 『中國安全保障レポート』(東京: 防衛硏究所, 2011), p. 32 및 최종건, 「전투항공력 변화의 경험적 분석: 중국과 일본의 전투항공력 측정과 한국전략혁신의 함의」, 제14회 항공우주력 국제학술회의, 『21세기 전략혁신과 공군의 역할』발표논문(2011. 6. 28).

45) 2009년 10월 1일, 중국 건국 60주년 기념 군사퍼레이드에 무인정찰기가 공개된 바 있다. 최근 중국 기업들에 의한 무인비행기 개발 추세에 관해서는 Scott Shane, "Proliferation of drones poses a fresh global threat," *International Herald Tribune*, October 10, 2011 참조.

46) 스텔스전투기는 미국의 F-22 랩터가 기존에 유일한 기종이었으며, 러시아는 현재 개발 중인 것으로 알려지고 있다. Michael Wines and Edward Wong, "China's Push On Military Is Beginning To Bear Fruit," *New York Times*, January 6, 2010.

47) 『朝日新聞』 2011년 11월 8일 중국군 관련 특집기사 참조.

2015년까지 30기의 위성을 발사하여 독자적 GPS 체제를 구축한다는 목표를 수립하고 있다.[48] 2011년 11월 3일에는 군 총장비부가 중심이 되어 개발, 발사한 무인우주선 신주(神舟) 8호와 무인우주실험실 천궁(天宮) 1호가 도킹하는 개가를 올리기도 하였다.

중국은 이 같이 육해공군 및 우주전력 증강에 박차를 가하면서, 특히 해군력을 운용한 군사력의 원거리 투사를 시도하고 있다. 중국 해군함정은 2009년 이후 소말리아에 파견되어 해적퇴치 활동을 전개하고 있으며, 2010년 3월에는 중동지역 아부다비에도 기항하였다. 뿐만 아니라 중국 해군 함정들은 제1도련선에 해당하는 오키나와와 미야코 사이의 공해, 혹은 제2도련에 해당하는 남중국해와 필리핀선을 잇는 해역을 넘어 서태평양상에 전개하여 수시로 군사훈련을 행하고 있다. 중국은 파키스탄, 미얀마, 스리랑카 등과 협정을 맺어 이들 국가들의 해군기지 건설을 담당하거나, 경제원조를 행하면서, 이들 국가들에 대한 영향력을 강화하고 있다.[49] 나아가 중국은 북한으로부터 청진항 부두 사용권을 받아내었고, 2011년 8월에는 해군 함정들이 원산항을 친선방문하기도 하였다.[50]

중국의 이러한 군사력 증강 및 해양에서의 영향권 확대 움직임은 미국을 중심으로 다양한 반응을 낳고 있다. 혹자는 중국이 해상거부sea denial의 목표를 갖고 미국 항모집단이 아시아 본토에 접근하는 것을 저지하려는 전략을 갖고 있다고 우려한다.[51] 다른 한편 이러한 중국을 위협시하지 말고 다양한 협력관계 구축을 통해 중국을 건설적 협력자로 유도하자는 의견도 적지 않게 존재하고 있다.

---

48) 『중앙일보』 2009년 3월 26일 및 2011년 4월 21일 기사 종합.

49) Edward Wong, "Chinese Military Seeks to Expand Its Naval Power:A Rapid Buildup is Seen," *The New York Times*, April 24, 2010.

50) 『朝日新聞』 2011년 11월 6일 및 『중앙일보』 2011년 8월 5일 참조.

51) Robert D.Kaplan, "Lost in the Pacific: Asia Rising," *International Herald Tribune*, September 22-26, 2007.

3. 일본

일본은 2006년 자위대 지휘체제의 변환을 단행했다. 이 조치에 따라 기존의 통합막료회의가 통합막료감부로 재편되었고, 통합막료감부가 육상자위대의 중앙즉응집단과 각 방면대, 해상자위대의 자위함대, 항공자위대의 항공총대 등 작전부대에 대한 군령권을 직접 행사하도록 되었다. 소위 합동형 지휘체제로 변화되면서, 자위대의 작전에 관한 보다 일원적인 지휘체제가 가능하도록 하였다.

그러나 이후 일본의 재정상황 악화, 그리고 2011년의 후쿠시마 대지진 사태 등에 따라 국방비 지출은 정체되는 경향을 보이고 있고, 이에 따라 육해공 자위대의 재래식 전력은 오히려 삭감되는 추세를 보이고 있다. 육상자위대는 자위관 규모가 1천 명 정도 축소되었고, 보유 전차 및 화포도 600대(문)에서 400대(문)로 대폭 축소되도록 되어 있다.

반면 새로운 위협요인으로 인식된 테러리즘에 대응하기 위한 특수전 전력이나 정보수집 및 원거리 투사능력은 강화되고 있다. 육상자위대의

〈그림 3〉 일본의 군구조

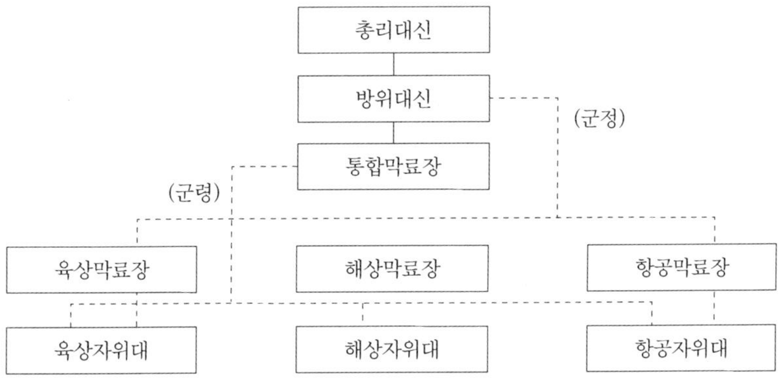

출처: 공군본부, 『2011 외국 군구조 편람』, 공군본부, 2011, p. 63.

경우 2007년 창설되어 대테러 및 게릴라 등의 특수작전 및 국제평화협력 활동 등을 담당하도록 된 기동운용부대로서의 중앙즉응집단이 지속적으로 강화되고 있다. 해상자위대는 기존에 16척이었던 잠수함 전력을 향후 22척으로 증강하려는 계획을 확정하였고, 기존에 획득한 배수량 1만 3천 5백 톤급의 헬기탑재호위함DDH 휴가 및 이세 이외에 배수량 2만 톤에 육박하는 헬기탑재호위함DDH 2척의 신규획득도 추진되고 있다. 이지스급 구축함도 기존의 4척 태세에서 2척의 신규획득이 추진되어 도합 6척 태세로 증강될 계획이다.

항공자위대는 기존의 노후한 F-4 전투기의 후계기로서 F-35를 염두에 두면서 선정 작업을 진행하고 있고, 무인전투기의 개발도 추진하고 있다. 미국이 수행하는 아프간, 이라크 전쟁에 무인전투기가 군사적으로 큰 역할을 한 것이 사실이다. 또한 후쿠시마 대지진 발생 시 미국이 괌 기지에서 글로벌 호크 무인기를 파견하여 원자력발전소의 상황을 파악하는데 활용한 바 있다. 이를 주목한 일본 정부는 무인전투기가 자연재해 대비 및 장차의 군사적 긴급사태에 큰 효용성이 있다고 보고, 2012년도 이후 예산에 무인전투기 개발을 위한 예산을 본격적으로 편성할 계획을 세우고 있다.[52] 항공자위대는 스텔스기도 개발 중이고, 2014년에는 시제품이 생산될 전망이다. 일본은 북한 및 중국에 의한 탄도미사일 위협을 잠재적 위협요인으로 인식하고 있다. 이에 대응하기 위해 미국과의 협력하에 미사일 방어체제를 구축해왔고, 이 결과 2008년까지 지상에는 PAC-3 시스템을, 해상에는 6척의 이지스함에 SM-3 시스템을 구축하기에 이르렀다.[53]

일본은 기존에 자위대가 배치되지 않았던 원거리 도서 방위를 위한

52) 『朝日新聞』 2011년 8월 17일 기사 참조.

53) Christopher W. Hughes, *Japan's Remilitarization* (London: The International Institute for Strategic Studies, 2009), p. 47.

시책도 추진하고 있다. 이 같은 방침에 따라 방위성은 오키나와 서쪽 미야코섬에 중대 규모(200명 전후)의 육상자위대 부대를 배치하고, 최서단의 요나구니 섬에는 육상자위대 100여 명 규모의 연안감시부대를 배치하려고 하고 있다. 항공자위대도 기존에 F-4 전투기가 배치되었던 오키나와 나하(那覇) 기지에 북동방면 미사와기지로부터 F-15J 비행단을 전환 배치시켰고, F-4 전투기들은 북동방면 기지로 전환시켰다. 이 같은 조치는 일본의 서측에 위치한 중국으로부터의 잠재적 도발요인에 대응하기 위한 목적을 가진 것이다.[54]

일본은 2008년 우주기본법 성립 이후 방위목적을 위한 우주개발 가능성을 탐색해 왔다. 이미 2003년 이후 일본은 정찰위성을 발사하기 시작하여 2011년 9월 현재 6기를 운용중에 있다. 이에 더해 일본 우주개발전략본부는 2011년 현재 1기를 운용중인 지구측위시스템GPS 위성을 향후 4내기 7기 체제로 늘려, 미국에 의존하지 않는 독자적인 GPS 시스템을 구축하려는 계획을 세우고 있다.[55]

혹자는 일본이 방위계획대강 등의 전략문서를 통해 중국이나 북한을 잠재적 위협요인으로 설정했지만, 그에 대응하기 위한 군사능력에 현저한 증강이 보이지는 않는다고 지적하고 있다.[56] 분명 일본이 평화헌법과 전수방위 원칙, 그리고 방위비의 제약을 받고 있는 것은 사실이다. 그러나 그러한 제약 속에서도 정보수집능력과 원거리 투사능력을 가진 첨단 전력을 신중하게 증강하고 있는 것으로 보인다.

---

54) 『朝日新聞』 2011년 5월 9일 기사 참조. 미국 언론은 이 같은 부대 배치가 중국에 대한 보루로서의 전략적 의미를 갖고 있다고 분석하였다. Martin Fackler, "A hesitant bulwark against China," *International Herald Tribune*, February 11, 2011

55) 일본 우주개발정책에 관해서는 『朝日新聞』 2011년 4월 23일 및 9월 24일 기사 참조.

56) Narushige Michishita, "Arms Race?: Military Buildup and the Future of Arms Control in Northeast Asia," 국방대학교 안보문제연구소 주최 세미나 발표문(2008. 10. 29).

4. 러시아

〈표 2〉에 나타난 것처럼 러시아는 2009년도를 제외하고는 2000년대 접어들어 지속적으로 국방비를 증액시켜 왔다. 그 결과 2010년 시점의 러시아는 영국, 프랑스, 일본 등과 국방비 총지출액이 동등한 수준에까지 이르렀다. 한편 러시아는 기존의 방대한 군조직을 통합하고 병력규모를 축소하는 개혁을 단행하고 있다. 2010년 7월에는 기존의 6개 군관구 및 함대 조직을 통합하여 4개의 합동전략사령부로 재편하는 조치가 취해졌고, 이에 따라 2012년까지 병력규모도 120만 명에서 100만 명 수준으로 축소되도록 되었다.[57]

그 결과 러시아는 증액되는 국방비를 보다 중요성이 높은 군사력 증강 소요에 집중적으로 투입할 수 있게 되었다. 러시아는 미국이 독점해온 GPS 체제에 대한 의존을 줄이기 위해 자국의 독자적인 GPS 체제를 건설하려고 하고 있다. 이러한 목표에 따라 2011년까지 총 30기의 항법위성

〈그림 4〉 러시아의 군구조

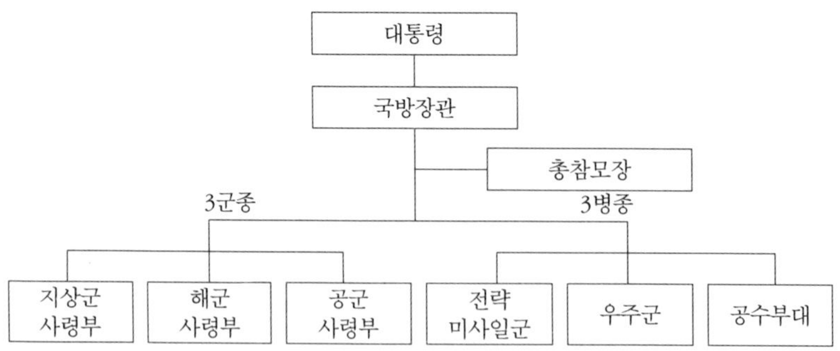

출처: 공군본부, 『2011 외국 군구조 편람』, 공군본부, 2011, p. 114.

57) 이홍섭, 「21세기 새로운 위협과 러시아의 전략적 대응」, 국방대 안보문제연구소 편, 『21세기 국제안보의 도전과 과제』, 사회평론, 2011 참조.

을 발사하여 러시아판 GPS 체제인 글로나스 체제를 구축하려고 하고 있다.[58)]

또한 러시아는 지구온난화에 따라 해빙이 되면서 새롭게 항로가 개척되고, 에너지 자원의 개발도 가능해진 북극해 지역에서의 국가안보를 보장하기 위해 새롭게 "북극군"을 신편하려고 하고 있다. 북극군이 창설되면, 북극해의 자원개발과 영유권 확장을 위한 러시아의 정책이 더욱 탄력을 받을 것으로 예상된다.

러시아는 미국의 미사일 방어망 구축 정책에 대응하여 2006년도에 토폴미사일을 새롭게 배치하는 등 전략미사일 전력도 강화해왔다. 흥미로운 점은 러시아의 미사일 전력이 태평양함대와 쿠릴 열도 등 극동 방면에 집중하여 증강되고 있는 점이다. 2011년 3월 1일, 러시아 군참모본부장은 일본 북방의 쿠릴 열도에 이동식 순항미사일 야혼트(사정거리 300km)와 대공미사일 토루를 배치하겠다고 밝힌 바 있다.[59)] 동년 9월 8일에는 푸틴 총리가 배수량 2만 4,000톤에 달하는 핵전략 잠수함 유리 돌고루키를 태평양함대에 배치하겠다고 밝혔다. 이 잠수함은 잠수함 발사 대륙간 유도탄인 블라바를 12기 탑재할 수 있는 위력을 갖고 있는 것으로 알려지고 있다.[60)]

러시아는 상하이협력기구 회원국들과의 연합군사훈련도 활발하게 전개하고 있다. 2009년 4월에는 타지키스탄에서 6개 회원국과 정기적인 연합군사훈련을 실시하였고, 동년 7월에는 중국과 연합군사훈련인 "평화의 사명 2009"를 하바로프스크와 중국 길림성 일대에서 실시한 바도 있다.

지속적으로 증대되는 국방비를 배경으로 러시아의 군비증강은 향후

---

58) 『중앙일보』 2009년 3월 26일 기사 참조.

59) 그는 일본과의 영유권 분쟁이 벌어지고 있는 에토로프 섬에는 신형의 공격형 헬기도 배치하겠다고 밝혔다.『朝日新聞』 2011년 3월 2일.

60) 『조선일보』 2011년 9월 9일.

에도 이어질 것으로 보인다. 러시아의 군비증강은 중국처럼 미국을 비롯한 서방 국가들에게 우려를 자아내고 있지는 않다. 그러나 여전히 나토 등을 가장 주요한 안보위협요인으로 인식하고 있는 러시아의 군사력 증강이 향후 어떤 성향을 띠게 될 것인가는 계속 주목할 필요가 있다.

5. 동북아 주요 4국의 군사력 증강 특성 및 군사력 균형 평가

가. 주요 국가들의 군사력 증강 경향

이상에서 살펴본 동북아 주요 각국들의 군사력 증강 현황을 살펴보면 몇 가지 특성이 발견된다. 첫째, 각국이 공통적으로 정보수집능력의 강화에 역점을 두고 있다는 것이다. 아프간 전쟁 및 리비아 내전 사태에서 불확실한 전장 상황을 최대한 정확하게 파악하기 위해 무인정찰기 및 정찰위성 등의 유용성이 입증되었다. 이러한 추세를 반영하여 미국은 물론이고, 중국, 일본, 러시아 등이 무인정찰기 개발 및 배치에 역점을 두고 있고, 미국이 구축한 GPS 체제에 대한 의존에서 벗어나 중국, 러시아, 일본이 우주기술을 기반으로 GPS 체제를 구축하려 하고 있다.

둘째, 리비아 내전 사태에서는 카다피군이 구축하였던 방공망 및 레이더망을 돌파하기 위해 개전 초기 나토 국가들은 전자전기 및 스텔스기를 적극 활용한 바 있다.이러한 추세를 감안하여 미국, 중국, 일본, 러시아도 전자전기 및 스텔스기를 경쟁적으로 개발하거나 배치하고 있다. 미국은 물론이고, 중국은 스텔스 성능을 보유한 J-20의 시험비행에 성공하였고, 일본도 독자적으로 스텔스기를 개발하고 있다.

셋째, 각국이 공통적으로 원거리 타격능력을 강화하고 있다. 미국은 기존의 ICBM, SLBM 자산 이외에 재래식 미사일을 사용한 Global Prompt Strike 체제를 구축하고 있고, 중국도 공중급유기 및 ICBM, SLBM 전력을 증대시키고 있다. 또한 중국은 전략핵미사일을 탑재할 수 있는 진급 잠수함과 상급 원자력 잠수함 전력도 증강하고 있다.

넷째, 각국은 새로운 공간으로 부상하는 사이버 공간에서의 취약성에 대비한 사이버 사령부 신편을 서두르고 있다. 미국이 사이버 사령부를 신편하고, 사이버 전략서를 공표하였으며, 중국도 각 부대에 사이버 대응 조직을 신편하고 있는 것으로 전해지고 있다. 일본도 미국과의 협력하에 사이버 안보에 대응하는 노력을 보이고 있다.

다섯째, 각국은 국토의 오지(娛地), 원거리 도서 등을 적극 이용한 군사력 배치를 서두르고 있다. 미국은 괌 기지에 배치된 전력을 증강하는 한편, 동중국해의 분쟁 가능성에 대비하여 오스트레일리아의 북부 다윈 지역에 해병대를 2,500명 규모로 배치하기로 하였다. 일본은 중국으로부터의 잠재적 위협에 대응하여 오키나와 서측 해역에 위치한 요나구니와 미야코 등의 도서 지역에 육상자위대 요원을 배치하려 하고 있다. 러시아는 일본과의 영토분쟁 현장이기도 한 남쿠릴 열도에 미사일 전력을 증강 배치하기로 결정하였다. 중국은 이미 하이난 섬에 잠수함 기지를 건설하였고, 광동 지역에도 탄도미사일 기지를 설치하기로 결정하였다. 이러한 원거리 도서 적극 활용은 원거리 타격능력을 극대화하는 효과를 가져올 수 있다.

나. 동북아 군사력 균형 평가

그렇다면 동북아 각국들의 군사력 증강 양상은 이들 국가 간에 군비경쟁, 나아가 군사적 대립을 야기할 것인가. 이러한 문제들을 둘러싸고 여러 논의가 전개된 바 있다.

첫째, 세계 2위의 경제대국으로 부상하는 중국이 상대적으로 쇠퇴 조짐을 보이는 미국에 대한 세력전이power transition가 이루어지고 있다는 것이다. 세력전이란 기존 강대국에 대해 도전하는 국가가 산업혁명이나 경제성장으로 국력을 증진시키면서, 세력의 우위를 확보하고, 이 과정에서 기존의 강대국과 도전국 간에 무력분쟁이 발생하기 쉽다는 이론이다. 과연

〈표 3〉 동북아 주요 국가들의 주요 전력 비교

	핵탄두	ICBM SLBM	인공위성	제4,5세대 전투기	공중급유 기	항모	잠수함
미국	2012년: 2,200 2018년: 1,550	550,432	441기	F15: 524 F16: 755 F18: 740 F22: 167	570	11	SSBN: 18 SSN: 53
중국	410	66,36	67기	J10, J11, Su-30 총 359	13	1	SSBN 3 SSN 68
일본	0	0	정찰위성 6	F2,F15 291기	4	0	SSN 18
러시아	2012년: 2,200 2018년: 1,550	ICBM : 376 SLBM	99기	MIG29: 266 MIG 31: 188 Su 27: 81	20	1	SSBN: 14

중국은 미국에 대해 세력전이의 양상을 보이고 있는 것일까?

〈표 3〉은 앞에서 소개한 각국의 군사력 증강현황을 표로 나타낸 것이다. 이를 보면 군사적 측면에서는 아직 중국은 미국과 격차가 존재한다. 핵전력, ISBM과 SLBM과 같은 전략무기, 첨단 공군력, 해군력, 우주항공 전력에서도 미국은 여전히 중국을 포함한 타국을 압도한다. 여기에 더해 미국은 글로벌 범위를 관할구역으로 하는 지역사령부 조직과 40여 개국 이상의 동맹국을 갖고 있다.[61] 경제적인 측면은 별개의 문제이겠으나, 군

61) Yan은 중국과 동맹관계를 가진 나라는 북한과 파키스탄 정도이나, 파키스탄과는 동맹조약이 맺어지지 않았고, 북한과는 동맹조약은 있으나 실제적인 연합군사훈련이나 무기거래 등은 이루어지지 않고 있다고 설명한다. Yan Xuetong, "How China can defeat America," *International Herald Tribune*, November 21, 2011.

사적인 측면에서는 여전히 미국이 세계질서를 주도하고 있다고 보아도 과언은 아닐 것이다. 다만 향후 10년간 미국이 국방비를 4,500억 달러 삭감하게 되고, 중국은 계속 10% 이상의 국방비를 지출하게 된다면, 대략 10여 년 후 양국의 국방비 수준은 비슷해질 가능성이 있다. 그러한 추세가 그 이후에도 지속된다면 미국 주도의 군사질서가 보다 다원적인 질서로 변화될 가능성은 있다.

둘째, 중국이 아직 미국의 패권적 지위까지는 이르지 못했다 하더라도 미중 간 세력경쟁의 구도가 나타나고 있으며, 여기에 중일 간의 갈등구도까지 더해져 동북아 지역이 신냉전의 구도를 전개하고 있다는 시각이다. 이러한 주장에는 몇 가지 근거가 있다고 보여진다. 중국 군부는 여전히 미국을 안보위협요인으로 인식하고, 미국의 군사력에 대응하는 군비증강을 추진하는 것이 사실이다. 이러한 중국 움직임에 대해 미국도 군사력의 배치 전환, 동맹체제의 강화 등을 통해 대응하고 있다. 2010년 QDR 발표 이후 미국의 해 · 공군에서 논의되는 AirSea Battle 구상도 중국의 군사적 부상을 전제로 하고 있다. 여기에 일본도 2000년대 이후 일련의 전략문서 등을 통해 중국을 북한과 더불어 잠재적 위협으로 인식하고, 이에 대한 자위대의 군사적 대응조치를 취하고 있기 때문이다.

그런데 다른 한편 미국과 중국, 일본과 중국 간에는 향후 협력을 도모하기 위한 여러 양상들도 존재한다. 무역, 투자, 금융 등의 분야에서 관련 국가들의 상호 경제관계는 심화되고 있다. 기후변화 문제, 테러리즘 대처, 글로벌 경제위기 수습 등에 관해서는 상호 정책목표가 공유되는 부분도 적지 않다. 중국의 경제성장 지속에 따라 보다 다원적인 민주사회로 점진적으로 변화될 가능성도 존재한다. 결국 미국과 중국, 일본과 중국 간에는 신냉전의 구도가 결정되었다기보다는, 대립과 협력의 가능성을 모색하면서, 군사, 경제, 외교 등의 분야에서 파워게임을 하는 양상이 현재 전개되고 있다고 볼 수 있을 것이다.

V. 한국 안보전략의 방향

동북아 주요 국가들의 군사력 증강 양상을 관찰하면서, 우리의 국방전략과 외교안보전략의 방향성을 생각하지 않을 수 없다.

대한민국이 당면한 최대의 국가안보목표는 북한으로부터의 안보위협요인을 해소하고, 나아가 북한의 평화적이고 민주적인 변화를 견인하면서, 우리의 주도에 의한 통일여건을 조성하는 것이다. 우리의 국방정책, 대북정책, 외교정책, 통일정책은 북한으로부터의 안보위협요인을 해소하고, 북한을 평화적이고 민주적인 체제로 변화시키기 위한 국가목표를 위해 상호 일관되게, 유기적으로 조정되어야 한다.

국방 분야에 국한하면, 북한의 핵개발 및 탄도미사일 개발, 장사정포를 포함한 재래식 전력 증강, 연평도 및 NLL 지역 등에 대한 국지적 도발은 우리의 국가안보를 심각하게 위협하는 요소들이다. 이러한 위협요인을 배제하고, 유사시 효과적으로 대응하기 위한 전략개념 및 전력증강이 우리에게 필요하다. 이미 국방부는 국방개혁 11-30 등을 통해 북한의 군사적 위협에 대응할 수 있는 "적극적 억제"의 전략개념과 이를 구현할 수 있는 감시정찰전력, 정밀타격 전력 등의 전력 증강 방향을 밝혔다. 그리고 이들 전력을 유사시 보다 효과적으로 운용할 수 있도록 지휘일원화의 원칙에 따라 상부구조 개편 방향도 밝힌 바 있다. 이에 더해 한미동맹 차원에서는 SCM 및 MCM에 더해 확장억제위원회를 가동하면서, 북한 핵위협에 대응하는 태세를 강구하고 있고, 국지도발에 대한 한미 양국의 공동대응계획도 마련하고 있다.

그런데 국방분야의 정책이 북한의 군사적 위협에 정면으로 대응하기 위한, 소위 "직접접근전략"의 방책이라고 한다면, 북한을 평화적이고 민주적인 방향으로 견인하기 위해서는 다른 수단에 의한 "간접접근전략"의 방책도 필요하다. 그것이 통일정책이나 외교정책이 될 수 있다.

통일정책 관련해서는 우선 당면 목적을 분명하게 설정할 필요가 있다. 이전 정부 시기에는 "한반도 평화체제 구축"이 우선순위인 것처럼 보였는데, 최근에는 통일세 논의에서 나타나듯이 '직접통일'을 염두에 둔 구상에 중점이 두어진 듯하다. 궁극적으로는 통일을 염두에 두어야 하겠지만, 통일과정에서의 여러 변수들을 고려하여 단계적으로 통일정책을 구상하는 것이 바람직하지 않을까 생각된다. 이 과정에서 현재 중단된 남북 간의 대화나 다방면의 교류들이 전략적으로 활용될 필요가 있다.

외교정책으로서는 역시 한반도 주변 국가들인 미국, 중국, 일본, 러시아 등으로부터 우리가 추진하는 정책들에 대해 정책적 공감을 이루고, 최대한의 협력을 끌어내는 것이 불가피하다. 그러한 입장에 설 경우 미중 간에, 혹은 일중 간에 신냉전을 방불케 하는 대립 구도가 형성되는 것은 우리의 국가목표 달성에 극히 불리한 환경이 될 것이다. 미국과는 전통적 우방이고 동맹국이라고 한다면, 중국과는 1992년 국교체결 이후 "전략적 협력 동반자" 관계이다. 북한의 위협을 억제하기 위해 한미동맹의 대응태세를 강화하는 것이 기본적인 방책이지만, 다른 한편 북한을 바람직한 변화의 방향으로 견인하기 위해 북한과 아직 동맹관계를 유지하고 있는 중국과의 전략적 협력도 불가결하다. 한중 양국 간에 다양한 군사적 신뢰 구축 조치도 추진하고, 그 연장선상에서 우리의 국방정책과 통일정책에 대한 중국 측의 이해와 협력을 구해야 한다.

나아가 미국과 중국, 그리고 일본과 러시아가 참가하는 다자간 협의체를 적극 활용하여 이 지역 관련 국가들이 상호 대립에 빠지지 않고, 건설적 협력을 촉진하게 하는데 우리가 적극적 역할을 해야 한다. 기존에 가동중인 아세안지역포럼ARF, 동아시아 정상회의EAS, APEC, 등의 다자간 협의체를 적극 활용하고, 6자회담도 북한 비핵화 및 그 너머의 동북아 다자간 안보협의체의 전망을 보면서 불씨를 살려야 한다.

2012년은 미국, 중국, 리시아 등에서 새로운 지도자 선출을 위한 시기이다. 북한도 후계체제가 보다 가시화될 것으로 보인다. 한국도 새로운 대통령을 뽑아야 한다.

새롭게 선출될 지도자들은 변화하는 글로벌 정세 및 지역정세를 조망하면서 새로운 안보전략을 강구할 것이다. 각국이 갖고 있는 국력 자산을 최대한 활용하면서, 전략적 이익을 극대화할 수 있는 대외정책들을 전개할 것으로 예상된다. 이러한 속에서 우리가 추구해야 할 국가목표는 과연 무엇이고, 그것을 실현할 수 있는 우리의 능력 요소들은 나라의 안과 밖에 어떤 것들이 존재하고 있는지 중지를 모아 검토해야 할 시기이다. 이러한 능력요소들을 활용하여 국가목표를 달성해나가는 국가안보전략의 책정이 중대한 과제로 떠오르고 있다.

| 저자약력 |

박영준 국방대학교 교수, 안보문제연구소 국제분쟁센터장

■ 학 력 : 연세대학교 정외과 졸업

서울대학교 외교학과 석사 및 동 박사 과정 수료

도쿄(東京)대학교 대학원 국제정치학 박사

■ 경 력 : 육사 교관

세종연구소 일본연구센터 객원연구위원

미국 하버드대학교 US-Japan Program 초빙연구원

한국국제정치학회 안보국방분과위원장(2009, 2011)

■ 전공분야 : 일본정치외교, 동북아 국제관계, 국제안보

■ 연구업적 : 『제3의 일본』(2008), 『미일중러의 군사전략』(공저:2008)『한국의 스마트파워 외교전략』(공저:2009), 『안전보장의 국제정치학』(공저:2010) 등 저서와 논문 다수

인남식 외교통상부 외교안보연구원 부교수

■ 학 력 : 연세대학교 정치외교학과 졸업

연세대학교 대학원 정치학과 석사

영국 더럼 대학교 중동정치학 박사

■ 경 력 : 한국 외국어대학교 국제지역대학원 겸임교수

한국 중동학회, 이슬람학회 이사

■ 전공분야 : 중동정치, 석유 및 테러리즘

■ 연구업적 : 21세기 신동맹: 냉전에서 복합으로 (공저: 2010), 세계평화지수 연구 (공저: 2009) 등 저서와 논문 다수

고봉준 충남대학교 교수
■학　　력 : 서울대학교 외교학과 졸업
서울대학교 외교학과 석사
Kent State 정치학과 석사(공공정책 전공)
University of Notre Dame 정치학과 박사
■경　　력 : 전 제주평화연구원 연구위원
한국평화학회 총무이사
■전공분야: 국제안보, 미국외교정책
■연구업적: 『안전보장의 국제정치학』(공저, 2010), *Developing a Region: Sketching a Path Towards Harmony*(공저, 2011), 『위기와 복합: 경제위기 이후 세계질서』(공저, 2011) 등 저서와 논문 다수

이동선 고려대학교 부교수
■학　　력 : 고려대학교 정치외교학과 졸업
시카고대학교 정치학과 석사 및 박사
■경　　력 : George Washington University 방문학자(2010)
East-West Center 연구원(2004-2006)
■전공분야 : 국제안보, 국제정치이론
■연구업적 : 저서 *Power Shifts, Strategy, and War*(2008)와 논문 다수

이병구 국방대학교 군사전략학부 조교수
■학　　력 : 육군사관학교 졸업
국방대학교 군사전략학과 석사
미 캔사스 주립대학교 정치학 박사
■경　　력 : 육군사관학교 전사학과 교관
■전공분야 : 미국 국방정책 및 군사전략, 민군관계, 사회과학연구방법

■ 연구업적 : 『2011 미 국가군사전략 분석과 한국군의 대비 방향』(공저: 2011), 『선진국 군사개혁』(공저:2011), 『2011 한반도 전략평가』(공저:2011) 등

기세찬 국방대학교 교수

■ 학　　력 : 육군사관학교 전자공학과 졸업
국방대학교 군사전략학과 석사 졸업
고려대학교 대학원 문학박사

■ 경　　력 : 항공작전사령부 교육지원장교
제1공중강습여단 작전항공장교
국방대학교 안보문제연구소 국제분쟁센터 연구위원(2011)

■ 전공분야: 동양전쟁사, 중국 군사사상, 군사전략

■ 연구업적 : 『2020 안보환경 변화 전망과 전략적 가이드라인』(공저:2010), 『2011 한반도 전략평가』(공저:2011) 등의 저서와 논문 다수

이홍섭 국방대학교 안보정책학부 부교수

■ 학　　력 : 한국외국어대학교 문학사
뉴욕주립대학교 정치학 석사
한국외국어대학교 정치학 박사

■ 경　　력 : 한양대 아태지역연구센터 연구교수
러시아과학원 극동연구소 교환연구원
한국정치학회 이사

■ 전공분야 : 러시아정치외교, 중앙아시아, 에너지정치

■ 연구업적 : 『미·일·중·러의 군사전략』(공저), 『현대러시아정치론』(공저), 『한반도와 주변4강: 체제안정성모형 정립과 활용』(공저) 등의 저서와 논문 다수

이수형 국가안보전략연구소 연구위원

■ 학　　력 : 한국외국어대학교 정외과 졸업

한국외국어대학교 정외과 석사 및 동 박사 과정 수료

한국외국어대학교 일반대학원 정치학 박사

■ 경　　력 : 서울대, 연대, 서강대, 한국외대 강사

인하대학교 국제관계연구소 연구교수

국가안전보장회의(NSC) 사무처 전략기획실

대통령비서실/통일외교안보정책실 행정관

■ 전공분야: 국제안보와 동맹정치(북대서양조약기구, 한미동맹)

■ 연구업적 : 『북대서양조약기구와 유럽안보』(2004), 『안전보장의 국제정치학』(공저:2010) 등 저서와 논문 다수

| 색인 |

ㄱ

간접접근전략 376
결의 17, 75, 80, 86, 93, 100, 106, 109, 110, 119, 120, 170, 181, 252
고립주의 303
공동외교안보정책 314
관계적 구도 60, 61, 63
9·11 11, 14, 15, 17, 24, 26, 29, 30, 35, 181, 185, 262, 264, 319, 320, 322, 333
구조적 공백 63, 64, 65, 78, 80, 81
국가건설 18, 100, 109, 129, 262
국가군사전략서 179, 214, 349, 350
국가안보전략 5, 7, 144, 145, 146, 147, 150, 170, 176, 179, 180, 181, 201, 206, 228, 264, 299, 343, 344, 345, 346, 349, 350, 352, 353, 355, 356, 378, 382
국가안보전략 2020(NSS2020) 264
국가안보전략서 144, 150, 176, 179, 180, 201, 205, 349, 350, 356
국가이익 41, 146, 147, 194, 223, 226, 232, 247, 280, 289, 305, 354, 365
국가자본주의 284
국가전략 47, 81, 157, 176, 180, 184, 196, 215, 261, 262, 286, 344, 345, 351, 353
국내정치 모델 50, 54, 55, 56
국민적 결의 93, 100, 109, 110
국방예산 154, 170, 244, 245, 351, 358, 360, 361
국방예산 감축 170, 358
국제적 위상 116
국제적 지원 94, 110
국제주의 126, 303
국제체제 88, 89, 90, 95, 98, 99, 107, 108, 117, 121, 129, 130, 231, 232, 279, 316, 321, 333
국제 테러리즘 33, 148, 149
국제 협력 165, 167, 174, 255

군사독트린 232, 267, 272, 288, 289, 293, 297, 354
군사력 투사 144, 154, 164, 165, 255, 256
군사위원회 151, 228, 229, 233, 234, 236, 237, 239, 240, 241, 246, 301, 302, 306, 362
군사전략 5, 104, 145, 147, 154, 161, 168, 173, 179, 180, 188, 198, 214, 222, 224, 232, 233, 235, 236, 252, 257, 304, 305, 306, 307, 308, 309, 327, 343, 344, 345, 349, 350, 352, 354, 355, 356, 379, 380, 381
군사화 185, 272, 275, 277
군수지원협정 203, 212, 213, 214
군 현대화 144, 154, 167, 168, 243, 245, 246
규범 모델 50, 56, 57, 59
그루지야 86, 89, 117, 118, 119, 120, 121, 131, 263, 267, 271, 281, 288, 289, 292
기반적 방위력 182, 186, 195, 196, 201, 202, 204, 205, 216, 353

ㄴ

나머지의 부상 146
나토(NATO) 5, 7, 17, 19, 20, 35, 101, 102, 105, 120, 172, 262, 263, 264, 267, 268, 281, 289, 292, 293, 295, 297, 299, 300, 301, 302, 303, 304, 305, 306, 307, 308, 309, 310, 311, 312, 313, 314, 315, 316, 317, 318, 319, 320, 321, 322, 323, 324, 325, 326, 327, 328, 329, 330, 331, 332, 333, 334, 335, 336, 337, 338, 339, 345, 347, 354, 372
내전 21, 92, 93, 100, 104, 109, 116, 149, 232, 372
네트워크 세계정치 60, 63, 64
네트워크 이론 49, 59, 61, 62, 81, 82
노드 60, 61, 65, 160
New START 조약 346, 359

ㄷ

다기능 탄력적 방위력 186, 187, 189, 195, 202
다운로드 테러리즘 25
단극적 국제체제 89, 98, 107, 108, 117, 129
단극체제 88, 89, 90, 91, 92, 93, 94, 95, 96, 98, 117, 119, 120, 127, 128, 129, 130, 131
단기전 95, 117, 120

단합러시아당 274
대논쟁 303, 304
대량보복전략 300, 301, 304, 306
대량살상무기 68, 86, 108, 110, 144, 150, 151, 172, 185, 213, 224, 290, 317, 328, 350, 353, 354, 355
대량살상무기 확산방지구상 213
대서양동맹 299, 302, 311, 313, 314, 315, 320, 323, 324, 325, 330
대서양주의자 330
대전략 145, 154, 345
WMD 테러리즘 152, 172
데이턴 협정 316
동맹안보선언 322
동반자관계 253, 281, 312, 313, 315, 317, 318, 319, 321, 323, 326, 330
동적 방위력 70, 197, 201, 202, 204, 205, 206, 210, 216, 353
동적 억지력 195, 196, 197, 201

ㄹ

라스무센 322
런던회담 311
로마회담 311
리가 정상회담 322, 331
리더십 32, 94, 96, 106, 116, 126, 129, 146, 158, 272
리델 하트 344, 345
리스본회담 303, 304
링크 61, 63, 64, 65, 78

ㅁ

메드베데프 261, 262, 263, 266, 277, 279, 280, 281, 285, 286, 287, 288, 290, 293, 346
무극체제 321, 333
무기수출 3원칙 190, 195, 196, 197, 216
미사일방어체제 184, 209, 267, 289

미일동맹 180, 182, 183, 187, 189, 190, 191, 192, 195, 197, 202, 203, 205, 206, 210, 211, 213, 216, 353
민심 105, 113, 132, 133
민의 92, 324

ㅂ

반접근 및 지역거부(A2/AD) 144, 154, 155, 161, 163, 172, 173, 363
방위계획대강 5, 70, 71, 81, 179, 180, 181, 182, 185, 186, 187, 188, 189, 190, 192, 193, 194, 195, 196, 197, 198, 199, 200, 201, 202, 203, 204, 205, 206, 207, 208, 209, 210, 211, 213, 215, 216, 217, 353, 356, 369
방위성 180, 187, 188, 191, 192, 196, 197, 198, 201, 209, 212, 369
방위위원회 301
번역 65, 344
범정부적 접근전략 156, 157
병력증파 113, 124
보스니아-헤르체코비나 316, 317
보통국가 185, 188, 215, 217
복합네트워크 78
북대서양이사회 301, 303, 306, 309, 312, 322
분란전 87, 88, 120, 131, 135
불량국가 108, 269
비핵3원칙 184, 199
비확산 47, 48, 49, 50, 52, 53, 54, 56, 58, 59, 60, 62, 63, 64, 65, 66, 71, 72, 73, 74, 76, 77, 78, 79, 80, 81, 82, 169, 186, 277, 293, 294, 314, 315, 325, 350
비확산 체제 71, 72, 74, 81, 82, 169

ㅅ

사이버전 164, 174, 359
새로운 전망 305
생존 91, 93, 94, 95, 100, 108, 110, 111, 160, 173, 227, 230, 246, 308, 310
서유럽연합 303

세력균형 51, 90, 130, 253, 321
세류드코프 262
소극적 안전보장 53, 162, 163
스트라스버그-켈 정상회담 322
신테러리즘 11, 12, 14, 33, 40
실로비키 275, 276, 284
CBRN 150

ㅇ

아랍의 봄 148
IAEA 72, 73, 74, 75, 153, 169
아프가니스탄 12, 15, 16, 17, 18, 19, 20, 23, 24, 26, 27, 35, 47, 58, 86, 87, 89, 96, 98, 99, 100, 101, 102, 103, 104, 105, 106, 107, 109, 117, 118, 121, 122, 123, 124, 125, 126, 128, 129, 132, 144, 147, 150, 158, 171, 225, 282, 294, 319, 320, 325, 332
아프간전 35, 87, 89, 99, 105
아프간 전쟁 5, 16, 17, 85, 86, 87, 99, 100, 101, 234, 358, 359, 372
안보 모델 50, 51, 52, 53, 54, 55
안이함 90, 91, 92, 93, 94, 95, 99, 103, 108, 111, 112, 118, 123, 124, 126, 127, 128, 129, 131, 132
안정화 12, 16, 17, 20, 21, 22, 23, 51, 93, 104, 105, 112, 114, 119, 123, 124, 132, 133, 157, 158, 174, 175, 199, 325
안정화작전 20, 104, 105, 112, 119, 157, 158, 174, 175
알 카에다 13, 15, 16, 17, 21, 23, 24, 25, 26, 27, 29, 30, 31, 32, 33, 34, 35, 36, 37, 86, 99, 100, 101, 102, 103, 104, 105, 108, 123, 144, 148, 149, 150, 152, 264, 265, 351
애치슨 보고서 307
앤아버 연설 307
야심 90, 91, 94, 95, 99, 100, 101, 102, 107, 108, 109, 110, 114, 117, 118, 119, 122, 126, 127, 128, 129, 131, 132, 133
약탈 112, 113
에어씨 배틀 구상(AirSea Battle Concept) 160, 161
ANT 62, 65

NSS 152, 156, 157, 167, 176, 264, 266, 267
NMS 152, 154, 157, 165
NPR 48, 69, 150, 162, 163, 169, 176
NPT 48, 51, 53, 56, 58, 59, 71, 72, 73, 74, 75, 76, 79, 80, 81, 82, 84, 162, 163, 169
영향력 23, 32, 34, 36, 53, 55, 56, 58, 60, 76, 77, 94, 116, 120, 126, 144, 150, 159, 167, 168, 215, 221, 224, 228, 247, 249, 250, 251, 269, 271, 272, 273, 275, 283, 285, 302, 321, 350, 351, 358, 366
예방전쟁 108
OPLAN 68, 69
요시다 독트린 183, 184, 185, 215
울브라이트 322, 328
울브라이트 보고서 328
워싱턴 정상회담 311
위상 30, 40, 80, 94, 96, 116, 129, 146, 197, 214, 228, 262, 274, 280, 283, 287, 288
위치권력 63, 64, 65, 81
유럽-대서양동반자관계이사회 315, 318
유럽안보방위정체성 314, 315
유럽안보협력기구 281, 314
유럽연합군사령부 303
유럽연합군최고사령부 306
유럽주의자 330
유연반응전략 300, 301, 306, 308, 309
이념 4, 23, 24, 25, 26, 27, 33, 93, 114, 115, 123, 124, 133, 148, 149, 153, 190, 196, 198, 351
이라크 5, 12, 15, 16, 17, 20, 21, 22, 23, 27, 35, 36, 37, 38, 47, 74, 77, 85, 86, 87, 88, 89, 98, 99, 104, 105, 107, 109, 110, 111, 112, 113, 114, 115, 116, 117, 118, 121, 122, 123, 124, 125, 126, 128, 129, 132, 133, 135, 144, 151, 153, 158, 184, 194, 234, 278, 320, 347, 358, 359, 365, 368
이라크전 35, 86, 87, 89, 117
이라크 전쟁 15, 16, 17, 20, 38, 88, 89, 98, 99, 107, 109, 111, 114, 116, 123, 135, 144, 153, 234, 278, 320, 347, 365, 368

이상주의 109, 213, 216
이슬람 13, 15, 21, 23, 24, 25, 27, 28, 29, 30, 31, 33, 34, 35, 36, 38, 39, 40, 41, 144, 148, 379
인간안보 18, 199
인민전쟁전략 225
일본경제단체연합회(일본경단련) 196

ㅈ

자부심 28, 90, 91, 94, 95, 96, 99, 106, 107, 108, 116, 117, 125, 126, 127, 128, 129, 131
자원전쟁 270
장기전 87, 88, 90, 94, 95, 107, 117, 126, 127, 128, 129, 130, 131
장기화 87, 88, 89, 90, 91, 94, 95, 99, 107, 109, 113, 117, 119, 121, 126, 128, 129, 161, 320
재건 16, 17, 19, 20, 21, 22, 92, 93, 101, 105, 110, 111, 112, 113, 115, 123, 124, 132, 133, 158, 261, 272, 325
적극적 근해방어 전략 249
적극적 방어 전략 235, 241
전수방위의 원칙 186, 199
전의 110, 120
전쟁장기화 88
전진방위전략 300, 301, 304
점령 92, 96, 105, 112, 113, 115, 118, 132, 159
점령단계 112
점령 작전 112, 113, 132
정권교체 12, 34, 91, 96, 100, 109, 119, 122, 129, 293, 353
정보보호협정 203, 214
정상선언 329
중개자 60, 63, 64, 65, 78, 80
중국군 조직 237
중국의 국제안보협력 223, 250
중국의 군사전략 154, 168, 222, 232, 233, 235, 257

중국의 부상 145, 176, 214, 224, 268, 361
중국의 안보전략 222, 223, 224
증파 18, 19, 21, 22, 23, 35, 101, 106, 113, 116, 124
지배연합 55, 56
지중해 대화 315, 318, 327
직접접근전략 376
집단방위 315, 317, 323, 326, 327, 328, 329, 331, 332
집단안보 289, 292, 317

ㅊ

철군 19, 21, 23, 94, 101, 102, 106, 107, 116, 117, 118, 121, 122, 124, 126
체첸전쟁 119, 264, 269, 272
초강대국 78, 89, 90, 91, 92, 94, 95, 96, 98, 99, 100, 103, 106, 117, 119, 120, 129, 224, 233
최강국 90, 91, 93, 94, 95, 96, 98, 116, 117, 120, 127, 129, 130, 131

ㅋ

QDR 152, 154, 157, 158, 160, 167, 177, 201, 349, 375
클라우제비츠 88, 344

ㅌ

탈레반 15, 16, 17, 18, 36, 86, 99, 100, 102, 103, 104, 105, 123
테러 네트워크 224
통합막료감부 180, 187, 188, 197, 209, 367

ㅍ

파키스탄 18, 24, 27, 29, 36, 51, 56, 57, 58, 73, 80, 103, 253, 254, 366, 374
판도라의 상자 310
평화를 위한 동반자관계 315, 318, 326
포괄적 정치지침 322, 328
폭력적 극단주의 36, 147, 152, 157, 167, 172, 351

푸틴 67, 261, 262, 263, 264, 265, 272, 273, 274, 275, 276, 278, 279, 280, 281, 283, 284, 285, 286, 287, 293, 295, 371

ㅎ

하스 321
한국전쟁 87, 132, 183, 302, 303
핵군축 49, 56, 59, 66, 67, 69, 169
핵없는 세상 47, 48
핵테러리즘 48, 66, 76, 169
허브 26, 64, 78, 79
확장억지 49, 68, 69, 70, 71, 202
후세인 15, 86, 111, 113, 114, 115